Treasure Islands:
Tax Havens and
the Men Who Stole the World

タックスヘイブンの闇

世界の富は盗まれている!

ニコラス・シャクソン＝著
藤井清美＝訳

朝日新聞出版

タックスヘイブンの闇

世界の富は盗まれている！

＊

目次

タックスヘイブンの闇
世界の富は盗まれている！

BOOK DESIGN 遠藤陽一(デザインワークショップ・ジン)

プロローグ
表玄関から出て行って横手の窓から戻って来た植民地主義

一九九七年九月のある晩、ロンドン北部の自宅マンションに戻ると、留守番電話にフランス語訛《なま》りの男のメッセージが入っていた。ミスター・アウトゲと名乗るその男は、私がアフリカ西岸の旧フランス植民地、ガボンに行く予定だと『フィナンシャル・タイムズ』紙の編集者から聞いたとのことで、滞在中お力になりたいと述べていた。彼はパリの電話番号を残していた。私は大いに好奇心をそそられ、翌朝その番号に電話した。

アフリカの小国へのこの旅はありふれた取材旅行になるはずだった。人口がまばらで石油資源の豊富なこの旧植民地に話のタネがたくさんあるとは思っていなかったが、英語圏のジャーナリストがそこに行ったことはほとんどなかったので、私はそこを独占できると思っていたのである。ガボンに着いた私は、アウトゲ氏がアシスタントを連れてエールフランスのファーストクラスですでに首都リーブルヴィルに来ていることを知った。彼らは最高級のホテルを一週間予約していたが、アウトゲ氏が陽気に認めたところによると、彼らの仕事は私の力になることだけだった。

私は長年、北のナイジェリアからガボンを経て南のアンゴラまで、大西洋岸の湾入部に位置する国々を訪れたり、住んだりして、これらの国について記事を書いていた。この地域はアメリカの石油輸入量の六分の一近くを供給しており、(注1)中国にもほぼ同じ割合に相当する量を供給している。そして、莫大《ばくだい》な富の化粧板の下にすさまじい貧困と不平等と対立が横たわっている。ジャーナリストはドラマチックで危険な場所で優れた記事の手がかりを得るものと思われているが、予想に反して、私は本書の物語の手がかりをリーブルヴィルでの――落ち着かないにしても――丁重な一連のミーティングで見つけた。財務大臣とのランチをご希望ですか。お安い御用です。ムッシュー・アウトゲは電話ですぐに手配してくれた。私は後にガボンの外務大臣になり、国連総会議長も務めることになる中国系ハーフの有力政治家、ジャン・ピンとも、ホテルのロビーでカクテルを飲んだ。彼は私が望むだけ時間を割いてインタビューに応えてくれ、私の家族について尋ねる心配りも示してくれた。後には、石油大臣が私の肩をたたいて、冗談半分に油田をあげようかと言ったこともあった。もっとも、彼はそのすぐ後で「いや、こうしたことは重要人物だけに言うことだ」と、その提案を撤回したのではあるが。

リーブルヴィルの街にあふれる絶望的なアフリカの貧困から二〇〇ヤード（約一八〇メートル）しか離れていないところで、私はバブルのなかを歩き回る一週間を過ごした。賞賛すべきアウトゲ氏が、私のためにエアコンの効いた豪華な一角の扉を開けてくれたのだ。私は有力者に会うための行列の先頭に案内され、有力者たちはいつも喜んで私に会ってくれた。バブルの内側にいる者であれ外側にいる者であれ、バブルを崩壊させる者は容赦しないという無言の脅しに支えられたこの特権的なパラレルワールドは人を虜《とりこ》にしやすい。だが、アウトゲ氏が私のスケジュールをつねに一杯にしておこうとしたことで、私は彼が隠したがっているものは何なのかを見つけ出そうと決意することになった。実際、私は後にパリでのスキャンダルによってエルフ事件として広く知られるようになったものに遭遇していたのである。

エルフ事件は一九九四年に小さなきっかけから始まった。この年、アメリカに本社を置くフェアチャイルド社がフランスの実業家と商事紛争を起こした。そこからフランスの証券取引委員会の調査が始まり、予審判事のエヴァ・ジョリが関わることになった。英米の司法制度では、判決を生み出すために検察側と弁護側が論戦するが、そうした敵対的要素の強い制度とは異なり、フランスの予審判事は両者の間に入る中立的な刑事に近く、真実が明らかになるまで事件を調べるものとされている。ノルウェー生まれのジョリが何かを調べるたびに、新しい手がかりが出てきて捜査が進展した。まもなく彼女は殺すという脅しを受けるようになった。ミニチュアの棺おけが郵便受けに入れられていたこともあったし、フル充填《じゅうてん》されたスミス・アンド・ウェッソンが玄関に向けられているのに気づいて事なきを得たこともあった。だが、彼女は捜査を続け、他の予審判事たちも捜査に加わるようになった。とんでもない新事実が積み重なるにつれて、彼らはエルフ・アキテーヌ社とフランスの既成政治勢力や情報機関、そしてガボンの腐敗した支配者、オマール・ボンゴをつなぐ巨大な腐敗システムの概要に気づき始めた。

ボンゴの経歴はフランスの脱植民地化の縮図である。諸国は形の上では独立したが、旧宗主国は扉の陰から支配し続ける方法を見つけたのだ。ガボンは一九六〇年に独立したが、それはこの地がアフリカの新しい有望な産油地として浮上し始めていたときで、フランスはこの国に特別な関心を寄せた。適切な大統領を据える必要があった。カリスマ性があり、強力で抜け目がなく、肝心な点では完全にフランス寄りの、れっきとしたアフリカ人のリーダーを。オマール・ボンゴはうってつけの候補者だった。彼は少数民族の出身で、国内にもともとの支持基盤を持っておらず、そのため身の安全を守るにはフランスに頼る必要があった。一九六七年、ボンゴは三二歳で世界最年少の大統領になり、フランスは彼の公邸の一つと地下トンネルでつながるリーブルヴィルの兵舎に数百人の空挺《くうてい》部隊を置いた。クーデターに対するこの抑止力はきわめて効果があり、ボンゴは二〇〇九年に死去するときには世界で最も長く政権の座にあるリーダーになっていた。私が話を聞いた現地のジャーナリストは、こうした状況を次のように言いあらわした。「フランスは表玄関から出て行って、横手の窓から戻って来た」

　フランスの支援と引き換えに、ボンゴはフランス企業に自国の鉱物資源のほぼ独占的な採掘権をきわめて有利な条件で与えた。彼はまた、スイスやルクセンブルクなどのタックスヘイブン（租税回避地）を通じて、アフリカの旧フランス植民地の石油産業とフランス本国の主流の政治勢力をひそかにつなぐ巨大で不気味なグローバル腐敗ネットワークのアフリカ側の要になる。ガボンの石油産業の一部は巨大な裏ガネ作りの場になっていて、フランスのエリートたちが使える何億ドルものカネを生み出していることを、ジョリは暴き出した。このシステムは徐々に築かれたものだが、一九七〇年代にはすでに、フランスの主要右派政党、RPR（共和国連合）の秘密の資金調達手段になっていた。[注2] 社会党のフランソワ・ミッテランは、一九八一年にフランス大統領になったとき、このフランコ＝アフリカ・オフショア・キャッシュマシンに割り込もうとし、そのためにロイク・ルフロック＝プリジャンをエルフのトップに据えた。だが、このミッテランの腹心は、賢明にもRPRを閉め出さなかった。「RPRや諜報《ちょうほう》機関への資金供給ネットワークを断ち切ったら、それは宣戦布告になることを、ルフロックは知っていた」と、ヴァレリー・ルカスブルとエーリ・ルティエは、この問題に関する信頼のおける本で述べている。[注3]「それよりもケーキを拡大するほうがよい。そうすれば、RPRのリーダーたち――ジャック・シラクとシャルル・パスカ――は、社会主義者がその一部をとっても気にしないだろう、と彼は釈明した」

　これは単に政党の政治資金調達の問題ではなかった。フランス最大手の企業グループ、エルフ・アキテーヌは、この西アフリカの産油国から引き出したカネを、カネの流れをたどっても自社には行き着かないよう細工を施しながらベネズエラからドイツ、ジャージー、台湾にまで賄賂《わいろ》を贈るためにも使っていたのである。エルフの黒いカネは、世界各地でフランスの政治・商業外交を円滑に進める潤滑油にもなっていたわけだ。ある人物は、かつてオマール・ボンゴから提供されたカネを詰めたスーツケースを持って、アンゴラの飛び地、カビンダの分離独立運動のリーダーに賄賂を渡しに行ったことがあると話してくれた。エルフはこのカビンダできわめて有利な契約を結んだ。彼の世代では最も頭の切れる政治工作者の一人だったボンゴ大統領は、フランスのフリーメイソン・ネットワークとアフリカの秘密結社を分け隔てなく利用して、フランスで最も重要なパワーブローカーの一人となった。フランスの指導者たちが重要人物――オピニオンリーダーやアフリカ各地ならびに他の地域の政治家たち――にフランスの植民地主義後の外交政策を支持させることができるか否かのカギは、彼が握っていた。エルフを核とする腐敗システムは、さらにいびつになり、さらに複雑かつ多層的になるとともに、どんどん枝を伸ばし、ルフロック＝プリジャンがやはり裏金にどっぷり浸かっていたフランスの諜報機関について「混乱状態で、誰が何をしているのかもう誰にもわからなくなっている(注4)」と評したほど、壮大な国際的腐敗ネットワークに成長した。

この途方もなく強力なシステムは、フランスが世界の経済・政治問題で実力以上の影響力を行使し、法域と法域の間、つまりオフショアで成功するのに役立った。

一九九七年末の私のガボンへの旅は、きわめて微妙な時期と重なっていた。一一月七日、私がリーブルヴィルから戻って一週間足らずのときに、元下着モデルのクリスティーヌ・ドヴィエ＝ジョンクールがパリで禁固刑を言い渡された。この時点では、彼女はまだ自分の愛人でミッテラン政権の外務大臣だったローラン・デュマの秘密は守っていた。ドヴィエ＝ジョンクールが詐欺容疑で逮捕されたのは、台湾へのフリゲート艦売却に公然と反対していたパリ政界の傲慢《ごうまん》なプリンス、デュマの姿勢を変えさせるために、エルフ・アキテーヌが彼女に「説得」を依頼し、そのために六〇〇万ドル以上のカネを渡していたことが、予審判事たちの捜査で明らかになったためだった。彼女がエルフのクレジットカードで買ったデュマへのプレゼントには、顧客の靴を年に一度シャンパンで洗うサービスを提供しているパリの高級靴店のハンドメイドのアンクルブーツもあった。

ドヴィエ＝ジョンクールの沈黙は誰にも感謝してもらえなかった。おまけに、五ヵ月半の刑務所暮らしで、彼女にはこの点について考える十分な時間があった。「一輪の花、たった一輪の花が匿名ででも送られてきていたら、それで十分だったのです」と、彼女は後に述懐した。(注5)「私にはそれがローランから贈られたものだとわかっていたでしょう」。翌年、彼女は沈黙を捨て去って*The Whore of the Republic*（「共和国の娼婦《しょうふ》」、未邦訳）という本を出版し、同書はフランスでベストセラーになった。

私がガボンに行ったのはそのようなとくに微妙な時期だったので、エルフのネットワークは怪しんだに違いない。イギリスのジャーナリストがリーブルヴィルで何を嗅ぎ回るつもりなのか。その男は本当にジャーナリストなのか、と。アウトゲ氏が私にあれほど関心を持ったのは無理からぬことだったのだ。私は先ごろ、彼と過ごしたあの一週間について質問するために、彼を探し出そうとした。彼の昔の電話番号はもう使われていなかった。パリの何人かのアフリカ専門家は彼の名を聞いたことはないと言った。インターネット検索でも、彼自身はもちろん彼が代表を務めていると言っていた会社も見つからなかった。フランスの電話帳にアウトゲという名で掲載されているただ一人の人物は――ドルドーニュの村に住む彼の妻が驚いた口ぶりで答えてくれたところによると――ガボンに行ったことはなかった。

このスキャンダルの後、フランスの政治家たちは、エルフ・システムは完全に葬り去られたと断言した。エルフ・アキテーヌは民営化されて、その後すっかり姿を変え、今では総合石油エネルギーを扱うトタル・グループの一部門になっている。だが、フランコ＝アフリカ腐敗システムのプレイヤーはエルフだけではなかった。ニコラ・サルコジが二〇〇七年にフランス大統領に就任したとき、最初に電話した外国首脳が、なぜドイツやアメリカやＥＵ（欧州連合）のリーダーではなく、オマール・ボンゴだったのか。今ではボンゴの息子、アリ・ボンゴ大統領が住む大統領官邸に今なお地下トンネルでつながっている駐屯地に、フランスの部隊がなぜいまだに駐留しているのか。こうした疑問を抱く人がいるかもしれない。エルフ・システムは死んだかもしれないが、別の何かがおそらくそれにとって代わっているのだろう。二〇〇八年一月、フランスの対外援助担当閣外大臣、ジャン＝マリー・ボッケルが、腐敗した過去との「決別」は到来に「時間がかかっている」と指摘した。彼は即座に解任された。(注6)

エルフ・システムはオフショア世界の一部であり、その象徴だった。ガボンは公表されているどんなタックスヘイブンのリストにも載せられていない。だが、非居住者のエリートに内密の腐敗した便宜を提供するという、典型的なタックスヘイブンの機能を確かに果たしていた。オフショア・システムについてと同じく、それは一種の公然の秘密だった。権力の中枢部とつながりのある一部のフランス人はそれをよく知っていたし、多くのアウトサイダーは何か重大なことが起きていることに気づいていた。それでも彼らは概してそれに気づかないふりをしていたし、いずれにしても全体を見渡すことは誰にもできなかったと言っていいだろう。だが、それは四方八方に根を張った本当に巨大な腐敗組織であり、アフリカとフランス双方の普通の人々に、ほとんど目に見えないもののきわめて深刻な形で影響を及ぼしていたのである。

すべてがタックスヘイブンを通じてつながっていた。私がリーブルヴィルにいた間に予審判事たちが気づきつつあったように、書類上のルートはたいていガボン、スイス、リヒテンシュタイン、ジャージーなどを経由していた。エヴァ・ジョリは、彼女でさえ全体図の断片しか把握できなかったことを認めた。「数限りない手がかりがタックスヘイブンの移り変わる砂のなかに消えていった。君主や終身大統領や独裁者の個人口座は、判事たちの詮索《せんさく》から固く守られていた。私は、自分がもう周縁のことを調べているのではなく、システムと対決しているのだということを理解した」。彼女のこの言葉は、フランスの政治とオフショア世界の両方について言ったものだ。「私はこれを恐ろしい多面的な犯罪が私たちの（オンショアの）砦《とりで》を包囲している状態とはみなしていない。ちゃんとした権力システムが壮大な腐敗を日々の活動の当たり前の一部として受け入れてきた問題ととらえている」

初めてリーブルヴィルを訪れるずっと前から、私はアフリカからどのように資本が流出しているかに気づいていたが、オフショア世界を取り巻く守秘性のために、そのつながりを追っていくのは不可能だった。金融機関や弁護士たちは、個別の事件で表に出ることがあっても、その後は営業機密や職業上の守秘義務というオフショアの暗闇に消え去ったものだった。どのスキャンダルでも、これらのプレイヤーのきわめて重要な役割は真剣な調査を免れた。そして、アフリカの問題はその文化や支配者のせいだ、石油会社のせいだ、植民地主義の遺産のせいだ、といった主張が展開された。オフショアの守秘性を提供する者たちが明らかにすべてのドラマの主役だったが、その商売は実態を見抜くのがきわめて難しかったし、大きな関心を寄せる者もいないようだった。

私にとって、切れ切れの糸がようやくきちんとつながり始めたのは、二〇〇五年のことだった。私はそのとき、以前シティコープにいたニューヨークの弁護士、デイヴィッド・スペンサーと、西アフリカの産油国の公的資金調達における透明性について話していた。スペンサーは私にはまったく関心のない話題、すなわち会計規則や利子所得の課税免除や移転価格について熱弁をふるっていた。西アフリカの腐敗の話にいつ移るのだろうといらいらしていた私は、ついにそのきっかけを作った。アメリカは海外から資金を引き寄せるために税制優遇措置と守秘性を提供することで、タックスヘイブンと化している、と。

アメリカ政府は海外資金の流入を必要としており、無税扱いと守秘性を提供することでそれを引き寄せている。これはアメリカ政府のグローバル戦略にとって不可欠になっていると、スペンサーは説明した。この種のインセンティブの小さな変化に反応して、大量の金融資本が世界中を駆け巡る。だが、このことは理解している人がほとんどいないだけでなく、知りたがっている人もほとんどいないと、スペンサーは言った。彼はかつて国連の重要な行事でこの基本原理を説明する講演を行ったが、講演後にアメリカ代表団の高官から、この問題に光を当てたら君は「自分の国を裏切る」ことになると言われたのだそうだ。

ハーバード・クラブでのこうした会話から、私は、アフリカの貧困と不平等の途方もない人的コストが、会計規制や課税免除のような一見人間味のない世界とどのようにつながっているのかを理解し始めた。当然もしくは必然とされているアフリカの不幸には、一つの共通点がある。タックスヘイブンと堅気の銀行家・弁護士・会計士の集団に助けられて、資金がアフリカから流出し、ヨーロッパやアメリカに流入していることだ。だが、アフリカの向こうに目をやって、これを可能にしているシステムを見たいとは、誰一人思っていなかった。

「資本逃避」という言葉そのものが、よく考えてみると、資金を失っている国に責任を押しつける言い方だ。被害者が悪いと、示唆しているのである。だが、アフリカからのどの資本逃避についても、どこか別のところでそれに対応する資本の流入があるはずだ。それなのに、流入について調べている者は一人もいない。オフショア・システムは、私が取材していた問題の単なるエキゾチックな付け足しではなかった。オフショアこそが本題だったのだ。オフショアはリーブルヴィルとパリを、ルアンダとモスクワを、キプロスとロンドンを、ウォール街とメキシコシティやケイマン諸島を、ワシントンとリヤドを結びつけている。犯罪の地下世界と金融エリートたちを、外交・情報機関と多国籍企業をつないでいる。紛争を促進し、われわれの認識を形作り、金融の不安定さを生み出し、大物たちに莫大な報酬をもたらしている。オフショアは、権力の世界が現在どのように動いているかを示す縮図である。これが、これからみなさんに示していきたいことだ。

二〇〇八年から二〇〇九年にかけて世界の首脳たちがタックスヘイブンを強く批難して以来、世界のメディアの一部では、オフショア・システムは解体された、少なくとも適切に管理されるようになっているという印象が生み出されてきた。これから見ていくように、実際にはその正反対のことが起きている。オフショア・システムはきわめて元気旺盛で、ハイペースで成長しているのである。

第1章 どこでもない場所へようこそ
オフショア入門

タックスヘイブンという巨大裏金脈

オフショア世界はわれわれのまわりのいたるところにある。世界の貿易取引の半分以上が、少なくとも書類上はタックスヘイブンを経由している。(注1)すべての銀行資産の半分以上、および多国籍企業の海外直接投資の三分の一がオフショア経由で送金されている。(注2)国際的な銀行業務や債券発行業務の約八五パーセントが、いわゆるユーロ市場――国家の枠外のオフショア・ゾーン。これについては第5章で取り上げる――で行われている。(注3)IMF（国際通貨基金）は二〇一〇年に、島嶼《とうしょ》部の金融センターだけで、バランスシート（貸借対照表）の合計額は一八兆ドル――世界総生産の約三分の一に相当する額――にのぼると推定した。しかも、これはおそらく過小評価だろうと付記したのである。(注4)アメリカ会計検査院（GAO）は二〇〇八年に、アメリカの大手一〇〇社のうち八三社がタックスヘイブンに子会社を持っていると報告した。タックスヘイブンを監視する国際市民団体、タックス・ジャスティス・ネットワークが翌年、オフショアのより広い定義を使って行った調査では、ヨーロッパの大手一〇〇社のうち九九社がオフショアの子会社を使っていることが明らかになった。どの国でも、こうした子会社を最も多く使っているのはダントツで銀行だった。

タックスヘイブンとは何かについて、衆目の一致する見解はない。実を言うと、タックスヘイブンという言葉は少し間違った呼称である。これらの場所は租税回避だけを提供しているわけではないからだ。守秘性、金融規制の回避、それに他の法域、すなわち世界のほとんどの人が居住している諸国家の法令から自由になるチャンスも提供しているのである。本書では、「人や組織が他の法域の規則・法律・規制を回避するのに役立つ政治的に安定した仕組みを提供することによって、ビジネスを誘致しようとする場所」(注5)という、タックスヘイブンの広い定義を使うことにする。要は、社会のなかで暮らし、社会の恩恵を受けることにともなう義務──納税の義務、まともな金融規制・刑法・相続法などに従う義務──からの逃げ場を提供するということだ。それが、これらの場所のコアビジネスであり、これらの場所が実際に行っていることなのだ。

この広い定義を使うことにしたのは、主として二つの理由からだ。一つは、ある地域が他の地域の法律をないがしろにすることでカネ持ちになるのは容認できるという、広く行き渡っている考えに異を唱えるため。もう一つは近代世界の歴史をとらえるレンズを提供するためだ。この定義は、オフショア・システムはグローバル経済の単なる興味深い副産物ではなく、その中心に位置するものであることを明らかにしていく助けになるだろう。

いくつかの特徴がタックスヘイブンを見分ける手がかりになる。

第一に、私の同僚たちが丹念な調査によって発見したことだが、これらの場所はすべて、何らかの形の守秘性を提供しており、程度はまちまちながら、他の法域との情報交換を拒否している。「守秘法域」という言葉は一九九〇年代末にアメリカで登場したものだが、本書ではその言葉を「タックスヘイブン」と同義で使う。どの側面を強調したいかによってどちらの言葉にするかを決めることもあるだろう。

タックスヘイブンのもう一つの共通の特徴は、もちろん税金がまったくないか、税率がきわめて低いことだ。これらの場所は人々に合法的に、もしくは違法に、税金逃れをさせることによって、マネーを引き寄せているのである。

守秘法域は、オフショアのペテンがわが身に及ばないよう、自身が提供している便宜から地元経済を完全に切り離しているという特徴も持つ。オフショアとは基本的に「ここではない場所」にある避難所のことであり、オフショア・サービスは非居住者に対して提供される。したがって、タックスヘイブンは、そこに資金を置いている非居住者には、たとえばゼロ税率を提供しているが、居住者にはたっぷり課税しているという場合もあるかもしれない。このように居住者と非居住者を分離していることは、自分たちの行っていることは害をなす場合があるということを暗黙のうちに認めているようなものだ。

守秘法域を見分けるもう一つの方法は、そこの金融サービス産業が地元経済の規模に比べて著しく大きいかどうかを見ることだ。ＩＭＦは二〇〇七年にこの方法を使ってイギリスをオフショア法域と判定したが、これは正しい判定だった。(注6)

タックスヘイブンもう一つの、より明白な印は、そこのスポークスマンが「ここはタックスヘイブンではない」と繰り返し主張し、彼らの主張では「客観的現実」と合致しない「メディアによる時代遅れのステレオタイプ」を使っている批判者たちの信用を落とすために、精力的に活動していることだ。

だが、守秘法域の最も重要な特徴——そして決定的な特徴——は、現地の政治が金融サービス業界（もしくは犯罪者、もしくはその両方）に乗っ取られており、オフショア・ビジネスモデルに対する大きな反対は排除されていることだ。私がタックスヘイブンの定義に「政治的に安定している」という要素を入れたのはこのためだ。民主政治が介入して、カネを生み出す（もしくは奪う）ビジネスを邪魔するリスクはほとんどないか、まったくないのである。この政治の乗っ取りは、オフショアの大きなパラドックスの一つを生んでいる。これらの超自由ゾーンは、批判に対して不寛容なきわめて抑圧的な場所であることが多いのだ。

内部の異論や外部の異なる視点から隔絶されているため、これらの場所は広く行き渡っている倒錯した倫理観にすっかり染まっている。犯罪や腐敗を見て見ぬふりをすることがベスト・ビジネス・プラクティスとして受け入れられており、不正行為に対して法と秩序の力を発動させることは処罰すべき犯罪とされている。素朴な個人主義が、民主主義に対する、また社会全般に対する軽視、さらには蔑視にまで変わっているのである。

「税金は庶民が払うものだ」。ニューヨークの大富豪、レオナ・ヘルムズリーがかつてこう言い放ったことはよく知られている。この言葉は正しかった。彼女自身は刑罰を免れるほどの大物ではなかったが、メディア王、ルパート・マードックは違う。FOXニュース、MySpace(マイスペース)、イギリスの大衆紙『ザ・サン』など、多くのメディア企業を傘下に持つ彼のニューズ・コーポレーションはオフショア活動の達人で、利用できる合法的手段はすべて使っている。オーストラリアのジャーナリスト、ニール・チェノウェスは、同社の収支報告書を調べて、豪ドルで申告された同社の利益が一九八七年には三億六四三六万四〇〇〇豪ドル、八八年には四億六四四六万四〇〇〇豪ドル、八九年には四億九六四九万六〇〇〇豪ドル、九〇年には二億八二二八万二〇〇〇豪ドルだったことを突き止めた。(注7)どの年も同じ並びの数字が二つ続いた額になっている。この明白なパターンが偶然のはずがない。イギリスのジャーナリスト、ジョン・ランチェスターが『ロンドン・レビュー・オブ・ブックス』に書いたように、「金額のその小さな装飾音は『ざまあ見ろ』の会計士用語なのだ」。これほど図々しい財務のペテンを前にしたら、普通の納税者にできるのは「お見事！」とうなることとだけだ。

フランス人はタックスヘイブンを変わった言葉で言いあらわす。「パラディ・フィスカル」、すなわち税金天国で、スペイン語でも同様に「パライソ・フィスカル」と言う。守秘法域のプレイヤーたちはこの言葉が大好きだ。「天国」という言葉（これは「ヘイブン（避難所）」を「ヘブン（天国）」と誤訳したため、とする説もある）は、彼らがそれと正反対の場所として描き出したがっているもの、すなわち税金の高いオンショアの地獄と対照をなし、タックスヘイブンはそこからのありがたい避難所とされる。タックスヘイブンは確かに避難所だ。ただし、一般庶民にとっての避難所ではない。オフショアは、富と権力を持つエリートたちが、コストを負担せずに社会から便益を得る手助けをする事業なのだ。

具体的なイメージを描くとすれば、こういうことになる。あなたが地元のスーパーマーケットでレジに並んでいると、身なりのいい人たちが赤いベルベットのロープの向こうにある「優先」レジをすいすい通り抜けていく。あなたの勘定書きには、彼らの買い物に補助金を出すための多額の「追加料金」も乗せられている。「申し訳ありません」とスーパーマーケットの店長は言う。「でも、われわれには他に方法がないのです。あなたが彼らの勘定を半分負担してくださらなければ、彼らはよそで買い物をするでしょう。早く払ってください」

オフショア・ビジネスとは、本質的には、国境を越えた資金移動の書類上のルートを人為的に操作することだ。どれほど人為的になりうるかを理解するために、バナナについて考えてみよう。

バナナの房はどれもみな二つのルートを通ってあなたの家のフルーツボウルに入る。一つのルートには、多国籍企業に雇われているホンジュラスの労働者が絡んでいる。その労働者がバナナを収穫し、それが梱包《こんぽう》されてイギリスに輸送される。多国籍企業はそのバナナを大手スーパーマーケット・チェーンに販売し、そのスーパーマーケット・チェーンがそれをあなたに販売する、というわけだ。

もう一つのルート――会計士が作成する書類上のルート――は、もっと回りくどい。ホンジュラスのバナナがイギリスで販売される場合、税務上の観点から見ると、最終利益はどこで生み出されるのか。ホンジュラスか、イギリスのスーパーマーケットか、それともその多国籍企業のアメリカ本社か。経営手腕やブランド名や保険は利益やコストにどれくらい寄与するのか。確かなことは誰にもわからない。そのため会計士は、多かれ少なかれ話を仕立てることができる。たとえば、仕入れネットワークはケイマン諸島で、財務サービスはルクセンブルクで運営されていることにしたほうがよいと、会計士はバナナ会社に助言するかもしれない。バナナ会社は、自社のブランドはアイルランドに置き、輸送部門はマン島に、経営部門はジャージーに、保険業務を行う子会社はバミューダに置くことにするかもしれない。

さて、この多国籍企業のルクセンブルクの金融子会社が、たとえばホンジュラスの子会社に融資して年間二〇〇〇万ドルの利子をとるとする。ホンジュラスの子会社はその額を自社の利益から差し引いて、利益（およびそれに対する税金）を削減もしくは消去する。だが、ルクセンブルクの子会社がこの取引から得た二〇〇〇万ドルの所得は、ルクセンブルクのきわめて低い税率で課税されるだけだ。会計士が魔法の杖《つえ》を一振りすれば、高い税金は消え去り、資本はオフショアに移動するのである。

大手多国籍企業は、移転価格操作と呼ばれるオフショアを使ったごまかしも多用してきた。アメリカのカール・レヴィン上院議員は、移転価格操作を「個人の脱税者の秘密オフショア口座に相当する企業のごまかし手段」と呼んでいる。社内移転価格を人為的に調整することで、多国籍企業は利益を低税率のタックスヘイブンに移し、コストを高税率の国に移して課税対象額を減らすことができるのだ。このバナナの例では、税収が貧しい国から奪い取られて豊かな国に入っている。税務官に十分な給与を払っていない貧しい国々は、高い報酬を得ている多国籍企業の強引な会計士にいつもやられてしまうのだ。ルクセンブルクの子会社からの二〇〇〇万ドルの融資が本当の市場利率で貸し付けられたと主張する人がいるだろうか。それは概して主張しにくい。これらの移転価格は、ときとして現実味がまったくなくなるほど強引に調整されることもある。中国のトイレットペーパーが一キロ当たり四一二一ドルで買い取られたこともあるし、イスラエルのリンゴジュースが一リットル当たり二〇五二ドルで買い取られたこともある。また、ボールペンが一本八五〇〇ドルでトリニダードから仕入れられたこともある。ほとんどの例はこれほどあからさまではないものの、これらのペテンの累計は途方もない額になる。世界全体の国境を越えた貿易の約三分の二が多国籍企業の内部で起きている。このような企業内貿易の価格操作のために、途上国は毎年推定一六〇〇億ドルの税収を失っている。それだけの額が医療に使われたら、五歳未満の子どもの命を毎日一〇〇〇人救うことができると、クリスチャン・エイドは試算している。(注8)

世の中を熟知している読者は、それでも肩をすくめて、これは豊かな国に住むことの醜い裏面の一部にすぎないと自分に言い聞かせるかもしれない。その場合、不本意ながらそのような斜に構えた見方をするという点で、彼らはおめでたい。なぜなら、彼らも被害を受けるからだ。税額はホンジュラスで削減されるだけでなく、イギリスやアメリカでも削減される。『ガーディアン』紙の調査によると、世界の三大バナナ会社、デルモンテ、ドール、チキータは、二〇〇六年にイギリスで約七億五〇〇〇万ドル相当の売上を記録したが、税金は三社合わせて二三万五〇〇〇ドルしか払わなかった。(注9) 一流サッカー選手の年俸にも満たない額だ。(注10) ニューヨークで上場しているあるバナナ会社の年次報告書は、次のように述べている。「当社は現在、アメリカの連邦所得税の対象になる所得は生み出していません。当社の課税対象所得は大部分が海外事業所からのもので、実効税率がアメリカの法定税率より低い法域で課税されています」。要するに、「わが社は現在アメリカの税金は払っていない。タックスヘイブンを経由して移転価格操作を行っているからだ」ということだ。

多国籍企業がオフショアを利用して税金をゼロにするのは、政府が対抗措置をとるのでたいてい容易ではないが、これは政府が負けるに決まっている戦いだ。イギリス会計検査院が二〇〇七年に行った調査によると、イギリスの大手七〇〇社の三分の一が、金融ブームに沸いた前年度にイギリスではまったく税金を払わなかった。[注11]『エコノミスト』誌は一九九九年に、独自の調査に基づいて、ルパート・マードックの肥大化したニューズ・コーポレーションに適用されている税率はわずか六パーセントだと推定した。[注12]このような移転価格操作ができることが、多国籍企業が多国籍企業という形をとっている最も重要な理由の一つであり、より小規模な競争相手より通常速いペースで成長する理由の一つでもある。グローバル多国籍企業の力を危惧している人は、この点に注意を払うべきだろう。

タックスヘイブンは、自分たちはグローバル市場をより「効率的に」していると主張する。だが、私が描き出しているこのシステムはきわめて非効率だ。ここではより良質なバナナやより安価なバナナは誰も生み出していない。その代わりに起きているのは、富の移転である。多国籍企業が利用できる、こうした対象を特定しない政府補助金は、多国籍企業の本当の生産性に容易に想像できる影響を及ぼす。生産性を低下させるのだ。租税回避に精力を集中することで、資本家たちは自分たちの最も得意なこと、すなわちよりよい、より安価な製品・サービスを生み出すことの重要性を忘れがちになるのである。問題は決してそれだけではない。たとえば、ケイマン諸島が新しい巧みなオフショアの抜け道を編み出したら、アメリカは対抗措置をとり、ケイマン諸島はその新しい措置の裏をかく新しい抜け道を生み出すだろう。戦いはさらに続き、アメリカの税制はますます複雑になる。その結果、富裕な人々と彼らの狡《こう》猾《かつ》なアドバイザーたちが拡大した法の茂みの抜け道を見つける新しい機会が生まれてくる。租税回避産業を顧客とする巨大な産業が成長し、世界経済に途方もない非効率が生まれることになる。

次に、守秘性について考えてみよう。現代の経済理論の基本的な構成要素は透明性だ。市場は契約の両当事者が等しく情報にアクセスできるとき最もうまく機能するとされている。オフショア・システムは透明性に直接かつ強烈に不利に働く。オフショアの守秘性は情報を管理する力——および情報から生まれる力——を、決定的にインサイダーのほうに移行させる。インサイダーは一番おいしいところを自分のものにし、コストは社会の他の人々に押しつける。一九世紀の経済学者デイヴィッド・リカードの比較優位の理論は、さまざまな法域がそれぞれ特定の製品・サービスに特化する原理を見事に説明している。フランスの高級ワイン、中国の安価な工業製品、アメリカのコンピューターという具合である。だが、人口二万五〇〇〇人足らずのイギリス領ヴァージン諸島に八〇万社もの企業が置かれていることを知ると、リカードの理論はその魅力を失ってしまう。企業や資本は、最も高い生産性が実現できるところではなく最大の税控除が受けられるところに移動するのである。この現実のどこをとっても効率性のかけらもない。

おまけに、これはもちろんバナナだけに言えることではない。あなたの食卓にのぼる食べ物やあなたの家具や衣服の多くが、同様に曲がりくねったルートを経てあなたの家に届いている。あなたの家の蛇口から出る水も、実態のないオフショア・ルートを経由しているかもしれない。あなたのテレビやその部品は、間違いなく同様の奇妙な書類上のルートを経ているだろう。テレビが映し出す番組の多くも同様だ。オフショア世界はわれわれのまわりをぐるりと取り巻いているのである。

三大オフショア・グループ

世界にはおよそ六〇の守秘法域があり、それらは四つのグループに大別できる。一つはヨーロッパのタックスヘイブン。二つ目はシティ・オブ・ロンドン、通称「シティ」を中心とするイギリス圏で、これは世界に広がっており、おおまかに言うとかつてのイギリス帝国を軸に形成されている。三つ目はアメリカを中心とする勢力圏。四つ目は、ソマリアやウルグアイのような、どこにも分類できない一風変わったタックスヘイブンだ。このグループはあまり成功していないこともあり、本書では取り上げないことにする。

ヨーロッパのタックスヘイブンは第一次世界大戦中に本格的に活動するようになった。諸国の政府が戦費をまかなうために税金を大幅に引き上げたためだ。銀行の守秘義務に違反することを初めて犯罪行為と定めたスイスの有名な秘密保護法は、一九三四年に制定された。だが、ジュネーブの銀行家たちは、遅くとも一八世紀から、ヨーロッパのエリートたちの秘密資金を預かっていた。あまり知られていないが、ルクセンブルクは一九二九年から特定の種類のオフショア企業を誘致しており、(注13)今日では世界最大のタックスヘイブンの一つになっている。二〇一〇年三月、韓国の情報機関が、北朝鮮の「親愛なる指導者」金正日《キムジョンイル》は——核技術や麻薬の販売、保険金詐欺、外貨偽造、強制労働を使った事業などで得た——約四〇億ドルの資金をヨーロッパに隠匿していると示唆した。同機関によると、風光明媚《めいび》な小国、ルクセンブルクは、この資金のお気に入りの行き先だそうだ。(注14)

オランダもヨーロッパの重要なタックスヘイブンだ。二〇〇八年には約一八兆ドルの資金がオランダのオフショア法人を通過したが、これはオランダのGDP（国内総生産）の二〇倍に相当する額だ。(注15) アイルランドのミュージシャン、ボノは、欧米の納税者にアフリカへの援助を増額するよう迫る一方で、税金削減のために二〇〇六年に自分のバンドの財務部門をオランダに移転させた。オーストリアとベルギーも、銀行の秘密保護を法制化しているヨーロッパの重要なタックスヘイブンだ。ただし、ベルギーは二〇〇九年にその法律を緩和した。ヨーロッパの二、三のマイクロ国家はタックスヘイブンの機能を積極的に提供している。リヒテンシュタインとモナコが最も有名なプレイヤーで、ときおりアンドラとか、先ごろアメリカの大手石油会社が絡んだナイジェリアの贈収賄事件に関与したポルトガルのマデリア島のような変わった場所が端役を演じている。

タックスヘイブンの二つ目のグループは、世界の守秘法域のほぼ半分を占めており、最も重要な存在だ。それはシティを中心とするハブ・アンド・スポーク型のネットワークで、複数の層で構成されている。後ほど見ていくように、(注16) かつて世界史上最大の帝国の首都だったロンドンがグローバル・オフショア・システムの最も重要な部分の中心を占めているのは決して偶然ではない。

シティのオフショア・ネットワークには、おおまかに言って三つの環状の層がある。内側の二つの環《わ》――イギリス王室属領のジャージー、ガーンジー、マン島と、ケイマン諸島などのイギリスの海外領土――は、実質的にはイギリスに支配されており、未来的なオフショア金融を中世的な政治のあり方と一体化させている。外側の環はより多様なタックスヘイブンで構成されている。イギリスの直接的な支配下にはないが、それでも歴史的にはもちろん現在もなおイギリスと、またシティと強いつながりを持っている香港《ホンコン》などだ。ある信頼できる資料は、イギリス系のこのグループ全体で、すべての国際銀行資産

の優に三分の一以上を占めていると推定している。これにシティを加えると、合計は半分近くになる。（注17）

このオフショア・サテライトのネットワークは、いくつかの役割を果たしている。第一に、それはシティの勢力の及ぶ範囲を本当にグローバルにしている。世界のすべてのタイムゾーンに散らばっているイギリス系のタックスヘイブンは、クモの巣が通りがかった虫をとらえるように、近隣の法域に出入りする国際資本を引き寄せてつかまえる。これらの場所に引き寄せられた資金の多くは、その資金を扱うビジネスとともに、その後ロンドンに送られる。第二に、このイギリスのクモの巣は、シティがイギリスでは禁じられているビジネスに関わることを可能にし、しかもロンドンの金融業者たちが不正行為はしていないと主張できるだけの距離を提供する。シティの古い格言「ジャージーに行くかジェイル（監獄）に行くか」は、ダーティービジネスをやりたいがつかまりたくはないと思うなら、イギリスからこのクモの巣に出て行ってやればいい、という意味だ。このクモの巣の外側の環は、概して内側の環より汚い。かつてジャージーの金融部門で働いていたジョン・クリステンセンは、海外領土のジブラルタルがジャージーのお気に入りの送金先だったと言う。「われわれジャージーの人間は、ジブラルタルを完全に二級の場所とみなしていた。本当の不正ビジネスを持っていくところはここだった」。後に、「ザ・デビル」としか名乗らず本名は明かさなかったケイマンの人物が、このビジネスがどれほどダーティーな場合があるかを明らかにする手助けをしてくれることになる。要するに、このクモの巣はある意味でマネーロンダリング（資金洗浄）のネットワークなのだ。中継の法域をいくつか経由してロンドンに着くまでに、マネーはすっかり洗浄されてきれいになっているのである。クモの巣は保管手段の役割まで果たしている。すべてのオフショア資産が直接ロンドンに流入してそこにとどまっていたら、それらの流入資金はイギリスの為替レートを大混乱させることになるだろう。（注18）

ここで、クモの巣のそれぞれの環をごく簡単に見ておこう。

内側の環を構成する三つの王室属領はイギリスの支配と支援を多分に受けているが、これらのタックスヘイブンを使った不正について他国が苦情を申し立てたとき、イギリスが「わが国にできることはない」と主張できるだけの独立性は備えている。王室属領は莫大《ばくだい》な額の資金をシティに送り込んでいる。二〇〇九年の第二・四半期だけで、イギリスは三つの王室属領から差し引き三三二五億ドルの資金を受け取った。(注19) ジャージー金融サービス委員会のプロモーション資料は、率直にこう述べている。「ジャージーはシティ・オブ・ロンドンの外延部に当たります」(注20)

ジャージーのそばのガーンジーには、ガーンジー島の他にいくつかのサブ・タックスヘイブンがある。その一つ、サーク島は、かつては「サーク・ラーク（浮かれ騒ぎのサーク）」として悪名が高かった。シティの取締役たちは、サーク島に渡って昼食をとり、イギリスの規制当局の目をごまかすために取締役会を開いているようなふりをして、それから酔っぱらってロンドンに戻ってきたものだった。その他に、オンライン・オフショア賭博ができるオルダニー島や、イギリスの『テレグラフ』紙のオーナー、バークレー兄弟のお城のような別荘がある八七エーカー（約一一万坪）のブレッシュ島もある。アメリカの権威ある雑誌『タックス・アナリスツ』は、二〇〇七年に、王室属領は脱税の可能性がある資産を控えめに見ても約一兆ドル受け入れていると推定した。(注21) 年間収益率が七パーセントで、所得税の最高税率が四〇パーセントだとすると、これらの資産だけで脱税額は年間三〇〇億ドル弱――イギリスの対外援助予算の三倍――にのぼる。これはこれら三つのタックスヘイブンだけの数字であり、しかも所得税の脱税はオフショアが発生させる税収損失や金融損失の一形態にすぎないのだ。

クモの巣の次の環を構成する一四の海外領土は、イギリス帝国の前哨基地の最後の生き残りである。

全部合わせて人口わずか二五万人のこれらの海外領土には、世界で最も成功している守秘法域の一部が含まれている。ケイマン諸島、バミューダ、イギリス領ヴァージン諸島、タークス・カイコス諸島、それにジブラルタルだ。(注22)

海外領土も、王室属領と同じく、イギリスと緊密な、それでいて曖昧な政治的関係を維持している。たとえばケイマン諸島では、最も権力を持っているのはイギリス女王に任命された総督だ。総督はケイマン人の内閣を統轄する。内閣はケイマン人によって選ばれるが、実質的な権力はきわめて限られている。総督は防衛、治安、国際関係に対処し、警視総監、苦情コミッショナー、会計検査院長、法務長官、裁判官などの高位の公職者を任命する。ケイマン諸島の最終審裁判所はロンドンの枢密院だ。イギリスの秘密情報機関、MI6は、アメリカのCIA(中央情報局)など、他国の情報機関と同じく、この地で活発に活動している。(注23)ケイマン諸島は世界第五位の金融センターで、八万社の企業がここに登記しており、世界のヘッジファンドの四分の三以上、および一兆九〇〇〇億ドルの預金——ニューヨーク市の銀行の預金残高の四倍——がここに置かれている。また、本書を書いている時点では、映画館が一つある。

この地で行われていることのうさんくささをよく示す出来事を一つ挙げよう。ケイマン諸島は二〇〇八年、IMFに二兆二〇〇〇億ドルの資本・負債(預金その他の債務)を報告した。この数字は資産の額とほぼ一致していなければならないのだが、ケイマン諸島は保有資産としては七五〇〇億ドルしか報告しなかった。この大きな開きはまったく説明がつかない。

陰に隠れてはいるが実質的にはイギリスが支配しているという事実が、気まぐれなグローバル資本に安心感を与え、海外領土のオフショア部門を支える基盤になっている。その一方で、住民の代表による統治という建前が、ケイマン人を満足させるとともに、王室属領の場合と同じく、不快なことが表面化したとき「わが国は介入する立場にない」と主張する余地をイギリスに与えている。だが、この見え透いた芝居はときおり破綻《はたん》をきたす。たとえば、二〇〇九年八月、イギリスはタークス・カイコス諸島の直接統治に乗り出した。(注24)この地の腐敗が手に負えないほどひどくなったためだが、イギリスは自身の支配から関心をそらすために、こうした腐敗事件をできるだけ小さく見せようとしている。

イギリスのクモの巣の一番外側の環には、香港、シンガポール、バハマ、ドバイ、アイルランドなど、完全に独立しているがシティと深いつながりがある国・地域が入る。(注25)他にも小さな国や地域がたくさんあり、その一つ、南太平洋のバヌアツの小規模なオフショア・センターは、独立する九年前の一九七一年にイギリスによって開設された。新しいタックスヘイブンは今なお生まれている。二〇〇六年二月には、ガーナが、イギリスのバークレイズ銀行の支援を受けてオフショア法制を整備すると発表した。伝説的とさえ言えるほど腐敗したアフリカの産油国の間に――しかも、ガーナが大産油国として歩み始めたちょうどそのときに――新しい守秘法域ができるという話は、考えただけでぞっとする。

イギリスの植民地主義後のオフショア・ネットワークと、フランスの準オフショア・システムの中心をなすガボンで遭遇したこととの類似点に、私は愕然《がくぜん》としている。ガボンはオフショアの通常の定義のどれにも当てはまらないが、イギリスのクモの巣と同じく、かつての帝国の遺物――というより生まれ変わり――であり、本国では禁じられていることを行う場所として今日のエリートたちに今なお利用されている。アフリカの支配者とフランスの政治家たちの裏取引を軸とするエルフ・システムは、フランスが旧植民地に対して独立後も大きな支配力を持ち続ける助けになった。イギリスのクモの巣はそうではない。アフリカやインドなどの旧イギリス植民地は、ほとんどが本当の意味で独立している。イギリスが行ってきたのは、これらの国への巨額の富の出入りに対して大きな支配と関与を隠然と持ち続けることだった。たとえば、アフリカからの違法な資本逃避は、ほとんどがイギリスのクモの巣に流入して、ロンドンからコントロールされている企業によって運用されることになる。「理解するのにずいぶん時間がかかった」と、エヴァ・ジョリは言った。「これらの法域（タックスヘイブン）の利用の拡大が脱植民地化と関係があるということをね。これは現代版の植民地主義なのよ」

三つ目のオフショア・グループの中心はアメリカだ。イギリスの場合は、シティが自身のグローバル・オフショア戦略に対する国内の反対意見を骨抜きにしてきたが、アメリカでは、タックスヘイブンの利用に対して常にイギリスより強い異議が唱えられてきた。アメリカ政府は遅くとも一九六一年から、オフショアを利用した不正な税金逃れを取り締まろうとしてきた。その年、ケネディ大統領が議会に、これらのタックスヘイブンを「消滅」させる法律の制定を要請したのである。[注26] バラク・オバマが、大統領になる前の二〇〇八年に「タックスヘイブン乱用防止法案」を共同提案し、その法案がその後オフショア・ロビイストたちによって骨抜きにされた件は、古くから続いている戦争の新しい小競り合いにすぎない。

タックスヘイブンの利用に徹底的に反対していたアメリカ政府は、時とともに考えを変えて、「やっつけられないのなら参加しよう」といういいかげんな姿勢をとるようになった。アメリカの金融業者たちは一九六〇年代から、国内の規制や課税を逃れるために群れをなしてオフショアに——最初はロンドンのユーロ市場に、それからイギリスのクモの巣やさらにその先へ——出て行くようになった。このオフショアという選択肢は、ウォール街がアメリカの厳しい金融規制を回避し、自身の力とアメリカの政治システムに対する影響力を徐々に取り戻し、その後、主として一九八〇年代から、アメリカ自身を、見方によっては世界で最も重要なタックスヘイブンと言えるものに変貌させる助けになった。(注27)

アメリカを中心とするオフショア・システムも、やはり三層構造になっている。連邦レベルでは、アメリカは外国人の資金を本格的なオフショア方式で引き寄せるために、さまざまな免税措置や秘密保持規定を設けている。たとえば、アメリカの銀行は、盗品の取り扱いなどの犯罪から得た利益を受け入れても、その犯罪が海外で行われたものである限り、罪には問われない。アメリカに資金を預ける外国人の身元を銀行が明かさないようにするために、銀行と特別な取り決めが結ばれている。二つ目の層にはアメリカの個々の州が絡んでおり、ここではさまざまなオフショアの魅力が提供されている。たとえばフロリダ州の銀行は、中南米のエリートたちが自分のカネを預けている場所だ。アメリカは中南米諸国とは一般に銀行取引情報を共有しない。そのため、こうした資金の多くが脱税その他の犯罪絡みのカネであり、それがアメリカの守秘性によって守られているのである。フロリダの銀行には、たいていは近隣のカリブ海地域のイギリス系タックスヘイブンと複雑なパートナーシップを組んで、マフィアや麻薬絡みのカネをひそかに預かってきた長い歴史もある。ワイオミング、デラウェア、ネバダのような比較的小さな州は、法人に対してほとんど規制をかけず、きわめて低コストできわめて強力な守秘性を提供することで、世界中から不法資金はもちろんテロ資金まで大量に引き寄せてきた。

アメリカのオフショアの三つ目の層は、小規模な海外サテライト・ネットワークである。アメリカの島嶼地域の一つ、アメリカ領ヴァージン諸島は、イギリスのオフショア・サテライトと似たところがあり、憲法上、アメリカと半ば一体で半ば独立した関係にあり、小さなタックスヘイブンである。もう一つのサテライトはマーシャル諸島だ。ここはかつて日本の植民地だったが、一九四七年からアメリカの支配下に置かれ、現在は独立してアメリカと自由連合盟約を結んでいる。マーシャル諸島は主として便宜置籍国で、『エコノミスト』誌は先ごろこの地について「規制の緩さで船舶所有者たちに大いに重宝されている」と記した。マーシャル諸島の船舶登記業務は、ジョージ・H・W・ブッシュのゴルフ仲間で、後にアメリカ海外民間投資公社（OPIC）のトップに任命されたフレッド・M・ゼダー二世によって、一九八六年にアメリカ国際開発庁の支援を受けて開始された。現在は、アメリカの民間企業によって、バージニア州のワシントン・ダレス空港近くのオフィスから運営されている。二〇一〇年にアメリカのメキシコ湾沖ですさまじい環境破壊を起こしたBPの石油掘削リグ、「ディープウォーター・ホライズン」は、このマーシャル諸島に籍を置いている。(注28) 小規模で不透明なタックスヘイブンは船舶登記業務とともに成長した。南アフリカのジャーナリスト、カディジャ・シャリフェが、情報の露見を危惧する船主を装って探りを入れたとき、彼女は次のように説明された。「マーシャル諸島の会社は一日で設立できる。必要なのは当初の六五〇ドルの申請料と四五〇ドルの年間メンテナンス料だけだ。しかも当局が――わが国の登記所や裁判所にやってきて、その会社の株主や取締役について情報を開示するよう求めたとしても――どっちみちわれわれはその情報を持っていない。企業の設立や運営はすべてその企業の弁護士と取締役が直接行っているからだ。取締役や株主の名前がマーシャル諸島に登記されて公的な記録になっていない限り（登記は義務ではない）、われわれはそれを開示できる状態にはないわけだ」(注29)

同様に、リベリアの便宜置籍船制度は、アメリカの元国務長官、エドワード・ステッティニウム・ジュニアによって一九四八年に開始された。歴史家のロドニー・カーライルによれば、同国の海事法は

「スタンダード・オイルの幹部によって検討・修正・承認された」。リベリアの船舶登記業務は、現在、マーシャル諸島の登記事務所から五マイル（約八キロメートル）ほどのところにあるバージニア州の別の民間企業によって運営されている。[注30] リベリアはオフショア金融業務も始めようとしたのだが、ブラック・アフリカ諸国の政府には信用がなく、誰もカネを預けようとしなかったため、この計画は頓挫した。このようなところでは、主権が文字通り売却や賃貸の対象になるのである。

アメリカの影響下にあるタックスヘイブンで最も大きいのはパナマである。パナマは一九一九年に、スタンダード・オイルがアメリカの課税や規制を逃れる手助けをするために、外国船舶の登記を開始した。続いて、一九二七年にはオフショア金融に乗り出した。ウォール街が手を貸してパナマに制約の緩い会社設立法を制定させ、これによって、二、三の質問に答えるだけで誰でも税金のかからない匿名の会社を設立できるようになったのだ。「あの国には悪徳弁護士や悪徳銀行家、悪徳な会社設立代行業者や悪徳企業がうようよいる」と、アメリカのある税関職員は語っている。「自由貿易圏というブラックホールによって、パナマは世界で最も汚い資金洗浄の場になった[注31]」

イギリス圏の守秘法域のいくぶん植民地的な役割と相通ずるところのある、このなじみの薄いアメリカ中心のパターンは、オフショア金融が、アメリカの力を世界中に投射しようとするネオコン（新保守主義）の構想の中心に何年も前からひそかに位置づけられてきたことを示すものだ。だが、それに気づいている人はほとんどいない。

世界一重要なタックスヘイブンは「マンハッタン」

オフショア世界が、自国の法律や税制を自国の主権を行使して自国が適切と判断するように定めている独立した国家の集まりではないことは、今ではもう明白なはずだ。それは世界の主要国、とりわけイギリスとアメリカによって支配されている複数の影響力のネットワークなのだ。それぞれのネットワークが他のネットワークと深くつながっており、アメリカの富裕な個人や企業はイギリスのクモの巣を広く利用している。破綻前のエンロンには八八一のオフショア子会社があったが、うち六九二社はケイマン諸島に、一一九社はタークス・カイコス諸島に、四三社はモーリシャスに、八社はバミューダに置かれていた。すべてイギリスのクモの巣にあるタックスヘイブンだ。二〇〇八年一二月のアメリカ会計検査院の報告によると、シティグループはタックスヘイブンに四二七の子会社を持っており、うち九一社はルクセンブルクに、九〇社はケイマン諸島に置いていた。また、FOXニュースを保有しているニューズ・コーポレーションは、イギリス領ヴァージン諸島に六二社、ケイマン諸島に三三社、香港に二一社など、タックスヘイブンに計一五二の子会社を持っていた。(注32)

世界の最も重要なタックスヘイブンは、多くの人が思っているようなヤシの木に囲まれたエキゾチックな島々ではなく、世界の最も強力な国々だ。守秘法域の著名な支持者であるマーシャル・ランガーは、この認識と現実のギャップをうまく表現している。「世界で最も重要なタックスヘイブンは島だと言っても誰も驚かない。だが、その島の名はマンハッタンだと言ったら、人々はビックリする。さらに言うと、世界で二番目に重要なタックスヘイブンは島にある。それはイギリスのロンドンと呼ばれる都市だ」

オーストラリアの学者、ジェイソン・シャーマンは、ビジネス誌や機内誌の裏表紙にわんさとある怪しげなオフショア・サービスの広告とインターネットだけを使って、秘密法人の設立がどれほど簡単かを調べてみることにした。二〇〇九年に発表された彼の報告によると、彼は秘密のフロント企業の設立を四五社に依頼し、うち一七社が彼の身元を調べもせずにその依頼を引き受けた。ケイマンやジャージーのような「典型的な」タックスヘイブンにある会社は四社のみで、残りの一三社はＯＥＣＤ（経済協力開発機構）諸国にあり、うち七社がイギリス、四社がアメリカにあった。

これはスイスの銀行の守秘性の英語圏バージョンだ。ほとんどの会社が、豪華なオフィスにいる口の堅い人間がクライアントの名前を墓場まで持っていくことを約束する銀行のような守秘性を売り物にしているわけではなかった。「これは当局や銀行がそもそも名前を尋ねないという、より狡猾な形の守秘性だ」と、『エコノミスト』誌はシャーマンの調査を取り上げた記事で述べている。「後ろ暗いクライアントにとって、こちらのほうがはるかに好ましい価値提案だ。銀行が知らないのだから、彼らの身元が暴かれることはありえない。また、彼らの手法は拍子抜けするぐらい単純だ。自分自身の名前で銀行口座を開くのではなく、詐欺師や資金洗浄者はまず匿名法人を設立する。そして、その法人の名前で銀行口座を開いて資産を移すのだ」

豊かなＯＥＣＤ諸国の政府は、守秘法域に対する大規模な取り締まりを行ってきたと、このところ自国民にうまく信じ込ませている。「守秘性に頼る古いモデルは過去のものになった」と、ＯＥＣＤ租税政策局長のジェフリー・オーウェンスは宣言した。「今はもう、より高い透明性とよりよい協力の新しい世界になっている」(注33)。多くの人が彼の言葉を信じた。フランスのサルコジ大統領はさらに踏み込んで「タックスヘイブンや銀行の守秘性はすでに終わったものだ」(注34)と述べた。

だが、ＯＥＣＤ加盟国、とりわけイギリス、アメリカ、およびヨーロッパのいくつかの大規模なタックスヘイブンは、オフショア・システムの守護者である。オフショア・システムは今なお膨大な量の不法資金の流れを処理している。それなのに、OECDのタックスヘイブン・ブラックリストは、二〇〇九年五月以降、記載件数がゼロになっている。これはブラックリストではなくホワイトウオッシュ、すなわちごまかしであり、豊かな国々はこの問題についてきわめて限定的な措置しかとってこなかったという意味で、低所得諸国は例によって置いてけぼりにされている。(注35) キツネがニワトリ小屋の安全性を高めるすばらしい措置をとったと主張しているときは、大いに警戒しなければならないのである。

オフショア世界はとめどなく変化するエコシステムだ。それぞれの法域が一つか二つのオフショア・サービスに特化して、特定の種類の金融資本を引き寄せている。それぞれが特定のタイプの有能な弁護士や会計士、銀行家や業務遂行マネジャーで構成される独自のインフラを築いて、自身が対象とする資本のニーズに応えているのである。

多くのオフショア・サービス会社がまったくと言っていいほど知られていない。みなさんは四大会計事務所、すなわちKPMG、デロイト、アーンスト・アンド・ヤング、プライス・ウォーターハウス・クーパース(PwC)の名前はおそらく聞いたことがあるだろう。だが、オフショア・マジック・サークルについてはどうだろう。オフショア・マジック・サークルとは、複数のオフショア法域にまたがって活動している少数の大手法律事務所を指す言葉で、アップルビー、キャリー・オルセン、コンヤーズ、メイプルズ・アンド・カルダー、ムラン・デュ・フ&ジュンヌ、オザンヌ・アンド・ウォーカーズなどがここに含まれる。(注36) これらの法律事務所は、パリッとした身なりの会計士や弁護士や銀行家たちのコミュニティーに属するちゃんとしたプレイヤーだが、内輪のグローバルなインフラを結成しており、守秘法域の傀儡《かいらい》議会と組んでシステム全体を動かしているのである。

オフショア・サービスは、合法的なものから違法なものまで多種多様である。税金の観点からは、違法なものは脱税と呼ばれ、それに対し、租税回避は法律的には合法だが、定義上やはり立法府の意図の裏をかくことになる。これは線引きがきわめて難しい問題だ。脱税と租税回避の間には広大なグレーゾーンがあり、多国籍企業の税金逃れが法律のどちらの側にくるかを明確にするためには、たいてい長い裁判を経なければならない。イギリスの元財務大臣、デニス・ヒーリーは、二つを分かつ線について次のような名言を吐いた。「租税回避と脱税の差は刑務所の壁の厚さだ」

守秘法域は、法律的には合法だが実態的には不正なことをどこから見てもまっとうなことに変換する作業も日常的に行っている。だが、言うまでもなく、合法的なことが必ずしも正しいとは限らない。奴隷制やアパルトヘイト（南アフリカの人種隔離政策）はどちらも当時は合法だったのだ。

違法の側には、脱税を手助けするプライベート・バンキングや資産運用サービス、偽の信託、秘密法人、違法な移転価格操作などがあり、これらはたいてい「税の最適化」とか「資産保護」とか「効率的な企業構造」といった心地よい決まり文句の陰に隠れている。一般的に、オフショア・サービスを提供している会社の一般社員は、脱税などの違法なサービスが行われていることを認識できない。そこで起きていることの一部しか目にすることができないからだ。かつてオフショア・サービス担当の上級会計士だったある人物はこう説明する。「上級管理職になって国際経験を積んだら、そのとき初めてインナー・サークルの一員になり、物事がはっきり見えるようになる。自分も悪巧みに加担していることに気づくことになる。本当の製品・サービスは何なのか、そしてそれはなぜそれほど高いのかを理解することになる」。オフショア・サービスに関する古いジョークのとおり「知っている者はしゃべらない。しゃべる者は知らない」のである。

合法の側では、重要な問題はいわゆる二重課税に関わるものだ。アメリカの多国籍企業がブラジルの製造工場に投資して、そこで利益を得るとする。その利益に対して、ブラジルもアメリカも他方の国に払う税金を控除せずに課税したら、その多国籍企業は同じ利益に対して二度課税されることになる。タックスヘイブンは企業がこの二重課税を避ける手助けをするのは確かだが、それは不要である。二重課税は適切な条約や税額控除によって解決できるからだ。問題は、二重課税を解消するとき、タックスヘイブンが別のことを発生させる点にある。二重非課税である。企業は同じ利益に二度課税されるのを回避するだけではない。そもそも課税されること自体を回避するのである。

それぞれの法域が、それぞれ異なるレベルの汚さを黙認している。テロリストやコロンビアの麻薬密輸組織は、おそらくジャージーよりパナマを使うだろう。もっとも、ジャージーの信託会社はそれでもテロリストや麻薬密輸組織の資金の一部を受け入れているだろうし、ジャージーは依然として不正な活動や違法な資金の巨大な受け皿だろう。バミューダは、概して租税回避や脱税を目的とするオフショア保険やオフショア再保険を引き寄せている。ケイマン諸島はヘッジファンドのお気に入りの地で、ヘッジファンドは合法的にもしくは不法に課税を逃れたり、金融規制を回避したりするためにここを使っている。ウォール街は長年、特別目的法人（ＳＰＶ）をケイマン諸島やデラウェアに置くのを好んできた。ヨーロッパで人気の場所はジャージー、アイルランド、ルクセンブルク、シティで、いずれも重要な守秘法域だ。

このエコシステムの内部では、それぞれの法域が他の法域に後れをとらないよう絶えず競争している。どこか一ヵ所がよそからホットマネーを引き寄せるために税率を下げたり規制を緩めたり、新しい秘密保護手段を編み出したりしたら、他のタックスヘイブンも競争から脱落しないよう同様の措置をとる。

その一方で、金融業者たちは、アメリカをはじめとする経済大国の政治家にオフショアという棍棒《こんぼう》で脅しをかける。「課税や規制を厳しくしすぎたら、われわれはオフショアに行くぞ」と。オンショアの政治家たちは怖《お》じ気づいて、自国の法律や規制を緩和する。こうした流れによって、オンショアであるはずの法域が次第にオフショアの特徴を帯びてきており、経済規模の大きい国では租税負担が移動可能な資本や企業から普通の市民の肩に移ってきている。アメリカの企業は一九五〇年代にはアメリカの所得税総額の約五分の二を負担していたが、その割合は今では五分の一に低下している。(注37) アメリカの納税者の上位〇・一パーセントにとっては、一九六〇年代には六〇パーセントだった実効税率が、所得の増大にもかかわらず二〇〇七年には三三パーセントに低下していた。上位〇・一パーセントが一九六〇年代の税率で所得税を払っていたら、連邦政府の二〇〇七年の税収は二八一〇億ドル以上増えていただろう。(注38) 億万長者のウォーレン・バフェットが自分の会社について調べたとき、受付係を含む全社員のなかで彼の税率が最も低いことがわかった。全体を見渡すと、税金は全般的に下がっているわけではない。実際に起きているのは、豊かな人々の払う額が減っており、他のすべての人がその減少分を負担しなければならなくなっている、という変化なのだ。

この大きな変化とグローバル化というより大きな変化に、ロナルド・レーガンとマーガレット・サッチャーと経済学者ミルトン・フリードマンが大きな役割を果たしたことは、よく知られている。だが、守秘法域が果たした役割にはほとんど関心が払われてこなかった。守秘法域は、豊かな国にも貧しい国にもそこを利用して競争することを強い、これらの国が望もうが望むまいが、その過程でこれらの国の税制や監督制度や規制を破壊してきたグローバル化の沈黙の戦士なのだ。

タックスヘイブンはたいてい近隣の他の経済大国に狙いを定めることが多い。スイスの資産運用会社は、脱税しようとする富裕なドイツ人やフランス人やイタリア人——スイスと国境を接する隣人で、同国の三つの主要言語を話す人々——を引き寄せることに最も力を入れている。モナコはとくにフランスのエリートたちのニーズに応えており、富裕なフランス人やスペイン人は、フランスとスペインに挟まれた小国、アンドラを使っている。豊かなオーストラリア人は、たいていバヌアツのような太平洋のタックスヘイブンを使う。やはりかつてイギリスの前哨基地だった地中海の島、マルタは、北アフリカからの不法資金を扱っている。アメリカの企業や富裕な個人はパナマやカリブ海のタックスヘイブンを好み、富裕な中国人は香港、シンガポール、マカオを使っている。だが、マネーはいつもこのような単純な地理的ルートを流れるわけではない。ロシアのダーティーマネーは、グローバル金融システムへの足がかりとして、イギリスと強い歴史的つながりがあるキプロスやジブラルタルやナウルを好んでいる。そこで合法的なカネに変えられた後、ロンドンなどの主流のグローバル金融システムに入っていくのである。中国への外資投資の多くがイギリス領ヴァージン諸島を経由している。

タックスヘイブンのなかには、導管的役割に特化しているところもある。導管的タックスヘイブンとは、別の目的地に向かう途中で資産の身元や性格を特定の方法で変化させるサービスを提供する中継地のことだ。オランダは大規模な導管的タックスヘイブンだ。アフリカのインド洋岸沖にあるモーリシャスは急成長中の新しい導管的タックスヘイブンで、インドへの外資投資の四〇パーセント以上がここを経由している。この島は中国からアフリカの鉱業部門に投資される資金の経由地にもなっている。

オフショア金融の仕組みは、通常、ラダリング（はしご登り）と呼ばれるごまかし手法——ソーセージのようにスライスするという意味のフランス語を使ってソシッソナージュと呼ばれることもある——をともなっている。仕組み全体が細かくスライスされて複数の法域に分散され、それぞれの法域が資産に法律上または会計上の新しい「包装紙」を提供する。だが、実際の資産は通常、別のところに置かれている。一九七〇年代にケイマンで弁護士をしていた人物によると、彼のクライアントたちはフィデル・カストロ率いる隣国、キューバの動向を心配して、カストロが侵攻してきた場合は接収された資産を補償するという特別条項をつけてくれと、強く要求していたそうだ。「カストロが来たとしても、金庫は空だと説明しなくちゃいけなかった」と、彼は語る。「おカネは本当は全部ニューヨークやロンドンに置かれているってことをね」

ラダリングは守秘性と複雑さを高める。メキシコの麻薬密売業者が、たとえばパナマの銀行口座に二〇〇〇万ドル持っているとする。この口座は彼の名義ではなく、バハマに設立された信託の名義になっている。受託者は英仏海峡のガーンジーに住んでいるかもしれないし、信託受益者はワイオミングの会社かもしれない。あなたがその会社の取締役の名前を突き止めることができ、さらには彼らのパスポートのコピーまで入手できたとしても、あなたはちっとも実態に近づいてはいない。これらの取締役たちは名義貸しを商売にしている連中で、何百もの同様の会社の取締役になっているのである。彼らは直接ではなく弁護士を通じてはしごの次の段につながっており、弁護士は弁護士・依頼人間の守秘特権によって情報開示をいっさい禁じられている。仮にあなたがその壁を打ち破ったとしても、あなたにわかるのは、その会社がタークス・カイコス諸島の信託によって逃避条項付きで所有されているということだけだ。調査が始まったことを察知したら、その仕組みはただちに別の守秘法域に逃避するのである。法域が調査に協力する姿勢をとる場合でも、わざとぐずぐずして何ヵ月も、あるいは何年も時間をかけるだろう。「不正をなくすために協力してくれる場合でも、時間がかかりすぎるため、ようやくドアが閉じられたときには、すでに馬は盗まれ、馬小屋は焼け落ちている」と、ケイマンの（最近までマンハッタン地区担当連邦検事を務めていた）ロバート・モーゲンソーは嘆いた。本書執筆の時点で、香港は新会社の設立・登記を数分でできるようにする法案を作成中だ。

二〇一〇年、ルクセンブルクの当局は、北朝鮮の資金を預かっている可能性があることの言い訳としてラダリングを持ち出した。「問題は、そのカネに『北朝鮮』と書かれているわけではないことだ」と、報道官は主張した。「そうした資金は隠れようとするし、つながりをできるだけ消そうとする」(注39)。つまるところ、それがポイントなのだ。フランスの予審判事たちは、このソシッソナージュのせいで、エルフ・システムの一部しか突き止められなかった。「判事は、無法者たちがリオ・グランデの対岸で祝杯を挙げるのを眺めていることしかできないマカロニ・ウエスタンの保安官のようだ」。エヴァ・ジョリ判事は、エルフ・システムに対する自分の調査がタックスヘイブンに何度も阻まれたことに憤慨して、そう記した。「タックスヘイブンはわれわれを翻弄《ほんろう》する――そして、われわれにできることは何もない」

この仕組みの一部を把握できたとしても、ラダリングに阻まれて全体を見ることはできない。そして、全体を見られなければ、この仕組みを理解することはできない。この活動はどこかの法域のなかで起きるのではない。法域と法域の間で起きるのだ。法域外の「他の場所」が「どこでもない場所」になり、ルールのない世界になるのである。

オフショア・システムが世界金融を腐敗させる

オフショア・システムがどれほど巨大になっているかを示すおおまかな数字は、すでにいくつか挙げてきた。すべての銀行資産の半分、対外投資の三分の一などだ。だが、このシステムがもたらす損害を数値化する試みはほとんどなされてこなかった。これは一つには、ひそかに行われている不法な活動は、そもそも見つけることからして難しく、それを測定するとなるとなおさら難しいからだ。

それでも、最近はシンクタンクや非政府組織が、この問題の規模を把握しようとしている。二〇〇五年、タックス・ジャスティス・ネットワークは、富裕な個人がオフショアに保有している資産はおそらく一一兆五〇〇〇億ドル相当にのぼるだろうと推定した。これは世界の富の総額の約四分の一に相当し、アメリカのGDP総額に匹敵する。それだけの金額をドル紙幣で並べると、地球と月を二三〇〇回往復する距離になる。そのカネが毎年稼ぎ出す所得にかかるはずの税金だけで推定二五〇〇億ドルに達し、この額は途上国の貧困に対処するための世界全体の援助予算の二倍から三倍に相当する。だが、それは富裕な個人がオフショアに保有している資金から得られるはずの税収、すなわち失われた税収にすぎない。これに企業の移転価格操作を加えると、国境を越えた違法な資金フローの規模について感触をつかむことができる。

国境を越えた違法な資金フローに関する最も包括的な調査は、ワシントンのシンクタンク、センター・フォー・インターナショナル・ポリシーで、レイモンド・ベイカー率いるグローバル・ファイナンシャル・インテグリティ（GFI）プログラムが行ったものだ。GFIは二〇〇九年に、途上国は違法な資金フローによって二〇〇六年に八五〇〇億ドルから一兆ドルの資金を失ったと——しかも、その額は年率一八パーセントのペースで増大していると——推定した。(注40) これを途上国への援助の年間総額一〇〇〇億ドルと比較すると、ベイカーがなぜ次のように断定したのかがよくわかる。「欧米のわれわれがテーブルの上で気前よく与えてきた援助一ドルごとに、われわれは約一〇ドルの違法な資金をテーブルの下で取り戻してきたのである。この方式を誰かのためになるように——貧しい人のためであれ、豊かな人のためであれ——機能させるのは不可能だ」。どこかの頭のいいエコノミストがアフリカへの援助はなぜ成果をあげていないのかといぶかるのを今度耳にしたときは、ベイカーのこの指摘を思い出していただきたい。

この調査以前の二〇〇五年に行われ、その後世界銀行によって支持された調査(注41)では、ベイカーは違法な資金フローの推定額を三つのカテゴリーに分けて示した。犯罪マネー――麻薬密輸、偽造品、ゆすりなどで得たカネ――が、合計三三〇〇億～三五〇〇億ドルで、総額の三分の一にのぼっていた。汚職マネー――海外に送金された賄賂《わいろ》や海外で支払われた賄賂――が、合計三〇〇億～五〇〇億ドルで、三パーセントを占めていた。三分の二を構成する三つ目のカテゴリーは、国境を越えた商取引だった。ここからもう一つのきわめて重要な点が浮かび上がってくる。麻薬密輸業者やテロリストなどの犯罪者は、企業が使っているのとまったく同じオフショアの仕組みや隠れ蓑《みの》――シェルバンク、信託、ダミー会社――を使っているということだ。

システム全体に立ち向かわない限り、テロリストや麻薬密売業者を打ちのめすことはできない。それはつまり、脱税や租税回避や金融規制逃れを含めたオフショアの道具立て全体に取り組まなければならないということだ。この点を考えると、アメリカが犯罪マネーの押収に成功する率は〇・一パーセントだと――つまり失敗率が九九・九パーセントだと――ベイカーが推定したのは少しも意外ではない。「麻薬取引やゆすりや汚職で得たカネやテロ資金は、洗浄された後、アメリカやヨーロッパが歓迎の手を差し伸べる他の形のダーティーマネーの後をピタリとついていく」と、ベイカーは述べている。「これらは国際金融システムのなかを走る同じ軌道の二本のレールである」。全部に取り組まなければ、一つをねじ伏せることはできないのだ。

もう一つ言っておくと、この調査で示された数字は違法なものだけだ。個人や企業によるオフショアを使った合法の租税回避――正直で勤勉な一般の人々はこれによってさらに負担を強いられる――は、これらの数字にさらに何千億ドルも加えることになる。

損害の公式な推定値はほとんど存在していない。ブリュッセルを拠点とする非政府組織、ユーロダッドには、『グローバル開発ファイナンス：違法資金フロー・レポート二〇〇九』という冊子がある。これは世界の違法な国際資金フローの包括的な公式推定値を一〇〇ページにわたって並べようとしたものだ。(注42)

すべてのページが白紙である。

ユーロダッドの目的は、きわめて重要な事実を浮き彫りにすることだ。オフショア世界は富と権力を貧しい人々から豊かな人々に移転する史上最大の力であるにもかかわらず、その影響はほとんど目に見えないという事実を、だ。フランスの社会学者、ピエール・ブルデューが言ったように、「最も成功するイデオロギー効果とは、言葉を必要とせず、共謀的沈黙しか求めないものだ」

言葉自体が見えない状態を助長する。二〇〇九年九月、G20（主要二〇ヵ国）諸国は共同声明で「違法な資本流出を取り締まる」ことを誓ったが、この「資本流出」という言葉について考えてみよう。「資本逃避」という言葉と同じく、この言葉はコンゴのような被害国を批難するものだ。それらの国々は浄化活動の中心にならなくてはいけないと、この言葉は暗に主張している。だが、どの資本流出についても、どこか他のところでそれに対応する流入があるはずだ。G20が「違法な資本流入」に対処すると約束していたら、あの誓いはどれほど異なる印象を与えていたことだろう。

途上国というテーマに関しては、考えなくてはいけない問題がもう一つある。

タックスヘイブンが富裕な個人や法人のために税金逃れの新しい革新的な方法を編み出したら、高所得国はたいてい対抗措置をとる。その新しい不正行為を防ぐために自国の税制や監視制度を強化するのである。だが、途上国は、ますますひどくなっているオフショアの複雑さについて知識も経験もないため無防備だ。途上国はさらに置いてけぼりにされ、途上国のエリートたちはさらに多くの不正の機会を手にして、現地の政治を腐敗させる。その一方で、高所得国は、オフショアを使った不正に対する高度な防御策のおかげで比較的安全であるため、この問題にあまり関心を持たない。スイスからのメッセージは何か。それは「われわれの問題ではない。君たち自身で正してくれ」だ。

だが、これは低所得国だけの問題ではない。豊かな大国にも――自身がタックスヘイブンになっている国にさえ――害をもたらすのだ。

巨大でグローバルな犯罪の温床を生み出していることに加えて、グローバル・オフショア・システムは、二〇〇七年からの金融・経済危機を生み出した主な要因の一つでもあった。これについては後ほど詳しく述べるが、簡単に言うとこういうことだ。第一に、タックスヘイブンは金融機関に、会計士のリチャード・マーフィーがモノポリーの「無料釈放カード」をもじって「無料規制逃れカード」と呼ぶものを提供した。金融規制からのこの避難ルートは、金融機関が爆発的に成長して「大きすぎてつぶせない」地位を獲得し、ワシントンやロンドンの政治エリート層を牛耳る力を手にする手助けをした。第二に、金融規制を退化させるにつれて、守秘法域は金融システムの無敵の戦士になり、オンショアの法域をどんどん緩い規制に向かう近隣窮乏化競争に引きずり込んだ。第三に、国境を越えた巨額の違法資本フローは――その多くが従来の国別統計では把握できない――アメリカやイギリスのような赤字国への巨額の純流入を生み出して、危機の根底にあった、より目に見えやすいグローバルなマクロ経済的不均衡をさらに悪化させた。第四に、オフショアという選択肢は、企業が昔よりはるかに多額の借金をする後押しをするとともに、その借金を隠す手助けをした。第五に、企業が税金や規制や守秘性のために自社の財務事項を世界各地のタックスヘイブンに分散させるにつれて、理解不可能な複雑さが生まれ、それがオフショアの守秘性とあいまって規制当局の目をごまかし、市場プレイヤー間の相互不信をかき立てて、金融・銀行危機を悪化させた。

信頼は健全な経済システムの重要な要素だが、信頼を損なうのにオフショア・システムほど効果的なものはない。エンロン、詐欺師のバーニー・マドフの企業帝国、ロングターム・キャピタル・マネジメント、リーマン・ブラザーズ、ＡＩＧなど、金融のペテンを行った大手企業の多くがオフショアにあれほど深く関わっていたのは決して偶然ではない。マネーが消えてなくなるまで企業の真の財務ポジションを誰も把握できない状況では、ペテンがはびこる。タックスヘイブンは、最も富裕な市民が課税や金融規制を逃れ続ける手助けをすることで、われわれの努力を——混乱のコストを支払う努力と混乱を整理する努力の両方を——台無しにするのである。

オフショアは、厳密に言うと金融危機を引き起こしたわけではない。金融危機が発生する環境を生み出したのだ。オフショアの専門家、ジャック・ブラムは次のように説明する。

オフショアの守秘性や規制回避機能が危機に果たした役割を理解しようとすることは、いくつもの症状を持つ代謝性疾患を治療しようとする医師が直面する問題に似ている。一部の症状を治療しても、それで病気を治すことはできない。たとえば糖尿病は、高コレステロールや高血圧を筆頭にあらゆる種類の問題を引き起こす。金融メルトダウンには取り上げるべき多くの個別の側面があり、多くの対症療法があるが、オフショアこそがこの代謝性障害の中心にあるものだ。この病の根源は、何十年も前、銀行家たちが規制や課税を逃れて銀行業務を工業経済のような利益率の高い成長ビジネスにしようとしたことにあるわけだ。(注43)

本書は先ごろの金融危機をテーマにしたものではない。もっと古く、もっと深いものを取り上げた本だ。大手金融会社とこれらの会社が世界各地の政治権力を乗っ取る戦いで使ってきたこのうえなく強力な武器についての重要な語られざる物語なのだ。

最後に、文化と考え方について少し述べておこう。旧ソ連からの犯罪マネーにとって、ヨーロッパ最大の導管的タックスヘイブンはおそらくキプロスだろう。あるオフショア推進者が言ったように、この地は「国際的な悪党にとっての通過駅」だ。それなのに、大手会計事務所のKPMGは、二〇〇七年一二月に、ヨーロッパの全法域を対象とする法人税制「魅力度」ランキングで、キプロスをトップに据えた。(注44)

明らかに何かが間違っている。

租税は企業の社会的責任に関する議論に欠けている要素である。現代の企業の取締役たちは確かに難問に直面している。自分たちは誰に対して報告義務を負っているのか——株主だけに対してか、それともより広いステークホルダー（利害関係者）に対してか、という問いである。役に立つガイドラインはどこにもない。(注45)多くの取締役が、租税を短期的な株主価値を高めるために最小化すべきコストとして扱っている。倫理をわきまえた取締役は租税を生産コストではなくステークホルダーに対する利益の分配とみなし、損益計算書に配当と並べて記載している。租税は、道路や教育程度の高い労働力など、企業が利益をあげることを可能にする環境のさまざまな要素の費用を負担している社会への分配なのだ。

企業の世界は方向性を見失っており、大手会計事務所ほどそれをよく示しているところはない。オーストラリアの俳優、ポール・ホーガンは、その状況をきわめて明確に表現した。自身の税務申告についてオーストラリアの税務当局の調査を受け、いかなる不正をも否定した際に、こう断言したのである。「私は三〇年もの間、税務申告を自分でやってはいない。私が刑務所に行くという噂《うわさ》があるが、言わせてもらえば、私より先に刑務所に行かなくてはいけない法律事務所が四つほど、それに会計事務所が五つほどある。どれもみな世界最大手の部類に入るところだ」(注46)。この点では、ホーガンは正しい。これらの事務所は、税額を減らしたいというクライアントの願望に応えるなかで、租税や民主主義や社会を悪とみなしタックスヘイブンや租税回避や守秘性を善とみなす逆転した倫理観にどっぷりつかっている。租税を回避し続ける人々はこの王国の騎士とされ、この複雑な王国で手引きを探すジャーナリストは、いつも決まってこれらのオフショアの応援団長たちに意見を聞く。そして、オフショアの腐敗した倫理観が、少しずつわれわれの社会に受け入れられていくのである。

オフショア金融は、重要な点で、賄賂のような昔から認識されている形の腐敗に似ている。賄賂は人々が官僚的な障害を迂回して物事を成し遂げる助けになるので「効率的」だと主張する人がいる。賄賂はそのきわめて狭い意味では確かに効率的だ。だが、賄賂をともなうシステムが効率的かどうかを考えてみると、答えは正反対になる。そのようなシステムはきわめて非効率なのだ。同様に、守秘法域は、自分たちは人や企業が特定の障害を迂回する手助けをすることで「効率」を高めていると主張する。だが、その障害とは租税や規制や透明性であり、それらの欠点が何であれ、それらはすべてもっともな理由で設けられているものだ。個人や企業にとって「効率的」に見えるものが、システム全体に目を向けると非効率的に見える。公共の利益を促進するルールやシステムや制度を社会の最上層の人々が回避できるようにすることで、タックスヘイブンはそれらのルールやシステムや制度をむしばんでいる。それらのルールに対するわれわれの信頼をむしばんでいる。国際金融を腐敗させているのである。

オフショア・システムとの戦いは、過去の戦いとは異なるものになるだろう。腐敗との戦いと同じく、この戦いは左派と右派という古い政治カテゴリーにすっきり収まるものではない。国境を越えた取引を拒絶したり純然たる地域的な解決策に安堵《あんど》を求めたりすることにはならないだろう。新しい形の国際協力を構築するために、この戦いには国際的な視点が必要だ。この戦いは、豊かな国と貧しい国のきちんと税金を納めている市民たちが共通の目的のために戦う題目を提供する。あなたがどこに住んでいようと、どのような人間だろうと、何を考えていようと、これはあなたに影響を与えることになる。

世界各地の何百万人もの人が、何年も前から、グローバル経済の何かがダメになっているという不安を感じてきたが、多くの人が問題は何なのかを解明できずにいる。私は本書で、その問題がそもそもどこから生まれたのかを明らかにするつもりである。

第2章
法律的には海外居住者
ヴェスティ兄弟への課税

オフショアの起源

一九三四年の冬、アルゼンチンの沿岸警備隊が、ロンドンに向けて出港しようとしていたイギリスの貨物船、ノーマン・スター号を抑留した。匿名の通報に基づいて行われたこの捜索は、価格を操作して利益を違法に海外に送金している疑いのあった外国の食肉パッカー（処理加工業者）カルテルに対する捜査の一環だった。

当時は大恐慌の時代で、アルゼンチンの普通の人々は鬱憤《うっぷん》を募らせていた。彼らの牧場はたいてい少数の富裕な地主の手に握られており、現地の労働者にはわずかしか払わない外国の食肉パッカーが大きな利益をあげているさまを目にするのは、とくに腹立たしいことだった。おまけに、イギリスやアメリカの食肉パッカーは、牧場経営者に払う肉牛買い取り価格が急落しても自分たちの投資の利益はかえって上昇するように協定を結んでいた。こうした外国企業が本当はどれくらい利益をあげているのか、確かなことは誰にもわからなかったが、ロンドンの支配力がきわめて大きいのは確かだった。アルゼンチン駐在のイギリス大使は一九二九年に次のように述べていた。「言葉でそう言わずに――言葉にしたら無神経になる――アルゼンチンはイギリス帝国の重要な一部とみなされなくてはいけない」。だが、アメリカの力が拡大しつつあった。「フーバー率いるアメリカは、ぜがひでもこの大陸を支配するつもりのようだ」と、大使は述べていた。「その邪魔をしているのは主としてイギリス企業だ。（アメリカにとって）これらは買収するか、追い出すかしなければならないものだ[注1]」。自国が外国列強の勢力争いの場になっていることを、アルゼンチンの人々は腹立たしく思っていた。「アルゼンチンをイギリスの領土と主張することはできない」と、この捜査を指揮していたアルゼンチンの強気の上院議員、リサンドロ・デ・ラ・トーレは断言した。「なぜなら、イギリスは自国の植民地にこのような屈辱的な条件を押しつけたことはないからだ[注2]」

だから、沿岸警備隊が船倉で、悪臭を放つグアノ（海鳥の糞《ふん》で作られた肥料）の下から見つけ出したものに、デ・ラ・トーレは大いに満足した。それは「コンビーフ」と表示され、アルゼンチン農務省の印が押された二〇以上の木箱で、なかに入っていたのはコンビーフではなく書類だった。初めて人目にさらされたその書類は、世界最大の食肉小売会社の創業者で、イギリスの最も富裕な一族のメンバーであり、個人としては史上最大規模の脱税を行ったウィリアムとエドモンドのヴェスティ兄弟の財務記録だったのだ。

ヴェスティ兄弟はグローバル企業のパイオニアだった。彼らの事業の第一歩は、一八九七年、シカゴで買い付けたくず肉を故郷のリバプールで販売したことだった。彼らはすでにリバプールに冷凍倉庫を建設していたので、競争相手より優位に立つことができた。二〇世紀に入ると、兄弟はロシアや中国の養鶏業に進出し、超安価な卵を大量に加工してヨーロッパに出荷するようになった。さらに、イギリスで冷凍倉庫や小売店舗を増設し、フランス、ロシア、アメリカ、南アフリカでも冷凍倉庫を建設して小売事業に乗り出した。一九一一年には海運業に進出し、一九一三年からはアルゼンチンの牧場や食肉処理加工工場に投資先を広げた。その後、戦争が始まると、ベネズエラ、オーストラリア、ブラジルでも農地や工場を買収するようになった。(注3) 彼らの会社は垂直統合型多国籍企業の草分けであり、彼らはまもなく二つのビジネスルールをとくに重視して経営に当たるようになった。一つは自社が何をしようとしているかを決して明かさないこと、もう一つは自社でできることは決して外注しないことだ。「彼らと取引するつもりはない」と、ある競争相手はかつて断言した。「彼らはあらゆる会社の事業に参入しており、あらゆる会社の事業を自分のものにしたがっている」

彼らの成功の秘訣《ひけつ》は、彼らが本質的に独占主義者だったことにある。彼らは自分たちの会社にさまざまな名前をつけてヴェスティの会社とはわからないようにし、競争相手を買収した。競争相手が抵抗した場合は、彼らは――牧草地から、肉牛、食肉処理場、冷凍倉庫、貨物船、流通・小売施設まで、サプライチェーン（生産流通網）全体を持っていることから生じる――桁《けた》外れの市場支配力を使って、相手より低い価格をつけ、相手を廃業に追い込んだものだった。「ヴェスティは食肉市場を――少なくとも九分どおりは――支配しています」と、アソール公は一九三二年のイギリス首相への書簡に記した。「彼らはイギリス市場を制しています。唯一の売り手であるこの企業グループは、アルゼンチンで生産者価格を破壊しました。肉牛は赤字で生産されており、大勢の生産者――その多くがきわめて小規模な生産者です――が行き詰まるでしょう。ヴェスティは自身では生産せず、買い上げており……アルゼンチンから莫大《ばくだい》なカネを持ち出しています」

牛肉輸出産業はアルゼンチンのエリートたちの政治権力の経済的基盤だった。フィリップ・ナイトリーは自著、*The Rise and Fall of the House of Vestey*（『ヴェスティ家の興亡』、未邦訳）で、ヴェスティ兄弟がアルゼンチンに与えた途方もない政治的・経済的影響について次のように書き記した。「アルゼンチンでは、ヴェスティ兄弟が労働運動や初期の経済発展に与えた壊滅的な影響が、ペロンを政権に押し上げた戦闘的な労働団体の結成、その後の軍事独裁、テロ、フォークランド戦争、さらには同国の経済破綻《はたん》へとほぼ直接つながっていった(注4)」

だが、被害を受けたのはアルゼンチン人だけではなかった。兄弟はイギリスの販売の側でも同じような支配的な行動をとった。「彼は自分の船で食肉をスミスフィールド（ロンドンの食肉市場）に運び、そこでふたたび価格を支配します」と、アソール公は記した。「そのため卸売市場での彼の競争相手の価格は暴落し、彼はこの暴落した価格で食肉を仕入れます。……彼は競争相手のいないブライトンのようなところでは小売業者に高い価格を請求しますが、ロンドン市場では、もしも彼より安値で売る者があらわれたら、いつでも自分の価格を引き下げる用意があります」

「誰かが食肉市場の近くで彼の名前を口にしたら、人々は一斉にその人のほうを振り返るでしょう」

兄弟の成功の秘訣は、生産者の側で搾り取り、消費者の側で搾り取って、すべての利益を真ん中に押し込むことだった。それは彼らが後に世界各地の税務当局に対しても使うことになる基本方針で、この方針は驚異的な成功を収めて彼らを今日のグローバルな租税回避産業のパイオニアにすることになる。

ウィリアムとエドモンドはどちらも地味なスーツと帽子を愛用しており、目に見える彼らの最大の贅《ぜい》沢《たく》は、おそらく時計と鎖だっただろう。彼らはビジネス以外のことにはまったく関心がなかった。タバコも酒もたしなまず、カード遊びもせず、法外な富を手にしていたにもかかわらず、つつましい家に住み、質素な食事をしていた。セイロン（現スリランカ）でのハネムーン中に、ブラジルの食肉処理工場で火事が起きたという知らせを受けたとき、ウィリアムは新妻を次の船でイギリスに帰して、自分は火事の後始末のためにブラジルに向かった。倹約家で禁欲的な彼らは、アルコール類の販売には決して手を出さず、タバコを吸った痕跡がないかどうか社員の指を調べていたほどだった。あるマネジャーの回想によると、彼がロンドンには内緒で現場主任に週一〇シリング払うことに同意したとき、エドモンドがただちに電話してきてその額を引き下げるよう命じたという。

カネ持ちになれるかどうかはどれだけ稼ぐかではなくどれだけ残せるかで決まるという金言があるが、兄弟はその金言を忠実に守っていた。彼らが生活に充てていたのは自分たちの所得ではなく、所得の金利でさえなかった。彼らの暮らしを支えていたのは金利の金利だったのだ。「私は自分の利益はまったく使わない」と、ウィリアムはかつて語ったことがある。「ファージング硬貨（四分の一ペニーに相当する硬貨で、当時の最小通貨単位）一枚に至るまですべて貯蓄する」。こうして蓄えられた富を、ヴェスティ家は何十年も維持している。一九九〇年代に多額の損失を出したものの、同家は依然としてイギリス有数の富裕な家柄だ。世襲貴族、フォックスハウンド（キツネ狩り用の猟犬）のオーナー、皇太子の個人的な友人といった華やかさに包まれたヴェスティ一族の人々は、今なお莫大な財産を相続している。なかには一八歳の誕生日に思いがけず多額の小切手を贈られて、自分が相続人であることを初めて知る人もいる。ある遠縁の相続人は、一九九〇年代に突然二五万ポンドを贈られたとき、「私には手に負えない額だ」と言って相続を断った。

だが、彼らがイギリスの支配階級に入り込むのは必ずしも容易ではなかった。イギリスのエリート層は何百年もの間、おおまかに言って三つの経済階級に区分することができた。一つ目は何百年も続く伝統と富に支えられた地主階級、二つ目はとくに一七世紀以降、力を持つようになった金融サービス部門とシティ・オブ・ロンドン、そして三つ目が製造業者である。基本的には、地主階級とシティの金融業者が手を組んでイギリスのサービス経済を動かしていた。「この土地とサービスの富の結合から、新しいジェントルマン資本家階級が生まれた」と、歴史家のP・J・ケインとA・G・ホプキンスは、イギリス帝国主義に関する記念碑的な論文で述べている。この階級は、金儲《もう》けのために手を汚さなければならない卑しい製造業者を概して見下していた（そして今なお見下している）。食肉パッカーのヴェスティ兄弟は製造業というマイナス点を持ち、おまけにロンドンではなくリバプールの出身だったので、支配階級のクラブにふさわしい人物ではなかった。それでも現実には、この多国籍企業のパイオニアたちは、伝統的な製造業をそれに劣らず重要な流通事業や金融サービス事業とセットにすることで、階級の壁を乗り越えたのだ。

彼らの事業がますます多国籍化するにつれて、彼らがどんなビジネスをしているのかは推測することさえ難しくなった。「エル・イングレス（ヴェスティ兄弟の会社）が食肉加工工場に関して行っていた曲芸だけで、優秀なパイロットに目を回させるに十分だった」と、アルゼンチンのビジネスマンは書いている。「エル・イングレスが所有する加工工場が最終的に一つだけになったとき、税務調査官がそのからくりを解明できなかったのは無理もない」。したがって、ノーマン・スター号で書類が見つかったとき、デ・ラ・トーレ上院議員は、じつはかなりの偉業を達成していたのである。ヴェスティ兄弟が脱税やごまかしに関与していただけでなく、アルゼンチン政府の高官たちも彼らの課税逃れに加担しており、そこから利益まで得ていたと、デ・ラ・トーレは主張した。政治家同士の破廉恥な中傷合戦が始まった。侮辱の応酬や怒りに満ちた否認がアルゼンチンの政治シーンを飛び交い、ついにはデ・ラ・トーレの暗殺未遂事件にまで発展して、彼の側近が銃弾を受けて死亡した。(注5)

多国籍企業が生まれてまもないこの時代には、各国政府は暗闇のなかを手探りで進みながら、多国籍企業を理解し、課税しようとしていた（今なおそうしている）。第一次世界大戦前には、イギリスは自国に本社を置く企業が海外であげた利益には、その利益が本国に送還された場合を除いて課税していなかった。これはヴェスティ兄弟にとってきわめて好都合だった。自分たちの利益はほとんど海外で生み出されたと、彼らは主張できたからだ。だが、戦争が勃発すると、他の多くの国と同様、イギリスも多額の戦費を急いで調達する必要に迫られた。所得税が目の玉が飛び出るほど引き上げられ、標準税率は一九一四年の戦争開始時にはわずか六パーセントだったのに、戦争終結後の一九一九年には三〇パーセントに上昇していた。だが、イギリスが一九一四年に行った政策変更で、ヴェスティ兄弟にとくに関係の深いものがもう一つあった。イギリス企業が外国であげた利益に対しても、本国に送還されようがされまいが、課税するようになったのだ。

ヴェスティ兄弟はもちろん激怒した。彼らはまずロンドンでロビー活動を行ったが、新しい戦時の環境でそうした活動が成功するはずがなかった。事業利益に課税したからといって、それで利益が出なくなるわけではないと、イギリスの税務当局はにべもなく断定した。税金は利益が出た場合にのみ発生するのだから、と。いずれにしても、ウィリアムとエドモンドは税金を払うつもりはなかった。一九一五年一一月、ルースの戦いで五万人のイギリス兵が命を落としたというのに、ヴェスティ兄弟は税金を減らすために海外に移住した。最初の落ち着き先はシカゴだったが、そこに移り住んだ富裕なイギリス人は、明らかに彼らが最初ではなかった。「みなさんどうなさったんですか」と、愛想のいいアメリカ人の税務弁護士が言った。「今週同じ用件でここにお越しになったイギリスの方はあなたで三人目ですよ」。兄弟はシカゴからアルゼンチンに移り、そこでは所得税はまったく払わなくてもよかったが、それでも、イギリスで依然として払わねばならなかったイギリス国内の会社の税金を減らすために戦った。だが、大戦が進むにつれて、兄弟は次第にイギリスに帰りたいと思うようになった。そうすれば、自分たちの帝国の真の利益センターの近くにいることができる。そこで彼らは、イギリスに帰国でき、なおかつ課税の網を逃れられる方法を考え出した。

彼らはまず、一九一九年二月に帰国して、自分たちが課税対象となる居住者ではなく引き続きビジターとして扱われるように法的予防措置をとったうえで、ロビー活動を開始した。首相に熱烈な嘆願書を書いて、愛国的な言葉と自分たちが国内の雇用にどれほど貢献するかという主張――多国籍企業が今日でも決まって主張すること――で、その手紙を飾り立てた。また、大手の競争相手、アメリカン・ビーフ・トラストの税率が自分たちより低いことがどれほど不公平かという苦情を強く申し立てた。首相はこの問題を王立委員会に委ね、同委員会がヴェスティ兄弟の意見聴取を開始した。以来ずっと学術論文で引用されてきたウィリアムの証言は、第1章で触れた、昔ながらの二重課税という問題を持ち出していた。これはグローバル資本主義のど真ん中にある問題の核心を突く主張である。数ヵ国にまたがる事業で二重課税を避けようとする場合、どの国がその企業のどの部分に課税できるのか。これはきわめて難しい問題だ。「このような事業では、一つの国でどれだけの利益が生み出され、別の国でどれだけの利益が生み出されたのか判別することはできない」と、ウィリアムは主張した。「肉牛を処分し、その牛からとれた製品が五〇ヵ国で販売される。どれだけの利益がイギリスで生み出され、どれだけが外国で生み出されたのか判別することはできない」

ウィリアムは最も重要な問題を指摘していた。多国籍企業はもともと統合されたグローバル事業だが、課税は国ごとに行われる。多国籍企業はさまざまな国のいくつもの子会社や関連会社で構成されており、これらの会社の利益のどの部分にどの国が課税できるかを明確にするのはぞっとするほど複雑な作業である。

イギリスは世界で初めて所得税の総合課税制度を導入して、イギリスに居住するあらゆる個人の全世界所得にそれを適用していた。企業については、取締役会でその企業の最も重要な決定が下される国の居住者として扱うべきだと、判事たちは裁定した。これはイギリスに都合のよい裁定だった。世界中で活動している何千社もの企業がシティを通じて資金を調達しており、それらの企業の取締役会は通常ロンドンに置かれていたからだ。それに対し、ドイツは微妙に異なる立場をとり、「経営の所在地」――すなわちその企業の実際の業務が管理されている場所――をより重視していた。(注6)アメリカもまた異なる立場をとっており、市民権の有無を判定基準にしていた。アメリカの市民やアメリカの法律に基づいて設立された企業は、世界のどこで得た所得であろうと、すべての所得に対して課税されていたのである。こうした違いが国際課税の領域にさらなる複雑さを生み出していた。

異なる課税制度はときおり衝突した。他国に本拠を置く多国籍企業からの投資を受け入れている「源泉地」国は、その投資が生み出す利益に課税したいと思うが、「居住地」国――その多国籍企業の本拠地――も、その同じ利益に課税したいと思うからだ。この二重課税は当初はたいした問題ではなかった。事業所得に課税していた国は少数だったし、税率も低かったからだ。だが、第一次世界大戦前には、諸国は軍事費と新しい社会保障プログラムの費用をまかなうために税率を引き上げ始めた。二重課税は重大な問題になり、企業は不満の声を上げ始めた。一九二〇年に国際商業会議所が設立され、課税問題は最初からその中心的な議題とされた。(注7)

一九二〇年代には、国際連盟のもとで共通のルールや原則を決めるための議論が始まったが、進展ははかばかしくなかった。海外に投資している多国籍企業をたくさん抱えるイギリスのような資本輸出国は、ほとんどの課税権を居住地国に与えるルールを求め、一方、多額の外資投資を受け入れている源泉地国――概して相対的に貧しい国――は、それらの投資家の所得に現地で課税することを望んだ。一九二八年に発表された国際連盟のモデル租税条約は、多くの低所得国を含む源泉地国にかなりの課税権を与えていたが、第二次世界大戦後は、豊かな居住地国により多くの権利を与えるOECD（経済協力開発機構）モデルのほうが優勢になった。だが、多国籍企業は豊かな国々でも租税徴収機関の上手を行っている。

ヴェスティ兄弟が市場支配力を使って生産者と消費者の側でも競争相手を苦しめていたころ、彼らの会社を含む多国籍企業は、弁護士や会計士のチームを使って生産国や消費国から税率の低い中間国に利益を移すことで、税務当局をも苦しめるようになった。ある多国籍企業が牧場、家畜、冷凍倉庫、埠頭《ふとう》、船舶、保険会社、卸売会社、小売会社を持っているとしたら、その企業は一つの子会社が別の子会社から購入した商品の価格を調整することで、サプライチェーンの最も都合のよい場所に利益を移すことができる。「そして、最も都合のよい場所は、当然、税金が最も少ないところ、できればゼロのところだ」と、ナイトリーは述べている。これは前章で説明したバナナ会社が使う移転価格の原理そのものだ。

「利益を親会社に送還するのではなく、たいていはいくつかの仲介地を経由してタックスヘイブンの持ち株会社に送ることで、多国籍企業はどこでも課税されないようにすることができた」と、国際課税の第一人者、ソル・ピチオット教授は説明している。多国籍企業はいくつかの仲介地を経由してしばしばこれを行って、利益は低税率の国に集め、コストは最も税率の高い国に移動させた。二重課税を避けるためのシステムを二重非課税のシステムに変えたのだ。これによって多国籍企業は、再投資のための安価な資本をたっぷり蓄積でき、より小規模な、さほど国際的でない競争相手より速いペースで拡大することができた。

国際連盟の後継組織、国際連合は、一九八〇年にモデル租税条約の草案を作成して、源泉地課税と途上国に有利な方向にバランスを戻そうとした。だが、それを阻止するためにOECDが積極的に介入して、豊かな国に有利な自身のモデル条約が「優先される標準」であり続けるようにしただけでなく、猛烈にロビー活動を行って国連モデルに対する支持を低下させた。今日では、OECDモデルがほぼ完全に支配的な地位を獲得している。二重非課税が存在するだけでなく、もっと公正な世界だったら貧しい国々で支払われるはずの多額の税金が豊かな国々で支払われているのである。貧しい国々のエリートたちは、自分のまわりの貧困のことはあまり気にしない。タックスヘイブンのおかげで自分の不正利得は無税で保持することができ、貧しい同胞や外国の援助提供者にそのツケを払わせることができるのだから。

信託の活用

一九二〇年の王立委員会に対するウィリアム・ヴェスティの証言は、自分の主張を通すことに慣れている男の姿を浮き彫りにする。「私がアルゼンチンで動物を処分し、その動物からとれた製品をスペインで販売したら、イギリスはその事業からまったく税金を得ることはできない」と、彼は主張した。「あなた方は好きなようにすればよいが、そこから税金をとることはできない(注8)」。自分の求めるものが得られないなら、自分の事業とそれが生み出している何千人分もの雇用を海外に移すと、彼は脅しをかけた。大規模な戦争を経験したばかりの国に対するヴェスティ兄弟の愛国心の欠如にいら立って、委員たちは反撃した。「あなたはこの国に住む便益に対して何も払わないつもりなのか」と、一人の委員が詰問した。ウィリアム・ヴェスティは答えなかった。「失礼ながら」と、その委員は続けた。「お答えいただきたい。これは証人が席についてからずっと私をいら立たせている点なのだ」

イギリスはヴェスティ兄弟に彼らが望むものを与えようとはしなかった。それでも、彼らはまだ帰国を切望した。「私はリバプールの古きよき町で生まれた」と、ウィリアムは語った。「そして、この国で死にたいと思っている」。そのため、ロビー活動に失敗すると、彼らはもっとうさんくさいもの、オフショアというとらえにくい世界をわれわれがよりはっきり垣間見る助けになるものを生み出した。トラスト（信託）を設定したのである。これが彼らの計画の第二段階だった。

一般的な考えでは、財務上の秘密を守る最善の方法は、資金をたとえばスイスやリヒテンシュタインに移して強力な銀行秘密保護法の下に隠すことだ。銀行の守秘性は軽視できない問題だが、ほとんどの人が理解していないのは、信託はある意味でそのアングロサクソン版だということだ。おまけに、信託はスイス版の単純な沈黙より見抜きにくい守秘性を生み出す可能性がある。

信託の概念は中世に登場した。十字軍に参加するため故国を離れる騎士たちが、自分の財産を信頼できる管財人に預け、その管財人が騎士の妻子のために財産を管理したのである。それは財産の所有者（騎士）を、仲介者（管財人、すなわち受託者）を通じて受益者（騎士の家族）と結びつける三者協定だった。何世紀もの間にこの三者協定を正式なものにする法律が整備されて、現在ではこうした取り決めを裁判で強制できるようになっている。

信託は暗黙の強力な仕組みであり、その証拠を公的記録のなかに見つけるのは通常不可能だ。信託は弁護士とクライアントの間の秘密である。信託の効用は、本質的には資産の所有権を操作することだ。所有権は単純なものだと、みなさんは思うかもしれない。ある人が銀行にたとえば一〇〇万ドル預けているとすると、その人はそのカネの所有者であり、そのカネをいつでも使うことができる。だが、所有権は別々の要素に分離することができる。たとえば住宅ローンで住宅を買ったときは、そのような状態が発生する。あなたの住宅に対して銀行がある程度の所有権を持ち、あなたが残りの所有権を持つわけだ。アンスタルト、財団（シュティフトゥング）、トロイハントなど、信託の変形もあり、大陸ヨーロッパでは信託より広く用いられているが、これらもやはり所有権を別々の要素に分離するものだ。

信託は所有権をきわめて慎重に切り離す。信託が設定される場合、資産のもともとの所有者は、理屈の上ではその資産を信託に譲渡する。この時点で受託者がその資産の法律上の所有者になるが、受託者はその資産を自由に使うことはできない。信託証書の条項、すなわち受益者に便益をどのように分配するべきかという厳密な指示に従うことを法律で義務づけられているからだ。信託法によると、受託者はこの指示に従う以外に選択肢はなく、受託者報酬を別にすれば、その資産からいかなる便益も受け取ってはならない。裕福な男に二人の子どもがいるとしたら、その男は信託名義の銀行口座に一〇〇万ドル預けて弁護士を受託者に任命し、その弁護士に、それぞれの子にその子が二一歳になった時点でそのカネの半分を渡してくれと指示するかもしれない。子どもにカネが支払われるずっと前にその男が死んだとしても、信託は生き続け、受託者はそのカネを指示されたとおりに支払う法的義務を負っている。信託を解消するのは、実際、きわめて難しいのである。

信託は一〇〇パーセント合法の場合もある。だが、脱税のような不正な目的のために使うこともでき、実際、そうした目的のために使われることが多い。となると、多くの人を当惑させる疑問が出てくる。税金を逃れるために資産を手放さなければならないとしたら、代償が大きすぎるのではないか、という疑問である。答えは必ずしも単純ではない。

これは一つには文化的な問題だ。イギリスの上流階級は、自分の財産を自分と切り離して信頼できる他人に管理してもらうことに何の不安も感じない。何世紀ものジェントルマン資本主義を通じて、信頼できる使用人や専門職の雇い人は頼れる相手であることを学んできたのであり、彼らの権利意識は法的所有権のような些末《さまつ》なことに依拠するものではない。積み重ねてきた学習のおかげで、彼らは自分の正当な権利を尊重してくれ、それゆえ信頼できる人々を見分けることができる。

信託は主として二つのことを生じさせる。第一に、所有権を別々の要素に分離する堅固な法的障壁を生み出す。第二に、この法的障壁は決して打ち破れない情報障壁になることがある。信託は資産を鋼鉄のように頑丈な守秘性でくるむことができる。信託に入れられた資産が会社の株式だとすると、会社は受託者——法的所有者——は登記するだろうが、受益者——将来、その資産を受け取って使う人々——はどこにも登記しない。あなたがジャージーの信託に一〇〇万ドル持っていて、税務調査官があなたの資産状況を調べようとしたとすると、彼らにとって調査を始めることさえ難しいだろう。ジャージーの信託証書は公的な登記簿にはいっさい載っていないからだ。税務調査官が幸運で、受託者の身元を特定できたとしても、それはおそらく生計のために受託業務を行っていて、何千もの信託の受託者になっている可能性があるジャージーの弁護士だろう。その弁護士はあなたが受益者であることを知っている世界で唯一の人間かもしれないが、職業上の守秘義務に縛られているのでその事実を明かすことはできない。税務調査官は石の壁にぶつかることになる。

秘密保護の仕組みをいくつも重ねることで、この守秘性をさらに強固にすることができる。ジャージーの信託に入れられている資産は、強力な銀行秘密保護法によって守られているパナマの銀行にある一〇〇万ドルかもしれないのだ。ジャージーの弁護士に受益者を明かさせることは、税務調査官が拷問を使ったとしても無理だろう。弁護士は必ずしも受益者を知っているわけではないからだ。彼らは別の場所にいる別の弁護士に小切手を送るだけで、その別の弁護士もやはり受益者ではないのである。* このようにどんどん重ねていけるのであり、ジャージーの信託をケイマン諸島の別の信託に重ね、それからそれをデラウェアの秘密法人の上に置く、といったことが可能なのだ。インターポール（国際刑事警察機構）が捜査に乗り出したとしても、そのカネを追跡するためには、手間と時間と費用のかかる訴訟手続きをいくつもの国で通り抜けなければならない。それをやり遂げたとしても、国によっては逃避条項を認めているので、捜査の気配がしたとたんに資産は自動的に他の国に逃げ出すだろう。

＊ ジャージーの当局は、受託者はすべての受益者の身元を知ることを義務づけられていると主張している。私が調べた限りでは、ジャージーも他のオフショア法域もこうした法律を十分強制しておらず、受託者は実際には受益者を知らないことが多い。

ヴェスティ兄弟が一九二一年一二月に設定した信託の契約――イギリスの弁護士事務所、ホール・アンド・スターリングのパリ事務所で締結された――は、今日広く用いられているオフショアの精巧な契約に比べると、かなり単純だった。だが、それでも、イギリスの内国歳入庁がその存在を突き止めるまでに、八年もの歳月がかかった。その間に、ヴェスティ兄弟のパリの信託がひそかに存続していた一方で、新しいスキャンダルが発生した。

イギリスの戦時課税を逃れるために故国を離れて七年後の一九二二年六月、ウィリアム・ヴェスティが貴族の地位を買ったことが明らかになったのだ。これはとりたてて珍しい話ではなかった。大戦で財をなした多くの人が、不当利得行為という不名誉を隠すために爵位という体面を喉から手が出るほど欲しがっていた。ロイド・ジョージ首相は彼らの願いをかなえることにすこぶる積極的で、爵位を手当たり次第に売り渡して国のあちこちで憤激を生じさせていた。ある国会議員は一九一九年にこう吐き捨てた。「まともな人間は決して自分の家に入れないようなジェントルマンたちが、爵位をもらっている」

ウィリアムがヴェスティ卿《きょう》になると、憤激は国中に広まった。「ほとんどの人が感じているのは、彼は褒美を与えられるべき人間ではない、ということだろう」と、ストラチー卿は議会で指摘した。「脱税をして、税金を払わねばならない人々の税負担をより重くした男になぜ褒美を与えなくてはいけないのか、ということだろう」(注9)。ストラチーはヴェスティ卿に、議会に出頭して爵位をカネで買ったのではないと証言するよう迫った。

ヴェスティはもちろんそんなことはしなかった。「私は法律的には現在、海外におり……現在の状態をとても気に入っている。海外にいて、何も払わないという状態を」。彼がそう語るとき、彼に好意を抱く者は一人もいなかった。

国王、ジョージ五世でさえ、次のように書き記す気になった。「王室と政府を同様の——屈辱的とは言わないまでも——耐えがたい事件の可能性から守る効率的で信頼できる方法の確立をきわめて強く要請する」と、国王は王室独特の言い回しで記した。「かかる事件の再発は、国家の社会的・政治的安寧にとって危険な災いを必然的に引き起こすに違いない」。スキャンダルは長くくすぶり続けたが、結局、何の措置もとられなかった。ヴェスティ兄弟は望みどおりイギリスに帰国し、彼らのパリの秘密信託は税務当局に気づかれないままだった。

現代のイギリスに住んでいる人は、この事件と保守党副議長、アシュクロフト卿のスキャンダルとの類似性に驚くかもしれない。アシュクロフト卿はベリーズを拠点に活動している富裕なビジネスマンで、二〇一〇年三月、税金上の目的のためにイギリスに居住していない、いわゆるノンドミサイル（非永住）納税者――富裕な個人がイギリス国外での収入についてイギリスの税金の納付を免除されるカテゴリー――であることを認めたのだ。二〇一〇年三月、このスキャンダルが明るみに出た直後に、『ガーディアン』紙は次のような見出しを載せた。「国会議員への安易な爵位授与のうさんくささ――今や臭気は耐えがたくなっている」。ある国会議員はこうコメントした。「アシュクロフトの成り上がりのペースでいくと、彼はクリスマスには王室の一員になっているだろう」(注10)

ヴェスティ兄弟はイギリスに帰国し、しかも税金を逃れていたが、イギリスの税務当局は、辛抱強い調査でパリの信託を発見した後もヴェスティ兄弟にその信託財産に対する税金を払わせることはできなかった。守秘性は信託が提供する唯一のごまかしではないからだ。信託は人々が実際には自分のカネに対する支配権を維持しながら、そのカネを譲渡したふりをすること――つまり、そのカネに対して課税されないようにすること――を可能にするのである。アメリカ内国歳入庁（ＩＲＳ）はこれを次のように簡単にまとめている。「これらのスキームは、合法的な信託と同じく、所有の便益から責任と管理権を切り離しているような見かけるが、その納税者は実際にはその資金を管理しているのである」(注11)。ヴェスティのパリの信託の証書は、前文でまさにその見せかけを示唆している。「受益者に対する譲渡者（ヴェスティ兄弟）の当然の愛情と愛着に鑑みて」と始まる前文は、「また、さまざまな他のもっともな理由や判断のために」、この資金は実際には彼らの愛する受益者たち、すなわち彼らの妻子に譲渡されたものである、と述べているのである。だが、ヴェスティ兄弟が実際に行ったことは、それとは違っていた。彼らはまず、自分たちの海外事業のほとんどをイギリスに本社のあるユニオン・コールド・ストレージ社にリースした。通常の契約なら、ユニオンはリース料をヴェスティ兄弟に払っていただろうが、実際には、兄弟が信頼していたパリの二人の弁護士と一人の会社役員に払っていた。ここまではごく普通である。だが、これらの受託者はきわめて大きな投資の権限を与えられており、特定の「権限を持つ人物」の指示に従ってその投資権限を行使すると定められていた。その「権限を持つ人物」は誰か。もちろん、ヴェスティ兄弟だった。したがって、受託者たちは、ヴェスティ兄弟の指示に従って、やはりヴェスティ兄弟が支配していて、自分たちの個人的な貯金箱として使っていたイギリスの別の企業に、多額のカネを融資していたのである。(注12)

税務当局は確かに、新しい租税回避戦略に対抗する方法を絶えず探し求め、課税基盤を守るための法律や規制を頻繁に定めている。だが、富裕な租税回避者は、新しい規則の裏をかくためにさらに複雑な戦略を実行する。これはどんどん進化していくネコとネズミの戦いであり、その影響は税制が着実により複雑になっていくことだ。富裕層がペテンを完璧にして租税徴収機関より一枚上手を行けるようにするために、守秘法域は自国の法律を絶えず――しかも概して素早く――調整している。長年の間に、オフショア信託のごまかしの手法はどんどん増え、ますます精巧になってきた。多くのオフショア法域が撤回可能信託と呼ばれるもの――契約を撤回して資金を元の所有者に返還できる信託――を認めている。撤回して取り戻せるのなら、所有者はその資産を本当の意味で手放してはいない。だが、撤回されるまでは、資産は譲渡されたかのように見え、当局はそれに課税できないのである。

バリエーションは数限りなくある。たとえば、「信託保護者」を置いている信託がある。信託保護者は受託者に対してある種の影響力を持ち、資金を譲渡したふりをしている人物の代理として行動する。ケイマン諸島の「スター・トラスト」は、もともとの所有者が信託の投資決定を行うことを認めており、受託者にはその投資が確実に他の受益者の利益にかなうようにする義務はない。ジャージーの「シャム・トラスト（疑似信託）」を使う人もいるかもしれない。この信託では、契約締結後に、受託者をより柔軟な人物にすげ替えたり、受託者への指示を意のままに変えたりすることができる。このようなバリエーションはまだたくさんある。何しろ、オフショア弁護士のなかには、一日中オフィスに陣取って、新種の信託を考え出すことだけを仕事にしている連中がいるのだから。

　信託は租税逃れの手段であるだけではない。後ほど見ていくように、先ごろの経済危機の誘因になったストラクチャード・インベストメント・ビークル（ＳＩＶ）の多くが、オフショア信託として設定されていた。こうした信託がグローバル金融にとってどれほど重要になっているかに気づいたら、ほとんどの人が驚き、衝撃すら受けるだろう。ジャージーという小さなタックスヘイブンだけをとっても、信託に投入されている資産が四〇〇〇億ドルもあり、世界全体では数兆ドル相当の資産が深い守秘性に包まれているのである。

　莫大な富を守るために信託という仕組みを選んだことで、ヴェスティ兄弟はじつに強力な武器を手にしていたことになる。一九三四年にノーマン・スター号で肥料の下に埋もれていたヴェスティ文書の箱を発見したとき、デ・ラ・トーレ上院議員は自分の敵がどれほど狡猾《こうかつ》かにおそらく気づいていなかっただろう。この捜索のすぐ後に、ウルグアイでもっと決定的なヴェスティ文書が発見された。デ・ラ・トーレ上院議員は、ヴェスティ兄弟の不快なビジネス慣行にひどく動揺していたイギリス外務省に、アルゼンチンの調査を多国間合同調査委員会に発展させることに同意させるという成果もあげた。

「ウィリアムはただちに危険を理解した」と、ナイトリーは記している。「そのような委員会はロンドンのヴェスティの帳簿を調べようとするだろう。その帳簿が調べられたら、何が暴き出されるかわかったものではなかった」。そのため、ヴェスティ兄弟は攻勢に出た。アルゼンチンの自社のマネジャーが心臓発作で死んだとき、ウィリアム・ヴェスティは委員会に手紙を送って、デ・ラ・トーレ上院議員に殺されたようなものだと批難したのである。アルゼンチン政府は激怒し、ヴェスティの手紙を「前代未聞の図々しい書状」と評した。イギリス外務省は、この手紙が不快であることは認めたが、自分たちにはそれをどうこうすることはできないと言い逃れた。そして、事態はそこから下り坂に向かう。

委員会は二年にわたって調査し、その間ヴェスティ兄弟はロンドンから糸を引いて調査を骨抜きにしようとした。六〇回の会合が開かれ、アルゼンチンの食肉産業に関する細かい情報を詰め込んだ報告書が作成されたにもかかわらず、委員会はロンドンのヴェスティの帳簿を調べることはできなかった。フィリップ・ナイトリーは次に起きたことをこう記している。「ヴェスティ帝国の秘密主義を突き破る地点に誰よりも近づいていた男、デ・ラ・トーレ上院議員は、一九三九年一月五日、人類の全般的行動に対する落胆を表明する遺書を残して拳銃自殺した」

それでも、イギリスの内国歳入庁は、ヴェスティの信託に対する次の攻撃のために態勢を整え始めていた。海外の信託に課税できるようになると同庁が期待していた一九三八年財政法が成立したのである。そして、第二次世界大戦のさなかの一九四二年、同庁は攻撃を再開した。ウィリアムはその二年前に死去していたが、最後の瞬間まで税務当局と戦い、「不当な相続税」を批難して、イギリスには二六万一〇〇〇ポンドしか残さなかった。信託は生き続けて、家族への支払いを続けた。一九三八年財政法は、所得を得た人物がその所得を「享受する力」を持っている場合は、その人物に課税できると定めていた。ヴェスティ家を対象にしていると思われる条項だった。最初は内国歳入庁が勝利しているように見えたが、同庁はパリの信託の契約書の原本を入手することができなかった。ヴェスティ家によると、原本はドイツ軍の侵攻直前にボルドーの保護預かり箱にあったのは確かだが、その後の行方はわからないとのことだった。それにもかかわらず、税務当局は前進し続け、不服申し立てを次々に打ち破った。だが、最後のハードルで潮目が変わった。ヴェスティ家は貴族院で、自分たちはその所得を管理する個人的な権利を持っているわけではなく、合同の権利があるだけだと主張した。この主張によって、第二次世界大戦でイギリスの若者がふたたび命を落としているとき、ヴェスティ家の人々はまたしても無罪放免になったのだ。

この戦いはさらに何十年も続いた。内国歳入庁はその後の攻撃で小さな前進はしたが、ヴェスティ家は防御の技を磨き続け、自分たちの富のほとんどに課税の網をすり抜けさせた。「税に関してヴェスティ家と正面から戦おうとするのは、ライスプディングを搾ろうとするようなものだ。米粒に吸収された水分は、いくら搾っても一滴も搾り出せない」と、ある税務官は言った。一九八〇年、内国歳入庁によるそうした攻撃のすぐ後に、当時世界で最も敬意を払われていた新聞の一つ、『サンデー・タイムズ』紙が、ヴェスティ家所有のイギリスの食肉小売チェーン、デューハーストが、一九七八年に二三〇万ポンド強の利益に対して一〇ポンドの税金しか払わなかったことを明らかにした。税率〇・〇〇〇四パーセントである。「六〇年以上にわたってスズメの涙ほどの税金しか払ってこなかった、莫大な富を持つ王朝がここにある」と、『サンデー・タイムズ』は報じた。「その間ずっと、この王朝のメンバーたちは、イギリスでカネ持ちであることの少なからぬ喜びを享受してきたのに、その喜びを存在させてきた防衛に対しては――戦時における外国の敵からの防衛に対しても、平時における混乱や病気からの防衛に対しても――公正な分担には及びもつかないような貢献しかしてこなかったのだ」

不快なことだが、この記事に対する読者のコメントの大多数が、ヴェスティ家を支持するものだった。「彼らは運がよかったのだ」と、イギリス保守党の大物、ソーニークロフト卿はコメントした。初代エドモンドの孫に当たるエドモンド・ヴェスティは、この発言をさらに膨らませてこう言った。「あるがままに見ようではないか。払わなくてはならない額以上の税金を払っている者は一人もいない。われわれはみな税金逃れをしているではないか」(注13)

パリの信託の抜け穴は一九九一年に塞《ふさ》がれたが、イギリスの富裕層にとって合法的な租税回避の機会は今なおたくさんある。(注14)一九九三年に、国民の強い抗議を受けて女王がついに所得税を払い始めたとき、当代のヴェスティ卿はニッコリ笑ってこうのたもうた。「さて、これで私が最後の一人になったわけだ」すぐに見ていくように、これは事実ではなかった。彼は決して一人ではなかったのだ。

第3章
中立という儲かる盾
ヨーロッパ最古の守秘法域、スイス

バーゼル商業銀行の顧客リスト

一九三二年一〇月二六日四時一〇分、パリの警察がシャンゼリゼ通りの瀟洒《しょうしゃ》な住宅に家宅捜索をかけた。スイスのバーゼル商業銀行のパリ事務所が、ここにひっそり置かれていたのである。(注1) この銀行の上層部の内部告発者から脱税している顧客一三〇〇人のリストを提供されていた警察は、まもなくその情報が確かであることを発見した。受け付け付近に数人の顧客がおり、彼らは合わせて二〇万フラン以上の現金を持っていたのである。彼らに対する取り調べが進むにつれて、容疑者のリストは二〇〇〇人に増え、そのなかにはフランスで最も裕福で最も地位の高い層の人々も含まれていた。

この家宅捜索の二週間後、議会での激しいやりとりのなかで、この銀行の顧客リストを入手していた社会党代議士、ファビアン・アルベルタンが、小出しにしてじらすというストリップショーのようなやり方で、「名前！　名前！」と連呼する代議士たちの要求に応えた。二人の聖職者がリストに載っている。その他に、一二人の軍幹部、軍の会計監査官、三人の上院議員、数人の元閣僚、それに右派の『ル・フィガロ』紙のオーナーのプジョー家やライバル紙『ル・マタン』のオーナーなどの大物実業家も載っている。バーゼル商業銀行に加えてスイスの他の五つの銀行も関与している。そう暴露した後、彼はこうした脱税のためにフランスは毎年四〇億フランの税収を失っていると推定した。当時としては途方もない額だった。(注2)豊かな脱税者が見逃されている一方で、社会保障給付の不正受給で三年間刑務所に入れられた小規模商店主がいると、共産党議員が不公平な扱いを批難した。

一九二〇年代、ヴェスティ兄弟が信託という独自の脱税手法をとり始めていたころ、スイスの銀行は自分たちの「最大限の慎重さ」をきわめて図々しく宣伝しており、報復を恐れた同国の外務大臣が、銀行に宣伝をトーンダウンするよう促したほどだった。ヨーロッパ諸国の政府は、税収を失うことだけでなく、ドイツの資本がスイスに逃避することで、ヴェルサイユ条約によってドイツに課せられた第一次世界大戦の賠償金の支払いが滞ることも心配していたのである。スイス連邦議会は一九二四年、「この回避と戦ういかなる措置も……頑として拒否することを決定した」と発表した。(注3)

だが、この新しいスキャンダルは事情が違っていた。大恐慌の真っただなかにあって、フランスは厳しい緊縮予算を組んでおり、大衆の気分はとげとげしくなっていた。パリの三八人の予審判事全員が、リストに載っている人々の取り調べに当たることになり、フランスの財務大臣は「政府が使えるあらゆる手段を使って」脱税と戦うことを約束した。(注4)スイスはフランスの協力要請をすべて断った。「フランスの機関に司法協力を与えることは、決してわが国の利益にならない」と、ある極秘公文書は記していた。(注5)「それは外国の預金者からわが国の銀行が獲得している多額のビジネスにきわめて不利な影響を及ぼす恐れがある」。だが、フランスがバーゼル商業銀行の幹部二人を非協力の罪で拘留すると、スイスとその銀行は行動に出た。

まず、フランスの警察の強引な手法に大きく光を当て、緊縮政策のさなかの脱税という問題を無視して、スイスを横柄な外国政府の被害者として描き出す記事が、スイスのメディアに相次いで登場した。

これは「スイスに対する攻撃」であり、「紛れもないヘイト・キャンペーン（特定の属性を持つ集団に対する偏見に基づく批難キャンペーン）」であると、新聞はいきまいた。それは、アメリカの当局が富裕なアメリカ人の税金逃れを幇助《ほうじょ》したとしてUBSの行員を現行犯逮捕した後、今日、スイスの新聞を埋め尽くしている見出しとほぼ同じ主張だった。

次に起きたことは重要だ。スイスはドイツのユダヤ人の資産をナチスから守るために銀行の守秘性を導入したという話が、今では広く行き渡っている。この神話はシュヴァイツェリッシェ・クレディトアンシュタルト（今日のクレディ・スイス）の一九六六年の広報誌(注6)に起源を持つもので、スイスの銀行家たちは以来ずっとこの話を最大限に利用してきた。当時、スイスと新しい租税協定の交渉を行っていたアメリカの高官たちは、ユダヤ人の資産を守るためだったという銀行の守秘性の起源なるものをさんざん聞かされた後、公式に不満を表明した。スイス連邦議会は一九七〇年三月の報告書でこの説を公式に支持し(注7)、一九七七年にジュネーブの新聞の元編集者が書いたセンセーショナルな本が(注8)、それをさらに強化した。この本には、ユダヤ人の口座情報を探り出すためにゲシュタポ（ナチスドイツの国家秘密警察）がスイスに潜入していたという信じがたい話が記されていた。この話の問題点は、それが真実ではないことだ。スイスの農民運動や労働者運動は、大恐慌のさなかの一九三一年、銀行に対する規制の強化を要求し始めた。銀行は、これまで厳重に管理してきた金融分野に国家の検査が入ったら秘密が漏れる恐れがあると懸念して、スイスの銀行の秘密保持に違反することを犯罪とする新しい法律の制定を熱烈に求めるようになった。一九三一年八月には、大きな影響力を持つ右派の日刊紙『ノイエ・チューリッヒ・ツァイトゥング』が、政府による銀行の監督を批難していたし、一九三二年二月には、ある大物銀行家が、銀行の秘密保持に違反することを犯罪とする条項を含む法案草稿を政府に送っていた。だが、政府を本当に行動に駆り立てたのは、その年の一〇月にパリで暴かれたスキャンダルだった。新しい銀行法の作成が進められ、一九三三年二月には公式の草案ができあがっていた。ヒトラーが政権に就いてわずか一八日後のことで、彼の国家支配が揺るぎないものになるずっと前、それどころか彼がドイツのすべての情報機関を掌握するずっと前のことだった。一九三四年についに可決されたこの法律は、最初の草稿をほとんどそのまま採用したもので、銀行の秘密保持に対する違反を世界で初めて罰金刑や禁固刑の対象になる犯罪と定めていた。(注9) ドイツが第三帝国に申告せずに外国に口座を持つことを死刑に値する犯罪としたのは、一九三六年になってからだ。ユダヤ人の資産に関する情報を探り出すためにスイスに潜入したゲシュタポの活動なるものについては、スイス銀行協会でさえまったく記録を持っていない。

スイスの銀行の守秘性はドイツのユダヤ人資産を保護するために導入されたという説は、作り話であるにもかかわらず、多くの人から事実とみなされている。この説は「追い詰められていたスイス人に大義名分を与えた」と、金融ジャーナリストのニコラス・フェイスは述べている。「あらゆる国の、あらゆる種類の犯罪者をかくまっていると批難されていた彼らに、わが身をしっかり包むことのできる倫理性という錦の御旗を提供したのである」。富裕なアメリカ人の脱税を幇助しているとして、アメリカ政府が二〇〇八年にスイスの銀行、UBSの活動を調査し始めてから、この説は何度か持ち出された。「スイスの銀行秘密保護法は一九三四年にさかのぼる」と、『フィナンシャル・タイムズ』紙は二〇〇九年に記した。「その年、一つにはドイツのユダヤ人や労組活動家をナチスから守るために制定されたのだ」

守秘性はスイスの歴史にきわめて古くから深く根をおろしている。「スイスはおそらく最古の、そして最強のタックスヘイブンだろう」と、ローザンヌ大学の現代史教授、セバスチャン・グーは語った。(注10)「ケイマンやバミューダはロンドンの出先機関だ。本物の自治権は持っていない。スイスは単に豊かなアメリカ人の金庫というだけではない。その伝統は三〇ないし四〇の一族の戦略と関連があり、あなたがそうした一族の人間なら、あなたは世の中で重要人物とみなされる。これは経済状態とは別個の重要性を持っている」

スイスの重要な建国神話――おそらくアメリカのボストン茶会事件に匹敵するものだろう――は、一三世紀のウィリアム・テルの物語だ。彼はハプスブルク帝国の租税徴収官を侮辱したため息子の頭に載せたリンゴを射抜かねばならなかった男として、子どもたちに広く知られている。自分の住む小さな山岳コミュニティーの規範以外はいかなる権威にも従わなかった頑健な弓の名手の物語は、地の利を生かして圧政に勇敢に抵抗した山岳国というスイスの自己イメージについて重要な真理を含んでおり、きわめてスイス的な「ゾンダーファル」という考え――スイスは世界のなかでかなり特別な、かなり上位の地位を占めているという考え(注11)――としっかり重なっている。

何世紀もの間に、スイス人は地方ごとに団結して、外国の軍隊が支配するのは不可能な独立独歩の山岳コミュニティーを築いた。そして、スイスは、深い谷に隔てられた独立独歩のコミュニティーが緩やかに結びついた国として立ちあらわれた。この国はおおまかに言って四つの言語圏に分かれている。ドイツ語を話す多数派はチューリッヒを中心に中央部から東部にかけて住んでおり、フランス語を話す少数派はジュネーブを中心とする西部に、さらに少数派のイタリア語を話す人々は南部のルガーノ周辺に集まっている。そして、ロマンシュ語を話すごく少数の人々は、主として東部山岳地帯の農村部に住んでいる。この境界は州やコミュニティーの境界、プロテスタント地域とカトリック地域の境界、さらには思想的な境界とも重なっている。

スイスはこれらの差異に二つの方法で対処してきた。一つは外国の紛争で中立を保つこと。たとえばフランスとドイツの戦争で一方の側についたら、フランス語を話すスイス人とドイツ語を話すスイス人が対立することになり、内戦につながりかねない。スイスの中立の伝統は何世紀も前に生まれたもので、一八一五年のウィーン会議においてヨーロッパのなかで公式に認められた。国内の差異に対処するためにスイスが採用しているもう一つの方法は、直接民主主義を基盤とするきわめて複雑で分権的な政治システムを築いて、地方の政治単位に大きな権限を与えることだ。頻繁に行われる国民投票が、スイスの憲法を絶えず進化させて、国民の不満の一歩先を行かせている。スイス人は「特定の困難を避けるための政治的妥協、すなわちちょっとした憲法上の仕組みは必ずあると信じている」と、歴史家のジョナサン・スタインバーグは述べている。スイスは「たまたま近代の中央集権化を免れた古代の歴史的政体である。中央集権化された近代国家の興亡を横目に、神聖ローマ帝国が生き延びたようなものだ」(注12)

このきわめて分権的な仕組みでは、連邦政府、二六のカントン（州）、二七五〇あまりの市町村がそれぞれ課税権を有しており、この三段階の行政組織がそれぞれ総税収のおよそ三分の一を得ている。この仕組みはもう一つのオフショアの力学を生み出している。州や市町村が競って税率を引き下げるので、税率がどんどん下がることだ。これは今日、守秘性とともに、世界最大手の企業を引き寄せる要因になっている。たとえば、美しい湖畔の州、ツークは、二万七〇〇〇の企業をひっそり受け入れている。住民四人につきほぼ一社の割合だ。これらの企業には、グレンコアやエクストラータのような巨大コモディティー企業や、ロシアからヨーロッパに天然ガスを供給するパイプラインの多くを建設している企業などがある。この州は、二〇〇一年にクリントン大統領から赦免を得て物議をかもした金融資本家、マーク・リッチが、アメリカの司法当局からの逃亡中に住んでいた場所でもある。また、ドイツのかつてのスター・テニスプレイヤー、ボリス・ベッカーのような著名人も受け入れている。巨大多国籍企業は経済的影響力で州をはるかに上回っており、州議会に影響を及ぼす大きな力を持っている。「とても小さい州だから、当局と近づきになれる」(注13)と、近隣のシャフハウゼン州にあるタイコ・エレクトロニクスの幹部、プリスカ・ロエスリは語っている。タイコ社はバミューダから同州に移転した後、交渉によって特別税率を獲得した。

スイスには金融資本家たちを安心させるものがもう一つある。スイスの政治は、いわゆる「コンコルダンス（調和）」、すなわち派閥間の交渉による合意に基づいて行われる。スイスの内閣に相当する連邦参事会は、異なる政党を代表する七人のメンバーで構成されているが、つねに自分の党の利益より集団としての意思を優先しなければならない。そのため、他国で華々しい政治シーンを生み出している対立による民主主義の白熱した議論は、この国では不思議なくらい見られない。政治家は激しく対立することを許されていないのだ。結果、社会党は長年銀行の守秘性に反対しているが、連邦参事会の同党代表は、それを支持するという政府方針に従わなければならない。政党の指導者たちは、公の場で反対を表明するときは遠回しな言い方をする。一種の「イエス・バット法」を使うわけで、それが反対を弱めている。声高に移民反対を唱える右派の国民党（ＳＶＰ）の台頭で、コンコルダンスが近年乱されているのは確かだが、ＳＶＰは銀行の守秘性を積極的に支持している。

金融資本家たちは、スイス人は決して波乱を起こさないと信頼することができる。そのうえ、スイスの政治制度は別のレベルでも心強い堅実性を生み出している。自由農民の連合体や都市の連合体から発展してきたため、スイスのコミュニティーは「興味深い意味でボトムヘビーになっており、何度倒しても起き上がる起き上がりこぼしのようだ」と、スタインバーグは述べている。「重心は底部にある。コミュニティーの均衡点は下のほうにあり、社会的・政治的秩序は、ずっと静止しているその均衡点に戻る傾向がある」。労働運動の伝統もほとんどない。山の多い地形のためにこの国の経済構造は細分化され、たとえば繊維産業は工場に動力を供給する渓流沿いに集まるなど、業種ごとの小さな集団で構成されていた。労働者はあちこちに散らばっており、そのため意識の高い戦闘的な労働者階級が生まれにくかった。(注14) この事実が、潜在的対立を中和するシステムとあいまって、スイス社会が先進国のなかで最も不平等な富の分配を許容している一因になっている。この国では近いうちに民衆革命が起きる心配はまったくない。だから、世界の金融資本家たちはスイスが大好きなのだ。

スイスの金融部門の守秘性は何百年も前からあった。カトリックのフランス国王たちは、ジュネーブの銀行の口の堅さを重宝していた。彼らが異端のプロテスタントから借金していることが明るみに出たら、破滅的な事態になっていただろう。一七一三年、当時は独立した都市国家だったジュネーブ州の参事会は、銀行は「当参事会の明示的な同意がある場合を除き、この情報を当該クライアント以外のいかなる人物にも漏らしてはならない」と定めた。だが、秘密を守るスイスの銀行業が本当に栄え始めたのは、スイスのエリートたちが帝国を夢見るようになった一九世紀のことだ。

一八六〇年から一八七〇年の間に、スイス南部の比較的小さな都市国家がいくつかイタリアに併合された。一八七一年にドイツが統一されたとき、北部でも同様のことが起きた。ヨーロッパの諸国家は、海外帝国の建設も先を争って進めていた。イギリスに続いて、フランス、ドイツ、ベルギー、オランダ、イタリアも帝国主義的拡大策をとるようになった。だが、スイスは海への出口がなかったので、帝国を築くのは不可能だった。軍事力を使って海までの通路を確保しようとか、条約を結んでジェノバ港まで出られるようにしようなど、スイスの実業界や銀行業界のエリートたちからさまざまな案が出された。フランスからマダガスカルを買い取るという案まであった。

「スイスの資本家たちが直面していた問題はこうだ」と、グーは説明した。

スイス人と競争している資本家のほとんど——とりわけドイツ（およびフランス）の資本家たち——が、突如として強大な軍隊を持ち、帝国主義列強が植民地獲得競争によって世界を分割している。スイスは、植民地帝国を持ち、原料、海軍力、通商などを利用できるこれら列強に取り囲まれている。だが、スイスはどこにいるのか。スイス人は何をするのか。スイス人は古くからの誇りある資本家だ。それなのに、帝国を持つことはできない。

すでに半分築かれていたまったく新しい道、スイスの中立性と深く結びついた道が強化されるようになった。外国の戦争で中立の立場をとれば、大きな利益をあげることができる。すべての交戦国と引き続きビジネスをすることができ、そのうえ、脅威にならない信頼できる仲介者としても利益を得ることができる。グーは次のように説明した。「ドイツ人がフランスでビジネスをしたいと思う場合、あるいはその逆の場合、彼らはスイスを経由する。スイスはその取引を完了するための偽装や秘密法人を提供できるので、彼らは自分の商品を守ることができる。それにスイスの平和も大きな魅力だ。妻子を連れてきても、殺される心配はない」。加えて、交戦国の経済は混乱するので、資本は当然、平和な中立国に流れる。中立国の通貨は強さを維持し、外国のマネーがどっと入ってくるので、さらに強くなる。

ヨーロッパ史上最も壊滅的だった戦争の一つ、一六一八年から四八年の三〇年戦争のときほど商売が好調で生活水準が高かったことはないという事実に、スイス人はすでに気づいていた。歴史家のジョナサン・スタインバーグによれば、「スイス人が中立性を利益や善や良識と結びつけるようになった」のはそのときだった。[注15] 一八世紀には、現代のスイスを構成している地域の銀行が、ヨーロッパ全土で活発に活動するようになっていた。ウィーンの皇帝、フランスやイギリスの国王、ドイツの諸侯、フランスの自治都市――みんながスイスの銀行からカネを借りていた。スイスの歴史家、ジュール・ランズマンは次のように記している。「イングランド銀行から東インド会社まで、スイスの州当局が関与していない集合的投資手段は事実上皆無だった」[注16]

一八七〇年から七一年の普仏戦争で、利益はふたたび急増した。[注17]「スイスの資本家たちはこう考えている」と、グーは言葉を続けた。「それこそがわれわれの未来だ――われわれはヨーロッパの列強間の対立を利用する。中立という盾で守られて、工業と金融がわれわれの武器になる」。第一次世界大戦はさらに利益をもたらし、スイスのエリートたちは世界の大金融センターになることを夢見るようになった。それに加えて、もう一つ変化が起きていた。ヨーロッパ諸国が戦費をまかなうために税金を引き上げていたのである。たとえばフランスは、一九一四年に初めて所得税を導入し、一九二五年には最高限界税率が九〇パーセントに達していた。[注18] 税率が上がるにつれて、富裕な市民は税金を逃れようとした。美しい中立国、スイスは、彼らにとって当然の選択だった。それでも、アドルフ・ヒトラーが政権に就いた後の利益に比べれば、第一次世界大戦の利益はその足元にも及ばなかった。

第二次世界大戦中の動向

一九九六年一〇月のある晴れた日、エステル・サピールという名の小柄な老婦人が、スイスの銀行とホロコーストについて調査していたアメリカ上院特別委員会で証言した。彼女が父親と最後に会ったのは、フランス南部の収容所で、鉄条網越しでの会話だった。父親はそれからまもなくポーランドの強制収容所に送られて殺されたが、その前に自分の財産がどこにあるかを娘に詳しく説明していた。戦後、彼女はイギリスとフランスのいくつかの銀行を訪ねた。銀行は口座を調べた後、あれこれ問い詰めることもせず、父親の預金を彼女に全額払い戻してくれた。こう語った後、彼女は、父親の書類から見つけていた一九三八年のクレディ・スイスの預け入れ伝票を持ってスイスに行ったときの体験を説明した。「若い男性が奥から出てきました。彼がまず口にしたのは『お父上の死亡証明書を見せてください』でした。『どうして死亡証明書を手に入れることができましょう。ヒムラーやヒトラー、アイヒマンやメンゲレのところに行かなくちゃいけないんですよ』。私はそう答えました。涙があふれてきて、銀行から通りに飛び出しました。同じ日に、もう一度その銀行に行きましたが、冷静を保つことはできませんでした。それ以後、スイスには一度も行っていません。スイスには一度も。一度も、です」。世界各地のクレディ・スイスの支店は、一九四六年から一九五七年の間に計二〇回訪れた彼女を、そのたびにはねつけたのだった。

多くのスイス人にとって、第二次世界大戦はスイスの例外主義を明確に示したレジスタンスとヒロイズムの時代だった。南からはムッソリーニのファシスト・イタリアが、北からはヒトラーのドイツが侵攻の機会をうかがうなかで、勇敢な小国、スイスは自由と独立を維持したのである。一九四〇年七月二五日、ギザン将軍はスイス軍の将校を集めて国を守り抜くことを誓い、軍の戦略的再配備を命じた。スイス軍はこれ以後、国境を守るのではなくアルプスの山岳地帯に撤退する。ヒトラーの軍は低地のチューリッヒやジュネーブやルツェルンは占領するかもしれないが、スイスの精鋭部隊を彼らの庭とも言える要塞《ようさい》のような山岳地帯から引きずり出そうとしたら、手ひどい目にあうだろう。スイスは最後まで戦い抜く。ギザンはそう宣言した。これはスイス軍の最もすばらしい瞬間だった。だが、このエピソードの陰に、さほど気高くない話が隠れているのである。その一部はスイスの銀行に関係があるが、さほど知られていない別の部分もある。

スイスはずいぶん前から、政治難民を保護する憲法上の義務を定めていた。それなのに、一九三三年四月、ヒトラーが政権に就いてわずか数週間後に、ユダヤ人難民の無条件の亡命を事実上拒否する新しい法律を制定したのである。彼らは政治難民ではなく人種難民であるという理由で、だ。「われわれは持てる限りの力で、また必要な場合は外国のユダヤ人、とりわけ東方からのユダヤ人の移住を容赦なく拒否して、われわれ自身を守らなければならない」と、スイス司法警察省の警察局長、ハインリッヒ・ロスムントは主張した。国境の出先機関での識別を容易にするために、ロスムントは一九三八年、ゲシュタポを説得して、ユダヤ人のパスポートに「J」というスタンプを押すという約束まで取り付けた。(注19)これはスイスの国民ではなくリーダーたちの対応だったということは、言っておかねばならない。多くのスイス人が移住してきたユダヤ人を歓迎し、保護して、残酷な扱いに声高に抗議したのである。スイス人のほとんどが反ナチスだったことを、多くの記述が伝えている。(注20)

一九三九年に戦争が始まると、スイスは制限を強化し、ナチスから逃れるために山や谷を越えてきた多くのユダヤ人を強制的に追い返した。何とか入国を認められたユダヤ人については、スイス国内のユダヤ人が生活費を負担し、面倒を見なければならなかった。「難民はスイスに避難する権利を享受できるようになる前に、厳しい尋問を受けなければならない」と、スイスのある新聞は報じた。「資本は何の尋問も受けずに亡命の権利を享受しているというのに、だ」(注21)。中立は軍事的中立だけを意味するものだと、スイスの高官たちは説明した。経済的中立は、スイス大統領が述べたように「未知の法的概念」だった。一九四二年、スイスはユダヤ人に対して国境を事実上閉鎖した。[注22] トム・バウワーの*Blood Money: the Swiss, the Nazis, and the Looted Billions*（『ブラッド・マネー——スイス人とナチスと略奪された資産』、未邦訳）によると、合法的に入国できたのは、「自分たちの悲惨な境遇からスイス人が利益を得るのに協力した少数の幸運な人々だった」。たとえば、あるユダヤ系ドイツ人のビジネスマンは、スイスへの身元保証付き入国ビザと一マルクで、ベルリンの自分の履物工場をスイス企業に売り渡した。

戦争開始からまもないころでも、ドイツの高位の人物や企業は、ドイツが負けた場合には、いずれ新しい第四帝国を樹立するために、スイスに富を蓄えていた。[注23] ドイツ経済省は一九三九年九月、自国の海外資産を隠すために、スイスを拠点とする特別外国為替管理局を新設した。ナチスの強制収容所で使われた毒ガスを製造していた巨大化学メーカー、IGファルベンや各種兵器メーカーなど、ドイツの大手企業は、スイス人の受託者やマネジャーを雇って、資産の所有者を隠す法的枠組みを作り上げた。[注24] ヘルマン・ゲーリング、ヨーゼフ・ゲッベルス、ヨアヒム・フォン・リッベントロップ、それにヒトラー自身のスイスの代理人たちは、ヨーロッパ各地の美術館や個人コレクションから略奪した大量の貴金属や金塊や美術品を保管する手助けをした。押収したドイツの文書に基づいて作成されたアメリカ国務省の報告書は、虚偽請求、ダミー会社、クローキング（隠蔽《いんぺい》）、虚偽の契約による延べ払いなど、現代のオフショア専門家にはおなじみのスキームを概説している。ベルンのある大物銀行家は一九四一年にイギリスの外交官にこう言った。「すべての枢軸国の統治集団のあらゆる主要メンバーが、スイスに資金を置いている」[注25]。ヒトラーがスイスに侵攻しなかったのは、一つにはスイスが、ナチスの高官が言ったように「消化しにくい塊」だったからだが、スイスとその隣の小国リヒテンシュタインは、ベルンのある弁護士の言葉どおり、ヒトラーの「金庫」だったからでもある。(注27)
現代のタックスヘイブンが途上国から大量の汚職マネーを受け入れてきたように、スイスは政治的庇《ひ》護《ご》を軸とするアドルフ・ヒトラーの腐敗システムに直接かつ積極的に加担していたようだ。一九四一年、ナチス・ドイツの金の備蓄と外貨準備が底をつくと、スイス政府は八億五〇〇〇万スイス・フランの融資を行い、スイスのメーカーが武器や計器を供給した。スイスの独立専門家委員会の報告書が二〇〇一～二年に断定したように、「スイスはドイツの戦争遂行費用をまかなう手助けをしたのである」。スイスの化学産業や機械産業、時計・精密機器産業は「紛れもないブーム」を経験したと、この報告書は付記している。(注28)
ドイツに対する支援に抗議した連合国の駐スイス大使たちは、ドイツとの貿易を制限せよという連合国の「理不尽な」要求に「悩まされて」いるスイスの高官たちから、逆に説教された。スイスは日本と貿易する権利も要求した。(注29) バーゼルのアメリカ領事によれば、スイスの銀行家たちは「親ファシストの金融事業者」と化していた。一九四二年秋、ナチスによる集団虐殺の直接的で明白な証拠を入手したスイス赤十字の高官たちが批難声明を出すことを検討したとき、政府は彼らに沈黙を命じた。(注30) イギリスの外務大臣、アンソニー・イーデンは、同年、駐英スイス大使を呼んでスイスとドイツの新貿易協定の交渉に抗議したが、話しているうちに、スイス大使がナチズムを粉砕すべき悪とはとらえていないことが徐々にわかってきた。(注31) 同年一〇月、スイスはドイツにふたたび兵器購入のための多額の融資を与えた。一二月には、保守系の新聞『ノイエ・チューリッヒ・ツァイトゥング』が、「ユダヤ人問題はユダヤ人大虐殺になった」と報じていた。

一九四四年のノルマンディー上陸作戦後、連合国の情報機関は、スイスに流入する略奪品が劇的に増えており、同時にスペイン、トルコ、スウェーデンなど、公式には中立の立場をとっている他の国々の金保有量が急増していることに気づいた。また、スペインから中南米に向かう、おそらくはナチスの財宝を積んだ輸送船の便数が増えたことにも気づいた。連合国はドイツの資産を追跡して押収するとともに、「セーフヘイブン」というコードネームのプログラムを開始して、中立国にナチスの略奪品を受け入れないよう圧力をかけた。違法な富の受領、保管、譲渡、隠匿を防ぐ「措置をただちにとる」よう、要請したのである。(注32)

一九四四年九月、連合国がフランスを解放してスイスの国境に迫るなかで、スイス銀行協会はドイツとの協力を停止すると約束した。だが、それは外部からの監視をともなうものではなく、自己規制にすぎなかった。イギリスはそれで納得したようだったが、アメリカは違った。スイスの銀行はその方針を変えようとせず、そのためアメリカは圧力を強めたが、イギリスは手ぬるかった。ナチスの略奪品を追跡する作業は確かに容易ではなかった。ベルン駐在のイギリスの商務書記官、ウィリアム・サリヴァンは、何ヵ月も調査した後、「この仕事の計り知れない難しさ」を報告した。(注33)だが、イギリスの姿勢は手ぬるいというレベルにさえ達していなかった。イギリスの戦時経済省の高官、E・H・ブリスは「スイスにとって、ドイツ人による隠匿は違法でも不正でもない」と書いた。盗まれたものだと証明されない限り、中立国にはドイツの資産を引き渡す義務はないと、彼は主張した。「中立国はドイツに対する自国の債権を相殺するためにドイツの資産を使うことができる」(注34)。アメリカ人は仰天した。

アメリカの財務長官、ヘンリー・モーゲンソーは、スイスに隠匿されているナチスの略奪資産を探し出そうとする自分の努力に対して、自国の国務省が抵抗していることに気づいた。「ロンドンの影響力を過小評価してはならないと、モーゲンソーは思った」と、トム・バウワーは*Blood Money*で書いている。[注35]米英の情報機関は、ナチスの資産を中南米に送る導管であることが判明していたヨハン・ウェールリ銀行をめぐって対立した。この銀行をブラックリストに入れようとするアメリカの動きに、イギリスが抵抗したのである。ウェールリの義理の息子で、ルガーノ駐在のイギリス名誉領事、マックス・ビニー大佐がこの銀行を守るために動いているのだと、アメリカは読んでいた。[注36]ウィンストン・チャーチル首相は、一九四四年一二月の演説で、「栄誉を与えられる最大の権利を持つ国」「山岳地帯で自衛しながら自由を支持し、思想的には、人種の違いにもかかわらず、おおむねわれわれの側にいる民主国家」としてスイスを賞賛した。[注37]これはほとんどのスイス人に言えることだったかもしれないが、スイスの指導者や銀行には絶対に当てはまらない言葉だった。

一九四五年二月には、連合国の勝利は確定したように見え、スイスは新たな譲歩をしてドイツの資産の凍結とナチスの略奪資産の本来の所有者への返還を約束した。連合国の弁護士たちは、徐々にしか実行されない状況に照らして、保険や逃げ道や抜け道があることにすぐに気づいた。連合国のある弁護士は、それを「自分の資産を隠して将来の規制から逃れなさいという、ドイツ人への警告に近いもの」と評した。圧力が高まるにつれて、スイスの問題はイギリスに問題を突きつけた。相続人のいない資産を調べられるよう、スイスの法律を変えて銀行に情報を開示させたら、スイスの銀行にあるイギリスの口座が調べられる恐れがあったのだ。その可能性は「イギリス財務省で『大変な慎重さ』を要する『危険をはらむ問題』と受け止められた」と、バウワーは述べている。イギリスのある高官は、スイスの銀行の秘密に余計な首を突っ込むことは、「イギリスの銀行が特定の事例で匿名口座の所有者を強制的に開示させられるという影響をもたらす」と、警鐘を鳴らした。イギリス財務省の高官、エディー・プレイフェアは、イギリスは「この件では慎重に進むべきだ。……われわれはイギリスの銀行の秘密を強制的に開示させられることは望まない」と述べた。イギリスの弁護士、ディングル・フットは、ロンドンからの至急電報で「イギリスの銀行に対する情報開示要求につながることはいっさい行ってはならない（繰り返す、行ってはならない）」と指示された。（注38）

三月八日、スイスはナチスとの取引を停止し、彼らの口座を凍結するという、連合国との多岐にわたる合意に署名した。だが、スイスは依然として双方に調子を合わせていた。三週間後、スイスの高官たちはドイツの高官と、略奪した金塊をさらに三トン受け入れるという秘密協定を結んだのだ。その一部は強制収容所で殺されたユダヤ人やロマ族の金歯や結婚指輪を溶かし固めたものだった。（注39）

一九四五年五月にドイツが降伏してからは、アメリカの怒り、スイスのごまかしと妨害、イギリスの及び腰を柱とする長く複雑な物語が展開された。一部のイギリス人は、スイスの銀行に甘い姿勢をとることを、スイスが大戦中、好意的だったのはそのおかげだとして擁護した。戦後になっても、イギリスの立場は変わらなかった。アメリカ財務省の高官、ジェームズ・マンが「弱虫シスターズ」と呼んだイギリスの外交官たちは、制裁の脅しを台無しにし続けた。イギリスはスイスの融資を求めているのだろうとマンは読んでいたが、実際、そのとおりだった。ワシントンでスイスと西側連合国との交渉が開始される日の一週間前、最初の融資が実行された。駐英スイス大使は、この融資は「連合国との交渉を考慮して……イギリス政府の機嫌をとる」ために行われたと語った。フランスはさらに多額の融資を受けたが、これはスイスの別の高官によると、「交渉の間にフランスを立腹させるのを避けるため」だった。

ドイツ人以外の外国人クライアントについては、スイスは身元情報の引き渡しを求められなかった。また、ドイツ人の資産を特定する手続きはスイスの準公的機関によって行われたが、この機関は作業の多くを銀行に委託した。(注40) スイス銀行協会による最初の自主監査では、ナチスの犠牲者の資産で相続人のいないものは四八万二〇〇〇フラン相当しか見つからなかった。ユダヤ人団体からの新たな圧力を受けて一九五六年に行った自主監査では、銀行は八六口座、計八六万二〇〇〇フランを探し出した。一九九〇年代にアメリカのユダヤ人団体からの圧力が高まって、一九九五年に再度自主監査が行われ、七七五口座、計三八七〇万フランが見つけ出された。だが、圧力は高まり続け、一九九六年五月、元FRB(連邦準備制度理事会)議長、ポール・ヴォルカーをリーダーとする独立調査委員会による調査がスイス側に受け入れられ、スイス議会も独自の調査を行うことで合意した。このころには、アメリカの裁判所で一連の集団訴訟も進行していた。ヴォルカー委員会はホロコーストに関連している可能性がある口座をさらに五万三八八六件見つけ出し、(注41) スイスの銀行は一九九八年八月、集団訴訟を和解に持ち込むために一二億五〇〇〇万ドル支払うことに同意した。イギリスの銀行の秘密は決して明かされることはなかった。クレディ・スイスはエステル・サピールの父親の口座をようやく発見して、五〇万ドルで彼女と和解した。

スイスは依然としてダーティーマネーの世界最大の保管場所の一つである。二〇〇九年には、非居住者が持つオフショア口座に約二兆一〇〇〇億ドルの資金――そのほぼ半分がヨーロッパから――を受け入れた。グローバル金融危機前の二〇〇七年には、その額は三兆一〇〇〇億ドルにのぼっていた。(注42) スイスの証券会社、ヘルベアのアナリストたちが二〇〇九年に行った推定では、ヨーロッパから持ち込まれる資金の約八〇パーセントが税務当局に申告されていないカネで、(注43) イタリア人だけをとると、その数字は九九パーセントにはね上がる。(注44)

スイスの連邦議員で、銀行の守秘性に反対している代表的な人物、ルドルフ・ストラームは、スイス経由の脱税を防ごうとする外国政府にとって重要な指摘をしている。オフショア・センターはスイスの社会、政治、歴史にはるか昔からしっかり根づいているので、守秘性の制限を求める国内からの圧力が成功したためしはない。スイス政府に直接向けられた外国からの圧力も、やはりいつも失敗してきた。外国の介入が成功するのはスイスの銀行をターゲットにしたときで、そのような介入があった場合は、銀行は国内で変革を推し進めてきた。最近の例は、二〇一〇年のUBSの一件だ。アメリカ政府がUBSに、悲惨な結果になると脅しをかけた後、UBSに口座を持つ四〇〇〇人以上のアメリカ人の情報を手渡すことにスイス政府が同意したのである。「スイス政府に圧力をかけても何の効果もない」と、ストラームは言った。「変革を起こすためには、銀行に圧力をかけなくちゃいけないんだ」(注45)

それでも、こうした変革が、『タイム』誌が二〇一〇年に書いたように「銀行の守秘性の蓋《ふた》を吹き飛ばした」(注46)という、最近耳にする主張は、スイスが放棄したものは比較的少ないという事実を覆い隠すことになる。アメリカとの合意は画期的だったが、他国との情報交換協定は、後ほど説明するように、笑えるほど不十分な透明性基準に基づいて適用されているにすぎない。おまけに、こうしたささやかな変革は、少数の豊かな国の市民に利益をもたらしているだけだ。途上国は、いつもどおり、こうした協定から閉め出されているのである。

第4章　オフショアと正反対のもの
金融資本に対する戦いとケインズ

所有と経営の距離――ケインズの予言

ジョン・メイナード・ケインズの伝記作者のなかで最も有名なロバート・スキデルスキーは、この偉大なイギリス人経済学者の三巻からなる伝記のアメリカ版に、妙に自己防衛的な序文をつけた。スキデルスキーは「イギリスの帝国主義的保守主義者の異様で邪悪な一派」の影響下にあるという、著名なアメリカ人経済学者、ブラッドフォード・デロングの批判に反論したのである。(注1) イギリスにとって第二次世界大戦は事実上、二つの戦争だったと、スキデルスキーは主張した。一つは、ウィンストン・チャーチルの指揮のもとでイギリスがナチス・ドイツと戦った戦争、もう一つは、西洋連合という表の顔の裏で、ジョン・メイナード・ケインズ率いるイギリス帝国がアメリカに立ち向かった戦争だ、と。枢軸国を打ち破った後のアメリカの主な戦争目的は、イギリス帝国を破壊することだったと、彼は主張した。「チャーチルはイギリスとその帝国をナチス・ドイツから守るために戦った。ケインズはアメリカに対抗できる大国としてのイギリスを守るために戦った。イギリスはドイツとの戦争には勝ったが、その勝利を得る過程で莫大《ばくだい》な資源を費やしたため、帝国も大国としての地位も失うことを運命づけられた」(注2)

この反論はかなり複雑だ。それは一つには、一九四四年のブレトンウッズ会議でケインズの主な交渉相手だったアメリカのハリー・デクスター・ホワイトが、ほぼ間違いなくソ連に情報を流していたと思われるためでもある。だが、二つの大国が金融分野での優位をめぐってひそかに巨大な戦いを繰り広げていたことは、スキデルスキーの記述から明白だ。経済で競争していた二つの大国がようやく解決策を編み出したのは、戦後ずいぶん時間が経《た》ってからのことだった。次の章で述べるように、それは現代のオフショア・システムを構築することによって達成された。本章では、その前に存在していたもの、すなわちケインズが設計に尽力し、諸国の緊密な協力と国境を越えた資本移動に対する厳しい規制をともなう国際システムを見ていく。このシステムは、ある意味で、今日の細分化された自由放任のオフショア・システムとは正反対のものだった。そして、多くの問題点にもかかわらず、驚異的な成功を収めたのだ。

世界を舞台に活躍した人の御多分に漏れず、ケインズも複雑な人物で、二〇人の人生を一人の人間に詰め込んだかのようだった。彼の一世代前の第一級の経済学者、アルフレッド・マーシャルは、この若手経済学者の論文を読んで、こう言った。「若い人たちが、これほどの困難をこれほど簡単そうにこれほど見事に切り抜けられるのだとすれば、われわれ年寄りは首をくくらなくちゃいけない」。ケインズが初めて広く世に認められたのは、一九一九年、世界を変えた論文『平和の経済的帰結』によってだった。彼はこの論文で、第一次世界大戦後にドイツに課せられた巨額の賠償金は、ドイツを荒廃させ、それとともにヨーロッパも荒廃させて、悲惨な結果をもたらすだろうと主張した。「この平和は理不尽かつ不可能であり、不幸以外の何物も後に残せない」。彼は正しかった。この荒廃は、アドルフ・ヒトラーの台頭と第二次世界大戦の土台を築いたのだ。

ケインズは後に、外国為替や商品など、先が読めないことで有名な分野で投機を始めるが、彼がこれに充てた時間は、まだベッドにいる間の一日三〇分だけだった。(注3)彼は一九二〇年代のウォール街のブームを牽引《けんいん》していた類いの不正なインサイダー情報を嫌い、金融や国際問題についての膨大な知識を武器に、自分が相手にしている人々の心理や先入観をすべて織り込んで、企業のバランスシート(貸借対照表)やデータを分析した。後者の分野について、「セックス以外にこれほど人を夢中にさせるものはない」(注4)と書いている。こうした投機で財をなしたが、その過程で破産寸前まで行ったこともあった。それは彼に市場の不合理性をいやというほど思い知らせた経験だった。

後年、二〇世紀の最も有名な経済学の教科書と言える『雇用、利子および貨幣の一般理論』を執筆する一方で、ケインズは私財を投じてケンブリッジに劇場を建設した。そして、劇場のレストランの売上をグラフ化したり、窓口係が休んだときは切符切りをしたりして、信じがたいことにこの劇場を芸術的にも商業的にも大成功に導いた。ロシア人バレリーナと結婚し、芸術批評家としても敬意を集めていた。傑出した官僚・外交官で、経済誌の精力的な編集者でもあり、書いた記事が通貨の価値を動かすほど影響力のあるジャーナリストでもあった。確率論に関する本も書いており、博識の哲学者、バートランド・ラッセルは、その本を「いくら褒めても褒め足りない」と絶賛し、ケインズは「私がこれまでに出会った最も鋭く最も明晰《めいせき》な」知性の持ち主だと言い切った。ラッセルは、ケインズと議論するときは「命がけ」のように感じるとも述べている。ケインズの理論は、今日もなおその意義を失っていない。ケインズの死から六三年後、ノーベル経済学賞受賞者のポール・クルーグマンは、先ごろのグローバル経済危機に関する中間分析で、「ケインズ経済学は、今なお景気後退や不況を理解するための最も優れた枠組みである」と断定した。ケインズは「一度もヘッドライトを消したことがない」経済学者、すなわち誰よりも早く物事の動きを理解する男と評された。晩年、唯一の後悔は「シャンペンをもっと飲まなかったことだ」と言ったこともよく知られている。

多くの伝記作家が、おそらくケインズの個人的・職業的名声を高めようとして、彼の人生の社会的に不適切と思われる面をぼかしてきた。親友のリットン・ストレイチーに宛てた威勢のいい手紙に、ケインズは「鉄道会社を経営するか、信託を作るかしたい。それが無理なら一般投資家からカネをだまし取りたい」と書いたことがある。伝記作者のロイ・ハロッド卿《きょう》は、この「一般投資家からカネをだまし取りたい」という箇所を省略記号に置き換えている。ケインズは決して詐欺師ではなかったが、茶目っ気たっぷりの男だった。そして、ストレイチーは、ヴィクトリア朝時代の人々のまじめさの仮面を剥ぐ確かな能力で、ケインズを楽しませてくれたのだった。二人はスキデルスキーが「冒涜《ぼうとく》的言動と若く魅力的な男性を好む共通の嗜好《しこう》」と表現したものに耽溺《たんでき》した。もっとも、ケインズは、自身が「人に嫌悪感を与える」と形容した自分の容貌のせいで、今一つ積極的になれなかったのではあるが。同性愛が厳しく抑圧されていた時代にあって――ケインズの死からずいぶん後になっても、ゲイの男性は化学的去勢に処せられていた――人生の大半を、ケインズの言葉によると「女たらしでさえ、まともなやつとみなしてもらえないことを恐れて男色家のふりをする」(注5)ケンブリッジの快適な文化的環境で過ごしたという点で、彼はおそらく幸運だったのだろう。

ケインズにはエリート主義的な面もあった。彼は高慢なブルームズベリー・グループの中心的なメンバーの一人だった。このグループの面々は――少なくとも第一次世界大戦のせいで生活が困窮するまでは――イギリスの芸術、哲学、文化の最前線にいると自負しており、あるメンバーの言葉によれば「ヴィクトリア朝時代に対する反乱」にいそしんでいた。無神論や反戦を唱える性的に放縦なグループに属する異端児だったとはいえ、ケインズはイギリスの支配層の紛れもない一員でもあり、イングランド銀行の取締役、ケンブリッジ大学キングス・カレッジの会計係、イートン校の理事などを歴任した。

経済学者のロバート・ハイルブロナーが記しているように、ケインズがイギリスのエリート層に属し、その階層の傲慢《ごうまん》さや、ときに反民主的な偏見の多くを備えていたにもかかわらず――一九三〇年代の大恐慌の後に発表された『雇用、利子および貨幣の一般理論』で――庶民のために貧困や失業を緩和する大きな希望を提供したのが彼だったのは皮肉である。ケインズの処方は、民間部門の投資が崩壊したときは、その空白を埋めるために、政府を一時的に方程式に引き入れるというものだった。ハイルブロナーはこう指摘している。「生産不足と失業の併存というこの矛盾を解決しようとしている男は左翼だろう、プロレタリアート（労働者階級）に強い共感を持つ経済学者だろう、怒りに燃えた男だろうというのが、論理的な見方のように思えるだろう。だが、これほど真実から遠い見方はない」

ケインズがこの世を去って以来、彼を批判する人々は幾度となく彼の理論を社会主義や共産主義と結びつけようとしてきた。一九四七年にケインズ主義の初の入門的教科書が刊行されたとき、アメリカでは右派がキャンペーンを張って、多くの大学に注文をキャンセルさせた。保守派の論客、ウィリアム・F・バックリーは、この教科書を採用した人々を「邪悪な考え」を唱えていると攻撃した。最近の例としては、バラク・オバマの敵対勢力が、財政赤字を増大させる公共事業によってアメリカ経済を復活させようとする彼のケインズ主義的政策は、自由企業制度をソ連式の制度が乗っ取るようなものだと批判してきた。だが、ケインズは決して保守派が思い描くような社会主義者ではなかった。彼はマルクスやエンゲルスを嫌っており、政府の介入はあくまでも一時的な応急措置とみなし、繁栄への最善の道として市場や貿易の価値を熱烈に信じていた。「私は民間の判断や自発性や活力をできる限り維持することに賛成だ」と、彼は書いている。彼は資本主義を葬り去ろうとしたのではなく、救おうとしたのである。

ケインズの批判者の大多数が、彼の考えやライフスタイルにはあきれかえっていると主張していても、自分では気づかないままケインズの想定の多くを受け入れるようになっている。実際、アメリカ経済は一九四〇年代後半から、民間投資を巨額の税金で補完することに力を入れてきた。二〇〇五年に経済学者のポール・クルーグマンが、リチャード・ニクソンの一九六五年の言葉をそのまま言ったように、「今やわれわれはみなケインジアンだ」

一九世紀には、自由貿易論者が圧倒的に主流を占めていた。自由貿易が繁栄と平和をもたらすのは自明であると、多くの人が思っていた。自由貿易は諸国間の経済的つながりを強め、相互依存を生み出して、簡単には戦争できないようにするからだ、と。それは一九九〇年代のトーマス・フリードマンの印象的な主張、マクドナルド――自由貿易と「ワシントン・コンセンサス」の象徴――が進出している国同士が戦争したことはないという主張と、少し似たところのある考えだった（この主張は、一九九九年三月、ＮＡＴＯ（北大西洋条約機構）軍がユーゴスラビアの首都べオグラードを爆撃したことで成立しなくなった）。ケインズも、しばらくはこの考えを固く信じていた。「ほとんどのイギリス人と同様、私は自由貿易を道徳律の一部であるかのように信奉しながら育った」と、彼は一九三三年に『イエール・レビュー』誌に書いている。「自由貿易から離反することは、愚行であると同時に規律違反だと思っていた」（注6）

二つの集団が互いに財を取引するとき、両者の関係はほぼ対等だ。だが、金融はそうではないことをケインズは見抜いていた。金融の場合、貸し手と借り手は上下関係にある。ビル・クリントンのアドバイザーだったジェームズ・カーヴィルは、それをこう言いあらわした。生まれ変われるとしたら債券市場になりたい。そうすれば「みんなを脅せるからね」。産業資本家は金融資本家に従属しており、しかも両者の利益はしばしば対立する。たとえば、金融資本家は大きな利益を引き出せる高金利を好むが、産業資本家はコストを抑えるために低金利を望む。ケインズも同じ見方をしていたが、彼はそこに新たな視点を付け加えた。諸国間の経済的つながりは、必ずしも国際平和を守るわけではないということだ。一九三三年、炊き出しの列、自殺するブローカー、システム全体を覆う失業といった事態を前にして、彼の考えは変わった。「過去の経験と将来の見通しを踏まえると、まったく逆の主張のほうが無理がない」「国内生産が無理なく都合のいい形で可能なときは、必ず国内で生産しよう」「とりわけ金融は、主として国内の活動にしよう」と主張するようになったのだ。

一九二九年に始まった大恐慌は、長く続いた規制緩和と自由経済の時代、それに過剰債務と途方もない経済格差に支えられた強気相場が頂点に達した結果だった。ブームの末期には、アメリカの最富裕層、二万四〇〇〇人の所得は、平均すると最も貧しい六〇〇〇万世帯の六三〇倍になっていたし、[注7] 所得上位一パーセントの人々が、アメリカ全体の所得の四分の一近く——二〇〇七年のグローバル危機のスタート時より若干大きい割合——を占めるようになっていた。「われわれは、仕組みを理解できない精巧なマシンの制御を誤り、巨大な混乱に陥っている」と、ケインズは書いた。現在の状況との類似性は一目瞭然だ。

当時は、互いに緊密に結びついたオフショア・システムと呼べるほどのものはまだ存在していなかった。当時あったのは、富裕なエリート層が税務当局から富や所得を隠すために使っていた二、三の海外法域だけだった。大陸ヨーロッパの富裕層は主としてスイスに頼っており、それに対し、イギリスの富裕層は、近隣のチャネル諸島やマン島を重用する傾向があった。一九三七年に当時のアメリカ財務長官、ヘンリー・モーゲンソーが記した書簡は、富裕なアメリカ人はどうしていたのかをうかがわせる。(注8)「大統領閣下」と、その書簡は始まる。「この中間報告は、即時の対策が求められるきわめて深刻な状況をお伝えするものです」。アメリカの脱税者たちは「税率が低く、会社法が手ぬるい」海外の特定の地域――彼はバハマ、パナマ、およびイギリスの最も古い植民地、ニューファンドランド島を挙げている――に、個人持ち株会社を設立しています。「これらの持ち株会社はありとあらゆる方法を駆使して、自社に関する情報の取得を防ごうとしています。こうした会社は、一般に外国の弁護士を通じて創立され、本当の利害関係者の名前が表に出ないよう、ダミーの設立者やダミーの取締役を据えています」

現代の基準からするときわめて原始的ではあるが、モーゲンソーが説明している仕組みは、今日のオフショアのペテンを注視している人々にはなじみ深いものだろう。「普通の給与生活者や小規模商店主は、このような手段はもちろん、これに類した手段も使いません。いわゆるビジネス・コミュニティーのリーダーたちによる合法的な税逃れや脱税は……自分たちの公正な負担分をすでにきちんと払っているコミュニティーの他のメンバーに、余分な負担をさせます。その負担に耐える力を彼らほど持ち合わせていないメンバーに、です」

当時と今の違いにもかかわらず、ケインズはわれわれがオフショア・システムを理解する助けになる鋭い知見を提供した。それらの知見は、先ごろのグローバル経済危機に照らし合わせても、不気味なほど予知に富んでいる。

工場、訓練、調査、賃金など――社会をより豊かにするもの――への投資と、金融投資や資本投資はまったくの別物だ。企業が他社を買収するときは、何らかの資本投資が発生していると一般に想定される。だが、たいていの場合、企業買収は新規の実物投資とはまったく関係がない。企業や政府が債券や株式を売却するとき、投資家は将来の継続的所得に対する権利を与えてくれる紙きれと引き換えにカネを払う。債券や株式が新規に発行されるときは、それによって集められた資金は生産的投資に流れ込む。これは概して健全だ。だが、次に、これらの債券や株式が取引される二次市場が登場する。この取引は生産的投資に直接、貢献するわけではなく、単に所有者を入れ替えるだけだ。今日のグローバル市場における購入の九五パーセント以上が、実物投資ではなくこの種の二次的な活動で構成されている。

実際の事業経営がその事業の所有者――これらの紙きれの保有者――から切り離されるようになると、とくにそれが国境を越えて行われるようになると何が起きるかを、ケインズは説明している。「同じ原則が国際的に適用されると、緊張の時代には、それは耐えがたい」「私は自分の所有するものに対して無責任になり、私の所有するものを経営する人々は、私に対して無責任になる」。ケインズはさらにこう語る。市場の需給に従って世界中で紙きれの保有者を入れ替えるのが効率的だと証明する理論上の計算は成り立つかもしれない。「だが、所有と経営が遠く離れていることは、人間関係においては悪であり、長期的には財務上の計算をぶち壊す確執や反目をおそらく、もしくは必ず、生み出すという経験知が蓄積されつつある」

クレジット・デリバティブをはじめとする金融工学の産物が、投資家と彼らが所有する資産の間に、巧みではあるが理解できない障壁を置くことによって、経済の大混乱を引き起こした世界では、彼の言葉はこれまで以上にしっくりくる。膨大な住宅ローン債権やクレジットカード債権がまとめられて大きな金融の綿菓子が作られ、それが細かく切り分けられて世界中の投資家に次々に転売された。所有者が変わるたびに、新しい所有者は前の所有者より実際の事業やそこで働く人々から遠くなった。紙きれの所有者を変えることは、理論上は、リスク調整後リターンが最も高い事業への資本フローを促進するはずだ。優れた事業が資金提供を得られるはずだ。こうした市場における少量の投機的取引は、情報を改善し、価格を平準化する。だが、投機的取引の量が実体経済に基づく取引の量の一〇〇倍にもなると、結果は大惨事であることが実証されている。

オフショア・システムは、効率性の名のもとに、世界を巡る資本の流れに一種の高性能潤滑剤を塗って、資本主義内部のこの隔たりを劇的に拡大するのである。われわれが二〇〇七年以降、思い知らされてきたように、このシステムは著しく非効率だ。消滅した富の量や納税者が背負わされたコストを考えてみるといい。おまけに、オフショアには遠さや人為性を生み出す他の要素もある。企業が財務事項を世界各地のタックスヘイブンに分散するなかで、ますます高まる守秘性や複雑さだ。タックスヘイブンは、他の国々の法律や規制から投資家を隠すことによって、この隔たりを拡大するのである。

オフショアは、金融市場の効率的な監督を妨げ、危機が発生する危険性を高め、富裕なインサイダーが救済のリスクとコストを少数の投資家から切り離して大多数の勤労者に転嫁できるようにする。オフショア・システムの推進者たちが主張している効率性はまやかしだ。資本はもう、最も高いリターンが得られるところには行かなくなっている。最大の税額控除や最も高い守秘性が得られるところ、不都合な法律や規制を最もうまく回避できるところに行くのである。これらの魅力はどれもみな、資本のより効率的な配分とは何の関係もない。ケインズの言うとおりなのだ。

これを念頭に置きながら、ケインズの最も偉大な業績の一つを見ていこう。第二次世界大戦後の新しい世界秩序を構築したことだ。これは、オフショア・システムと正反対のものだった。

ブレトンウッズ会議とケインズの奮闘

第二次世界大戦が始まると、ケインズはワシントンに派遣されてアメリカとの交渉に当たることになった。彼はそこで、自分が難しい問題に直面していることを思い知らされることになる。ほとんどのアメリカ人はイギリスに対して、彼が想像していた以上の反感を抱いていたのである。ルーズベルトはイギリス帝国が大嫌いで、イギリスの貴族社会に不信感を持ち、「イギリス外務省の親ファシスト的傾向を危惧していた」(注9)と、スキデルスキーは記している。一九二〇年代の信用バブルの崩壊とその後の大恐慌の後、アメリカはウォール街をかなり効果的に制御しており、多くのアメリカ人が、より規制の緩いシティ——憎いイギリス帝国の真の中心地——に大きな不信感を持っていた。イギリスは国際貿易でアメリカ製品に対して差別的な取り扱いをしていたし、野党、共和党は、海外の戦争にふたたび巻き込まれることになるのを恐れていた。どうしてイギリスをもう一度支援してやる必要があろうと、多くの国民が思っていた。アメリカを第一次世界大戦に引きずり込み、戦時債務の支払いを拒否し、おまけに帝国にしがみついているイギリスを。一九四〇年にイギリス軍がダンケルクから屈辱的な撤退を余儀なくされた後は、ワシントンの一部も、負け戦と思われるものを支援することに消極的になっていた。

世界経済の重心は、すでに大西洋を越えてロンドンからニューヨークに決定的に移っていた。それなのに、イギリスはまだインドを、またアフリカや中東の多くの地域を力ずくで押さえ込んでおり、押し返されるのを拒んでいた。ケインズの好戦的で才知を鼻にかけたような態度は、相手を操り、機会さえあればだまそうとするきわめて狡猾《こうかつ》な帝国主義者という、アメリカ人が抱いていたイギリス人のイメージにピッタリはまっていた。アメリカの財務長官ヘンリー・モーゲンソーに初めて会ったとき、経済の専門用語には詳しくないモーゲンソーに、ケインズは詳細な話を一時間にわたってしゃべり続けた。政権内部の人間が後に友人に書き送った手紙によると、モーゲンソーはケインズの説明を「一言も理解できなかった」が、誰かが「それをすべて一音節の単語で書き下してヘンリーに読み上げたところ、彼は完璧に理解した」そうだ。(注10) ルーズベルトのアドバイザーの一人だったハリー・ホプキンスは、ケインズを「すべての答えを知っている連中の一人」と評した。

ケインズの直面した問題は次のようなものだった。アメリカはイギリスがファシズムと戦うことを望んでおり、一九四一年三月に制定された武器貸与法に基づいて膨大な軍事援助を与えた。だが、同時に、イギリスとその帝国を王座から決定的に追い落としたいとも思っていた。ケインズが後に記したように、アメリカ政府はイギリスが「何らかの援助を与えられる前に、財政破綻《はたん》にできるだけ近いところまで行く」ようにするために、考えられるあらゆる措置をとった。それに対し、イギリスの主な目的は、「自立した行動をとり続けられるだけの資産をわれわれに残すこと」だった。(注11)

これはケインズにとって厳しい戦いであり、明らかに不平等な対戦だった。「なぜこのようにわれわれを責めたてるのか」と、彼はアメリカ側に抗議したこともある。(注12) 化膿《かのう》性扁桃《へんとう》腺炎と「心臓・大動脈肥大」という重病を抱えながら、彼は沈みかけている帝国を代表して交渉に当たっていたのである。アメリカの経済学者、ブラッドフォード・デロングは次のように書いている。「アメリカの力のほうが大きかったため、彼はたいてい負けた。だが、私には、ほぼすべての事例でケインズが正しかったように思える」(注13)

ケインズがワシントンで交渉していた議題は、世界の国々の関係を統治する新しい協力的な国際金融秩序をどのように構築するか、だった。それは大恐慌を引き起こした荒々しい国際資本主義の経験を踏まえて打ち出されたものだった。大恐慌前の時代には、ウォール街とシティに先導されて、民間銀行も中央銀行も、銀行が重要な存在だった一九一四年以前の自由放任主義的な金融秩序を復活させようとしていた。通貨が自由に変動し、均衡財政が組まれ、資本が世界中を自由に駆け巡る金融秩序――現代のグローバル金融システムと少し似通ったもの――をよみがえらせようとしていたのである。

大恐慌が彼らの夢を打ち砕き、自由主義的金融秩序の信用を完全に失墜させていた。「国際的ではあるが個人主義的で退廃的な資本主義は成功ではない」と、ケインズは書いている。「それは知的ではなく、美しくもなく、公正でも道徳的でもない――それに、期待どおりの成果をもたらさない。要するに、われわれはそれを好まず、それを侮蔑するようになっているのである」。この先何十年も国際金融アーキテクチャー（設計思想）を形づくることになる、長いグローバルな交渉の総決算となった一九四四年のブレトンウッズ会議で、モーゲンソーは、目的は「国際金融の神殿から高利貸しを追い出すこと」でなければならないと主張した。[注14]

ブレトンウッズ会議は、多くの国を参加させてはいたが、アメリカの作品のようなものだった。アメリカ財務省が起草委員会や会議自体を陰で操って、自国の望むとおりの結果が出るようにしたのである。委員会の議長たちは、ハリー・デクスター・ホワイトの言葉を借りれば、自分たちが採決を望まない問題については「採決を阻み」、不都合な議題が持ち出されないよう「議論をお膳立てした」。[注15]他国の代表はほとんど脇に追いやられていた。さまざまな国の代表が寄り集まったらどんな騒ぎが起きるか予想しがたいと、ケインズは茶目っ気たっぷりにコメントした。「会議の終了前に、急性アルコール中毒が起きるかもしれないよ」

ケインズは新たに設立されることになった世界銀行とIMF（国際通貨基金）を、自分の望むようなものにすることはできなかった。とりわけＩＭＦは、彼のイメージとはかけ離れたものになった。彼はＩＭＦが非政治的な機関になって、グローバルな金融不均衡が自動的に是正される仕組みを監督し、政治――露骨なアメリカの力――の介入をできるだけ排除することを願っていた。同じ理由で、これらの国際機関がワシントンに置かれることにも反対していた。だが、彼の努力は無に帰した。一九四六年の次の会合でこれらの事項が決定されたとき、ケインズは辛辣《しんらつ》にこう言い放った。「彼がうっかり見落として、パーティーに呼び忘れた意地悪な妖精がいないことを願っている。カラボス（バレエ『眠れる森の美女』に登場する邪悪な妖精。洗礼の式典に招かれなかったことを恨んでオーロラ姫に呪《のろ》いをかける）がいないことをね」。アメリカ代表団のトップで、この当てこすりの対象だったと思われるフレッド・ヴィンソンは、こう答えたと言われている。「意地悪と言われるのはかまわないが、妖精《フェアリー》と呼ばれるのはご免こうむりたい」(注16)（フェアリーには「同性愛者」の意味もある）

だが、ケインズの驚異的な力がなかったら、結果はイギリスにとってもっとひどいものになっていただろう。明らかに彼に魅了されたカナダのある高官は、ケインズの話を聞いた後、こう語った。「彼は私がこれまでに出会った最も非凡な人物だ。本当にわれわれと同じ種に属しているのだろうか。彼にはどこか神話や伝説を思わせるところがある。どっしりしたスフィンクスのようなところがあり、それでいて翼を持っているのではないかと感じさせるところもある」(注17)。ブレトンウッズ会議の閉幕時の晩餐会《ばんさん》で、病に苦しむケインズが疲れ切った様子で足を引きずりながら姿をあらわすと、集まっていた何百人ものゲストは、立ち上がって彼が席に着くまで静かに待っていたという。

今日の多くの人が、ブレトンウッズ会議の産物であるＩＭＦと世界銀行を、グローバリゼーションや自由貿易や資本移動を促進する機関で、ウォール街の道具だと思っている。だが、もともとの案はそうではなかった。ケインズが築こうとしていたのは、それとはまったく異なるシステムだった。オフショア・センターを経由して資本が自由に流れる今日の世界の正反対に近いものだったのだ。彼は自由な貿易を望んでいたが、財の自由な移動は、金融が政府によって厳しく規制されている場合にのみ可能になると考えていた。そのような規制がなければ、気まぐれな資本の急増が危機を頻発させ、それが経済成長を阻み、貿易を混乱させて自由貿易の信用を傷つけ、もしかするとヨーロッパ諸国のひ弱な経済を共産主義者の側に追いやるかもしれない。ケインズが気づいていたように、民主主義と自由な資本移動の間には基本的な対立がある。資本が自由に移動する世界では、たとえば苦戦している国内産業を後押しするために金利を下げようとしたら、資本はより高いリターンを求めて海外に出ていくだろう。投資家は政府に対して「ノー」と言う力を持っているのであり、何百万人もの人の現実の生活が、インドの経済学者、プラバト・パトナイクが「投機家の群れ」と呼んでいるものに左右される。政府による需要管理は、野放しのバブルとバスト（バブルの崩壊）にとって代わられる。金融資本にとっての自由は、諸国が独自の経済政策を策定する自由が縮小することを意味する。この特定のタイプの自由からは、一種の束縛が生まれるのである。

これに対するケインズの答えは単純かつ強力だった。国境を越えた資本の移動を規制せよ、だ。資本規制は第一次世界大戦中に初めて登場した。諸国の政府は、戦費をまかなうために資本所得に課税して金利を低く保てるよう、資本が国外に流出するのを防ごうとしたのである。こうした規制は戦争が終わると消滅したが、大恐慌の時代に部分的によみがえり、第二次世界大戦とブレトンウッズ協定の後で、ついに世界中に広まった。だが、次第に穴だらけになり、その後一九七〇年代ごろから世界中で徐々に廃止されていった。アメリカでは、一九七四年に最も重要な規制が廃止された。

資本規制は、それを経験したことのない者にはイメージしにくいことがある。私はソル・ピチオット教授に古いパスポートを見せてもらったことがあるが、そのパスポートには「外貨の使途――私的旅行」という欄があり、公印や署名でいっぱいになっていた。海外旅行のために外貨を手に入れるには、公的機関の許可が必要だったのだ。企業も、国境を越えて資金を移動させるためには許可を得る必要があった。今日では考えられないようなシステムだ。資本規制は、国内の経済政策と海外のそれとのつながりを緩めて、完全雇用の維持など、別の目標を追求する自由を政府に与えていたのである。ケインズの答えは、投機家や金融資本家の気まぐれによって民主主義に制約が加えられるシステムではなく、資本の国際移動に制約をかけることだったのだ。

ケインズに関する著作のあるジョフ・ティリーは、ケインズが資本規制を支持した最大の理由は、金利は低く設定され、維持されるべきだという彼の信念にあったと考えている。これは、ケインズが金融資本家（彼らにとって金利は収入）の側ではなく、完全に産業資本家（彼らにとって金利はコスト）の側に立っていたということだ。(注18)「資本移動の規制は戦後体制の恒久的な特質であるべきだ」と、ケインズは述べている。金融は社会の支配者ではなく、社会の奉仕者であるべきなのだ。多くの欠点にもかかわらず、ブレトンウッズ体制はまさにそれを実現したのである。

この点を考えると、われわれがケインズやホワイトの築いたシステムからどれほど遠く離れてしまったかが理解できる。資本規制を廃止しただけでなく、われわれは今ではさらに先に進んで、守秘性、プルーデンシャル規制（最低所要自己資本比率など、銀行の健全性を確保するための規制）の回避、ゼロ税率など、オフショアのさまざまな魅力によって、国境を越えた資本移動が積極的かつ人為的に促進される世界に足を踏み入れているのである。その世界を支えるパリッとした身なりの弁護士や会計士や銀行家たちにとって、資本移動を加速させ、よこしまなインセンティブを拡大することが自分の利益になるのである。ケインズが生きていたら、ぞっとしていることだろう。

これに関連して、さほど知られていないもう一つの問題を指摘しておく必要があるだろう。

今日の主流の経済学は、次のような単純な理屈を奉じている。貧しい国々には資本が不足しており、外国からの投資はその不足を埋めることができるので、資本の自由化、すなわち資本がこうした資本不足の国に流入できるようにすることは理にかなっている、という理屈である。これは一見したところ、とてもよい考えのように見える。だが、主流の理論が真剣に検討していない点は、貧しい国が資本市場を自由化した場合、マネーは必ずしも流入せず、逆に流出するかもしれない、ということだ。ケインズはこの問題を十分認識していた。「『資本逃避』として知られる現象を防ぐことができれば、適切な国内政策が概してより実施しやすくなるだろう」と、彼は述べている。彼の時代の「資本逃避」は、今日、国境を越えて移動する途方もない額に比べれば微々たるものだったのだから、背筋がぞくぞくするほど先を見通した言葉である。

厳しい資本規制が行われていた第二次世界大戦後の世界にも、抜け道はあった。多国籍企業は、投資に充てる資本を海外に送るためには許可を得る必要があったが、経常的目的のために――貿易や他の日常的事業活動の費用をまかなうために――資金を送る場合は、はるかに大きな自由を与えられていた。もちろん、資本支出を経常支出と偽装するのは簡単だ。だが、ケインズとハリー・デクスター・ホワイトは、これに対処する策も提案していた。カナダの学者、エリック・ヘライナーはこう書いている。

「往々にして忘れられているのは、ケインズとホワイトがこの問題に対処する策を提案していたことだ。彼らは、逃避資本を受け入れた国が規制の適用に協力すれば、資本規制はより効果的になると主張したのである」(注19)。ブレトンウッズ協定の初期の草稿では、ケインズもホワイトも、逃避資本を受け入れた国の政府に、逃避の被害国と情報を共有することを義務づけていた。守秘性という魅力がなければ、資本逃避はぐんと減るはずだ。要するに、彼らは国際金融に透明性を持ち込もうとしていたのである。ここで、アメリカの銀行とそのロビイストたちが登場してくる。

アメリカの銀行は、一九三〇年代にヨーロッパの逃避資本を扱って巨額の利益を得ていたので、透明性がニューヨークの魅力を損なうことを恐れて、この提案を骨抜きにした。ＩＭＦ協定の初期の草稿が資本逃避について協力「しなければならない」としているのに対し、最終版ではその言葉が「してもよい」に置き換えられている。そしてその一語が作り出した通路を通って、荒廃したヨーロッパの富を満載した馬車の大きな隊列が、ひそかに大西洋を越えていったのだ。

その後の資本逃避は、ケインズとホワイトが危惧したとおりひどいものだった。一九四七年六月のアメリカ政府の分析は、問題の一部しかとらえていないことを認めたうえで、ヨーロッパ人が保有する個人資産は四三億ドルにのぼると結論づけている。当時としては莫大な額であり、その年のアメリカの対英戦後借款《しゃっかん》の額を大きく上回っていた。アメリカの銀行は大喜びした。それから、ヨーロッパで新しい経済危機が勃発し、アメリカはその穴を援助で埋めた。一九四八年のマーシャル・プランである。これはヨーロッパ諸国の大きな財政赤字を埋め合わせることで復興を成功させたと広く信じられている。だが、エリック・ヘライナーによれば、マーシャル・プランの真の重要性は「ヨーロッパからのホットマネーの流入を規制できなかったアメリカの失敗を埋め合わせること」にあった。一九五三年の時点でも、『ニューヨーク・タイムズ』紙の特派員、マイケル・ホフマンは、アメリカの戦後援助は反対方向に流れている資金の額より少ないと指摘している。(注20)

共和党上院議員、ヘンリー・カボット・ロッジは、そのうさんくささに気づいていた。「世界中に資産を隠し持っている少数の傲慢で自己中心的な人々がいる」と、彼は指摘した。「海外の資産家たちが支える手助けをしていないのに、この国のつつましい資力の人々が対外援助プログラムを支えるために課税されている」(注21)。彼が指摘した状況は、今日、アルゼンチン、メキシコ、インドネシア、ロシアなど、多くの国の市民にとって、痛々しいほどなじみのあるものだ。自国のエリートが国の富を収奪し、欧米の金融資本家やビジネスマンと結託してそれをオフショアに隠して所得税を逃れるのを、彼らはなすべもなく見守ってきたのである。マーシャル・プランは悪い前例を作った。ウォール街とその顧客たちを喜ばせる政策のコストをアメリカの納税者が負担するという前例を。「賢明な自己利益」として打ち出されたものは、実質的には公衆の無知に助けられた詐欺だった。言葉の正確な意味での詐欺だったのだ。そして、これから見ていくように、こうした詐欺行為は以後、どんどん増えてきたのである。

一九四六年四月、ヨーロッパでナチスが降伏してから一年もしないうちにケインズが死去すると、彼に対する賞賛がどっとあふれ出した。ケインズの最も強力な論敵の一人だったライオネル・ロビンズは、「彼は国に命を捧げた。まさに戦場に倒れた兵士である」と言った。ロビンズのかつての教え子、フリードリヒ・ハイエクは、当時ケインズ主義を放逐する新しい自由市場理論を構築しているところだったが、ケインズを「私の知る限り唯一の真に偉大な人物」と評した。ケインズは多くの点で失敗したが、彼が唱えた多くのことが当を得ていた。なかでも、諸国が独自の国内経済政策を追求する自由を拡大するために、資本規制を広く導入するという案は、とくに重要だった。それに、事態の流れは、彼が正しかったことを――少なくとも間違ってはいなかったことを――実証したように思われる。戦後の二年間はアメリカの金融業界が国内の政策策定を支配していた時期で、規制に支えられた国際秩序が中断されていた。これは大失敗で、一九四七年に新しい経済危機を生じさせた。これによって銀行の信用は傷つき、翌年は規制が強化された。(注22)

一九四九年ごろからの四半世紀は、ケインズの理論が広く実行された時期で、今では資本主義の黄金時代として知られている。広い地域で高成長が達成された比較的安定した繁栄の時代だったのだ。イギリス首相ハロルド・マクミランは、一九五七年に「イギリス国民の大多数にとって、これほどよい時代はかつてなかった」という印象的な言葉でこの時期を言いあらわした。一九五〇年から一九七三年までの年間成長率は、幅広い資本規制（およびきわめて高い税率）にもかかわらず、アメリカで平均四・〇パーセント、ヨーロッパでは平均四・六パーセントだった。安定した高成長を遂げたのは豊かな国だけではなかった。ケンブリッジの経済学者、張夏准《ハジュンチャン》が指摘しているように、一九六〇年代から七〇年代にかけて、途上国の人口一人当たり所得は、資本規制のなかで年率三・〇パーセントの伸び――それ以後の増大よりはるかに速いペース――を記録したのである。(注23)八〇年代に入って、資本規制が世界中で徐々に緩和され、税率が下がってオフショア・システムが本当に繁栄を謳歌《おうか》するようになると、成長率は急激に低下した。第一級の経済学者、アーヴィン・サブラマニアンとダニ・ロドリックは、二〇〇八年にこれを次のように説明した。「金融のグローバリゼーションは、新興市場でより多額の投資もより高い成長も生み出していない。……最も急成長しているのは、資本の流入に対する依存度が最も低い諸国である」(注24)

平均成長率は一つの目安ではあるが、大多数の人の暮らしぶりを知るためには、格差にも注目する必要がある。一九七〇年代半ば以降のオフショアの時代には、次から次へとあらゆる国で格差が拡大してきた。アメリカ労働統計局によれば、アメリカの平均的な非管理職労働者の二〇〇六年の時間当たり賃金は、インフレ率を考慮に入れると、一九七〇年より低くなっていた。その一方で、アメリカのCEO（最高経営責任者）の報酬は、平均的な労働者の賃金の三〇倍弱から三〇〇倍近くに跳ね上がっていた。問題は成長率と格差だけではない。別の調査では、「黄金時代」とほぼ重なる一九四〇年から一九七一年の間に、途上国では金融危機は一度もなく、一六回の通貨危機に見舞われただけだった。ところが、一九七三年以降の四半世紀には、金融危機が一七回、通貨危機が五七回も発生している。数々の他の経済的苦難は言うまでもない。もっと長い期間を対象にした歴史的研究も、これを裏づけている。経済学者のカルメン・ラインハートとケネス・ロゴフが二〇〇九年に発表した大型研究は、八〇〇年以上の経済史を振り返ったものだが、これを論評したマーティン・ウルフが述べているように「金融の自由化と金融危機は、馬と馬車のように切り離せない関係にある」と結論づけている。(注25)

だが、これらの事実から安易な結論に飛びつくのは危険である。「黄金時代」の高い成長率には、膨大な政府需要に刺激された戦後の復興や戦中の生産性向上など、他の理由があった。また、一九七〇年代のオイルショックは、間違いなく、その後の危機と停滞を招いた要因の一つと言える。

だが、さほど劇的ではないものの、それでも説得力のある結論が確かに浮かび上がってくる。黄金時代は、資本移動に対する幅広い煩雑とさえ言える規制があるなかでも、諸国が、また世界経済が、安定した高成長を遂げることは可能であることを示しているのである。今日の中国は、外資の投資や対外投資、その他の資本の出入りを慎重に細かく規制しているにもかかわらず、急成長している。(注26)長年すたれていたこうした規制が政策の選択肢の一つとされるべきであるのは明らかだ。現に、この問題に関する主流の考え方が、ようやく少し変化してきている。IMFは二〇一〇年二月、押し寄せる資本に対処しようとする経済にとって、資本規制は「政策ツールの一つとして正しいと言える」場合があると主張する論文(注27)を発表した。ケインズが考えていたように、諸国はほとんどの場合、グローバルなオフショア金融の荒波に身をさらさずに、国内の信用制度と国内の資本市場でやっていくことができる。ケインズの危惧の根拠となったもの——政府を束縛するホットマネーの波——は、今日、彼の時代よりさらに大きくなっているのである。

一九七〇年代以降に起きたことは、単に自由な資本移動への回帰ではなく、ステロイド（筋肉増強剤）で不自然に増強した金融自由化だった。一九七〇年代から金融規制をズタズタにしてきたオフショア・システムは、気まぐれな金融資本の動きを加速するアクセルとして機能してきただけでなく、資本の流れをねじ曲げて、最も生産性の高い投資案件のある場所ではなく、最も高い守秘性、最も緩い規制、それに文明社会のルールからの自由を見つけられる場所に向かわせる、歪《ゆが》みを生む場としても機能してきたのである。アクセルから足を放すほうが賢明なようだ。

ケインズの死後、彼の理論は政策立案者の間では主流になったものの、よみがえった自由主義がその信憑性《しんぴょう》を破壊しようとしてきた。一九八〇年には、シカゴの経済学者、ロバート・ルーカスが、ケインズの理論はじつに馬鹿げているので「リサーチ・セミナーで、人々はもうケインズ主義の理論を真剣には聞かなくなっており、ひそひそ話したり、くすくす笑い合ったりしている」と、言ってのけられるほどになっていた。学問の世界におけるこうしたケインズ批判はよく知られているが、それと並行して発展していくのが、まずシティで生まれ、それからウォール街に支持されたものだ。マネーと深く結びついたイデオロギーが、やがてオフショアという新しい世界が生まれる環境を作り出すのである。

第5章
ユーロダラーというビッグバン
ユーロダラー市場、銀行、および大脱出

一九五五年――シティ・ミッドランド銀行

一九五〇年代にブレトンウッズ体制がうまく機能し始めると、アメリカ経済は順調に成長し、全米各地の市民が初めて冷蔵庫やテレビを購入するようになった。ウォール街はというと、主として大恐慌後に作られた膨大な数の規制に縛られていた。民主的に選ばれた政治家たちが銀行をがっちり管理するようになっており、ウォール街は国内の厳しい制約から逃れる道を探し始めた。そして、ロンドンにそれを見いだした。

一九五〇年代半ばのあるとき、シティ・オブ・ロンドンで新しいタイプのオフショア活動が見つかった。その異例な活動がいつ始まったのかについては一致した見解はないが、初めて目に留まったのは、一九五五年六月だったと思われる。今ではグローバル金融グループ、ＨＳＢＣ[注1]（香港上海銀行）の一員になっているミッドランド銀行で奇妙な取引が行われていることに、イングランド銀行の職員たちが気づいたのだ。当時は、グローバルな金融取引を野放しにしたら諸国の手足をさまざまな形で縛ることになるという認識に基づくケインズの理論が、市場で絶大な力を持っていた。為替レートはおおむね固定され、銀行は顧客の具体的な取引に資金を用立てるためでない限り外貨は扱わないものとされ、外貨で

の預金受け入れは許されていなかった。そして、政府は、自国経済への金融資本の流入・流出のペースを厳しく管理していた。

ミッドランド銀行は自行の商取引とは関係のない米ドル預金を受け入れることで、為替管理の法令に違反していた。そのうえ、ドル預金に対して、アメリカの法令で許されている限度よりかなり高い金利を提供していた。そこで、イングランド銀行の幹部が、ミッドランドの外国為替担当役員をお茶に誘った。その会談の後、ミッドランドは「警告灯がともされたことを認識した」と、この幹部は語った。(注2) 当時の規制はたいてい、イングランド銀行にお茶に呼ばれ、調和を乱している場合はそれとなく注意されるという形をとっていたのである。ミッドランド銀行にとって幸運なことに、イギリスは当時、弱い外貨準備を底上げしようとしており、イングランド銀行は国際ビジネスの新しい分野をつぶすことに乗り気ではなかった。「ミッドランドにこれ以上圧力をかけないのが賢明な策だろう」と、イングランド銀行は判断した。(注3)

シティは、複雑な規則や慣例に縛られたイギリスのオールドボーイ・ネットワーク（ビジネスにおいて、同窓生人脈を軸とする非公式の付き合いを重視する文化）の縮図だった。証券仲介業者はシルクハットをかぶっていたし、毎夕、混雑した時間帯に、真紅の上着と熊の毛皮の帽子を身につけた近衛兵の小隊がシティを行進していた。アンソニー・サンプソンは自著、*Who Runs Britain?*（「誰がイギリスを動かしているのか？」、未邦訳）の二〇〇五年版にこう書いている。「(ずるいやり方をする同業者と通りで鉢合わせしそうになったら）銀行家は道路を渡って反対側に行くことで、批難の気持ちを示すことができた。……あらゆる慣習の背後に、共通の価値観と誠実さに基づくクラブの暗黙の前提があった。それはインサイダー取引や秘密協定によって公衆や外部株主の利益に反する行動をたやすくとれるクラブで、実際、競争相手や新規参入者を排除できるカルテルに支えられていた。だが、このクラブはきわめて効率的でもあった」[注4]。相手の信用を得るには、たいてい固い握手で十分だった。当時の自由党党首、ジョー・グリモンドはこう述べている。「多くのビジネスが、覚書、会議、契約書といったわずらわしい道具立て抜きで行われている」[注5]

実のところ、この非公式クラブのメンバーたちは、為替管理を回避する方法をすでに見つけていた。「今では為替管理を気にするのは雑魚《ざこ》だけになっている」と、ある高官は述べている。シティのより破廉恥な側には、イングランド銀行が多かれ少なかれ大目に見てきた昔ながらのごまかしにいそしむ銀行があった。よく使われていた手口の一つがボンド・ウオッシングだ。高額納税者がクーポン（利子）支払日の直前に債券を売却し、その後、売値より低い価格で買い戻すことで、無税のキャピタルゲイン（売却益）を生み出す手法である。クーポンを受け取る一時的な所有者は別の人間で、一般にオフショアにおり、さまざまな手を使ってそのクーポンに対する課税を逃れることができた。ボンド・ウオッシングは「スイスのあらゆるバーでごく普通に話題にされている」[注6]と、イングランド銀行のある幹部はあっさり認めていた。公定歩合の大幅な引き上げの直前に、香港《ホンコン》の共謀相手に「金融引き締めを予期」するよう打電したことが発覚したイングランド銀行のある取締役は、相手に何をいつ教えたのか説明するよう調査委員会に迫られたとき、「狩り場でのやりとりの正確な時間を思い出すのは難しい」と答えて失笑を買った[注7]。

だが、ときおりこうした刺激があったとはいえ、シティはすっかり沈滞していた。あるアメリカ人銀行家はこう回想している。「木曜の午後四時には、シニアパートナーがジュニアパートナーたちのところに来て言ったもんだ。『どうしてまだ残ってるんだい。もう週末じゃないか』ってね」[注8]。ロイズ銀行会長のオリヴァー・フランクスは、この沈滞を、高馬力の車を時速二〇マイル（約三二キロメートル）で運転している状態と評して、こう語っていた。「銀行は麻酔をかけられたかのようだった。一種の夢遊状態になってたんだ」

政治家の強大な力に対して銀行がいら立ちながらも無力だったあの時代のことは、今となっては想像しがたい。第二次世界大戦後の数年間は、過去数百年の歴史で、政治家が金融部門に対してあらゆる管理権を持っていた唯一の時代だったのだ。銀行が政治の介入を閉め出す前に、政治家たちは国民健康保険制度をひっそり導入していたが、多くの欠点にもかかわらず、これは以後一貫してイギリスで最も評判のよい制度の一つとなっている。一九四〇年代の終わりに書かれた次の手紙は、当時の雰囲気をよくとらえている。ミッドランド銀行の取締役だったハーレック卿《きょう》が、左派の商務大臣、スタッフォード・クリップス卿の演説に対する反感を表明したものだ。

彼もしくは彼の典型的な仲間であるあの不埒《ふらち》なドールトンの演説文は、今後、受け取りを拒否します。帝国の利益や商工業の利益に反し、すべてのフェアプレイに反する彼らの政治的・個人的な野心と悪意のために、ミッドランド銀行が支持するあらゆることに敵対するこの二人は、このいまいましい政府の最悪の構成分子であり、私はかかる公文書の害から貴殿が守られることを願っています。(注9)

この手紙で名指しされているヒュー・ドールトンは、イングランド銀行を国有化し、他にも多くの改革を進めていたイギリスの労働党内閣の大蔵大臣だった。彼は「低金利は『ランティエ（金利生活者）』

の安楽死」につながる」というケインズの言葉をよく引用していた。「ランティエ」は、汗水たらして働いて実業を成長させるのではなく、自分の資本が他人の骨折りによって増大するのを眺めているだけの「効用を生まない投資家」と定義される。これは私にとってうんざりするほどおなじみの概念だ。アフリカの産油国の独裁者とその取り巻きたちが、地中からほとんど苦労せずに採取できる貴重な鉱物資源のおかげで大ガネ持ちになるのを、私は何年も見てきたのだから。

ケインズの言葉は、金融・ランティエ資本主義と実業の間に一貫して存在してきた全体的な深い緊張関係を浮き彫りにする。前述したように、高金利は銀行にとって大きな利益になる。とりわけ、より高いリターンを追いかける外国資本を吸い込むのに役立つ。だが、本当に何かを生み出している事業にとっては、借り入れ金利が上昇し、通貨が高騰して、彼らの生産する財が海外の競争相手の製品より相対的に高くなるということだ。だから、ドールトンが「受動的なランティエではなく能動的な生産者の側に立つ必要がある」と宣言したとき、彼は銀行ともろに対立したのである。

こうした事態が進行していたとき、当時、世界の突出したタックスヘイブンだったスイスで、ケインズに対する過激な挑戦がもう一つ形をとり始めていた。一九四七年四月、クレディ・スイスの幹部、アルベール・フノルド(注10)が、自由主義（現代の用語では新自由主義）の復活をめざして、ジュネーブ近郊の美しいリゾート地、モンペルランに三六人の学者を集結させた。この会議の指南役は、社会主義と「大きな政府」に反論したベストセラー書『隷属への道』（春秋社、西山千明 訳）を書いたオーストリアの自由主義経済学者、フリードリヒ・ハイエクだった。この会議から生まれたモンペルラン協会は、ケインズに対するグローバルな知的反撃の基盤になっていく。(注11)「絶え間ない努力によって自由の哲学を生み出すために、われわれは大勢の自由の戦士を育成・訓練しなければならない」と、ハイエクは述べた。参加者の一人がアメリカの経済学者、ミルトン・フリードマンで、彼のその後の研究はマーガレット・サッチャーやロナルド・レーガンを奮い立たせることになる。リチャード・コケットは自著 *Thinking the Unthinkable*（「想像もできないことを考える」、未邦訳）で、それは「経済自由主義の知的復活の多くがそこから始まることになる注目すべき集まりだった」と述べている。モンペルラン協会は最初から、スイスの中央銀行の他、スイスの三大銀行と二大保険会社から資金を提供されていた。(注12)「あなたがアルベール・フノルドだと、あるいはハイエクだと想像してみよう」と、モンペルランに近いローザンヌ大学のセバスチャン・グーは説明し始めた。

あなたは荒廃した世界に直面している。ナチスはもういない。大戦中、英米の資本家たちは大勢の貧しい人や労働者を動員した。ヨーロッパの戦場で血を流したこれらの人々は、見返りに何か与えられる必要がある。英米では（労働党の）アトリーと（民主党の）ルーズベルトが政権を握っている。フランスは半ば革命状態にあり、イタリアでは共産党が二〇〇万人の党員を擁している。フランコ政権のスペインには行きたくない。ベルギー、オランダ、ポルトガルにも行くつもりはない。では、どこで自陣を立て直すか。コスタ・リカか。

飛行機の便がよく、快適なホテルがあり、あなたに好意的な資本家層がいる国が望ましい。そのような国は一つしかない。スイスだ。スイスは一九三〇年代を通じて、また戦中を通じて自由主義を維持した。スイスには、あなたの考えを代弁してくれる大手新聞『ノイエ・チューリッヒ・ツァイトゥング』がある。スイスにはあなたを守勢に立たせる労働運動はなく、車輪にスパナを投げ込むような組織化された運動もない。

モンペルラン協会は当初から、後にグランチェスター卿となるアルフレッド・スエンソン＝テイラーを通じて、シティと強いつながりを持っていた。スエンソン＝テイラーは、シティの大手保険会社の会長で、保守党代議士の弟でもあった。彼は裕福で反政府的なシティの金融資本家たちのネットワークとの仲介役を喜んで務めただけでなく、モンペルラン協会の会議に参加するイギリス代表団を支援するため、イングランド銀行に資金を出させるのにも一役買った。(注13) 反政府的な姿勢を公然と打ち出している運動を中央銀行が積極的に支援するというのは奇妙な話だが、イングランド銀行の奇妙な点はそれだけではなかった。

イングランド銀行は二五〇年前、潤沢な資金を持つシティの銀行のクラブとして設立された。政治家が同行を国有化する政治的な力を手にしたのは、一九四六年、戦争の惨禍と大恐慌の後でケインズ主義がほんのいっとき勝利していた時代のことだ。だが、国有化の後も、政治家がこの銀行を支配することはできなかった。政府にはイングランド銀行総裁を解任する権限はなく、この銀行の内部の動きは依然として秘密のベールに包まれていた。今日に至るまで、イングランド銀行は幹部をシティの民間金融サービス会社から直接引き抜いており、同じ人間が政府機関と民間会社を行ったり来たりする、いわゆる「回転ドア現象」が当たり前になっている。一九五六年のイギリス大蔵省の論文は、国有化は過去からの「根本的な変化や断絶は」いっさい示していないと断定している。ケインズはイングランド銀行を「いかなる形の法的規制からも事実上、独立した民間機関」(注14)と呼んだが、国有化後もその地位はあまり変わらなかったようだ。

イングランド銀行は、国家の内部の強力なロビイストでもあり、シティとその自由主義的世界観――さらにその延長でグローバル・オフショア・システム――を守る近衛軍のような役割を果たしてきた。政治経済学者のゲイリー・バーンが言うように、イングランド銀行は「イギリスの自由主義思想の唯一最強の貯蔵庫」(注15)になってきたのである。バーンのこの言葉は、一〇〇パーセント正しいとは言えない。イングランド銀行よりさらに強力な、同様の機関がもう一つ存在しているからだ。後述するコーポレーション・オブ・ロンドンである。

ミッドランド銀行が異例のドル取引を行っていた一九五五年には、イギリスの公式の帝国が崩壊しつつあることは次第に明白になってきていた。インドは一九四七年に独立を達成しており、マレー半島・マラヤのイギリス人入植者を共産主義ゲリラが襲撃していた。エジプトはイギリスの間接支配から脱し、スーダンでは内戦が始まり、ガーナは独立の準備を進めていた。一九五六年七月、イングランド銀行がミッドランド銀行の行動に気づいてから一年あまり後、エジプトのガマール・アブドゥル・ナセル大統領がスエズ運河を国有化した。ロンドンの帝国主義支配層の残党たちは大きな衝撃を受けたが、それはイギリスがスエズ運河会社の最大の株主だったことだけが理由ではなかった。ナセルは中東全域における、またより広く世界における、イギリスとフランスの地位に異議を申し立てていたのである。英仏両国は、世界の問題でかつてほど権威ある役割を担えなくなった戦後の現実に順応しようとしながらも、帝国主義時代の動機や傲慢《ごうまん》さに突き動かされ、イスラエルと手を組んで三方からの侵攻を企てた。

それは大失敗だった。アメリカは、ヨーロッパの帝国主義がアラブ世界をソ連との連携に追いやるのを許容するつもりはなかったので、ポンドが派手に売り浴びせられたときイギリスを支援しようとはしなかった。イギリスは一〇月二〇日から一二月八日の間だけで四五〇〇億ドルの外貨準備を失い、(注16)財政破綻寸前に追い込まれて、撤退する以外に道がなくなった。イギリスがこれほど屈辱的な立場に追い込まれたのは、シンガポール陥落以来のことだった。シティの歴史を研究しているデイヴィッド・キナストンは、「それはワールドパワーとしてのイギリスの終焉《しゅうえん》を、容赦なくはっきり思い知らせた」と記している。数ヵ月後、クワメ・エンクルマがガーナでユニオンジャック（イギリス国旗）を降ろして、イギリスに別れを告げた。シロアリに食い荒されたように、イギリス帝国という大建造物全体が崩壊し始めた。

第二次世界大戦の終結時には七億人以上の外国人を支配していた帝国が、一九六五年にはわずか五〇〇万人の人口に縮小していた。この事実はよく知られているが、この物語にはほとんど知られていない金融の側面がある。スエズ危機の混乱のなかから、ロンドンで新しいものが生まれ、それはやがて成長して昔の帝国にとって代わり、シティをさらに輝かしい栄光の座に押し上げるのだ。

スエズ危機当時、金融センターとしてのロンドンの役割は、帝国をベースにした通貨圏に主として支えられていた。この通貨圏の国々はロンドンに資金を預け、ポンドを自国通貨として使ったり、自国通貨をポンドにペッグ（連動）させたりしていた。この通貨圏のなかではモノもカネもかなり自由に移動でき、外貨準備の圏外への流出を管理するために精力的な取り組みがなされていた。ケインズの伝記を書いたロバート・スキデルスキーが言うように、それは「混沌《こんとん》とした世界における互助団体」だったのだ。

一九五七年の時点でも、ポンドはまだ世界の貿易の四〇パーセントで使われており、イングランド銀行はその状態を維持したいと思っていた。(注17)「イギリスは、国際通貨としてのポンドの役割を維持・発展させることを引き続き断固としてめざしている」(注18)と、同行幹部、ジョージ・ボルトンは語っていた。だが、イギリス帝国が崩壊し、ポンド——当時は一ポンド＝二・八〇ドルで固定されていた——がぐらつき始めるなかで、この役割は大きな危機に瀕《ひん》していた。一九五六年の終わりに、イギリス首相はこう嘆いた。「われわれは古くからの家業を受け継いだ。それはかつてはとても儲《もう》かる健全なビジネスだったが、今では負債が資産の四倍もある……ポンド圏の銀行システムを、今、いったい誰が信用してくれるのか」(注19)。プライドの高いロンドンの古くからのジェントルマン資本家たちにとって、耐えられそうにない事態だった。そのとき、まったく新しいものが姿をあらわし始めたのだ。

イギリスの大蔵大臣は、銀行の海外融資を制限することで資本の流出を食い止めようと考えた。だが、イングランド銀行は、ロンドンの銀行のビジネスが圧迫されるのを嫌って、イギリスの危うい不均衡を是正する別の案を打ち出した。新しい資金をロンドンに引き寄せ、消費と輸入品需要を抑制するために、金利を引き上げるという案だ。それでイギリスの景気が悪くなったとしても、それならそれでかまわないと、イングランド銀行は考えていた。それは金融資本の側と政治家ならびに他の経済部門の側との永遠の対立の典型的な実例だった。ハロルド・マクミラン首相は、一九四六年の国有化法には、首相がイングランド銀行に強制的に方針を変えさせることを可能にする条項はまったくないことに気づいて愕然《がくぜん》とした。そこで、首相にその権限を持たせるよう法律を改正して、銀行に直接命令を下すと脅しをかけた。誰が経済の手綱を本当に握っているのかを彼が思い知らされたのは、おそらくこのときだろう。

イングランド銀行総裁のコボルド卿は、怒りに満ちたスピーチで、銀行に指示する権限を持っているのは自分であり、他の誰にもその権限はないと力説した。(注20)そのうえ、政府が何かしようとしたら政府を破綻させてやると脅しまでかけた。結局、マクミランは屈服した。「ポンドはシティに何ら不都合を与える事なく救済された」と、ゲイリー・バーンは書いている。「イングランド銀行は大蔵省との戦いに勝ったのだ」(注21)。それでも、マクミランは一つ譲歩を勝ち取った。ロンドンのマーチャントバンクの生命線だったポンド建て国際融資に政府が制限を加えられるようになったのだ。これはマーチャントバンクにとって致命的な打撃のように思われたが、実際に起きたことは、これらの銀行が単に国際融資をポンドからドルに切り替えただけだった。そして、イングランド銀行が行ったことは、この新しいビジネスをつぶさないようにすることだった。イングランド銀行は、このビジネスを規制しないことにした。規制の観点からは、こうした取引はイギリス国内では発生していないとみなすことにしたのである。しかも、この取引は実際にはイギリスの主権が及ぶ空間で行われていたので、他国の機関が規制に乗り出すこともいっさいできなかった。民間銀行は、第二次世界大戦後に押しつけられた厳しい制限から脱出するルートを見つけていたのである。

ジョージ・ボルトンのイングランド銀行入り

危機に見舞われていたこの時期、イングランド銀行は大胆かつ頑固なジョージ・ボルトンの強い影響下にあった。歴史家のデイヴィッド・キナストンに言わせれば、ボルトンは彼独自の形で「新右翼の知的後見人」だった(注22)。一九一七年にシティの外国為替ディーラーとしてキャリアをスタートしたボルトンは、まもなく——その分野の多くの人と同じく——規制に対して理屈抜きの嫌悪感を抱くようになった。心酔者も批判者も、彼を「グローバル自由企業の旗手」「商業冒険家」(注23)「少しいかれた男」と評してきた。キャリアの階段をどんどんのぼったボルトンは、一九四八年にイングランド銀行に迎えられた。同行が国有化されてから二年後、ヘンリー・モーゲンソーが「世界の金融センターをロンドンとウォール街からアメリカ財務省に移す」と宣言してから二年後のことだった。為替管理の時代に元為替トレーダーのボルトンがイングランド銀行に入ったことは、少なくとも一見した感じでは奇異に見えた。「私は日没後に小門からこっそり招き入れられたんだ」と、ボルトンは語っている。「外国為替取引について話し合うためにね。当時は、それはきわめてうさんくさい話題だった」

分厚い角ぶち眼鏡をかけ、ぽっちゃり気味で陽気な風貌のボルトンは、またたく間に大きな影響力を持つようになり、自分の信じることのために猛烈に戦った。伝説的なマーチャント・バンカー、ジークムント・ワールブルクはこう語っている。「彼の態度には、曖昧さや中途半端なところがいっさいなかった。彼が自分の発する言葉を個人的に、心の底から信じていること、そして道徳的熱情を込めて意見を述べることに、私はいつも尊敬の念を抱かずにはいられなかった。彼は骨の髄まで理想家で、自分の信じる目的のために邁進《まいしん》した」。ワールブルクはさらに「彼の影響力はいつも、より匿名性の高い国家機構の権力ではなく、個人の努力に有利に働いた」と、満足げに語っている。

ボルトンは民間企業がわずらわしい規制を避けるのを手助けしたいと思っていただけでなく、イギリス帝国の壮大さに深く魅せられてもいた。彼はかつてこう発言している。「経済学者が求める需要管理というのど輪を投げ捨て、社会主義という病を消滅させることができれば、イギリスはふたたび誇り高い国になれるだろう(注24)」

イングランド銀行の外国為替部門の責任者だったボルトンは、ロンドンに規制のない新しいドル市場が誕生する手助けをするのに最適の立場にいた。イングランド銀行はこの市場を規制することも難なくできただろう。だが、規制しないと決め、おまけに他国が規制することも防いだのだから、イングランド銀行はこの市場を積極的に作り出したと断定するしかないだろう。実際、この市場は、ボルトンが言ったように「ふわふわ漂っていた断片からマネー市場を作り出すためのわれわれの意識的な努力の結果」だった。バーミンガム大学の国際経済学教授、ロナン・パランが「ユーロ市場もしくはオフショア金融市場と呼ばれる規制の真空地帯」と呼ぶものが、ここで誕生したのである。これによって、銀行は二種類の帳簿をつけることになる。たとえばイギリスの銀行なら、取引の少なくとも一方の当事者はイギリス人であるオンショア業務用の帳簿と、どちらの当事者もイギリス人ではないオフショア業務用の帳簿である。つまり、パランが言うように、「ユーロ市場は基本的に単なる帳簿上の仕組みと考えてよい」のである。(注25)

「ユーロダラー」とか「ユーロ市場」という言葉は、実際には誤称である。この市場は通貨のユーロとは何の関係もないし、ドルだけを取引しているわけでもない。今日では、世界のすべての主要通貨がこのような形で取引されているのである。現代のオフショア・システムが本当に始まったのはこのときだったが、オフショア・システムのなかで起きる多くのことがそうであるように、それに気づいた者はほとんどいなかった。

ロンドンのこの新しい市場は、政治的事象のおかげでただちに成長し始めた。当時、ソ連はニューヨークに多額のドルを置いておくのは避けたいと思っていた。冷戦が深刻化したら差し押さえられる危険性があったからだ。だが、崩壊しつつある帝国の危うい通貨、ポンドに投資するのも気が進まなかった。ロンドンでドルを保持できるこの新しい市場は、彼らにとって理想的な解決策だった。そのため、一九五七年にモスクワ・ナロードニ銀行が数十万ドル預金したのを皮切りに、ソ連の資金がどんどん流入するようになったのだ。マルクス主義を標榜《ひょうぼう》する国が史上最も規制のない資本主義システムを成長させたことを知ったら、カール・マルクスはその皮肉に仰天していたことだろう。

金融センターとしてのロンドンの成長の現代史では、一般に一九八六年のビッグバン――マーガレット・サッチャー首相が推進したロンドン市場の急激な規制緩和――が、ロンドンが本当の意味で離陸した瞬間とされている。ビッグバンは確かに重要だったが、シティの最も明敏で最も経験豊かなスポークスマンの一人、ティム・コンドンは、より大きな流れに気づいていた。「ビッグバンは、国際金融を過去二五年にわたって変貌させてきた、はるかに大規模なビッグバンの付け足しであり、実際、その副産物に近い。ビッグバンは――あらゆる妥当な基準で見て――ビッグバンの数倍の大きさだ」[注26]と、彼は『スペクテーター』誌に書いた。

そして、こう続けた。「異常な状況が生まれている。取引所の建物という物理的な実体がなく、広く認められている法規さえないユーロ市場が、世界最大の資本供給源になっている、という状況が」[注27]。ゲイリー・バーンは、それを別の観点から言いあらわした。ユーロ市場の出現は、「社会的市場経済とケインズ流福祉国家に対する新自由主義の反撃の最初ののろしだった」と。

ロンドンの抜け穴、つまり新しい金融テクノロジーは、モンペルラン協会のイデオロギー的反撃の目に見えないパートナーだった。イデオロギーが反撃を可能にする環境を提供したのに対し、世界の市民の意向に関係なく、最終的に世界経済の自由化を推し進めたのは、ロンドンのこの新しい市場とそこから派生したさまざまな仕組みだった。現代のオフショア・システムの急成長は、ヤシの木に囲まれたスキャンダルまみれのカリブ海の島々や、スイスアルプスの麓で始まったわけではない。イギリスの公式の帝国がよりとらえにくいものに移行したとき、ロンドンで始まったのだ。イギリス帝国主義の歴史の第一人者、P・J・ケインとA・G・ホプキンスは、この移行を次のようにまとめている。「ポンドというよい船が沈んだとき、シティはより航海に適した新しい船、ユーロダラーに飛び移ることができた。

……自身の力の基盤となっていた帝国が消滅したとき、シティは、それよりはるかに活力に満ちたパートナーたちの工業的・商業的成長によって生み出されるビジネスを相手にする『オフショア・アイランド』に変貌することで生き延びたのだ」

実際には、公式の帝国は完全に消滅したわけではなかった。一四の小さな島嶼《とうしょ》国は独立を求めないことにして、エリザベス女王を国家元首とするイギリスの海外領土になった。そのちょうど半数――アンギラ、バミューダ、イギリス領ヴァージン諸島、ケイマン諸島、ジブラルタル、モントセラト、タークス・カイコス諸島――が守秘法域で、イギリスからの積極的な支援・管理を受け、シティと密接につながっている。

このような起源から出発して、ロンドンのオフショア市場は暴発的に成長した。一九五九年の終わりには、約二億ドルの預金残高があり、一九六〇年末にはこの数字は一〇億ドルに達していた。それでも、七〇〇億ドルを超えるイギリスのGDP（国内総生産）に比べれば小さかったが、この市場は成長を続け、一九六一年には三〇億ドルに達した。そのころには、オフショア市場はチューリッヒやカリブ海の島々などにも広がり始めており、新しい法域が次々にこのゲームに参加した。それまでは、諸国は他国で発生した金融危機の影響を比較的受けずにすんでいたが、ユーロ市場は世界の金融部門や経済を完全に結びつけた。ある国で予想外の利上げがあると、それはシステムに組み込まれているすべての国に、まるで電送されるかのようにほぼ即座に影響を及ぼすこととなった。そして、オフショア市場が拡大するにつれて、大量のホットマネーがふたたび世界中を駆け巡るようになったのだ。

イギリスの政治家たちは、イングランド銀行の強大な政治力とその自由主義的傾向を憂慮するようになった。イングランド銀行は政治家たちに、彼らがさほど重要な存在ではないことを思い知らせたのだ。

「為替管理は市民の権利の侵害である」と、イングランド銀行総裁、クローマー卿は、一九六三年に語った。「したがって、私はそれを倫理的に間違っているとみなす」。クローマーは、帝国の論理が染みついたイングランド銀行マンの典型だった。イートン校で教育を受けた、このジョージ五世の名づけ子は、世紀の変わり目にイギリスの初代エジプト総督を務めた人物を母方の祖父に持ち、インドやカナダの総督を歴任した人物を父方の祖父に持っていた。彼の最も重要な目標は、シティを帝国時代の栄光の座に復帰させることだった。『バンカー・マガジン』誌は「ロンドンの国際的役割を復活させることが、クローマー卿の重要な目的であることに疑問の余地はない(注28)」と書いた。

ロンドンのこの奇妙な新しい市場がアメリカの政治的支配を受けないとしたら、アメリカの銀行関連法規にも縛られないはずだということに、アメリカの銀行はすぐに気づいた。銀行を縛っているアメリカの法令の一つが、有名なグラス・スティーガル法だった。一九三三年に制定されたこの法律は、普通の銀行が特定のタイプの、より危険な金融機関を所有することを禁じたもので、きわめて有益とみなされていたので一九九九年まで存続した。この年、クリントン大統領とかつてゴールドマン・サックスのバンカーだったロバート・ルービン財務長官のもとで廃止されたのだが、金融の天才、ルービンは、「塀を壊す前に、前の持ち主がなぜそれを建てたのかを知っておくほうがよい」というG・K・チェスタートンの言葉を心に留めておくべきだったかもしれない。だが、グラス・スティーガル法が廃止されるずっと前から、アメリカの銀行は、ロンドンに来ることですでにこの法律から逃れていたのである。

ジョージ・ボルトンは、ユーロ市場の潜在力をはっきり見てとった。一九五七年二月にはイングランド銀行の職を辞して、現在はロイズ銀行グループの一員になっているロンドン南アメリカ銀行（BOLSA）に入行したのである。ひと月もしないうちに、BOLSAのユーロダラー預金は三〇〇万ドルになり、三年後には二億四七〇〇万ドル――当時としては莫大《ばくだい》な額だった――に達して、さらに増大していた。まもなく、BOLSAはこの市場の最大のプレイヤーになった。ボルトンが入行した直後に、BOLSAは、イングランド銀行がカレンシー・ボード（通貨委員会）に議席を持ち、イギリスの影響力がきわめて強いタックスヘイブン、バハマに合弁会社を設立した。その後ケイマン諸島やアンティグアなどにも進出し、南北アメリカからドル預金を吸い上げて、規制のないロンドン・オフショア市場にひそかに運び込んだ。

一九六〇年代が進むにつれて、アメリカの赤字は膨れ上がった。アメリカは収入に比べて多すぎる額を海外に送っており、大量のドルがアメリカからユーロ市場に流れ込んだ。

このオフショア・ロンドン市場は、一九六三年にユーロボンドの誕生でさらに活気づいた。この新しい金融商品は、規制のかからないオフショア無記名債券で、その名が示すとおり、誰であれ債券証書を持っている者が、その所有者とされる。きわめて高額のドル紙幣のようなもので、所有者名が記録されることはないため、脱税にうってつけだ。無記名債券は、『ビバリーヒルズ・コップ』や『ダイ・ハード』のような、悪党がわんさと出てくるハリウッド映画に登場する類いの債券で、きわめて有害とみなされているので多くの国が禁止している。一九六三年のイングランド銀行のメモは、この皮肉を浮き彫りにしている。「どれほどホットマネーを嫌っていようと、国際銀行である限り資金の受け入れを拒否することはできない」[注29]。ユーロボンドに関連した新しい手口が次々に編み出された。ロンドンのある銀行は、イギリスの印紙税を逃れるためにアムステルダムのスキポール空港でユーロボンドを発行したし、債券のクーポンは、イギリスの所得税がかからないよう決まってルクセンブルクで換金された[注30]。

このグローバルな規制緩和の動きは、一九六〇年代の反逆的な政治文化や、世界のファッションの革新的な中心地としてのロンドンの繁栄にかなりよくマッチしていた。アウトサイダーとか権威に対する反逆といった概念は、社会の隅々にまで浸透していた。ジェームズ・ボンドのオフショア進出、たとえば一九六四年の『ゴールドフィンガー』ではスイス、一九六五年の『サンダーボール作戦』ではバハマのナッソーが舞台になったことは、タックスヘイブンのイメージに破壊活動のスリルと興奮を盛り込んだ。「世界で最も有名なオフショア・ラジオ局」、ラジオ・キャロラインが、イギリスの放送規制の及ばないイギリス海峡の船の上から放送を開始し、「オフショア」という言葉に新しい大衆受けする響きを加えた。

ユーロ市場は拡大し続け、一九七〇年には四六〇億ドルに達し、一九七五年には世界全体の外貨準備高を上回る規模にまで成長したと推定された。一九七〇年代にオイルショックが勃発すると、この市場は産油国の黒字が赤字を抱えた消費国に流入するルートになった。ユーロ市場のかがり火がますます赤く燃え上がるなかで、資本は権力の拠点や民主的な民族国家に対する攻撃を開始した。著名なエコノミスト、アレクサンダー・サックスは、ユーロ市場を「会計の方式を変えた……新しい金融秩序」(注31)と呼んだが、これは決して誇張ではなかった。この市場を詳しく調査した数少ない学者の一人、ゲイリー・バーンは、さらに踏み込んで、ユーロダラーを「新しい形態のマネーと、それを取引する市場」と言いあらわした。

この市場は雪だるま式に膨れ上がり、一九八〇年には五〇〇〇億ドルに達し、その八年後には純流入額が二兆六〇〇〇億ドルになった。(注32)一九九七年には、国際融資の九〇パーセント近くがこの市場を経由して行われるようになっていた。ユーロダラー市場は今ではあらゆるものを包含するようになっているので、グローバルな金融フローを監督する国際決済銀行(BIS)でさえ、その規模を把握するのをあきらめているほどだ。この市場は、あらゆるものをひとまとめにして、より広い外国為替市場に送り込んでいるのである。

政府はときおりこの市場に課税しようとしたり、規制をかけようとしたりしてきたが、そのたびに失敗した。「ユーロダラーは厄介でとらえがたい生き物だ」と、エコノミストのジェーン・スネッドン・リトルは一九七五年に書いた。「この市場を手なずけようとするに当たり、中央銀行は虫捕り用の網でゾウを追いかけるような不適切なやり方しかできなかった。個々の当局がときおりゾウの膝をたたいたり胴体をつついたりすることはあったものの、ゾウはたいてい隙間から逃げ出すことができた……ユーロダラーは中央銀行がかつて遭遇したことのない問題を突きつけているのである」(注33)。だとすると、ゲイリー・バーンが「紙幣以来の最も重要な金融イノベーション」(注34)と呼ぶものが、まだほとんど研究されていないことは、なおさら驚くべきことだ。それはオフショアに関するかねてからの問題だ。要するに誰も注意を払っていなかったのだ。

準備金規定とオフショア

規制のないオフショア・ユーロ市場と、より広いオフショア金融全般が、なぜ租税回避による利益をはるかに超えた並外れた利益をもたらすのかは、簡単な計算をするだけで理解できる。政府は銀行に、受け入れる預金高に応じて準備金を保有することを義務づけている。例として、フランスの銀行が、準備金規定によって、自行の預金残高の一〇パーセントを現金で保有しなければならないと仮定してみよう。現行の金利は融資に対しては五パーセント、預金者に対しては四パーセントとする。その場合、銀行は、預金一〇〇ドルにつき九〇ドルを金利五パーセントで貸し付けて、四・五ドルの利益を得る。だが、預金者に四パーセントの利息を支払わねばならないので、残りは五〇セントになる。そこから銀行の営業コスト――四〇セントとしておこう――を差し引くと、銀行は一〇〇ドルにつき一〇セントの利益をあげたことになる。さて、次にロンドンのオフショア・ユーロ市場の銀行について考えてみよう。この市場には準備金規定はない。したがって、銀行は一〇〇ドルすべてを五パーセントの金利で貸し付けて、五ドルの利益を得ることができる。預金者に支払う利息四ドルと営業コスト四〇セントを差し引くと、利益は六〇セントになる。オンショアの利益の六倍もの額になるのである。

もちろんこれは複雑な現実を単純化したものだが、基本原理は同じである。留意してもらいたいのは、誰かがよりよい製品やより安価な製品を生み出したわけでも、銀行が突如としてより効率的になったわけでもないことだ。銀行が規制を逃れただけであり、それによって利益が六倍になったのだ。

これは一見したところでは、コストをかけずにみなに利益をもたらす方法のように見える。競争の激しい市場では、銀行は追加利益の一部を借り手や預金者に還元するからだ。だが、銀行のオフショア顧客は、ほぼ例外なく世界の比較的富裕な市民や企業である。銀行や世界の富裕層代表たちが、他の人々の犠牲の上にただで利益を得るというのが、オフショア・システムの基本的な仕組みである。われわれはそれを繰り返し目にすることになるだろう。だが、問題はそれだけではない。政府が銀行に資本や準備金の保有を義務づけているのは、ちゃんとした理由があってのことだ。それは金融パニックに対する備えなのだ。好況のときは活用されていないカネのように見えるかもしれないが、投資家のウォーレン・バフェットが言ったように、「潮が引いて初めて、誰が裸で泳いでいたかがわかるのだ」。二〇〇七年以来、世界があらためて思い知らされてきたように、最後にツケを払うのは賭けをした投資家ではなく普通の納税者だ。だが、ここにもオフショアの秘密がある。それは、銀行はそもそもなぜ預金に対して準備金を保有することを義務づけられているのか、に関わってくる。

一〇パーセントの準備金規定があるオンショアの銀行に、あなたが一〇〇ドルの現金を預けたとしよう。銀行はそのうちの九〇ドルだけ別の誰かに貸し付けるだろう。その人物は使える現金を九〇ドル手にすることになる。その九〇ドルは、巡り巡って、また別の銀行口座に収まることになる。その銀行は、その九〇ドルの九〇パーセント、つまり八一ドルを貸し付けるだろう。このプロセスが延々と続くのだ。これは広く知られた原理――部分準備銀行制度――であり、この計算を根気よく続けていくと、一〇パーセントの準備金規定がある場合、あなたの一〇〇ドルは一〇〇〇ドルに膨らんで経済全体に広がることがわかるはずだ。

このように無からマネーを生み出せるというのは信じがたいことだが、これが銀行の最も重要な仕事の一つなのだ。「マネーの創造はじっくり考える対象にはなりにくい」と、経済学者のJ・K・ガルブレイスは言った。「マネーが生み出されるプロセスがきわめて単純なので、頭が跳ね返されるのだ」。これこそ銀行業の最大の不思議で、銀行は他者に信用を供与することによって、「自身のバランスシート（貸借対照表）を拡大」することができる。銀行業の世界では、マネーはそれを貸し付けるという行為だけで生み出せるのだ。それは負債としてのマネーではあるが。

銀行によるマネー創造は、それ自体は悪いことではない。問題は、どれだけの借金なら安全か、だ。規制当局は、準備金規定や資本規制を課すことで、流動性をコントロールしようとする。システムのなかを駆け巡るマネーの量が収拾のつかないレベルにならないようにしようとするわけだ。では、ここで、規制のないロンドンのユーロ市場、銀行が準備金の保有を義務づけられていない市場の状態を想像してみよう。最初の一〇〇ドルの預金は銀行が全額貸し付けることができ、それが別の一〇〇ドルの預金になって、別の一〇〇ドルの貸し付けにつながる。このプロセスが果てしなく続いていくのである。単純に言うとこうなるが、もちろん、事態がこのとおりに進展したことはない。このとおりになっていたら、われわれはとうの昔にハイパーインフレーション（物価暴騰）に呑《の》み込まれていただろう。実際には、信用に対してはいつでも限られた需要しかなく、オフショア市場で信用が拡大したら、それを相殺するために別のところである程度、信用が収縮するのである。おまけに、オフショアのユーロダラーはやがてオンショアに戻り、通常の準備金規定のもとでふたたび拡大のペースを落とすことになる。それに、公正を期すために言っておくと、慎重な銀行は、強制されない場合でもたいてい準備金を積んでいる。

世界を駆け巡るマネーの量の増大、リスクの上昇、それにますます不安定になる負債の持続不可能なピラミッドの構築を、ユーロ市場が本当はどの程度助長してきたのかという問題については、激しい論争が何十年も繰り広げられてきた。この市場の規模を測定できる唯一の機関――国際決済銀行――が、測定をやめてしまったため、この市場がたとえば先ごろの金融危機や世界的な負債の増大をどれくらい助長したのか、確たる結論を出すのは難しい。それでも、いくつかのことはかなり明確なように思われる。規制のない新しい信用を生み出す巨大な舞台が登場したら、これらの市場は拡大して、より管理されている銀行システムにとって代わるだろうし、需要は潜在的供給量に応じて増大するだろう。信用は以前は拡大できなかったところ、そして往々にして拡大すべきではないところに拡大し始めるだろう。シドニー・ウェルズとアラン・ウィンターズが*International Economics*（「国際経済学」、未邦訳）で述べているように、ユーロ市場で活動する銀行は「規制されたシステムでは借りられない顧客を必ずと言っていいほど見つけ出してきた」。つまり、ユーロ市場は、規制当局の目の届かないところで信用の質が低下することを可能にしたのである。

私は一九六〇年代から七〇年代の公文書を調べて、このなじみのないオフショア現象を理解し、制御しようとしていた世界中の規制当局が、二〇〇七年に始まった経済危機で世界経済をガタガタにした問題とまったく同種の問題について憂慮していたことに驚いた。イギリスのある上級官僚は、私が一九六八年の公文書から探し出した「極秘」メモにこう書いていた。「懸念されるのは、事実上の長期金融を提供するために短期債務を『借り換える』慣行の影響である」。これはまさに、二〇〇七年にイギリスの銀行、ノーザン・ロックを破綻させたものだった。ほぼ同じころ、『バンカー』誌に掲載された記事は、こう問いかけていた。「この市場の成長は歓迎すべきカンフル剤なのだろうか。それとも国際金融システム全体に徐々に効いてくる毒なのだろうか。調整のプロセスがふたたび国際金融システムの崩壊という形をとることを確実にしているのだろうか。この市場の発展にイギリスが大きな役割を果たしてきたがゆえに、われわれはふたたびそうした崩壊の最前線に立たされるのだろうか」。今や答えは出ている。

ケインズが生きていたら、こうした展開をどう思っていただろう。彼の極端なイギリスびいきの姿勢と、イギリス帝国構想を無批判にではないにしても断固、擁護したことを考えると、彼はそれを歓迎していたはずだと、見る向きもあるだろう。一九四一年、アメリカの支援を得るために交渉していたとき、彼はこう書いている。「アメリカがイギリス帝国の目をえぐることを許してはならない(注35)」。そのうえ、彼は、シティがグローバルな優位性を維持する後押しをするために、ときに激しく戦った。だが、あらゆる場面で、ケインズは諸国の——競争ではなく——協力に基づく国際秩序を実現するために戦っていた。彼は、ロンドンが協調的なポンド・ブロックの中心に位置することによって、その地位を維持できる世界を望んでいたのであり、単に隣人に勝つ方法として規制を緩和するという考えを嫌っていた。それゆえ、一九七〇年代からの他国を犠牲にして自国に資本を引き寄せようとするオフショア金融の急成長を、彼はぞっとする思いで眺めていたことだろう。それが助長した大量の資本逃避については言うまでもない。

ユーロダラーという「危ないカネ」

一九六〇年代は、ロンドンで過ごすことがわくわくする体験だった時代かもしれない。だが、アメリカの規制当局の面々は、あまりわくわくしてはいなかった。一九六〇年、ニューヨーク連邦準備銀行は、ユーロ市場はすでに、「どの国においても独立した金融政策をとることを大幅に難しく」している(注36)と判断して、ロンドンに調査団を派遣した。政府は経済運営の梃《てこ》としてマネーサプライ(通貨供給)を使うべきだと主張したミルトン・フリードマンの理論が大きな影響力を持つようになったのが、彼の支持したユーロ市場がその梃を無力にし始めた時期だったのは、何とも皮肉なことだ。

イングランド銀行のスタッフは、アメリカの調査団に紅茶を何杯もご馳走《ちそう》したが、アメリカ側の懸念についてはまったく対処しないも同然だった。アメリカ側が、ユーロ市場は「安定性に対する危険」をもたらしていると指摘した後も、である。イングランド銀行からの定期的な声明は、アメリカ側の不安を裏づけただけだった。「公認銀行による融資は、量や性質や趣旨に関して規制されない」と、ある声明は述べていた。「貸し手の商業上の分別に信頼が置かれているのである」。ニューヨーク連銀副総裁、ジェームズ・ロバートソンは、一つの不安の種を指摘した。新興のユーロ市場が、ケイマン諸島やバハマなど、イギリスとつながりがあり、イングランド銀行によって規制されているタックスヘイブンに集中しているということだ。「私がまず異議を唱えたいのは、それらの組織が言葉のいかなる意味においても支店ではないことだ。それは別の誰かの机の引き出しにすぎない。特定の特権を得るために銀行にインチキの手続きをさせるのはなぜなのか」

一九六三年七月一八日、ケネディ大統領は、アメリカの通貨の流出を食い止めるために外国債券の利息に課税しようとした。そうすれば、より利益のあがる海外市場で融資するインセンティブはなくなるはずだった。だが、それは正反対の結果をもたらした。課税も規制もないロンドン・オフショア市場に資金がどっと流れたのだ。この新しい規制が施行されたとき、モルガン・ギャランティ銀行のヘンリー・アレクサンダーは「今日は忘れられない日になるだろう(注37)」と言った。「それはアメリカの銀行業の姿を変え、すべてのビジネスをロンドンに押しやるだろう」

アメリカの政策立案者たちは、金融の安定性についてますます危惧するようになった。アメリカの銀行がすでにユーロ市場の最大のプレイヤーになっていた一九六三年、アメリカ財務省はこの市場が「世界の国際収支の不均衡」を悪化させたと断定して(注38)、アメリカの銀行に「この種の活動に参加することで国益に役立っているかどうかをよく考える」よう促した(注39)。アメリカはこうした懸念をイングランド銀行にあらためて伝えるとともに、ロンドンのアメリカ系の銀行を査察するために連邦通貨監督庁長官をかの地に派遣した。イングランド銀行の返答は、事実上、どうぞご自由に、だった。イングランド銀行のある幹部は、こう言い放った。「シティバンクが、ロンドンでアメリカの規制を逃れているかどうかなんて、私にはどうでもいいことだ。とりたてて知りたいとは思わない(注40)」

一九六七年、有能でエネルギッシュなアメリカの財務次官、ロバート・ローザは、この市場は、不安定さを招く資本移動を「過去に起きた何よりもはるかに大規模に」増幅してきた、と語った。ロンドンからの反応はいつも同じで、「余計なお世話だ」か「これは心配するようなことではない」だった。クローマー卿は一九六三年、脱税に関するローザの危惧に答えて、ニューヨーク連邦準備銀行にこう言った。「この種の活動の量がきわめて大きな規模に成長する可能性は低いと思う」。クローマーのこの鉄面皮ぶりは、イギリスの高官たちも危惧していたことを考えると、なおさら桁外《けた》れだ。イングランド銀行の一九六〇年のメモにはこう記されている。「調査団のメンバーたちは不機嫌ではなかったが、何人かは悲惨な事態が起きないよう本気で祈っているという印象を受けた」(注41)

ユーロ市場を規制しないというイングランド銀行の決断の陰には、『不思議の国のアリス』で語られるような奇妙な論理――オフショア・システムに広く行き渡っている論理――があった。ロンドンの通常の銀行で取り付け騒ぎが起きた場合には、イングランド銀行は、その銀行の規制機関であるせいで、介入して混乱を収拾する義務を感じるだろう。つまり、規制とは、イングランド銀行のメモの言葉によると「責任を認めること」だ。それなら規制しないほうがよいと、その論理は続くのだった。(注42)

では、アメリカは、規制のないロンドン市場が自国の金融規制を弱体化させていることを知りながら、自国の銀行がそこに軽率に飛び込むのをなぜ許したのか。

それは一つには、ほとんどの人がユーロ市場をうさんくさくて少しいかがわしい一過性の変則的現象で、すぐに消滅するものとみなしていたからだ。一九六二年に、『タイム』誌はこう断定した。「アメリカの金利がヨーロッパと同じ水準に上がったら、もしくはアメリカの国際収支の赤字が解消されたら、ユーロダラーは徐々に消滅していくと、多くの専門家が考えている」(注43)。アメリカの多くの銀行も、ユーロダラーをヨーロッパ人に任せておくのが一番よい一種の危ないカネとみなしていた。ロンドンにいたアメリカのある銀行家は『タイム』誌にこう語った。「ユーロダラーねえ。それは危ないカネ《ホットマネー》だ。だから、そう呼ぶほうがいいと思うね」。それは確かにホットマネー（超短期間で移動する資金）だった。ユーロ市場は反ケインズ主義の一種のグローバルな伝導ベルトになって、短期資本移動の感度を高めていた。金利の変化を即座に世界中に伝えて、気まぐれな投機家たちが危ないと見た通貨に大規模な投機的攻撃を加えられるだけの大量のマネーを一ヵ所に集めることを可能にしていたのである。(注44)

アメリカの政策立案者たちの介入を阻んでいた要因はこれだけではなかった。アメリカの強力な銀行業界が、このオフショアの遊び場をできる限り静穏な場所にしておきたいと望んだのだ。大統領経済諮問委員会のメンバー、ヘンドリック・ハウタッカーは、ユーロ市場のことを大統領の耳に入れようとしたとき、ピシャリとこう言われたという。「それはダメだ。われわれはそれに関心を集めたくはない」(注45)。その状況にいら立ったある学者が言ったように、銀行は「それについて議論するのを意図的に避けていた」(注46)のである。

一方、イングランド銀行は相変わらず規制の敵だった。一九七三年、ドイツの数人の銀行家がイングランド銀行の幹部に会って、ロンドンで公認銀行になるにはどのような許認可が必要かと尋ねた。その一人はこう回想している。「その幹部はわれわれを見てこう言った。『私が銀行とみなすものが銀行なのだ』」。確かに、それでほぼ決まっていたのである。それとは別に、歴史家のデイヴィッド・キナストンが「ときおり行わなければいけない不可欠な午後の儀式」と呼ぶものがあった。ベルギーのある銀行家によれば、規制には「ときどきイングランド銀行にお茶を飲みに行って、自行が何をやっているかを説明する」ことも含まれていたのである。(注47)

人々が懸念の声を上げ始めてから何年も後の一九七五年の時点でも、アメリカ議会の委員会の報告書は、この新しい市場が政治のレーダーの及ばない深海にどうやって潜行し続けることができたのかと、驚きの念を表明している。この驚きは、一世代後の二〇〇八年六月、金融パニックが世界中に広がるなかで、ＢＩＳによってふたたび表明されることになる。ＢＩＳはわびしげにこう問いかけたのだ。「政府の明確な懸念の言葉を誘発することなく、巨大な影の銀行システムがどうやって出現できたのか」。これから見ていくように、オフショアのユーロ市場は、この影の銀行システムの誕生を大いに促進した環境だった。先ごろの経済危機の要因となった大きく危険なサメ――奇怪なストラクチャード・インベストメント・ビークル（ＳＩＶ）、コンデュイット（導管）、および近年大きな嘆きを生んだ同種の手段――がうようよしている深く規制のない金融の海だったのだ。

注意深く張り巡らされた守秘性と不明瞭さのベールの向こうを透かし見ることができなかったのは、アメリカの政治家だけではなかった。イングランド銀行の文書は、オフショアの台頭を政治議題に載せないようにするうえで同行が中心的役割を果たしたことをはっきり示している。一九五九年のメモにはこう書かれている。「（イングランド）銀行は、より完全な情報を得ようとする大蔵省の試みに、過去の数々の折に強く抵抗した。副総裁は、公認銀行の財務状態の詳細が大蔵省に知られることを許さなかった」（注48）。ゲイリー・バーンが指摘したように、イングランド銀行は「イギリスの銀行システムに対する自身の管理権を他の国家機関、とりわけ大蔵省から守り、それからこの権限の多くを『業界団体』を通じてシティの銀行に委譲した」のである。

イギリスの誰一人として、このような取り決めに真剣に疑問を抱いて、適切な意見聴取を行いはしなかった。一九五九年の議会の討論で、元イングランド銀行取締役は、「取締役たちの利益と国家の利益は一致している」ので、イングランド銀行の公的役割と私的役割の間に利益相反はありえないと、あっさり言い切った。（注49）

高官たちがたびたび懸念を表明していたにもかかわらず、アメリカが結局イギリスと結託して、自国の銀行がオフショア・ビジネスを行うのを許したのはなぜか、という問いに戻ることにしよう。この問いに対する答えを知ると、真の権力が世界のどこにあるかが見えてくる。そして、ここにもう一つの奇妙な物語がひそんでいるのである。

今日、米ドルは世界の最も重要な準備通貨である。他の多くの国が外貨不足による制約をたびたび受けるのに対し、アメリカは自国の通貨でカネを借りることができる。ドルを増刷して実物資源を手に入れ、長期にわたって収入以上の生活をすることができる。フランス大統領のアドバイザー、ジャック・リュエフがかつてこう言ったことは、広く知られている。「私の払ったカネがその日のうちに融資として戻ってくるという合意が仕立て屋との間にあるのなら、スーツを何着も注文することにまったく異論はない」

それがすべてを変えるのだ。かつて怒りに燃えたフランスの財務相、ヴァレリー・ジスカール＝デスタンがアメリカの「法外な特権」と呼んだもの――事実上の巨額のただ乗り――を、それがアメリカ大統領に与えるのである。フランスの『ルモンド』紙はこう書いている。「市場は、通貨交渉におけるアメリカの立場を本来あるべき姿よりはるかに強くしている。アメリカ人は、国際金融収支の真剣な改革にとって有害かつ不健全な安全な状態にずっと置かれている」(注50)。増刷が可能な自国通貨で対外債務を返済できるというこの強みが、アメリカがベトナム戦争を戦うのに、そしてその費用をまかなうのに役立った。最近では、ジョージ・W・ブッシュ大統領が減税を行って巨額の財政赤字を積み上げるのに手を貸した。そして、いつかそのツケを払わねばならない日が来たら、アメリカは調整の負担の多くを他国に押しつけることができるのだ。

諸国が準備金に米ドルを使っているのは、ドル市場が巨大で流動性が高く、ドルには比較的安定しているという信頼感があるからだ。石油の価格はドルで表示され、貿易はドル建てで行われる。一九九〇年代半ばに、私がロイターの特派員として内戦中のアンゴラに駐在していたとき、首都ルアンダの繁華街にいる騒々しい両替商たちがブカブカのブラジャーに詰め込んでいたカネは、ユーロでもスイス・フランでも人民元でもなく、ドルだった。今日、世界の公的外貨準備高の三分の二がドルで保有されている。ドルが世界を動かしているのであり、それを印刷する権利を持っている者は、成功を保証されているのである。

ケインズの伝記を書いたロバート・スキデルスキーは、二〇〇九年にこう述べた。「覇権通貨が帝国主義的国際関係システムの一部であることは、あらゆる歴史家が知っている」(注51)

そして、流動性が爆発的に高まりつつあったユーロ市場、大きな利益をもたらす巨大で新しい、規制のないこのドルの舞台は、ドルの帝国主義的役割を支えるのにうってつけだった。アメリカの経済担当国務次官補、ダグラス・ディロンが熱く語ったように、ユーロ市場は「外国人に預金をドルで持ってこうと思わせる、かなりよい方法」(注52)を提供したのである。ユーロダラーは、アメリカが「法外な特権」を強固にし、財政赤字を埋め合わせ、海外で戦争をして、その負担を他国に押しつける助けになった。アメリカの銀行は、議会を説得して法律を変えさせるために何ヵ月もの騒動を経ることは望まなかった。一足飛びにロンドンに行くほうがずっと簡単だったのだ。

「ユーロ市場が創設されたことで、米英両国の銀行は、一九二〇年代に突出していたロンドン・ニューヨーク金融枢軸をどのようにして再構築すればよいかという問題の解決策を見つけたのだ」(注53)と、国際政治経済学者のエリック・ヘライナーは述べている。さらに注目すべき点として、シティを過去の栄光の座に戻す計画が、ゲイリー・バーンによれば、「首相や大蔵省、内閣や政府、もしくは議会による議論が事前にも事後にもなされないまま、堂々と無条件で追求された」のだ。「この計画の成功に中心的役割を果たしたのがイングランド銀行だった。同行は一九四五年以降、国際金融資本の覇権をふたたび確立する作業に取りかかった」。そして、ジャージーやケイマン諸島など、イギリスのオフショア・サテライトは、この大規模な金融ゲームでつねに特別な役割を担っていた。

国際経済学者ロナン・パランが述べたように、ユーロ市場はロンドンの中心からスタートして、「イギリス本島に一番近いチャネル諸島を皮切りに、まもなくイギリスの領土であるカリブ海の法域へ、それからアジアに、そして最後に太平洋のイギリス領の島々へと、明確な地理的道筋」に沿って、外に広がっていった。このプロセスには約一〇年の歳月がかかったと、パランは推定している。したがって、これらの半植民地の島々や他のさまざまなサテライトは、一九六〇年代からユーロ市場のオフショア記帳所として認められるようになった。会計士たちの帳簿を通り抜けるルートの半ば架空の中継地として、世界の最も富裕な個人や企業、とりわけ銀行が自分たちの資金を無税で秘密裏に預けることができ、規制されたオンショアの競争相手より速いペースで成長できる隠れ家として、広く知られるようになったのだ。

帳簿づけの作業自体は、ヤシの木に囲まれた島のオフィスで一人か二人の人間がやっていたかもしれないが、力仕事——大規模な融資団を結成し、会計の歯車をきちんと噛《か》み合わせ、一分の隙もないほど法的に完璧な書類を仕上げる本当の仕事——は、ロンドンで行われていた。ロンドンと海外サテライトとの、このへその緒でつながれたような双方向の関係は、以来ずっと、オフショア・システム全体の決定的な特徴になってきた。

どのサテライトも、それぞれ独自の専門サービスを提供している。たとえば、ケイマン諸島が、税率をゼロにする特殊な手法の基盤を提供するために法律を変えるとする。その場合、バハマ諸島は、機敏な隣人、ケイマンに後れをとらないよう税率を引き下げる。ルクセンブルクやジャージーも競争に加わってくる。税率引き下げの動きは、こうしてどんどん広がることになる。この競争が生み出す力学には、容赦ない論理が内在している。他の法域より一歩先を歩き続けて資金の流出を防ぐためには、規制を緩和し続けなければならない、ということだ。それ以外に道はなく、その結果は一つしかない。規制がどんどん緩くなるのである。

旧植民地や帝国の他のさまざまな要素との入り組んだつながりに支えられて、世界最大の金融センターとしてのロンドンの再生を先導する新しい市場が生まれていた。アラブ・ナショナリズムを打ち砕くというイーデン首相の夢はスエズで屈辱のうちについえたが、ロンドンの金融エスタブリッシュメント（支配階級）は、エリート投資家たちの利益のために統治される世界の中心という地位をロンドンに取り戻させる方策をまとめ上げつつあった。イギリス帝国は、崩壊したと見えた瞬間に息を吹き返し始めたのである。

第6章
クモの巣の構築
イギリスはどのように新しい海外帝国を築いたのか

アメリカのマフィアとカリブ海オフショア・ネットワーク

ユーロ市場は、誰かが描いたマスタープランの産物ではなく、独自の内的論理に従って成長し、またたく間にグローバル経済の止められない勢力になった。だが、この市場は、一九六〇年代からは、もっと計画的に築かれたパートナー、ロンドンを中心とするオフショア・ネットワークと手を取り合って発展した。クモの巣のようなこのネットワークを構成するのは世界各地に散らばる準イギリス領で、これらの地域は低税率で規制が軽く守秘性の高いマネーの抜け穴を提供して、近隣の法域から金融ビジネスを獲得していく。ロンドンから遠く離れたこれらのオフショア・サテライトを利用することで、シティは犯罪絡みのカネや他のうさんくさいカネを扱うことができ、しかも、うさんくささを最小限に抑えることができた。この新しいエネルギッシュなオフショア・システムは、独自のインフラや構想を発達させ、共通の使命感や疑似貴族的とでも言うべき特異な行動規準まで築き上げた。

王室属領のジャージー、ガーンジー、マン島は、クモの巣の内側の環《わ》を形成し、主としてヨーロッパに照準を合わせる。それに対し、かつての帝国の最後の前哨基地である一四の海外領土のうち、カリブ海地域のメンバーは、主としてアメリカに狙いを定める。各地に点在する他の海外領土は、ネットワークの勢力範囲をグローバルに拡大する役目を果たす。中国とその周辺地域への入り口となるかつてのイギリス領香港《ホンコン》や、太平洋や中東などの小さな旧植民地がこれに当たる。

規制を緩和し、経済を開放する国が増えれば増えるほど、このクモの巣の結節点付近を飛び回るビジネスが増え、より多くのマネーがクモの巣に飛び込むことになる。それに加えて、それぞれのオフショア・センターが近隣の法域の税制や法制や規制体系に競争圧力をかけ、好むと好まざるとにかかわらず、それらの法域の金融自由化のペースを加速させる。ロンドン、ウォール街、アムステルダム、フランクフルト、パリの金融機関が、またたく間にこれらの地域に進出する。一九五〇年代半ばのロンドン・ユーロ市場の台頭とともに始まったオフショアの発展は、まずイギリス本島に近い王室属領に、次いでカリブ海地域のイギリス海外領土に、それからアジアに、そして最後に太平洋のイギリス領の島々に広がることになる。この奇妙な出来事、これまで調べた人がほとんどいない出来事が、どのように進展したのかを説明しよう。

カリブ海地域における現代のオフショア・システムの起源は、犯罪組織がアメリカの税制に関心を持ったときにさかのぼる。一九三一年にアル・カポネが脱税で有罪判決を受けると、彼の同業者のマイヤー・ランスキーは、マフィアのカネをアメリカ国外に持ち出し、きれいに洗ってから国内に戻す仕組みを作ることに関心を持つようになった。ランスキーは頭の切れる大物マフィア——映画『ゴッドファーザー』のハイマン・ロスのモデルが彼であることはまず間違いない——で、一九八三年に死去するまで、あらゆる刑事訴追で勝利を収めることになる。自分の関わっているマフィアの活動は「USスチールをしのぐ規模だ」と豪語したことがある。

ランスキーは一九三二年にスイスに預金口座を開き、そこでローンバックの手法を完成させた。(注1) 彼はまず、カネをスーツケースに詰めたり、ダイヤモンドや航空券、銀行小切手や足のつかない無記名株式などに変えたりして、アメリカから持ち出した。そのカネをスイスの秘密口座に入れるのだが、守秘性をさらに高めるために、おそらくリヒテンシュタインのアンスタルト（名前を伏せた株主一人だけの匿名会社）を経由させたと思われる。銀行はそのカネをアメリカ国内のギャングに貸し付ける。これで、カネはきれいになってアメリカに戻ったことになる。受取人は、課税対象となるアメリカでの事業所得から借入金の金利を差し引くこともできた。

ランスキーは一九三七年には、アメリカの税務当局の手が届かないキューバでカジノの経営を始めており、彼と仲間たちは、そこでギャンブル、競馬、麻薬といったビジネスを築いた。そこは事実上、マフィアのためのオフショア・マネーロンダリング・センターだった。作家のジェフリー・ロビンソンが言ったように、「ディズニーランドの対極」であり、「地球上で最も退廃的な場所」だったのだ。ランスキーとキューバの右派指導者たちとのつながりは、民衆の激しい怒りをかき立てる一因となり、その怒りはやがて一九五九年にカストロを権力の座に就かせることとなった。

ランスキーはその後マイアミに移住し、彼にとっての次のキューバを見つけようとした。それは小さく腐敗していて政治指導者たちを容易に買収でき、アメリカから近くてギャンブラーが自由に行き来できる場所でなければならなかった。「独裁者が揺るぎない地位を築いていて、何が起きようと政治環境が安定していることが要件だった」と、ロビンソンは述べている。「マフィアのカネは広く厚くばらまく必要があった。別の独裁者が権力を握っても、そのカネがなければ安定した政権を維持できないほどに、だ」(注2)

かつてイギリスから南部連合の奴隷州に銃を密輸する際の中継地だったバハマは、理想的な場所だった。ランスキーは、ベイ・ストリート・ボーイズ（注3）と呼ばれる少数の腐敗した白人商人に支配されているこのイギリス植民地を、南北アメリカのダーティーマネーが集まる第一級の守秘法域に変貌させることにした。一九六一年、ちょうど彼がこの地で大規模な活動を始めたころ、イギリス植民地省のW・G・ハランドなる人物がイングランド銀行の幹部に宛てた興味深いメモは、アメリカの犯罪組織と遭遇したイギリス上流階級の危惧をよく伝えている。「これ（効果的な規制システムが提供されていないこと）は重大な手抜かりかもしれないと、われわれは感じている。当地がバミューダと同じくあらゆる種類の金融の魔術師たちを引き寄せているのは有名であり、彼らの活動のなかには、公共の利益のために規制する必要があると確信できるものがあるからだ」

だが、ロンドンは何もしなかった。その二年後に書かれた植民地行政官、M・H・パーソンズからデニス・リケット卿《きょう》へのメモ（注4）は、バハマの白人優位主義者の財務大臣、スタッフォード・サンズ（注5）の動きに警戒するよう促している。ランスキーの仲間から一八〇万ドルの賄賂《わいろ》を受け取っていた（注6）サンズは、銀行の守秘義務に背くことを犯罪にしたがっていたのである。銀行の守秘性を強化することで獲得できるダーティーマネーが一〇億ドル以上あり、それを得るためならアメリカを怒らせることもいとわないと、サンズはパーソンズに語っていた。サンズの考えているこの新しい法律は、「間違いなくイギリス政府に、アメリカ政府からの抗議をもたらすだろう」と、パーソンズは述べている。「わが国が今なお対外的責任を負う領土における不快な法律制定の流れを変える方策を、わが国は何もとれないと言わねばならないとしたら、わが国はかなりひ弱な印象を与えることになるだろう。……問題はかなり厄介だと言わねばならない」

ロンドンはサンズにゴーサインを与えたようで、ランスキーはバハマに彼の帝国を築いた。ところが、多くの現地住民は不満を持っていた。一九六五年、バハマの政治家で人民主義者のリンデン・ピンドリングは、「人民に力を」という主張の劇的な表現として、怒りに燃えた群衆に向けて議会の窓から議長の職杖《しょくじょう》を放り投げた。一九六七年には、彼はギャンブルや汚職、それにベイ・ストリート・ボーイズのマフィアとの癒着と戦うことを盛り込んだ綱領に基づいて、首相に任命された。（注7）ランスキーがピンドリングにも支援を与えていることに気づいていた者はほとんどいなかった。（注8）カジノもマフィアが群がるオフショア産業も引き続き発展した。

だが、一九七三年にピンドリングがバハマを完全な独立へと導くと、オフショアのプレイヤーたちは一斉に逃げ出した。カリブ海地域の有力なオフショア弁護士、ミルトン・グランディは、その理由をはっきり指摘している。「ピンドリングが銀行に打撃を与える言動を見せたからではなく、単に彼が黒人だったからだ」（注9）

しかも、たまたますぐ隣に、住民がはるかに友好的な頼もしいイギリス領の島があった。ケイマン諸島である。マネーはケイマンに流れ込むようになった。

ケンブリッジ大学出身のミルトン・グランディは、オフショア金融についてすばらしい本を何冊か書いており、ケイマン諸島を初めて訪れたときのことをこう振り返っている。町の中心部を牛が歩き回り、銀行は一つだけ、舗装された道路も一本だけで、電話システムは敷設されていなかった。『ケイマン・フィナンシャル・レビュー』紙によれば、当時は牛を窒息させるほど大量の蚊が飛び回っていた。ケイマン諸島は一九六七年に初の信託法を公布したが、これはグランディが草案を書いたもので、イギリス内国歳入庁の役人はこの法律について後にこう述べている。「わが国の納税者を対象とするわが国の法律を露骨に邪魔しようとするものだ」。数ヵ月もしないうちに、グランド・ケイマン島は国際電話ネットワークに接続され、ジェット機が発着できるよう空港が拡張された。

一部では、イギリスがオフショア・ネットワークを築いたのは、海外領土が経済的に自立してやっていけるようにしたいという近視眼的欲求からだったと主張されてきた。第二次世界大戦後、疲弊したイギリスは、かつては莫大《ばくだい》な利益をもたらしていた帝国が、独立運動の高まりによって、ますます経費がかさみ、ますます経営しにくくなっていることに気づいたのだ、と。だが、証拠から判断すると、イギリスが半植民地を守秘法域に変貌させることにしたのは、別の、もっと厄介な理由からだったようだ。(注10)公文書を調べていくと、タックスヘイブンがどのように成長したかについて、わかりやすいパターンが浮かび上がってくる。きわめて自由な地域で活動していた民間の事業者たちが采配をふるうようになり、それに対し、イギリス本国からもビジネス分野の経験がない行政官からも、異議が差し挟まれることはほとんどなかったのだ。

ケイマン諸島のイギリス政府チームは、一九六九年に、「特定の専門知識のはなはだしい欠如」を指摘し、次のように記している。「行政部門の組織構造や人員配置は、過ぎ去った時代の古くさいパターンを今なお示している。……民間企業の活動が急拡大したことで、基本的な政府機能が次第に追いつかなくなっており、上級職員は耐えがたい重荷を背負わされている」。大勢の開発業者がこの地を訪れていた。

たいてい、もっともらしい計画を見せながら、あらゆる種類のコンサルタントに支えられたビジネスマンチームが熱弁をふるった。テーブルの反対側にいるのは、行政官とその部下の公務員だ。ビジネスの専門知識はないし、コンサルタントもエコノミストも統計の専門家もいない。専門家は一人もいないのだ。紳士と賭博師が渡り合っているようなもので、紳士の側はゲームに慣れてもいなければ、そのルールも知らない。プロフェッショナルの側が楽々と勝利しているのは当然だろう。

当時の公文書からは、イギリスの官僚機構内部で意見が二つに割れていたことがわかる。一方の側にいたのは大蔵省で、とりわけ同省内国歳入庁の収税官たちは、タックスヘイブンに強く反対しており、ケイマン諸島にはとくに不快感を持っていた。アメリカの税務当局も明らかに激怒していた。イギリス外務省はタックスヘイブンにおおむね反対してはいたが、大蔵省とはかなり温度差があった。もう一方の側にいたのは、この新しい仕組みを最も声高に応援していたイングランド銀行と、それよりはるかに影響力の小さいイギリス海外開発省だった。(注11) 二つのグループは対立し、激しい、辛辣《しんらつ》とさえ言える論戦が繰り広げられた。

内国歳入庁はとくに危機感を持っており、その上部機関である大蔵省の官僚たちは、内国歳入庁ほどではなかったものの、ある程度の懸念を示していた。両機関が設けた作業部会の一九七一年の報告書は、イギリスは海外領土のタックスヘイブンを後押しするのを基本的にやめるべきだと述べている。タックスヘイブンは、ケイマン諸島の場合には、ロンドンの政府内メモが述べているように「かなり野蛮になって」いた。一九七三年の外務省極秘メモは、次のような懸念を表明している。「ケイマン諸島は一九六七年にタックスヘイブンを設立し、それに適した法律を制定したが、それはイギリス大蔵省が認める用意のあった限度をはるかに超えたものだった」。その法案は、氏名不詳の事務職員が同意を得るためにロンドンに送るのを忘れた後、現地の議会をひっそりと通過した。この「行政上のミス」が、タックスへイブンの悪用を防ぐために大蔵省が入念に構築した防御体制に亀裂を生じさせたのだと、このメモは続けている。さらに、イギリスは後に自国の税法の抜け穴をできる限り塞《ふさ》いだが、中南米諸国やアメリカなど、他の国々のエリートたちは、ケイマンのオフショア金融機関を依然として自由に使える状態にある、と述べている。この注意喚起にもかかわらず、何の策も講じられなかった。

だが、ケイマン諸島がタックスへイブンになったのは、単に「行政上のミス」によるものではなかった。「極秘」の印がある一九六九年四月一一日付のイングランド銀行の書簡は、カリブ海地域の変化を推進した勢力についてより深い認識を与えてくれる。

たいていは島外の資産を操作するトンネル会社にすぎない信託会社や銀行などが急増して始末に負えなくなることはないと、確信できなくてはいけない。これらの会社が非居住者に抜け道を提供することにはもちろん異存はないが、それによってイギリスの資本がイギリスの支配の及ばない非ポンド圏に流出する機会が生み出されることはないと、確信できなくてはいけない。

ここでも――イギリスが守られる限り――他国の資産が略奪されることには何の異存もなかったのだ。

ケイマン諸島イギリス総督

ポンド圏は、主としてイギリスの植民地や自治領で構成されていた通貨圏で、そのメンバーはポンドを自国通貨として使っていたか、自国通貨をポンドにペッグ（連動）させていた。圏内全域で資金の移転は自由だったが、ポンド圏の外への資本移動は厳しく規制されていた。この当時のイングランド銀行の最大の懸念は、カリブ海地域の新しい金融センターが弱点になること、すなわち資本がポンド圏の外に流出する出口になることだった。そのためイギリスは、一九七二年にポンド圏をイギリス本土とアイルランド、それに王室属領だけに縮小して、新しいタックスヘイブンは排除した。ケイマン諸島は新通貨としてケイマン・ドルを採用し、この通貨は一九七四年以降、一ドル＝一・二ケイマン・ドルで固定されている。

ポンド圏が縮小した年、タックスヘイブンに反対していたイギリスの官僚たちは公文書ファイルから姿を消した。彼らの後任は一九七一年の報告書には気づかなかったようで、一九七七年にようやく、実行されないまま棚に放置されていたこの報告書を発見した。ふたたび懸念が表明されたが、やはり何の策もとられなかった。この一連の流れは官僚機構内部の恒例行事のようだ。報告書が書かれ、メモが作成されるが、何も変わらない。一〇年もしないうちに、同じ省のなかで、あるいは別の省で、歴史は繰り返す。(注12) そして、そのたびにイングランド銀行はタックスヘイブンの側で戦ったのだ。

この間、海外開発省の代表である総督は、イングランド銀行の路線をはっきり支持していた。彼は一万人のケイマン諸島民の幸福にしか関心がなかったようで、このビジネスが近隣の中南米諸国で数百万人もの資本逃避の被害者に与えてきたひどい影響には、明らかに目をつむっていた。海外開発省の動機が何だったにせよ――救いがたい近視眼的見方だったにせよ、他の途上国を犠牲にして自省の縄張りに特権を与えようとする根性曲がりの考えだったにせよ――それが新興のオフショア・システムをがっちり守ったのは間違いない。

公文書からは、イギリスがどのようにオフショア金融を支えてきたのかをさらによく理解する助けになる別の話も浮かび上がってきた。

ケイマン諸島に新たに赴任したイギリスの総督、ケネス・クルックは、「ここは決して南国の楽園ではない」と述べている。「その理由はいくらでも挙げられる。美しいが、大量の蚊が飛び回っているビーチ。かなり新しいが、設計がひどく、手入れもされていない家。楽しいけれど乱雑な小さな街。馬でさえ死んでしまいそうな強烈な臭気を放つ湿地清掃プログラム。近いうちに崩壊して、白アリだらけの埃《ほこり》をまき散らしそうなオフィス」

彼が統治していたのは人口わずか一万人の場所で、ある意味ではイギリスの村だった。念のため言っておくと、総督は当時も今も、イギリス政府の助言に従って女王により任命され、ケイマン諸島で最大の権力を持っている。彼（これまでの総督はすべて男性）は、内閣を統括する。この内閣が、現地の住民が曲がりなりにも参加する政治機関である。活発な政治集会やお祭り騒ぎをともなう選挙が、ケイマンには確かにある。だが、防衛・治安・外交は、依然として総督が担っている。警視総監、苦情コミッショナー、会計検査院長、法務長官、裁判官など、高位の公職者は、総督が任命する。最終審裁判所はロンドンの枢密院だ。ケイマン・ドル札にはイギリス女王の顔が印刷されているし、国歌はイギリス国歌「ゴッド・セイブ・ザ・クイーン」である。

これは外交官としては確かに奇妙な役職です。どれだけ多くの同僚が、私と同じように、国家元首なるものの愚かさを眺めながら、「あの愚か者がこれこれをやりさえすれば、事態はよくなるのに」と思ってきたことでしょう。でも、自分がその当の愚か者だったらどう思うかを、本気で考えたことがあるでしょうか。……すばらしいイギリス議会の伝統にのっとって議会を運営しようと、意気込んで同僚たちを招集すると、一人の議員が席をはずし、そのため定足数に満たなくなって財政委員会全体が混乱するのです。彼の離席の理由は、自分の持っているスクールバスを運転しなければならないから、というものです。この報告書のこれまでの記述に思い上がった軽率さの響きがあるとしても、お許しいただけるのではないでしょうか。(注13)

だが、政治について、また、イギリスとその小さな準植民地の関係について述べるときは、クルックの語調は真剣になる。「ケイマン人は独立を望んでいません。自治も望んでいません――自分たちの間で互いに実質的権力を委ね合うことにはきわめて消極的なのです。……イギリスとつながっていることで、そうでなければ得られないステータスを与えられていることを、彼らはよく承知しています。ですから、総督がいることを喜んでいます。何よりも、不人気な決定を下すためには総督はきわめて便利な存在ですから」。クルックはそれから、この関係の微妙な点を指摘する。支配していないふりをしながら、イギリスが実質的な支配権を握っている点だ。

総督が実質的な権力を握っているとみなされたら、その場合、他の人間は基本的に無価値に見えることを、彼らは認識しています。とくに、選挙で選ばれる政治家は、これを自分たちのイメージにとってマイナスだと思っています。彼らが望んでいるのは、総督は現地住民の望むことを行うよう憲法によって義務づけられている、という印象を与えることです。そうではないことを百も承知で、です。意味論的な世界になると思いますが、より多くのケイマン人を権力の座に据えることができればできるほど、われわれにとって望ましいのです。彼らは政治的異議申し立てをそらす避雷針のような役割を果たしてくれるでしょう。(注14)

イギリスのこうした姿勢は、今なお実質的には変わっていないようだ。ケイマンのあるベテラン政治家は、二〇〇九年に匿名を条件に次のように語ってくれた。「イギリスはかなり大きな支配力を持ちたがっている。だが、同時に、そのような支配力を持っているとはみなされたくないと思っている。すべてのボスがそうであるように、責任を負わずに影響力を持ちたいわけだ。事態がまずくなったら、くるりと背を向けて『すべて君たちの責任だ』と言えるからね。でも、実際には彼らがすべて操っている。総督はクラウンエイジェンツ（植民地の実質的な行政を行っていたイギリスの政府機関。現在は民営化され、開発援助に取り組む公益法人となっている）を連れてきて、やりたい放題にさせることができる。実際の権力はいつも舞台の裏の暗がりにいて、顔を見せることはない」。ケイマン人に現実を見せないようにすることは、親が子どもに対してそうするのと同じで、政治的リーダーシップの一部だと、彼は言う。「リーダーが直面している重荷や難題をすべて彼らに教える必要はない。われわれの集会に出てくる人々の八〇パーセントは、自分たちが操縦桿《かん》を握っていると信じてるよ」

住民代表が統治する格好になっていることや莫大なカネが入ってくることに満足しているので、住民たちは波風を立てることはない。おまけに、イギリスとのつながりを今日も揺るぎなく支持している。元閣僚で、ケイマン諸島の歴史に関する著書もあるロイ・ボッデンは、一九八二年のイギリス・アルゼンチン間のフォークランド戦争に対して、ケイマン人がどのように反応したかを語ってくれた。ケイマンの有力者たちは、アルゼンチンの将軍連中やその富裕な友人たちが自分の国を略奪する手助けをしてきたことに忸怩《じくじ》たる思いを抱き、「母国はあなたの助けを必要としている」と名づけた基金を発足させた。街頭に募金箱が置かれ、一〇〇万ドルの募金が集められて、そのカネは戦費の足しにとイギリスにそっくり手渡されたという。(注15)

現地住民のイギリスに対するこうした姿勢は投資家たちを安心させているが、世界第五位の規模のこの金融センターを支えている政治的基盤は、イギリスが実質的な支配権を握っているという事実である。ケイマン人が全権を握るような事態になったら、ほとんどのマネーが逃げ出すだろう。

カリブ海地域でこうした変化が起きている間に、はるかにシティに近い王室属領でも、同じような変化が起きていた。一九七五年にイギリスの下院議員トニー・ベンが、ジャージーで開かれた税務会議について大蔵大臣デニス・ヒーリーに書き送った書簡は、それを垣間見せてくれる。

イングランド銀行から派遣された紳士が税金逃れの方法についてアドバイスするのを目の当たりにして、少々驚いています。これが本当にイングランド銀行の仕事の一つと言えるでしょうか。何とこの紳士は、イングランド銀行は内国歳入庁が要求する情報を与えるつもりはないとにおわせているのです。イギリス大蔵省はイングランド銀行を制御できないのですか。イングランド銀行の職員は政府の方針に逆らうような動きをしてはならないはずですよね。こういった会議のとき、「舞台裏で」いったいどのような申し合わせや取引が行われているのでしょう。これは真実にしては少々下劣すぎる話です。(注16)

王室属領のなかで最も重要なジャージーは、こうした変化の前から、オフショア・ビジネスによって長年大きな利益をあげていた。一八世紀にはすでに一種のオフショア・センターになっており、他国の富裕な商人がイギリスの関税を逃れるためや他の不正行為をするためにこの地を使っていた。ナポレオン戦争後には、除隊したイギリス軍の将校たちが、年金にかかるイギリスの所得税を逃れるためにこの地にやってきた。ジャージーはその後、ヨーロッパの急進派たちを保護する場所にもなった。彼らの多くが迫害を逃れるためにまずイギリスに渡り、それからこの一風変わった準イギリス領の休息所に移されたのだ。それは一つには、ヴィクトリア女王がフランスやベルギー、ロシアやハンガリーなどの血縁者の前で気まずい思いをせずにすむよう、イギリスは彼らを匿《かくま》ってはいないと主張できるようにするためだった。植民地から本国に戻ったイギリスの官僚たちもジャージーに居を定めるようになり、ジャージーの銀行は、彼らの持つ植民地人脈を利用して、植民地や他の地域で新規の顧客を見つけるようになった。最初のうちは、アフリカや中東や極東の植民地で働くイギリス人が中心で、彼らは自分の資産を安全で、しかもイギリスに近い場所に置いておきたいと思ったのだ。その後、植民地が独立するにつれて、人々はジャージーに移り住むようになり、元植民地にとどまる場合でも、政情不安や相続税の問題を心配して資産は国外に置くようになった。元ジャージー金融サービス委員会委員長のコリン・パウエルはこう語る。「中東に住んでいる人がロンドンの不動産に投資するときは、自分の名前を使わず——自分の名義にしたら死んだとき相続税がかかる——ジャージーの会社を通じて投資したものだ」

ジャージー、そして香港、シンガポール

カリブ海地域と同じく、ジャージーでも、オフショア金融は一九六〇年代からさかんになった。ハン

ブローズやヒル・サミュエル（現在はロイズTSBの子会社）などのマーチャントバンク（投資銀行）が進出してきて、預金を受け入れるようになったのだ。海外旅行が容易になったこともあって、ジャージーに口座を開く海外在住のイギリス人はますます増えていった。ジャージーなら、銀行は信頼できたし、万事イギリス流で使い勝手もよかった。おまけに、利息は課税されず、秘密にしておくこともできた。ばれないとわかっているので、多くの顧客が居住国——概して貧困にあえぐアフリカ諸国——に所得を申告しなかった。

ジャージー銀行協会の事務局長、マーティン・スクリヴァンは、ジャージーのネットワークがどのように成長したかを説明してくれた。(注17)彼はバークレイズ銀行ジャージー支店のトップとしてこの地に来る前は、イングランド中部のバーミンガムでバークレイズの支店を任されており、主として製造業者に資金を貸し付けていた。「私はここに来て、一挙にバランスシート（貸借対照表）の反対側に移った。貸し付ける側から預金を集める側にね。……バークレイズのこの支店には一〇万人くらいの海外居住イギリス人が口座を持っていた。海外の石油掘削施設や病院などで働いていたイギリス人がね」。少額のカネ——たとえば二五〇〇〇ポンドまで——は決済銀行に預金されていたが、額が大きくなるとより守秘性の高い信託会社に預けられていた。

「ビジネスを伸ばすうえで一番力になるのが顧客の推薦だ」と、スクリヴァンは言う。「顧客が『この銀行に満足しているから、友人を紹介したい』と言ってくれる。紹介された顧客がまた友人を紹介してくれる。そうやって伸ばしていくわけだ。本当に興味深い人たちに出会うことができる……たとえば、二〇年前にシェル石油の石油掘削作業員として海外に行った人が、今では同社の西アフリカ地域の事業を統括していたりするんだ」

そういった顧客の紹介してくれる人物が、ナイジェリアの石油相だったり、インドのトップ・ビジネスマンだったり、南アフリカのカジノ経営者だったりすることは、大いに考えられるだろう。ネットワークは主として古い植民地人脈をたどって成長し、ロンドンにつながっている。「われわれは世界中の富裕な人々から預金を集め、その預金の大部分がロンドンに送られる」と、スクリヴァンは話を続ける。「銀行は毎日、収支を集計し、余剰資金がここにとどまることはない――別の銀行に行くか、シティに行くか、あるいはシティ経由でよそに行くかだ。余分なカネがあれば、私はそれを本店に送る。大量の資金がここからロンドンに流れ込んでるんだ」

ケイマン諸島と同じく、ジャージーもイギリスとの曖昧な関係を大切に守ってきた。ジャージーの公的機関のトップはロンドンで任命され、ジャージーの法律はすべてロンドンの枢密院の承認を受ける。ジャージーの外交と防衛はイギリスが担っており、副総督が女王の代理を務めている。ロンドンが異議を差し挟むことはほとんどない。「彼らがなぜ『そんなことをするな』と言わないのかわからないね」(注18)と、パウエルは言った。

ケイマン諸島の場合と同じく、イギリスはジャージーを支配していることを隠すためには労を惜しまない。

一九六〇年代にEC（欧州共同体）加盟のための長い交渉を開始したときから、イギリスはジャージーがローマ条約の枠組みに含まれないようにするためにあらゆる手を尽くした。一九七三年の加盟の前に主席交渉官を務めていたジェフリー・リッポン卿（極右グループ・マンデー・クラブのメンバーでもあった）は、一九七一年にジャージーを訪れたとき、こう語った。「みなさんの財政的自治は保証されています。私はことさらにそう申し上げます。それについては疑問の余地はありません。ECの課税政策をみなさんが適用する必要はいっさいないことは明白であると、断言できます」[注19]。ジャージーは今なおEU（欧州連合）に加盟しておらず、EUの法律のうち自分たちに都合のよいものとイギリスの調査委員会が定期的に推奨するものだけを採り入れて、残りは無視している。

一九八七年から一九九八年までジャージーの経済顧問を務めていたジョン・クリステンセンは、ジャージーのやっていることのためにイギリスが気まずい立場に立たされたときは、ジャージーは変わらなければならなかったが、それは強制によるものではないという格好にする必要があった、と語る。

彼は月に一度か二度、ロンドンに出向いてイギリス政府と話し合っていたが、そこでは「目配せやうなずきですべて決定される」ことに気づいた。「案が浮かんだら『これはイギリス政府に受け入れられるだろうか』と考える。ロンドンが待ったをかけたり、ゴーサインを出したりするんだからね。彼ら（イギリスの官僚たち）と交渉するのは信じがたいほど微妙なプロセスだった。彼らはこう言うんだ。『これは少々困ったことだが、EUがわれわれに圧力をかけており、われわれは君たちにこうしろと命令しなければならない立場に身を置きたくはない』。暗黙の了解事項は、ジャージーに強制的に何かをやらせたら、イギリスが実権を握っていることが露呈してしまう、ということだった。彼らはすこぶる頭のいい人間で、こういったことは口に出す必要はなかったんだ」

「イギリスの権力を隠しておけば、彼らは国際的な場で『ジャージーは自治権を持っているので、われわれには何もできない』と言い逃れることができる」

一九八〇年代に新しい国際マネーロンダリング（資金洗浄）規制が導入されて、大手の銀行がとくに問題のある顧客と手を切らざるをえなくなったときのことを、彼はこう語る。銀行がとった解決策は、そうした顧客をジャージーの小さな信託会社や金融サービス会社に振り分けることだった。それらの会社は同じ大手銀行に口座を持つことができたが、距離的に離れているので、銀行側はもっともらしい言い逃れをすることができた。その結果、小さな信託会社を運営する会社がどっと生まれて、きわめて低い倫理基準で活動するようになったため、ロンドンはジャージーにこの分野を一掃するよう圧力をかけ始めた。クリステンセンは、この仕事を任された作業部会の事務局長だった。「目的はそれをちょこっと隠す方法を見つけることだった。手を打ったという見せかけが必要だったんだ。私にはそれがはっきりわかった」と、彼は語る。「それはジャージーとロンドンの強い共謀関係を物語っていた」

ジャージーはきわめてイギリス的な雰囲気まで備えている。首都のセントヘリアはイギリスの海辺の町にそっくりだし、イギリスの最新流行ファッションに身を包んだティーンエイジャーがフィッシュ・アンド・チップスの店の外にたむろしている。大通りにはボディショップやディクソンズやマークス・アンド・スペンサーが並んでおり、どの店でもイギリス・ポンドかジャージー・ポンドで支払うことができる。だが、このきわめてイギリス的な外見の下に、イギリスの政治システムから半ば独立した、まったく異質の政治システムが隠れている。政党など存在せず、後ほど見ていくように、政府が金融サービス産業に完全に牛耳られている政治システムが。

税金逃れのためにジャージーに移住した富裕な人々は、イギリスとの関係に一貫してきわめて大きな関心を寄せていたと、クリステンセンは振り返る。ケイマン諸島の場合と同じく、母国との関係は、富裕層や金融サービス業界に、必要な場合はイギリスが介入してこのタックスヘイブンを外的攻撃から守ってくれる、という安心感を与えている。ジャージーに置いておけば、彼らのカネは安全なのだ。

この間に、アジアでも似通ったことが起きていた。アメリカの経済学者ミルトン・フリードマンが自由放任資本主義の世界最大の実験場と呼んだ香港が、アジアの新しいオフショア・センターになって、中国やその周辺地域にとってのタックスヘイブンの入り口として富を引き寄せようとしていたのである。イギリスは指導する権限は持っていたが、金融業者たちの行動に何の口出しもしなかった。一九六一年に就任した香港の財政長官、ジョン・カウパースウェイト卿は、政府の介入に対する強硬な反対論者として知られ、公務員の関心を集めすぎるという理由で公式統計の発表を縮小したほどだった。

一九七八年に中国が市場改革と輸出促進の「開放政策」を打ち出すと、香港は急速に発展した。「イギリスはこのタックスヘイブンを『何でもまかりとおる規制のない世界』として設立していた」と、アメリカのベテラン捜査官、ジャック・ブラムは語る。「中国でビジネスをする企業は、香港に秘密法人を作った。今日、中国での不正行為のほとんどが香港で行われている」

一九九七年にイギリスが香港を中国に返還すると、中国はこのオフショア・センターを「特別行政区」としてそのまま残した。香港の基本法は、香港は外交と防衛を除くすべての事項で「高度の自治権を持つ」ものとする、と定めている。イギリスとジャージーの曖昧なつながりやイギリスとケイマンの取り決めとの類似性は、決して偶然ではない。中国のエリートたちは政治的支配と法的分離を兼ね備えた自前のオフショア・センターを望んでいる。G20（主要二〇ヵ国）諸国が二〇〇九年四月のサミットで、タックスヘイブンのブラックリストを採択しようとしたとき、中国の胡錦濤《フーチンタオ》国家主席は、香港とマカオ――アジアのもう一つの悪名高いオフショア・センター――をリストからはずさせるために、バラク・オバマと激しくやり合った。そして、その二つを補注に追いやることに成功した。

中国が支配しているにもかかわらず、シティの金融機関は、とりわけイギリス最大の銀行HSBC（香港上海銀行）を通じて、香港と深く関わり続けている。現地のイギリス人が「ホンカーズ・アンド・シャンカーズ」という発音しやすい愛称で呼ぶHSBCは、二〇一〇年三月、重点の移行を反映して、CEO（最高経営責任者）をロンドンから香港に移動させた。香港は急成長してはいるが、オフショアの世界ではまだかなり小さなプレイヤーだ。二〇〇七年の非居住者の預金残高は一四九〇億ドルで、ケイマン諸島の一兆七〇〇〇億ドルの一一分の一にすぎない。香港はこの先何年も比較的小さなプレイヤーのままだろうが、将来的には中国の帝国戦略における金融ツールになるかもしれない。

シンガポールは一九六八年、まだイギリス・ポンドの通貨圏に属していたとき金融センターを設立した。[注20] モルガン・スタンレーのアジア部門の花形エコノミスト、アンディ・シエは、二〇〇六年に社内電子メールにこう書いた。「シンガポールの成功は、主として腐敗したインドネシアのビジネスマンや政府高官のためのマネーロンダリング・センターになったことで達成された。経済を維持するために、シンガポールは今、中国から汚職マネーを引き寄せようとカジノの建設を進めている[注21]」

一九六〇年代の公文書からは、他にも見つかったものがある。それは一九六九年二月二三日付の『サンデー・タイムズ』紙の切り抜きで、同紙の金融担当編集者、チャールズ・ローが書いた記事だ。イギリス政府の歴史公文書の中に新聞の切り抜きを見つけるのは珍しいことではないが、この記事の存在――ファイルは閉じられ、何のコメントも付けられていない――は好奇心をそそる。これは歴史家にとっての何らかの目印として残されたのか。積極的には公表できないものなのか。記事のタイトルは、少なくとも示唆に富んでいる。「なぜシティをタックスヘイブンにしないのか?」だ。

ロンドンのオフショア・ユーロダラー市場が急成長していた時期に書かれたこの記事は、シティに対する臆面もない応援の文章だ。それは収税官たちにオフショアへの資金流出を制限する権限を与えているイギリスの税法の「悪名高い」項を茶化し、ロンドンは非居住者が無税の資金を買うのを容認するべきだと主張する。そして、こう続けている。「過去数年にわたり、当局のエネルギーのほとんどが資金の流出を阻止することに注ぎ込まれてきた。だが、流入してくる資金にもっと関心を払うほうが実り多いのではなかろうか」。この記事は、インベスターズ・オーバーシーズ・サービシズ（ＩＯＳ）というジュネーブのミューチュアルファンド・グループを褒めたたえることから始まっている。ＩＯＳは「世界の貯蓄をアメリカの株式に注ぎ込むことによって、アメリカの国際収支に奇跡を起こしてきた」と、ローは書いている。さらに、「イギリスの国際収支に同様の奇跡を起こすと思われる」バミューダの新しいファンドを売り込んでいる。

ＩＯＳは決して普通の会社ではなかった。ローは後にＩＯＳに関する本を書いたが、そのタイトル『あなたは本気でカネ持ちになりたいか？』は、ＩＯＳのセールスマンが小口の投資を集めるためにヨーロッパ中で使っていたフレーズだった。ＩＯＳを創設したバーニー・コーンフェルドはそれを「庶民の資本主義」と呼び、ＩＯＳをアメリカの証券取引所で最大の外国機関投資家に育て上げた。彼の会社の取締役には、元カリフォルニア州知事のパット・ブラウンやフランクリン・Ｄ・ルーズベルトの息子のジェームズが名を連ねており、彼のアドバイザーの多くはイングランド銀行の出身者だった。(注22) コーンフェルドはフランスの古城を買い、四二フィートのヨットでセーリングを楽しみ、イタリアの高級車、ランチア・フラミニア・コンバーチブルに乗っていた。テレビドラマ「ダラス」のスター女優ヴィクトリア・プリンシパルや「ハリウッド・マダム」と呼ばれたハイディ・フライスと交際し、彼の会社はバハマやルクセンブルクやスイスの銀行を買収した。「俺は世界中に邸を持ち、豪華なパーティーを開いていた」と、コーンフェルドは語っている。「そして、一〇人から一二人の女と同時に暮らしていた」

彼の死亡記事によれば、彼が母国アメリカを離れたのは、「さほど競争の激しくない市場」を探すためだった。きちんと規制された自国の市場での通常の市場競争をわずらわしすぎると思う人々にとって、オフショア・システムはいつも心地よい遊び場になった。ＩＯＳの細分化された国籍――同社はパナマの法人で、スイスに本社を置いていた――が、その成功のカギだった。アメリカの税務当局は同社をヨーロッパの会社とみなしていたし、同社がひどく細分化されていたため、その正体、すなわち骨の髄までオフショア企業であることを誰も見抜けなかった。フランスの当局が同社に疑いを持つようになると、コーンフェルドはスイスに移住した。そしてそこで、ギャングのマイヤー・ランスキーがカジノの上がりを預けるために使っていたジュネーブの銀行と手を組んだ。

コーンフェルドはドイツ駐留の米軍職員からカネを預かるようになり、それからより広い活躍の場を探し始めた。まず、およそ二五〇万人と推定される世界中のアメリカ人海外居住者に狙いを定め、次にイギリス人ネットワーク――香港のトレーダーやケニアの入植者――に、それからラオスやベトナムのフランス人ゴム農園主、コンゴのベルギー人鉱山労働者、西アフリカのレバノン人、海外の中国人などをターゲットにした。彼が初めて航空機を買ったときには、コーンフェルドは「キャピタル・フライト（資本逃避）・エアライン」を開業しようとしているというジョークが、ＩＯＳ内部に広まった。トム・ネイラーの著書*Hot Money*（「ホットマネー」、未邦訳）によれば、その国際便は、途上国から巨額のカネを持ち出した。ネイラーはこう書いている。「ナイジェリアの内戦が激しくなり、苦しみにあえぐ民間人のための国際支援が転がり込んだとき、ＩＯＳはその場にいて手を貸した。国際援助の資金はしばしばジュネーブの金庫に収まったのだ」。中南米諸国からはさらに多額のカネが流出した。

これがシティをタックスヘイブンにするためのモデルとして持ち出された会社なのだ。おまけに、ローの記事が出たころには、ＩＯＳはすでに人目を引くスキャンダルに巻き込まれていた。一九六六年にブラジル警察の家宅捜索で違法な取引が見つかっていたし、一九六七年には『ライフ』誌がＩＯＳとランスキーの共同事業を暴く記事を大々的に掲載していたのである。ローはいったい何を考えていたのだろう。

トム・ネイラーは、違法なオフショア・マネーに関する面白い点をもう一つ指摘している。銀行は預金を受け入れ（これは銀行の負債である）、貸し付けを行う（これは資産である）が、バッファー（緩衝材）となる資本も持っている。投資家が投入するカネである。融資が焦げ付いた場合は、この資本が一種の衝撃吸収材の役目を果たす。衝撃を受けるのは預金ではなく、投資家の資本なのだ。だが、焦げ付きが増えて資本が枯渇したら、先ごろの金融危機で起きたように、銀行は正真正銘の苦境に陥る。そのため、慎重な銀行は自行の貸し付けを資本バッファーの何倍かに（たとえば一〇倍に）制限する。資本は銀行にとって預金より価値がある。資本が多ければ多いほど、バランスシートを拡大できるからだ。

この事実は、銀行がなぜ秘密のオフショア預金を大歓迎するのかを理解する助けになる。ＩＯＳを調べた捜査官たちは、同社は預金の一〇～二〇パーセントは事実上の永久資本であるという想定のもとに活動していた、と語っている。それは所有者がすでに死んでいるか所有者にとって引き出すのはリスクが高すぎるかで、引き出せない預金だったのだ。この点を考えると、ヒトラーの強制収容所で殺されたユダヤ人の預金を引き渡すのをスイスの銀行があれほど渋ったのは、不思議でも何でもない。第二次世界大戦で死んだユダヤ人の資産を調査したアメリカのヴォルカー委員会は、死者の口座からカネをかすめ取ることは「準備金を蓄える……通常の方法」だったというスイスの大手商業銀行の内部メモを発見した。[注23]それに加えて、守秘法域のオフショア銀行預金には、もう一つ旨《うま》みがある。預金者たちが、守秘性と引き換えに市場を下回る金利を喜んで受け入れるのだ。銀行がオフショアのプライベート・バンキングに大きな関心を持つようになったのは当然だろう。

コーンフェルドのＩＯＳは一九七〇年にはふらついていた。同社のスイス人社員たちが、給与の支払いが遅れていると苦情を言うようになった。さらに重要だったのは、ＩＯＳの国際的な迷路をひそかに調べていた社内の会計士が、それが砂上の楼閣であることに気づいたことだった。ＩＯＳは崩壊し、実業家、ロバート・ヴェスコの手に落ちたが、ヴェスコはある仕事仲間が「彼と接触するすべての人間を傷つけたり、侮辱したり、堕落させたりする悪党」と呼んだ人物だった。また、別の仕事仲間によれば、「相手の靴下を言葉巧みに脱がせたり、力ずくで脱がせたり、相手が知らないうちに別の人間に与えたりできる男」だった。ヴェスコはリンデン・ピンドリングを支持していたが、アメリカから圧力を受けて一九七三年にバハマを去った。アメリカからの圧力は、彼がリチャード・ニクソン大統領再選委員会にひそかに二〇万ドル献金し、ウォーターゲート事件の発端となった民主党本部侵入事件を金銭面で一部支えたことが明らかになったためだった。

機密保護法

一九六〇年代、七〇年代の公文書からは、イギリスの金融機関が、イングランド銀行に主導されて、この新しいクモの巣の拡大を推し進めた図がはっきり見て取れる。だが、オフショアの活用という考えが、正確にはいつ、どのようにクモの巣戦略にまとまったのかについては、さらに詳しい調査が必要だ。官僚たちが何をなすべきかを議論していた間に、現地の人々は前進を続け、ロンドンからの干渉をほとんど受けることなく、新しい秘密の領域を築き上げたのだ。

きわめて初期のオフショア弁護士に、民族的にはインド人で、ケイマン諸島のオフショアの魅力に関する著書もあるケイシー・ギルという人物がいた。彼はケイマンがのんびりした静かな漁村から発展するさまを眺めてきた。(注24)

税務の専門家や会計士が世界中からやってきてセミナーを開いていたと、ギルは語る。「彼らは『これがわれわれのシステムの抜け道だ』と教えてくれるわけだ」。そして、それに従ってケイマンの法制度が築かれた。現地の弁護士たちも、他のオフショア法域がやっていることに注目し、後れをとらないよう現地の法律を改正していった。「誰かが『われわれはリヒテンシュタインと競争してるんだ』と言っていた。当時は、バハマはまだ成功に向けて努力しているところだった。パナマは地位を確立していた。それにスイスだ」。ケイマン諸島は、それらの間隙《すきま》を狙わなければならなかった。「赤の脅威もあった。ロシア人だ。投資家たちはいたるところに共産主義の影や亡霊を見ていた。だから、われわれはカストロ条項を設けていた。どこかの政府が資産を没収しようとしたら、資産は一斉にどこか別の場所に移される、という条項をね」

中南米の貧しい国々から膨大な資金が流れ込んできた。ケイマンの金融部門のベテラン弁護士、ウィリアム・ウォーカーは、一九八二年に訪れたジャーナリストにこう語っている。自分のオフィスの外壁に社名が掲げられている一四〇〇の登記会社のほとんどは「あまり手がかからない——ときどき書類にサインし、年に二度ほどミーティングを開くだけでいい。われわれは中南米諸国から多額のカネを集めている……こうした資金のほとんどは、もちろん自国の為替管理規制に違反している」

ギルは、民間部門諮問委員会（ＰＳＣＣ）という団体の創立メンバーだった。これは新たに生まれつつあった金融分野のあらゆる部門を代表する団体で、信託専門の弁護士、会計士、銀行家、などで構成されていた。タックスヘイブンとしてのケイマンの機能に影響を及ぼす政府の立法作業は、必ずPSCを経由した。ギルは次のように語る。

政府には法案の草稿を作る人間がいる。われわれは彼らに会うわけだ。彼らは法案の草稿を作って、それをわれわれのところに回す。われわれはそれに提案を加えて彼らに戻す。するとそれは書き直されて、またPSCCに回されてくる。われわれがオーケーを出したら、政府がそれを立法化する。総督がそれをイギリス外務省に送り、外務省が「問題ない」と言うわけだ。ビジネスの側が「われわれはこうしたい」と言うと、外務省はたいてい思いどおりにさせてくれた。

私はギルに、イギリスが新しい法律にノーと言ったり、異議を差し挟んだりしたことはないのか、と聞いてみた。「いや、一度もない。一度も、だ」。そう答えた後で、彼は少し付け加えた。「八年か九年前に」ロンドンがある法律の成立を少し遅らせたことがあった、と。だが、彼の言いたいことは明確だった。ロンドンの紳士たちがあれこれ議論している間に、グローバル金融の魔術師たちは――もちろん世界の犯罪者の半数も――イギリスの情け深く保護的なまなざしのもとで、外部からの介入をほとんど受けずに、カリブ海諸国に自分たちの秘密の領域を築いていたのである。

オフショア産業はこのようにして発展した。豊かな先進国は自国の税制や規制体系をできる限り修正して資本の流出を防ぎ、その結果、途上国はそれまで以上に流出にさらされるようになった。そして、世界中で貧困がよりいっそう深刻になったのだ。

イングランド銀行が一九五五年からオフショア・ユーロダラー市場の成長を公式にはしぶしぶ黙認しながら、実際にはひそかに奨励してきたように、イギリスはその新しい秘密の帝国に対して、公式にはしぶしぶ黙認、実際にはひそかに奨励という政策を採用したのである。

一九七六年、ケイマン諸島のオフショア産業は、新しい予想外の発奮材料を得た。ケイマンのキャッスル・バンク・アンド・トラストの代表取締役アンソニー・フィールドが、マイアミ空港に到着したとき、召喚令状を渡されたのだ。彼の銀行がアメリカ市民の脱税を幇助《ほうじょ》しているという容疑だった。アメリカの当局は彼に大陪審で証言させたかったのだが、彼はそれを拒否した。この出来事に対して、ケイマン諸島は悪名高い機密関係（保護）法を作成した。この法律は、ケイマンにおける金融・銀行取引の情報を明かすことを禁固刑の対象になる犯罪とするものだ。情報を漏らしたらもちろんだが、情報を要求しただけでも投獄される可能性がある。(注25) これはアメリカの法執行機関に対する真っ向からの巨大なパンチであり、ケイマンの成功の礎になった。ケイマンのオフショア産業の人々は、現金がプライベートジェットで文字どおり飛び込んできていた日々のことをよく覚えている。会計士のクリス・ジョンソンは、二〇〇九年のインタビューで、人々が大量の現金を詰めたスーツケースを手にやってきて、依頼すれば警察に銀行まで護衛してもらうこともできたと言った。イギリスはまったく関知しなかった。ある銀行の会計監査でジョンソンの会社が異議を唱えたとき、政府はそれを無視した。「その事実はもちろんだが、レザーの上着にホットパンツというういでたちの秘書たちがふかふかのカーペットの上をハイヒールで気取って歩いていたことも、危険信号と解釈できたかもしれない」。その銀行は二年後に破綻した。こうした失態はその後も繰り返されたと、彼はうんざりしたように言った。

一九八〇年代初めには、カリブ海の島々は世界のドラッグ取引の主な中継基地だった。コロンビアのメデジン・カルテルの中心人物カルロス・レデルは、バハマのノーマン島から大量のコカインを密輸していたが、彼はこの地に究極の男性天国を作り上げていた。かつてレデルのパイロットだったカルロス・トロは、空港で裸の女性たちの出迎えを受けたことがあると語っている。「そこはまさにソドムとゴモラだった。ドラッグ三昧、セックス三昧で、警察なんかいない……ルールを作るのは自分だった」(注26)。レデルの手下たちは、ビスケイン湾全域でアメリカの沿岸警備隊と追いかけっこをし、アメリカの州間高速道路に自家用飛行機を着陸させ、フロリダ中で銃撃戦を繰り広げた。コカインがアメリカに流れ込むと、収縮包装されて木製のパレットに積まれた札束が航空機でケイマンに運ばれ、ケイマンはそれからそのカネを連邦準備銀行に戻すという流れができあがっていた。このビジネスのおかげで、少なくともイギリスは何万ポンドもの対外援助を節約することができた。クルーズ船に安物のアクセサリーを売っているこの小さな島が、なぜこれほど多額のカネを送ってくることができるのか、連邦準備銀行は知りたがった。そして、ついに断固とした姿勢を取って、最もひどい資金漏出口に栓をするようになった。

ドラッグ絡みのカネが詰まったスーツケースがケイマンに押し寄せていた時代は、今ではほぼ終わっている。ジャック・ブラムはそれからどうなったかを説明している。「『われわれはもうそんなことはやっていない』と、彼らは言う。摘発されるたびに、摘発されたビジネスを一掃するんだ。そして『今では財務取引をしている。保険業をやってるんだ』というようなことを言うわけだ。今日、ケイマンに行くと、誰もがピンストライプのスーツに身を包んでいる」。犯罪は相変わらず行われているが、形を変えているのである。二〇〇一年三月、アメリカの上院調査委員会は、ケイマンのオフショア銀行のアメリカ人オーナーから、彼の顧客はみんな脱税をしており、その九五パーセントがアメリカ市民だ、という証言を得た。

「資産を取り戻そうとするときぶつかる問題は、取締役が誰なのかさえわからないことだ」と、クリス・ジョンソンは言う。破棄されるべきだと彼が思っているケイマンの悪名高い秘密保護法が、すべてを深い秘密の闇に包んでいるのである。(注27)

私は公認清算財産管理人としてカネの行方を追っている。だが、取締役と交渉しようにも、そのすべがない。何の手がかりもないいんだ。私がケイマンに行って、誰かに「あなたは私の五〇万ドルの上でのうのうと暮らしているか」と尋ねたりしたら、それは法律違反になり、刑務所行きになってしまう。こうした取締役たちが、なかには一〇〇社以上の取締役会に名を連ねている者もいるのに――四五〇社もの取締役になっている者もいる――一社につき二万ポンドもの報酬を受け取っているのは馬鹿げている。

ケイマンの会社法は、はるか昔の一八六二年のイギリスの法律から特定の国内条項を除いたものだ。これはすなわち、ヘッジファンドやミューチュアルファンドの取締役は訴訟から保護されているということだ。「だから、彼らを職務怠慢で訴えることはできない。私がファンドの清算を行っていて、二億ドルのカネが消えていることがわかったとする。私が彼らを訴えることがなぜできないのか。取締役たちは船を操縦している。それなのに、船が沈んだとき彼らを訴えることはできないんだ」

別の情報源によれば、取締役を提供している会社は、提供先の企業に対しても、その企業の債権者に対しても、自社の提供した取締役がきちんと職務を果たすように監督する義務は負っていない。(注28)取締役たちや企業が――詐欺師は言うまでもなく――ケイマン諸島を愛するのは当然だろう。また、先ごろの金融危機で、ケイマンの多くの特別目的法人（SPV）が悲しい結末を迎えたのも、当然だろう。

太陽の降り注ぐ明るい島というケイマン諸島のイメージを一皮むくと、いたるところに悪事への誘因を見つけられる。ケイマン政府のウェブサイトにはこう記されている。「登記官は会社の名前と種類、登記日、登記された事務所の住所、会社の法律上の地位だけしか開示できませんので、顧客のプライバシーは守られます」(注29)。ケイマンでは企業の取締役のリストを見つけることはできないし、その会社が何をする会社かを記した設立趣意書すら裁判で戦わなければ入手できない。信託も登記する必要がなく、そこにはまた別の大きなうさんくさい物語がある。

形態や背景は確かに変わったが、根本のところでは、ケイマンは今なおこれまでずっとやってきたことをやっている。他国の法規を無力化する新しい巧妙な手口を編み出しているのである。

第7章
アメリカの陥落
オフショア・ビジネスへの積極的参加を決めたアメリカ

中南米のウォール街、マイアミ

一九六六年初め、チェース・マンハッタン銀行のニューヨーク本店で働いていた若いエコノミストが会社のエレベーターに乗っていたとき、かつて国務省の諜報《ちょうほう》部員だった男が彼にメモを手渡した。チェースの経営陣がそのメモのことを知っていたかどうか定かではないが――それはチェースではなくワシントンからのメモだった――その若いエコノミスト、マイケル・ハドソンは、その内容にたじろいだ。ハドソンはひょんな巡り合わせで銀行で働くようになっていた。ニューヨーク大学で経済学を学んだ後、一九六〇年に不動産金融の会社に就職し、その後チェースで国際収支の問題を調べる職に空きができたとき、彼はただ一人の応募者だったのだ。現在、論議を呼ぶにしても評価の高い経済評論家として活躍しているハドソンは、チェースでの日々は――ちなみに、彼はその間にアラン・グリーンスパンという「感じの悪い小柄なまぬけ」をクビにした――国際経済について自分がこれまでに学んだことのほとんどを教えてくれたと語る。

チェースは石油会社のお気に入りの銀行で、石油会社が「アメリカに役立っている」ことを証明し、石油会社のロビー活動を手助けするために、石油産業の国際収支を研究するようハドソンに求めていた。

ハドソンは、石油会社がどこで利益をあげているのかを見つけ出す必要があった。生産部門でか、精製施設でか、それともガソリン・スタンドでか。チェースの頭取、デイヴィッド・ロックフェラーの計らいで、ハドソンはスタンダード・オイル・オブ・ニュージャージー（現エクソン・モービル）の財務部長、ジャック・ベネットに話を聞くことができた。ベネットの答えはこうだった。「利益はまさにここで、私のオフィスで作られる。どこであれ私が決定を下す場所でね」

彼は移転価格操作のことを言っていたのである。第1章でバナナ会社を例にとって説明したように、移転価格操作とは、多国籍企業が世界各地のタックスヘイブンの口座間で資金を移動させて、帳簿上の利益を税率の低い国に、コストを税率の高い国に移すことを言う。ベネットはハドソンに、垂直統合された大規模な多国籍企業が、どのようにして表向きは法に触れずに利益を世界中の子会社間で移動させているのかを説明した。石油会社は無税のパナマやリベリアで登記されている海運子会社に原油を安値で販売し、その子会社がそれを小売価格に近い高値でその石油会社の精製施設や販売部門に販売するのである。高税率の石油生産国や消費国では、子会社が高値で買って安値で売るので利益は出ない。だが、その間の国、つまり無税のパナマやリベリアでは、子会社が安く買って高く売るので大きな利益が出る。ところが、これらのタックスヘイブンは、その利益に課税しないのだ。今日に至るまで、会計基準はこの種のペテンを事実上覆い隠して、企業がさまざまな国の実績を、誰が、どこで、どの利益を生み出したのかを識別できない単一のカテゴリー（単純に「国際」と呼ばれることが多い）にまとめることを可能にしてきたのである。「これらの採掘産業に巨大な政治力があったからこそ、政府を財政的損失にもかかわらずおとなしくさせておくことができたのだ」と、ハドソンは指摘する。

一九六〇年代には、このようなオフショアを使った資金の流出は、今日に比べると比較的制約されていた。資本の流れは厳しく規制され、税金は高く、ユーロ市場は急成長してはいたが、まだ小さかった。資本主義の黄金時代は絶頂期を迎えていた。アメリカの家庭、とりわけ最貧層の家庭は、所得と福祉の大幅な向上を経験していた。ドイツの国民は自国の「経済の奇跡」の恩恵に浴しており、フランスは「栄光の三〇年」のただなかにあった。イタリアは二〇年後の「追い越し」の瞬間、すなわちGDP(国内総生産)でイギリスを追い抜くときに向けて助走を開始しており、日本は奇跡の経済成長に突入しようとしていた。多くの途上国で乳幼児死亡率が低下し、経済が成長し、失業率が下がり、おなかを空《す》かせた子どもたちの食卓にときおり肉がのぼるようになっていた。

変化が訪れつつあり、イギリスはロンドンでユーロ市場を育みながら帝国崩壊後のクモの巣ネットワークを築き始めていたが、アメリカは依然として、オフショア・システムに反対する大きくかつ強力な勢力を抱えていた。大恐慌の後、大規模で多様な産業経済に呑《の》み込まれて影が薄くなったウォール街には、ニューディール型の進歩的な法律を拒否するだけの政治的影響力はなくなっていた。それに対しシティは、世界を股《また》にかけたイギリス帝国の中心に位置していたおかげで、ニューディールのイギリス版と呼べるいかなる法律をも妨害するだけの政治力を持ち続けていた。イギリスの金融部門は一九二〇年代の行きすぎにさほど直接的には関与していなかっただけでなく、ロンドンはアメリカの銀行に国内の規制からの逃げ道を提供するのに最適な位置にいた。アメリカの銀行はオフショアで態勢を立て直せるはずだった。だが、エレベーターのなかでハドソンに渡されたメモは、それを阻止したいと考えているアメリカ人がいることを示唆していた。

「スイスのように、逃避マネーがおそらく世界のあらゆる国からアメリカに流入するだろう」と、そのメモは始まっていた。それから不満の言葉が続いていた。「アメリカに本社があり、アメリカでコントロールされている法人は、逃避マネーをめぐってスイスや他の金融センターと競争するうえで、きわめて不利な立場にある」と。このメモによれば、アメリカがダーティーマネー獲得競争で後れをとる一つの理由は、「アメリカの財務省、司法省、ＣＩＡ（中央情報局）、ＦＢＩ（連邦捜査局）が、アメリカの裁判所の正式な支援を受けて、クライアントの取引記録を提出させたり、クライアントの口座を差し押さえたり、アメリカでコントロールされている法人のアメリカ人役員に証言させたりできること」だった。それに加えて、アメリカの税制や冷戦に関連したリスク、それに「この分野に精通した」外国人の間にある「アメリカのファンドマネジャーは外国の資金の操作には慣れておらず経験不足だ」という見方もあった。[注1] このメモはさらに、投資や仲買業務に対する制約を「投資活動の柔軟性と守秘性を制限する」として批判していた。

　このメモのメッセージは明快だった。「アメリカはタックスヘイブンになるべきだ」ということだ。「彼らはこう言っていたわけだ。『われわれはスイスにとって代わりたい。アメリカを世界の犯罪センターにすれば、このカネがすべてアメリカに入ってくる。それでベトナム戦争の費用をまかなえるじゃないか』」。ハドソンはそう説明する。「われわれは海外の犯罪マネーを獲得したかった。それは愛国的な行為だ。だが、アメリカの犯罪マネーはご免だった」。エレベーターにいた元諜報員は、アメリカが海外の不法資金をどれだけ獲得できるか調べてもらえないかと、ハドソンに持ちかけたのだった。

　アメリカの銀行は二〇〇五年まで、密輸、恐喝、強制労働、奴隷労働など、海外で行われたさまざまな犯罪からの利益を自由に受け入れることができた。[注2] 犯罪自体が海外で行われたものである限り、犯罪から利益を得ることは合法だったのだ。こうした抜け道のいくつかは今では塞《ふさ》がれており、きわめて不完全ながら他のいくつかに対処する法律も作られた。だが、アメリカの銀行は依然として、盗品故買など、外国で行われたさまざまな犯罪の利益をそれと知りながら受け入れることができる。ハドソンに渡されたメモが期待していたとおり、アメリカはダーティーマネーに大きく門戸を開いているのである。

ハドソンがそのエレベーターに乗る前から、アメリカはタックスヘイブンの要素をいくつか備えていた。まず、一九二一年から、アメリカ企業と無関係な資金に限定して、外国人がアメリカの銀行に預金し、その利子を非課税で受け取ることを認めていた。(注3) また、ジョン・メイナード・ケインズとハリー・デクスター・ホワイトが金融の透明性によって資本逃避と戦おうとしたにもかかわらず、ウォール街は、アメリカが他国の政府にその国の市民の所有財産に関する情報を提供しないよう万全の手を打っていた。ジョン・F・ケネディ大統領は、一九六一年に中南米諸国との「進歩のための同盟」——ケネディの言葉によると「規模と目的の崇高さにおいて並ぶもののない巨大な協調的努力」——を打ち出したとき、中南米諸国の人々に、彼らがアメリカの銀行に隠匿している資金をすべて自国に送還して、自国で投資するよう促したいと述べた。これに対し中南米諸国は、アメリカが自国の税法を改正して秘密口座を廃止しない限り、それは実現しないと指摘した。外国の秘密資産を預かる大きなポケットがすでに存在していたのであり、しかも、それはウォール街だけでなく他の場所——テキサスにもあったが、最も多かったのはフロリダ州南部だった——にもあったのだ。

中南米諸国がアメリカを脱税の拠点として使っていたように、アメリカの移民コミュニティー、とりわけ移民一世はよく脱税していた。「彼らはさまざまな文化的理由から誰も信用しなかった……だから、資産をオフショアに置いた」と、元アメリカ上院職員のマイク・フラワーズは語る。中南米出身者のコミュニティーに加えて、カリフォルニアにはイラン人やロシア人の大きなコミュニティーがあるし、西海岸にはアジア系の新移民のコミュニティーがあり、各地にユダヤ人のコミュニティーがある。「子どもを持ち、しばらくアメリカで暮らしてからは、彼らはたいていクリーンになる」と、フラワーズは続ける。「アメリカに落ち着いたら、考えるようになるんだ。『なんてこった。私はオフショアにカネを隠している。どうすればいいだろう。つかまったらひどい目にあうことになる』ってね」

『タイム』誌は「マイアミ、中南米の中心地」と題した記事で、マイアミの仲介的な準オフショア的地位を次のように言いあらわした。マイアミは「中南米のウォール街だ……二一世紀の貿易・旅行・通信の西半球の交差点――アメリカ大陸の香港《ホンコン》のようなもの――だ」(注4)。一九五〇年代、六〇年代から、フロリダはニューヨークの麻薬密輸組織・フレンチ・コネクションのヘロイン密輸ルートの要になり、香港経由でアメリカに入ってくる台湾のドラッグマネー――ランスキーがフロリダの不動産を通じて洗浄していた――や、中南米の逃避マネー、それにたいていバハマやパナマやオランダ領アンティルを経由してくるコロンビアのドラッグマネーを扱う中心地になった(注5)。

当時、上院調査官を務めていたジャック・ブラムは、マイアミの自宅のベランダで銃撃戦の音を聞いたときのことを振り返ってこう語る。「ここはまともな場所じゃなかった。『マイアミ・ヘラルド』紙の記事はすばらしく、『全国紙の編集者はなぜ誰もこれを取り上げないのだろう』と思うほどだった」。それは全国紙の編集者たちがそうした記事の内容を信じていないからだということに、彼はやがて気づいた。コロンビアからバハマ経由で飛んできた小型機が、アメリカのヘリコプターに追跡されているのを目撃したこともある、とブラムは言う。パイロットは商用旅客機の真下に隠れて追跡から逃れようとし、その後、着陸寸前に旅客機の下を離れて進路を変えた。それから自動操縦に切り替えて、コカインを機外に投げ捨てた。「最初の包みは住宅の屋根を突き破った。誰も苦情は言わなかったけどね。二つ目の包みは南マイアミ・バプティスト教会の尖塔《せんとう》を折った。三つ目はコミュニティー・プールに落ちて、クライム・ストッパーズ（犯罪の防止・解決のために活動しているNGO）の集会に参加していた人々をびしょ濡れにした。小型機はエバーグレーズ湿地に墜落したから、最後の包みはワニの餌にでもなったんだろう。パイロットは逮捕されたよ」

一九八〇年代には、マイアミの銀行に預金されているカネの四〇パーセントは、海外、とりわけ中南米から送られたと推定されるようになっていた。一九七六年以降、フロリダは連邦準備銀行管轄区のうち、恒常的に（巨額の）余剰資金を持つ唯一の地区となった。(注6)「マイアミの不動産の半分はオフショアのペーパーカンパニーが持っているし、沿岸内水路に浮かんでいる最大級のヨットはオフショアに登記されている」と、ブラムは言う。「マイアミは、中南米諸国の元国家元首や将軍連中、それにCIAのかつての友人たちのお気に入りの場所なんだ」

ワシントンは、透明性を熱心に推進したりはしなかった。そんなことをしたら、海外の資本所有者たちを不安にさせ、大幅な流出超過になって、ただでさえ悪い国際収支の状況をさらに悪化させる恐れがあったからだ。ケネディはまず一九六三年七月に、金利平衡税によってこうした流出を抑えようとした。アメリカ人が外国の証券から得る所得に最高一五パーセントの税金をかけようとしたのである。狙いは、アメリカ人が外国の債券を買うために資本を持ち出すのを防ぐことにあった。(注7)ところが、実際に起きたことはその逆で、企業がオフショアのユーロ市場にどっと押し寄せて、そこで活動資金を調達しようとした。一九六二年から六三年の一年間で、ロンドンでの借り入れは三倍に増えた。アメリカからの資本流出は続き、一九六五年にはジョンソン大統領が外向きの資本フローに対する限定的規制を導入した。(注8)「資本の流出を防ぐために規制が課せられたのは、アメリカ史上初のことだった」と、ジャック・ブラムは語る。「これに対し、企業コミュニティーは激怒した」

その後の激しいロビー活動に直面して、政府は妥協案をひっそり受け入れた。その結果、企業は合法的にオフショアに資金を置けるようになり、その資金は、本国に送還されない限り、ほとんど課税されないこととなった。

これは「繰り延べ税金」と呼ばれる概念で、オフショア・システムのきわめて重要な要素である。企業は自社の利益をいつまででもオフショアに置くことができ、株主に配当するために自国に持ち帰ったとき初めて課税されるのだ。イギリスの税監視団体、タックス・リサーチＵＫのリチャード・マーフィーは、繰り延べ税金――（公正な世界では）今年納めるべきだが企業が納付を遅らせることを選んだ税金――を「返済期限のない、政府からの無税の融資」と言いあらわしている。繰り延べ税金は多国籍企業の資本コストを大幅に低下させ――とくに何年も蓄積される場合は莫大《ばくだい》な得になる――それによって多国籍企業に、より小規模な国内企業に対する大きな競争優位を与える。(注9) 二〇〇九年には、アメリカ企業だけで一兆ドル相当の課税されない海外利益をオフショアに持っていると推定された。

ときには企業が抜け道を通じて、あるいは特別な計らいによって、このオフショア・マネーを本国に持ち帰れることがある。二〇〇四年、ジョージ・Ｗ・ブッシュの政権は、彼のビジネス界の友人たちに、海外利益を本国に送還し、通常の三五パーセントではなく五パーセントの税金を払うだけですませるチャンスを与えた。三六〇〇億ドルを超えるカネが猛スピードでアメリカに戻り、その多くが自社株の買い戻しに投じられて、経営幹部のボーナスを押し上げた。非営利の調査団体、シティズンズ・フォー・タックス・ジャスティスは「この特別措置によってアメリカの雇用が一つでも増えた形跡はまったくない」と述べている。

ケネディ大統領は繰り延べ税金を厳しく取り締まる法律を導入していたので、規定を緩めたこの譲歩は、オフショア・システムにとって大きな政治的追い風になった。折しも、アメリカの銀行がオフショアの魅力に気づきつつあったときだった。「突然、あらゆる大企業がオフショア口座を使うようになった」と、ブラムは語る。企業は新たに生まれたユーロ市場の中心であるロンドンをとくによく使ったが、当時アドルフ・ヒトラーを崇拝する右翼の独裁者に支配されていたパナマや、マイヤー・ランスキーが政治家を意のままに操っていたバハマにも口座を持った。ちなみに、ランスキーはアメリカでマフィアのお抱え弁護士、シドニー・コーシャックと緊密なつながりを持っていたが、アメリカ・マフィアの真のキングメーカーだったコーシャックは、数人のハリウッドの俳優の後ろ盾にもなっており、その一人はロナルド・レーガンだった。アメリカの大手企業のなかには、自らオフショア銀行を設立したところもあった。

大物犯罪者、諜報機関、富裕なアメリカ人、そしてアメリカ企業の利益は、オフショアでますます密接につながるようになった。このシステムは同時に二つの変化をもたらしていた。犯罪企業が合法的な企業を模倣する手助けをし、合法的な企業が犯罪企業のように行動することを促していたのである。「問題は、賄賂を贈るための経路を他の目的のものと分離できないことだ」と、ブラムは言う。生産企業が最も関心を持ったのは税金であって犯罪ではなかったが（また、銀行が関心を持ったのは金融規制の緩さだったが）、アメリカの大規模犯罪組織は、企業や諜報機関がオフショアの遊び場にかざしてくれる政治的保護という傘をとくに気に入っていた。そして、守秘性は大企業の経営者たちに、賄賂《わいろ》やインサイダー取引や詐欺の驚くべき新しい機会を提供した。アメリカの資本主義にとって、犯罪に甘い新しい環境が生み出されつつあった。これが犯罪をどの程度助長したかは容易には推定できない。だが、守秘性は犯罪を可能にする。そして、競争の激しい市場では、何であれ可能なことは必要になる。

オフショアーBFの誕生

こうしたオフショアの拡大が加速するにつれて、アメリカの内からの腐食もペースが速まった。一九七〇年代のオイル・ショックは激しいインフレを招いた。これにベトナム戦争時代からの赤字が加わって、ドルの価値が急降下した。一九七九年八月、カーター大統領は市場を安心させるために、金融引き締め論者として名高いポール・ヴォルカーをFRB（連邦準備制度理事会）議長に任命した。カーターは政府支出を削減し、ヴォルカーは強力な金融引き締め策を実施した。だが、ヴォルカーは問題を抱えていた。

マネーサプライ（通貨供給量）に重点を置いて経済問題に取り組むべきだとするマネタリストの理論が時代の寵児《ちょうじ》になりつつあったが、ときを同じくして、無からマネーを作り出す銀行の能力に対する規制も公的監視もないユーロ市場が、まさにそのマネーサプライをコントロールするFRBの努力を台無しにし始めていたのである。(注10) ヴォルカーは、オフショア・システムにおける規制のないマネー創造を他国に取り締まらせるために、国際決済銀行（BIS）を通じた新しい国際協力の枠組みを築こうと呼びかけた。だが、ニューヨークの銀行は、イングランド銀行やスイス・ナショナルバンクと連携して、その構想を頓挫させた。(注11)

マンハッタンの銀行は、自分たちの翼を国内できわめて効果的にもぎとっていたニューディール型の規制を攻撃する武器として、オフショア・システムを使い始めた。オフショア・システムの第一級の研究者であるロナン・パラン教授によれば、「チェース・マンハッタンに主導されたニューヨークの銀行グループは、ユーロ市場やカリブ海地域のタックスヘイブンがもたらす現実の、もしくは想像上の脅威を巧みに利用した。これらの巨大金融センターは、言うまでもなく、そもそも当の銀行が設立に手を貸したものだ。より自由主義的な金融関連法令という目的を達成するためにね」(注12)。オフショア市場に勝てないのなら、そこに仲間入りしようと、ロビイストたちは主張した。一九八一年六月、ロナルド・レーガンの大統領就任から半年もしないうちに、アメリカは新しいオフショアの形態を承認した。インターナショナル・バンキング・ファシリティ（ＩＢＦ）である。ハドソンに渡されたメモがめざしていたものに、アメリカは一歩近づいたのだ。

ＩＢＦは、オフショア・ユーロ市場の一種の簡易バージョンだ。それはアメリカの銀行が、従来はロンドンやチューリッヒやナッソーのような場所でしかできなかったこと――準備金規定にも市税や州税にも縛られずに外国人に融資すること――を国内で行えるようにした。銀行家はそれまでと同じマンハッタンのオフィスにいながら、新しい帳簿を一式作って、ナッソーの支店にいるかのように業務を遂行することができる。ＩＢＦの誕生前は、たとえばシティバンクのトレーダーは、ニューヨークの自行のトレーディングルームの机に「ナッソー」と書かれたボール紙の看板を置いて、その机で取引を記録し、それをオフショアの項に記載して、規制当局の目の届かないところにしまっておいたものだった。スイスの誰かがその手口に気づいてからは、トレーダーたちは以前と同じようにニューヨークで取引を記録したが、それをバハマにある第二帳簿に必ず転写させるようにした。(注13)ＩＢＦの導入後は、銀行はそうしたごまかしを完全になくすことができ、オフショア取引をニューヨークで堂々と帳簿につけられるようになった。アメリカはイギリスのオフショアモデルに近づいたのだ。

ニューヨークの銀行が喜び勇んで参加し、続いてフロリダ、カリフォルニア、イリノイ、テキサスの銀行が参加した。三年間で五〇〇近いオフショアＩＢＦがアメリカ国内に誕生して、カリブ海地域などのオフショア市場から資金を流出させた。(注14) それはウォール街にとって規制逃れが公式に認められる許可証のようなもので、アメリカという砦《とりで》にあいたもう一つの穴だった。それに加えて、作家のトム・ネイラーが述べているように「アメリカはＩＢＦを、アメリカの銀行が他国の金融市場に参入する際の制約を緩めさせるための武器として使いたいと思っていた」

日本は一九八六年にＩＢＦをモデルに自前のオフショア市場を生み出して、アメリカの後を追った。それはちょうど巨大な信用ブームが始まった時期で、その後に当時は史上最大規模だった資産市場の暴落が続いた。このローラー・コースター現象にはさまざまな要因があったが、たった二四ヵ月の間に東京市場に押し寄せて、日本の銀行に金融自由化とはどういうものかを実感させた四〇〇〇億ドルの資金も、推進要因の一つだった。(注15) この年はシティにおける決定的に重要な規制緩和、いわゆるビッグバンの年でもあり、それはウォール街に金融規制からの新しい大きな逃げ道を提供した。

オフショア金融がオンショアに移動するにつれて、この二つを識別することはますます難しくなった。そしてそれが、今日まで存続している巨大な盲点を決定的に拡大したのである。ほぼすべてのアナリストが、オフショアとオンショアの境界がぼやけたことを、守秘法域を測定したり分析したりするのをやめるきっかけ、もしくは少数の、より変化に富んだ小さな島のタックスヘイブンに集中するきっかけと受け取った。だが、パランは*The Offshore World*（「オフショア世界」、未邦訳）で、このプロセスの本当の意味合いを次のように説明している。「このプロセスは、オフショアの衰退を告げていたどころか、オフショアをグローバルな政治経済の中に埋め込んでいたと解釈しなければならない」(注16)

ジョン・クリステンセンは、一九八六年にこの盲点に気づいたときのことを語ってくれた。彼は当時、開発経済学者としてマレーシアで仕事をしており、かの地で預金受け入れ協同組合と呼ばれている珍しい組織について調べていた。それは規制されていない銀行と言ってもいいような組織で、マレーシアの未亡人や孤児から大量の預金を集めて、それをオフショアに送っていた。

クリステンセンがこの組織に関心を持ったのは、一九八五年七月、これらの協同組合の一つからクアラルンプールの豪華なペントハウスでの昼食会に招かれて、クルマエビ付きのランチをギネス・ビールやクルボアジェ・コニャックで流し込んだときだった。ランチが進んで、くつろいだ雰囲気になるにつれて、マレーシア華人協会の重要人物でもあるCFO（最高財務責任者）が、六五〇〇マイル（約一万キロメートル）以上離れたクリステンセンの故郷、王室属領のジャージーに、しきりに会話を向けようとした。そこが投資しても安全な場所かどうかを知りたがっていたのである。

クリステンセンは、この協同組合について調べようと決意した。「すべてが巨大なペテンだった」と、クリステンセンは語る。マレーシア中央銀行はこれらの協同組合を規制するつもりはなく、他のどの機関もこれらの組織に触れようとはしていなかった。これらの組織の国際的なオフショア活動の規模はきわめて大きく、現地の人間が――詮索好きな預金者であれ、政府の規制当局であれ――実態を把握するのは不可能だった。どのようにして利益がインサイダーの懐に入れられ、リスクがマレーシアの普通の預金者や納税者に転嫁されているのか、誰も気づいていなかったのだ。詳しい調査の後、クリステンセンは一九九五年一二月に『ビジネス・タイムズ』紙に記事を発表して、マレーシアを去った。この記事は大騒動を引き起こした。大規模な取り付け騒ぎのなか、中央銀行は数ヵ月足らずで二四の協同組合に業務停止命令を出していた。

だが、クリステンセンが本当に奇妙だと思ったのは、その後のことだった。彼はイギリスに行き、そこで二ヵ月かけて図書館をくまなく調べ、会える限りのエコノミストや資本市場の専門家に会って、マネーがどこに行き、オフショア・システムがどのように動いているのかを理解しようとした。ところが、誰も何も知らなかったのだ。クリステンセンは言う。「このシステムがどれほど有害なものになっているか誰も理解していないと思う。有益な情報はどこにもなかった」

アメリカの財政赤字はベトナム戦争が激化するにつれて拡大し、後には一九八一年のレーガンの大幅減税でさらに悪化して、苦境をもたらした。アメリカの企業は社債を発行して資金を借りる必要があったが、そのすべてを国内で借りようとしたら、アメリカの国債と競争することになり、金利を押し上げ、経済成長を妨げる恐れがあった。だから、海外から借りられれば、それが一番よかったのだが、そこには税制という障害があった。債券を購入しようとしているフランスの投資家がいるとすると、その投資家は、単純な選択肢に直面する。アメリカの債券に投資して、その利子に三〇パーセントの源泉徴収税を払うか、それともバスに飛び乗ってルクセンブルクに行き、利子非課税のユーロボンドを購入するか、という選択肢だ。多くの投資家は、選ぶまでもないとしてアメリカの債券には寄りつかなかった。そのため、アメリカの政策策定者は問題を抱えることになった。アメリカはタックスヘイブンではないと考えていた彼らは、いたずらに脱税の手助けをしたくはなかった。アメリカ企業に海外で資金を借りてもらいたかったが、三〇パーセントの税率も維持したかった。この不可能な難題をどうやって解けばよいか。

彼らは、最初は妥協策で我慢した。アメリカ企業は「ダッチ・サンドイッチ」を作ることができた。オランダ領アンティルにオフショア金融子会社を設立し、それを使って非課税のユーロボンドを発行して、その収益をアメリカの親会社に送るのだ。アメリカは、アンティルがアメリカと結んでいる租税条約の規定によりアンティルからのこの所得には課税する必要はない、と主張できたのである。内国歳入庁は、「ダッチ・サンドイッチ」はごまかしだと断定して、その所得に課税することもできただろうが、そしらぬふりをすることを選んだ。国際課税に関するアメリカきっての専門家で、当時この策に反対した数少ない人物の一人であるマイケル・J・マッキンタイアは、次のように説明する。「これはユーロボンド、つまり無記名債券だ。課税するのは事実上、不可能だ。君たちイギリス人は、（非課税で守秘性の高いユーロボンド市場に）とても満足していた。だから、アメリカも仲間入りしたかった。アメリカもホットマネーを引き寄せたかったんだ」

一九七八年から八〇年までアメリカ財務省でこうした事項を担当していたデイヴィッド・ローゼンブルームも、政府に容認されたこのオフショアの茶番がどれほど問題のあるものだったかをこう振り返る。「人々はピリピリしていた。これらの会社はユーロダラー市場を利用したがっていて、安全を強く求めていた。……アンティルの子会社は一種のでっち上げで、ペーパーカンパニーだった。実質的なことは何もしていなかった。（アンティルの首都のある）キュラソーの公証人の机の引き出しのなかに存在していただけだったんだ（注17）」

カーター政権は、守秘法域に関する大規模な調査を始めることにしたが、これはタックスヘイブンに対する世界史上初の真剣な挑戦だった。この調査の結果をまとめた、いわゆる「ゴードン・レポート」は、タックスヘイブンを「犯罪者を引き寄せ、他国に害をもたらす」場所として批難し、アメリカに世界の先頭に立って取り締まるよう求めている。一九八一年、ロナルド・レーガンが大統領に就任する一週間前に発表されたこのレポートは、即座にと言っていいほど早々と忘れ去られた。

カーターの退任前から、アメリカはオランダ領アンティルに租税条約を再交渉したいと申し入れていた。「みんなを縮み上がらせるような裁定がたくさん下されていた」とローゼンブルームは振り返る。「人々がわれわれ税務当局を本当に怖れていた時代だったんだ」。だが、アンティルと再交渉するに当たっては一つ問題があった。アメリカはアンティルの抜け道を暗黙のうちに奨励してきたので、それに異議を唱えにくい立場にいたのである。「アメリカの課税政策の観点からは、こうしたことは完全に好ましくないことだったが、アメリカ政府はすっかり手を汚していた」と、ローゼンブルームは続ける。「アメリカ政府は、自分だけが正しいと主張し始めるには、あまりにもまずい立場にいた。だから、アンティルは、何らかの形でビジネスをやり続けられるような、そこそこ有利な条約を結ぶことができていただろう。私は譲歩する用意があった。われわれにはこちらの意向を押し通すだけの元気はないと思っていた」。ところが、オランダ領アンティルは、自分たちの価値を過大評価していた。「彼らは粘った。条約交渉でアメリカを小突き回すことができると思っていた。これをもっと、あれをもっとと要求し、いろんな利益を欲しがった……こちらが受け入れられないあらゆる点で、頑として譲らなかった」

アメリカ企業はいら立ちを募らせ、この混乱のなかから新しい手法が生み出された。一九八四年から、アメリカはアンティルを完全に無視して、新しい抜け道によって三〇パーセントの源泉徴収税を放棄することにした。(注18) アメリカ企業は、キュラソーに架空の会社を作るのではなく、国内で債券を発行するようになる。海外の投資家は、債券の利子に対して課税されなくなったのだ。

この抜け道は、海外の投資家だけが利用できるとされていたが、恥知らずな富裕なアメリカ人ももちろん利用した。オフショアの守秘性というマントに身を包んで、外国人のふりをして、だ。「ウォール街タイプの連中は大喜びしていた」と、マッキンタイアは語る。「この規則は脱税をしやすくするように作られていた。それは大人気のビジネスだった。高位の連中はこのビジネスを気に入り、奨励した。

彼らはそれが倫理的な問題だとは思っていなかった……誰も異存はないようだった。私と兄のボブを除いてはね」(注19)

それは典型的なタックスヘイブンの手法だった。赤字を止めるために、外国人に対して税を免除し、世界のホットマネーが流れ込むのを見守るわけだ。それはまさに、ハドソンに渡されたメモが期待していたことだった。

効果は途方もなく大きかった。一九八一年にIBFを設立していたアメリカは、今度は国内に活発なオフショア債権市場を持つことになった。「アメリカは突然、世界で最も大規模な、そしておそらく最も魅力的なタックスヘイブンになった」と、『タイム』誌は書いている。それ以後、新しい法令が次々に制定されて、アメリカのオンショアの防御壁を少しずつ削り取っていった。

一九九〇年代後半には、クリントン政権の財務長官で、元ゴールドマン・サックス共同会長のロバート・ルービンが、巧妙な新しい仕組み、適格仲介人（QI）制度でオフショアの浸食をさらに進めた。アメリカの税務当局は、海外の金融機関にあるアメリカ人の口座について知りたいと思っていたが、すべての情報――外国人とアメリカ人両方の情報――を入手し、それからアメリカ人の脱税だけを取り出して外国人は無視するというやり方をするわけにはいかなかった。外国人についての情報を入手したら、租税条約により外国政府にその国の市民の対米投資について伝える義務があるからだ。そんなことをしたら、外国人投資家はアメリカから資金を引き揚げて、秘密を保てる別の場所に持っていくので、アメリカの財政赤字は拡大する。

解決策は、仕分け作業を外国の銀行にアウトソース（外部委託）することだった。委託を受けた外国の銀行は、アメリカ市民に関する情報だけをアメリカに渡し、外国人についての情報はいっさい伝えない。アメリカがそうした情報を持っていなければ、外国の法域と交換しなければならない情報は何もないことになり、条約違反になる心配はない。「その規則は、アメリカ政府が脱税者を突き止めにくくなるように設計されていた」と、マッキンタイアは説明する。(注20)「この責任逃れはアメリカの借り手のためだった。彼らが脱税者から低い利率で借りられるようにするためだったんだ」(注21)

これもまた典型的なオフショアの手法である。タックスヘイブンが海外の法域との情報交換を義務づける立派な条約を締結し、それから、交換しなければならない情報はそもそも持たないようにする仕組みを築くのだ。彼らは秘密を明かさないが、それでも——この条約を指し示して——ここは透明性の高い協力的な法域であると主張することができる。ニューヨークの弁護士、デイヴィッド・スペンサーが言うように、QI制度の結果は、「アメリカ内国歳入庁（IRS）は外国政府と交換すべき情報は持っておらず、そうした情報を入手する方法も持っていないということだ。これはもちろん、高度な形の銀行の秘密保持だ」

それだけでなく、銀行は自分たちの行っていることをアメリカの税務当局に隠していた。スイスの銀行は、QI制度の陰に隠れて、ヨットレース・アメリカズカップの開催地やボストン交響楽団のコンサートを回って富裕なアメリカ人を探し出し、彼らに脱税の方法を教えていたのである。そのなかには、歯磨きチューブにダイヤモンドを隠して持ち出すという手法まであった。スイスの銀行はそれから、チェックリストの「アメリカの銀行法を遵守《じゅんしゅ》している」という項にチェックマークを付けるのだった。デイヴィッド・ローゼンブルームはその皮肉をこう要約する。「この制度はアメリカ人の脱税者を見つけるためのものではなかった。外国人の身元を秘匿し、彼らがアメリカに投資できるようにするためのものだった」。これはつまりは、逮捕されるアメリカ人脱税者は、よほど要領の悪い者か、ちゃんとしたアドバイスを受けていない者だけ、ということだった。

ワシントンのあるベテラン調査員は、匿名を条件に、あるアメリカ人弁護士がＱＩ制度にどのような反応を示したかを語ってくれた。「この男は、この制度の裏をかく方法を人々に教えるという、すてきな商売をしていた。彼がまずやることは、報告義務を回避する方法について中央ヨーロッパの守秘法域の銀行に説明するプレゼンテーション資料を作ることだった。このクズ野郎は電話口で私に怒鳴ったものだ。これはわが国の法文化の乱用だってね。彼らはいつも（アメリカ政府と）戦っていた」

公正を期すために言っておくと、クリントン政権は二期目の終わり近くになって、ＯＥＣＤ（経済協力開発機構）諸国の市民がアメリカに持っている銀行口座について、それらの国の政府に情報を提供する法案を提出した。だが、アメリカの銀行、とりわけフロリダやテキサスに多額の預金を持っている銀行が猛烈なロビー活動を展開し、ジョージ・Ｗ・ブッシュの政権はこの法案を撤回した。(注22)

アメリカは、金融情報の保護を連邦レベルだけでなく州レベルでも売り物にしている。オフショア法人の秘密保護を最も大規模に提供している州はデラウェアだが、最も透明度が低いのはネバダとワイオミングだ。この二つの州はギャングや麻薬密輸業者のお気入りの手段である無記名株式を認めているし、単なる名義人を取締役や他の幹部に据えて、企業の本当の所有者を隠すやり方にはとくに手ぬるい。ネバダ州は租税情報や法人設立情報を連邦政府と共有しておらず、事業活動の場所を報告することを企業に義務づけていない。ネバダの企業が連邦税の申告を行ったかどうか、内国歳入庁には知るすべはない。アーカンソーやオクラホマやオレゴンも、東欧諸国やロシアによって不正行為のために日常的に利用されており、テキサスとフロリダは中南米の不法な富の避難所になっている。

ワイオミング州、デラウェア州

一九九〇年代、アメリカ政府は旧ソ連諸国が原子力発電所の安全性を高めるのを支援するために、数百万ドルの資金援助を行った。だが、その大半はどこかに消えうせた。アメリカ司法省がその行方を追ったところ、最終的にペンシルベニアとデラウェアの匿名ペーパーカンパニーにたどり着いた。FBIがこれまでに調べた、金融市場の操作をともなう事件のほとんどに、これらの州のペーパーカンパニーが関わっていた。映画『ロード・オブ・ウォー』でニコラス・ケイジが演じた人物のモデルになった悪名高い武器商人、ヴィクトル・ブートは、タリバンや世界の多くの殺人組織に武器を流すグローバル・ビジネスを、主としてテキサスやデラウェアやフロリダの会社を通じて行っていた。(注23)「資金洗浄や脱税、金融テロや他の違法な活動を、身元を隠して行おうとする人間にとって、アメリカのペーパーカンパニーは魅力的な手段だ」と、当時アメリカ上院常任調査小委員会の委員長を務めていた共和党上院議員のノーム・コールマンは述べている。「企業の申告所得税や法人税を獲得しようとする州同士の競争が、一部の例では底辺への競争になっている」(注24)

一九八八年の『ニューヨーク・タイムズ』紙の記事は、デラウェア州のある高官の滑稽な行動を伝えている。この高官は、デラウェアは「あなたを政治から守る」ことができると謳《うた》ったパンフレット(注25)を抱えて、台湾、香港、中国、インドネシア、シンガポール、フィリピンを回ったのだ。彼は一九九七年のイギリス撤退後の「香港からの逃避資本を大量に獲得することを狙って」いたのだと、記事は述べている。「あなたの会社の詳しい情報を教えていただく必要はありません。取締役や事業責任者の名前を記載する必要はありません。あなた自身の名前や住所を使う必要もありません。デラウェアの代理人の名前と住所を使えばよいのです」。五〇ドルの追加料金で、二四時間以内に登記を完了できます。今日では、「古い休眠会社」を使って、実際には設立されたばかりの会社でも何年も活動しているように見せかけることができます。「それは安定した事業という認識を生み出す、とても効果的な方法です」。ある登記代理業者はそう宣伝している。「ほとんどの人がためらいはしないでしょう……それが手ごろな料金である限り、即座に満足を得ることに何の問題もないのですから」。守秘性に守られているので、誰もごまかしに気づくことはできません。このすべてと、さらに多くのサービスが、二九九ドルで得られるのです、というわけだ。

州法に基づいて設立される有限責任会社（ＬＬＣ）が、取締役のパスポートの認証謄本を見せてくれたとしても、そして、それが本物のパスポートの謄本だったとしても、その会社を、もしくはその会社の資産を本当に所有しているのは誰なのかはわからない。それらの取締役は、おそらく何百ものこうした会社の取締役になっているプロの名義貸し人だろう。一般に、名義だけの取締役はすべての問い合わせをその会社の弁護士に転送し、その弁護士が実質的な権限を持つ人々に連絡する。当局が調べに来ても、その弁護士は、弁護士・依頼者間の守秘義務を盾にとって、情報は明かせないと主張する。アメリカ政府のある調査官は、いら立ちをにじませながらこう語る。「守秘法域がまさにそこにあるわけだ。弁護士の事務所にね。弁護士は銀行よりたちが悪い。それに、証券会社や会計士もいる。彼らみんなが関わってるんだ」。ＬＬＣは資産と所有者の間に位置して、情報をさえぎる働きをする。アメリカの州は数百ドルの申請料を手に入れ、世界各地の犯罪は罰せられないままになる。

ワイオミング州の法人設立サービス会社のウェブサイトは次のように宣伝している。「ワイオミングのコーポレーションやＬＬＣは、所得税非課税、匿名での所有、無記名株式など、タックスヘイブンの利点をアメリカ国内で享受できます。……休眠コーポレーション・休眠LLC：**あなたの名前がどこにも記載されない**匿名法人！　これらの法人はすでに存在しており、定款、連邦税ID番号、登録代理人を完備しています……こうした完全な会社を**明日の朝**にでも持てるのです！　六九ドルと州に支払うわずかな申請料で」(注26)

これらの州は安価できわめて強力な形の守秘性を売っている。(注27)スイスの場合、情報は一般にそこで保持されているが、秘密保護法があるため人々はそれを開示しない。ワイオミングのような州には秘密の開示を禁じるそのような法律はない。秘訣《ひけつ》は、最初から情報を持たないようにすることだ。法人に関するすべての記録が国外に――たとえば、北朝鮮に――置かれているかもしれず、そのため当局があなたの会社について知りたいと思ったとしても、知るすべがないのである。株式は即座に内密に譲渡することができ、公式に告知する必要はない。アメリカの会社法は、かなり骨抜きされたIMF（国際通貨基金）金融活動作業部会の透明性基準さえ満たしていない（IMFの基準では、諸国は受益所有者を特定できなければならない、とされている）。会社法のこの点を改正しようとする動きがあったときは、それを阻止するために関係諸州やアメリカ法曹協会が激しいロビー活動を展開した。

「他国から企業の所有者を尋ねられたら、われわれは赤面してむなしく立ち尽くさなければならない」と、カール・レヴィン上院議員は述べている。「アメリカは透明性と開示性を先頭に立って唱えてきた国だ。われわれはオフショアのタックスヘイブンを、その秘密主義や透明性の欠如ゆえに批判してきた。そうしたやり方を改めるよう彼らに圧力をかけてきた。だが、今われわれの本拠地で起きていることはいったい何なのか。アメリカは腐敗した海外の高官が自分のカネを隠すために使うマットレスになってはならない」(注28)

守秘性は、アメリカの州が他の場所から金融資本を引き寄せるために提供しているいくつかの魅力の一つにすぎない。税制も、かなり小さい魅力ではあるが、魅力の一つである。特定のタイプの法人を使えば、居住者は州の所得税、資産税、売上税、株式譲渡税、相続税を回避できるし、アメリカの企業は、税額軽減のために商標や特許や他の曖昧模糊《もこ》としたものを移転価格操作で税率の低い州に移している。たとえばワールドコムは、二〇〇二年に倒産するまでに、二〇〇億ドル近い資金を「経営展望」提供報酬としてデラウェアの会社に移転させた。だが、税制がそれぞれの州の決定的な武器になったことは一度もない。州税を払わなくてもよい企業でも、連邦税は払わなければならないからだ。

他の二つの魅力が、アメリカの特定の州を企業のヘイブン（避難所）にしてきたのである。一つは高利貸しに関わるもので、これは後の章で見ていく。もう一つは、アメリカでは一般に連邦法ではなく州法で規制されているコーポレート・ガバナンスに関わるものだ。どちらの分野でも、デラウェアは主役を演じている。これらさまざまな要素――税制、守秘性、高利貸し、コーポレート・ガバナンス（企業統治）――を結びつけているのが、この小さな州の政治支配層だ。この集団のなかではみなが知り合いで、州にビジネスを呼び込むために――よそのことは知ったことではない――州法は企業の望みをかなえるように作られなくてはいけないという信念を、民主党員と共和党員が分かち合っているようだ。デラウェアの住民が他の人々を犠牲にして自分たちの利益をどれほど露骨に優先させるかを盛り込んだ「オフショア」の定義だけが、われわれがこれらすべてのカテゴリーを把握して、実態を理解することを可能にしてくれるのだ。

デラウェアについてざっと見ていくことは、本書のこの歴史の部分を現在につなげるのに役立つはずだ。

アメリカで二番目に小さい州、デラウェアは、世界最大手の企業の多くにとって生まれ故郷である。タックスヘイブンの通常の定義——税制を重視する定義——では、デラウェアはオフショア・システムには含まれないが、この地で重要なことが起きているのは明らかだ。アメリカの株式公開企業の半数以上、フォーチュン五〇〇社の三分の二近くが、この州の法人であり、二〇〇七年にアメリカで上場した企業の九〇パーセント以上がこの小さな州に登記している。これらの企業はデラウェアに本社を置いているわけではない。そこで法人化されただけであり、これはつまりはデラウェア州の法律に従って社内の仕組みが築かれているということだ。

デラウェアの住民は、「ファースト・ステート」、すなわち建国に関わった一三植民地のなかで一番先に合衆国憲法を批准した州に住んでいることから、心地よい愛国的な満足感を得ている。だが、その感情を愛国心と呼ぶのは適切ではないかもしれない。憲法制定会議において、デラウェアの代表は、各州が二人の上院議員を議会に送る権利を持つべきだと強硬に主張し、その結果、小さなデラウェアが強力なニューヨークと同等の立場になり、デラウェアの住民は不釣り合いに大きな権利を持つことになったからだ。デラウェアの代表は、自分たちの主張が通らなければ「小さな州は、もっと敬意と誠実さを備えた味方を外国に見つけるだろう。小さな州の手を取り、小さな州を正当に扱ってくれる味方を」と脅しをかけたと言われている。(注29)

一八九九年、デラウェア州政府は、巨大な化学事業を法人化したいと考えていたデュポン一族の圧力を受けて、「一般会社法」と呼ばれる新しい寛容なビジネス規定を制定した。(注30)そこには、企業の力が強大になりつつある時代の自由放任的な精神が反映されていた。この法規が意味するところは、デラウェアでは、企業経営者は他の利害関係者を犠牲にして自分のやりたいことをする大きな自由を持つことができる、ということだった。デラウェア州は、株主や他の利害関係者が救済措置を得るのをとくに難しくしている。その年の『アメリカン・ロー・レビュー』誌の記事は、デラウェアを「小さくかわいい、ふっくらした赤ん坊のような手を、遅くなりすぎないうちにお菓子の福袋に突っ込むことにした……農民や貝採取業者たちの小さなコミュニティー」と評している。

企業は、かつては公共の利益に役立つための手段とはっきりみなされていた。だが、デラウェアはその考えを捨て去って、デラウェアのある公文書が「断然、自由のきく民間企業モード」と表現しているものを採用した。このモードでは、企業や個人がそれぞれ自分の目標を追求し、政府は、公共の利益は自動的に増大するという想定のもとで、脇に追いやられている。これは企業に対する姿勢の微妙ながら根本的な変化だった。他の州も後に続き、デラウェア州衡平法裁判所の公式の沿革によれば、「スタートの笛が鳴ると同時に、デラウェアは『底辺への競争』を主導しているとしてすでに批難されていた」のである。

第一次世界大戦の直前、隣のニュージャージー州の知事、ウッドロウ・ウィルソンが、蔓延《まんえん》する企業の不正を阻止するために自州の法律を改正し、反トラスト法を通過させて、経営陣に株主や他の利害関係者に対する説明責任をもっと負わせるようにした。企業経営者たちはデラウェア川を渡ってウィルミントンに逃れ、一九二九年には、デラウェア州の歳入の四〇パーセントが企業からの税金や手数料で構成されるようになっており、同州は法人設立件数でアメリカのトップに立っていた。そして今日まで、一度もその座を譲り渡していない。

二〇世紀後半に話を戻すと、一九七四年に元アメリカ証券取引委員会委員長のウィリアム・ケイリーが、『イエール・ロー・ジャーナル』誌に次のような内容の重要な記事を書いた。デラウェアの州法は「経営陣に物申す株主の権利をさらさらの粥《かゆ》のように薄めている。デラウェアで訴訟を提起できるようにすることは、彼らにとって直接、利益になることだ。歳入の創出、『ファースト・ステート』であるという誇り、それに新企業の設立に『有利な環境』の構築をベースにした政策に縛られている裁判所は、必要な高い行動基準を維持できないからだ」

一九八〇年代にM&A(合併・買収)ブームが企業の役員室を席巻したとき、経営者は自分の地位を守るために、デラウェアに来て「ポイズン・ピル(敵対的買収に備えて、あらかじめ既存株主に大量の新株予約権を与えておく手法)」などの買収防衛策を整えた。もっと最近の例を挙げると、さえない業績しかあげなかったウォルト・ディズニー社の前社長、マイケル・オーヴィッツが一億三〇〇〇万ドルもの退職手当を受け取ることを知って、同社の株主たちが激怒したとき、デラウェア州の裁判所は、株主には取締役会の報酬方針に介入する権利はないとして株主たちの訴えを却下した。(注31)多くの企業スキャンダルがデラウェアに流れ着く。自社のカネを横領して、「フランス革命での貴族の特権廃止を再現する」のはお断りだと言った新聞王、ブラック卿《きょう》が、デラウェアで会社を設立していたのは、間違いなく偶然ではない。

デラウェアの姿勢は、同州の衡平法裁判所のいわゆる経営判断の原則に要約されている。企業経営者が重要な行動原則に明らかに違反したわけではなく、彼らの決定が「中立的な意思決定機関」によって承認されている場合には、裁判所は経営者を事後的に批判するべきではない、という原則である。この姿勢を人々が何と思おうと、デラウェアはそれを極端にして、企業経営者にわずらわしい株主や司法の目、さらには世論にさえ縛られずに行動する大きな自由を与えてきた。コロンビア大学ロー・スクール教授、バーナード・ブラックは、一九九八年にこう書いている。「経営者と、デラウェアの最高裁や州議会にいるその仲間たちが、ポイズン・ピルや買収防止法、それに経営者が『株主を企業の真の価値を理解できない能無しのように扱う』ことを容認する判決によって敵対的買収をつぶすのを、株主は防ぐことができない」(注32)

二〇〇三年、デラウェア州は衡平法裁判所の管轄権を拡大する法律を制定したが、その法律の公式の概要によると、その目的は「デラウェアが時代を先取りして企業の進化するニーズに応え続けられるようにし、それによって企業の設立や事業所の設置を誘致するわが州の能力を強化する」ことにあった。(注33)デンバー大学の企業法教授で、デラウェアに対する批判者の筆頭格であるJ・ロバート・ブラウンはこう語る。「デラウェアの裁判所は、利己的な取引に対する意味のある制限をほとんど廃止してしまった」

二〇一〇年五月のロイターの記事は、デラウェアの法人設立ビジネスが先ごろの金融危機に果たした役割について、洞察に富んだ分析を提供した。(注34)この記事は「CDO（債務担保証券）の大家」と称されている元デラウェア大学金融学教授を取り上げているのだが、この人物は、主としてサブプライム（低所得者向け）ローンを裏づけとした二〇〇種類以上のCDO——先般の金融危機を引き起こす要因の一つとなった複雑な金融商品——を売り込んでいた複数のデラウェア法人のただ一人の社外取締役だ。これらのCDOのなかには、ゴールドマン・サックスやモルガン・スタンレーが引き受けたものもあった。社外取締役は、本来は企業の取締役会に公平な意見を持ち込む存在であり、ある専門家の言葉を借りると「よいコーポレート・ガバナンスの要石」でなければならない。(注35)だが、シカゴ在住のストラクチャード・ファイナンス（仕組み金融）コンサルタント、ジャネット・タヴァコリに言わせれば、こうした社外取締役は「基本的に単なる印として置かれている」だけだ。名義だけの取締役が守秘性を高める働きをしているように、証券化取引のために毒にも薬にもならない取締役を提供するこの商売も、オフショア・ビジネスだ。(注36) タックス・リサーチUKのリチャード・マーフィーは、こうしたお膳立てのわざとらしさをうまく表現している。「オフショアは、他の場所で行われていることを見栄えよく包装し直すために使われる。取引の外見を変えるために使われるのであって、実質は何も変わらない」

こうした不自然さの象徴として有名なのが、ケイマン諸島のユグランド・ハウスである。バラク・オバマはかつてこの建物を、一万二〇〇〇以上の企業を入居させていると批判した。(注37)「これは史上最大の建物か、でなければ史上最大の税金詐欺だ」と。だが、ケイマン諸島の金融庁長官、アンソニー・トラヴァースは、オバマはデラウェアに関心を向けたほうがよいと反論した。「ウィルミントンのノース・オレンジ通り一二〇九のオフィスには、全部で二一万七〇〇〇の企業が入っている」

この意味での世界最大の建物は、オランダのウォルターズ・クルワーの子会社、コーポレーション・トラストのオフィスである。それは、ピザ店の表によくあるような栗色の日よけのついた黄色っぽいレンガ造りの低層ビルで、オレンジ通りを挟んで向かいの目障りな六階建てのビル駐車場と、裏のみすぼらしい小さな駐車場の間に建っている。法律上は、ここはフォード、ゼネラルモーターズ、コカ・コーラ、ケンタッキー・フライド・チキン、インテル、グーグル、ヒューレット・パッカード、テキサス・インスツルメンツ、それに他の多くの巨大グローバル企業の登記地であり、(ほとんどがケイマン諸島で組成された) 毒入りCDO (債務担保証券) を売り込んでいた多くの専門信託会社や特別目的事業体 (SPE) の登記地なのだ。これらのSPEや巨大企業がこのビルに置かれているのは、秘密保持のためではなく、コーポレート・ガバナンスのためだ。コーポレーション・トラストはサービスの一環として、企業が通告書や召喚令状や出廷命令などを受け取ったり、それに対応したりする手助けをしているのである。デラウェアの州政府のウェブサイトには一一〇の登記代理業者が掲載されている（ちなみに、これらの業者は何の規制も受けていない）(注38)。二〇〇八年には、デラウェア州は八八万二〇〇〇の活動中の企業の登記地となっていた(注39)。

そのビルを訪問する前、私は何度も電話をかけてインタビューを申し込んだ。そのたびに折り返しお電話しますと言われたが、折り返しの電話は一度もかかってこなかった。たまたま新しい受付係が電話に出たとき、ようやくオフィス・マネジャーのコリー・ブエラーに電話をつないでもらうことができた。ブエラーは明らかに狼狽《ろうばい》して、私に会うことに同意した。私は約束の時間より一〇分早くそのビルに行き、あわただしく応接室に通された。四ヤード（約三・七メートル）四方ほどの応接室には、灰色の模様の古びてすりきれた絨毯《じゅうたん》が敷かれ、植木鉢が二つ置かれており、明るい色の壁には点々と油染みがついていた。ガラス窓の向こうには、無精ひげをはやしたスタジャン姿の男性受付係が座っていたが、私が着くとすぐに、鮮やかな赤の上着を羽織ったきちんとした身なりの魅力的な若い女性と交代した。その女性は明るくほほ笑んで、ブエラーはまもなく参りますと言った。

ブエラーは、色あせたジーンズに白いスニーカー、白いTシャツにグレーのカーディガンといういでたちであらわれ、おどおどしながらインタビューは受けられないと言った。では、なかの様子を少しだけ見せていただけませんかと頼むと、彼女は両手をもみ合わせながら、それはできませんと言った。私はもう一度頼んだ。「ちょっと覗《のぞ》くだけでいいんですが」。ブエラーは頬を赤くし、ふたたび断った。彼女は自分の名刺を出そうとはしなかったが、その代わりにレターヘッドのついた紙片を渡してくれた。そこにはウォルターズ・クルワーのニューヨーク広報室の電話番号が記されていた。

外に出て振り返ると、窓越しに部屋のなかに小さく仕切られた作業スペースが何列も並んでいるのが見えた。それはケイマン諸島のユグランド・ハウスの一階で目にした光景にそっくりだった。ここで行われているのは明らかに秘書的な業務なのだ。ブエラーは私に質問されて、ここでは八〇人ほど働いているが弁護士は一人もいないと認めていた。それを聞いたとき、私は以前ジョン・クリステンセンがジャージーでの自分の仕事について言ったことを思い出した。企業・信託管理者の仕事は「肩書はすばらしいが、実際には事務作業だ」と彼は言った。「企業・信託管理者が面倒を見るとなれば顧客に高い料金を請求できるが、事務員ならそうはいかないからね」

公正を期すために言っておくと、デラウェアで法人を設立する理由としては、もっと健全なものもある。デラウェアの衡平法裁判所は――州外の人々を引き寄せることに成功しているおかげで――経験と専門知識において並ぶ者のない会社法の専門家集団になっている。(注40) また、ニューヨークとワシントンの中間というロケーションも、ウィルミントンに地理的な優位性を与えている。訴訟を起こすためにわざわざアラスカまで行きたいとは、誰も思わないはずだ。

なぜ失敗国家になる国があるのか、また、なぜ貧困がこれほど蔓延しているのかを理解しようとしていた主流の開発学者たちは、一九九〇年代初めの時点でもまだ、腐敗の問題をほとんど見過ごしていた。一九九三年にベルリンで設立されたトランスペアレンシー・インターナショナル（TI）は、腐敗に人々の関心を集め、二年後には有名な腐敗認識指数（CPI）を発表し始めた。『フィナンシャル・タイムズ』紙は一九九五年を「国際腐敗年」と位置づけ、それまでは途上国のエリートたちに遠慮して政策文書から腐敗という言葉をほとんど消し去っていた世界銀行も、一九九六年にTIの後に続いた。ジエームズ・ウォルフェンソン総裁が、歴史的な演説のなかで、世銀が「腐敗という癌《がん》」に対処する必要があることを認めたのだ。OECDの外国公務員贈賄防止条約が発効したのは一九九九年、国連の腐敗防止条約が採択されたのは二〇〇三年のことにすぎない。多くのOECD諸国で、賄賂はほんの数年前まで税務上、損金扱いにすることさえできた。遅きに失したとはいえ、この変化はきわめて明るいニュースである。だが、ここで次の問題を考えていただきたい。

TIの腐敗認識指数は「カントリー・リスク」を査定しようとする投資家にとっては大いに役立つ情報だが、たとえばナイジェリアが世界で最も腐敗した国の一つであることは、当のナイジェリア人たちはすでに知っていた。彼らが知りたいのは、五〇〇〇億ドル近いオイルマネーがどこに消えたのかということだ。それについては、腐敗認識指数は何の手がかりも与えてくれない。一九九八年にナイジェリアの残虐な大統領、サニ・アバチャが、インド人娼婦《しょうふ》たちと過ごしていた間に毒殺されたが、その後、彼が数十億ドルものオイルマネーを着服していたことが明るみに出た。彼の不正な富を吸い上げていたのは、とくにイギリスとスイスの二ヵ国だった。ナイジェリアの財務大臣、ンゴジ・オコンジョ＝イウェアラは、二〇〇六年五月、『インデペンデント』紙の記者、ポール・ヴァレリーのインタビューに答えて、この問題について語った。

ンゴジ：スイスは、盗み取られた富、五億ドルをすでに返却しました。スイスは手本を示したわけです。
ヴァレリー：イギリスはどうですか？
ンゴジ：（しゃがれ声でしばらく笑った後）さて、これは困りましたね。イギリスを批難するのは簡単なことではありません。債務救済では、イギリスは手本を示しましたからね。

ヴァレリー：それならなぜ、盗み取られた富の返還についてはぐずぐずしているのでしょう。

ンゴジ：イギリスに関してはもっと難しいのです。わが国の大統領はブレア首相との会談でこの問題を何度も持ち出しました。ブレア首相はようやく三〇〇万ドル返還しました。他にも資金があることはわかっているのですが、話し合いが行われていた間に、そうした資金はイギリスから出てどこか別のところに行ってしまったのです。(注41)

TIの腐敗度ランキングでは、イギリスとスイスは――アメリカは言うまでもなく――世界で最も「クリーンな」法域のグループに入っている。実際、このランキングで腐敗度の低い国トップ二〇に入っている国の半数近くが重要な守秘法域であり、その一方で、違法な資金流出の被害国であるアフリカ諸国は、「最も腐敗した」国とされているのである。(注42)

二〇〇九年一一月、タックス・ジャスティス・ネットワーク（TJN）は、献身的なチームの二年にわたる作業によって作成された新しい指標を発表した。この金融守秘性指標は、グローバル金融における守秘性の提供にその国がどれくらい重要な役割を果たしているかによって、国をランクづけしたものだ。ランクづけは、まず、守秘性をあらわすいくつかの重要な数値や仕組みを検討して、その法域がどれくらい守秘的かを判定し、それから、その法域が中心的役割を果たしている国境を越えた金融サービス活動の規模に応じて、それぞれの法域に軽重をつけるという方法で行っている。このようなことはそれまで行われたことがなかったので、世界中の新聞やテレビがこの結果を報道したが、従来は世界で最もクリーンとみなされていた国のいくつかは、世界で最も透明性の低い国とされていた。

金融守秘性指数で第五位にランクされていたのがイギリスだった。イギリスは、オフショアの誕生にダントツで最も重要な歴史的役割を果たし、イギリス系オフショア・ネットワークの中心ではあるが、国内の仕組みは比較的透明性が高い。第三位はスイス、第四位はケイマン諸島で、巨大な、だがほとんど注目されていない守秘法域、ルクセンブルクが第二位を占めていた。では、いったいどの国が、二位以下に大差をつけて世界で最も重要な守秘法域とされていたのだろう。

それは、他ならぬアメリカだった。

第8章

途上国からの莫大な資金流出
タックスヘイブンは貧しい国々をどのように痛めつけるか

国際商業信用銀行の事件

一九八〇年代初めには、現代のオフショア・システムの主な要素はすべて出そろって、爆発的に成長していた。ヨーロッパの上流階級が育み、スイスが牽引《けんいん》していたヨーロッパの古いタックスヘイブンのグループは、今ではかつてのイギリス帝国の辺境に位置し、シティと緊密なつながりを持つ、より柔軟で攻撃的なタックスヘイブン・ネットワークに追い越されつつあった。イギリスという国家のなかの国家とも言うべきシティは、複雑な慣習と暗黙の行動規範に従って帝国の金融部門を運営する紳士のクラブから、アメリカの銀行に支配され、イギリスのクモの巣と深く結びついた、より無作法で規制の緩いグローバル金融センターに変貌《へんぼう》していた。また、さほど複雑ではないが、それでもきわめて大きな影響力を持つ、アメリカを中心とする重要なオフショア・ゾーンも、やはりアメリカの銀行によって築かれ、成長していた。国家の枠を超えたユーロ市場が、これらのゾーンを互いにつなぐとともに、オンショア経済ともつないで、準備金規定や他の制約から銀行を解放していた。

ヨーロッパの古いヘイブン（避難所）が主として秘密資産の運用と脱税のために使われていたのに対し、イギリスやアメリカの新しいオフショア・ゾーンは――脱税や犯罪活動にも使われたが――金融規制を逃れるために利用されることが次第に多くなった。それぞれのオフショア・ゾーンのプレイヤーは、真の自由放任の流儀でもう一方のオフショア・ゾーンに温かく迎え入れられ、相互のつながりが深まるにつれて、オフショア・システムは強固になった。金融規制の緩さや税制や守秘性で諸国が互いに競争し、それによってオフショアの力を強化したのである。

国際協力と資本移動の厳しい管理を柱とするブレトンウッズ体制は一九七〇年代に崩壊しており、第二次世界大戦後の資本主義の黄金時代は終わりを迎えていた。世界は、とくに途上国の金融危機や経済危機によってたびたび中断される、それまでよりはるかに緩やかな成長の段階に入っていたのである。

こうした状況のなかで、オフショア・システムが成長し、世界各地に広がるにつれて、システム全体を機能させるために、新しいタイプの弁護士や会計士や銀行家の一群が登場し、次第に強力になっていく。オフショアは、変化するイデオロギーと連携して、規制緩和と金融のグローバル化のプロセスを推進する。とくにロンドンのユーロ市場は、アメリカの銀行に国内の厳しい制約を逃れてふたたび爆発的に成長する基盤を提供した。金融サービス産業がワシントンの政治を乗っ取り、納税者の保証という暗黙の補助金とオフショアを使った脱税という明白な補助金のおかげで「大きすぎてつぶせない」銀行が登場する舞台を整えたのだ。アメリカ自身がオフショア法域として台頭したことで、大量の資金がアメリカに引き寄せられ、銀行の力をさらに強化した。大恐慌と第二次世界大戦のために崩壊していたウォール街とシティの古い同盟関係が復活していた。

二重課税をなくし、摩擦がほとんどない資本の通路を築くことで、オフショア・システムはグローバル経済の効率を高めていると、多くの人が思っていた。だが、現実には、このシステムは価値を付加することはほとんどなく、富を上方に、リスクを下方に再分配して、新しいグローバルな犯罪の温床を生み出していたのである。犯罪対策に取り組んでいるアメリカの弁護士、ジョン・モスコウは、この問題を次のように言いあらわす。「カネは力だ。そして、われわれはこの力を、まったく説明責任を負っておらず、したがって信頼できない連中が管理している法人銀行口座に移転しつつあるわけだ」(注1)

守秘法域は一般の人々の意識にも多少入り込んではいたが、エキゾチックな文明の辺境にあるうさんくさい変わった場所としかみなされていなかった。新しい金融革命の真の性格を隠したいと思っていた人々が巧妙に助長したこの誤解の陰で、オフショア・システムは、二〇世紀が終わりに近づくにつれてグローバル経済にますます大きな影響を及ぼすようになる。実際に起きていたことは、アメリカのニューディールの原則やヨーロッパの社会民主主義の基盤、それに世界中の脆弱《ぜいじゃく》な低所得国の民主主義や説明責任や開発に対する真っ向からの攻撃に他ならなかった。

過去数十年の経済上の重要な出来事を考えてみると、その陰には必ずと言っていいほどオフショアがあった。そして、おそらく中心的な役割を果たしていた。

アフリカの貧困はオフショアの役割を理解しない限り理解することはできない。第二次世界大戦後では最もひどい戦争と言われているコンゴ民主共和国の内戦は、タックスヘイブンを通じた同国の鉱物資源の大量略奪と深く結びついている。多くの途上国に見られる大規模な腐敗や犯罪勢力による政府の転覆はというと、いずれのケースでも、オフショアが重要な役割を果たしている。一九八〇年代以降の途上国への大きな資本の流れを生み出す努力は、ほぼ例外なくオフショアのせいで危機という形で終わっている。ヨーロッパやアメリカ、それに低所得国における格差の拡大は、守秘法域の役割を理解しなければ正しく理解できない。旧ソ連の組織的な略奪や核保有国ロシアの諜報《ちょうほう》機関と犯罪組織の融合は、実質的にはロンドンとそのオフショア・サテライトで起きた出来事だ。サダム・フセインの政治力はオフショアの強力な基盤に支えられていたし、北朝鮮の金正日《キムジョンイル》の力も同じである。イタリアのシルヴィオ・ベルルスコーニ前首相が同国の政界に対して奇妙な支配力を持っていたのも、大部分はオフショアのおかげである。フランスの有力エリートたちが自国の民主主義の手が届かないところで活動していたエルフ事件についても、その中心には守秘法域があった。偽情報で株価をつり上げた後、無防備な一般大衆に売却して利益を得る「パンプ・アンド・ダンプ」のような詐欺行為では、首謀者は必ずオフショア法人の陰に隠れる。ロシアの新興財閥の顧問弁護士が不可解なヘリコプター事故で死亡した事件、テロ組織への武器密売、マフィアの帝国の成長などにも、オフショアが関わっている。麻薬産業だけで世界で年間約五〇〇〇億ドルの売上を生んでいるが、(注2) これはサウジアラビアの原油輸出額の二倍である。(注3) この業界のトップにいる連中が手にする利益は、オフショアの金融機関を通じて、銀行システムや不動産市場や政治プロセスに流れ込んでいる。ブリーフケースには一〇〇万ドル程度のカネしか詰め込めない。オフショアがなければ、違法な麻薬取引は家内産業にとどまっているだろう。

金融の規制緩和とグローバル化についてはどうか。これから見ていくように、オフショアはその中心に位置している。プライベートエクイティ・ファンド（非上場企業に投資するファンド）やヘッジファンドの台頭はどうか。これにもオフショアが関わっている。エンロン、パーマラト、ロングターム・キャピタル・マネジメント、リーマン・ブラザーズ、ＡＩＧの破綻《はたん》劇はどうか。やはりオフショアが絡んでいる。タックスヘイブンがなかったら、多国籍企業はこれほど巨大で強力な組織には成長していないだろう。ゴールドマン・サックスは、かなりの程度までオフショアの産物だ。また、一九七〇年代以降の世界のあらゆる重大な金融破綻は、先ごろのグローバル経済危機を含めて、オフショアの物語とみなすことができる。多くの先進国における製造業の衰退にはさまざまな原因があるが、オフショアはその大きな一つである。タックスヘイブンは、一九七〇年代以降の諸国の債務の増大に重要な役割を果たしてきた。特定の市場における複雑な形の独占の成長、仲間内でのインサイダー取引、途方もない規模の詐欺などには、ほぼ例外なく守秘法域が重要な要素として絡んでいる。

これはこれらの問題に他の原因がないということではない。他の要素も必ず絡んでおり、タックスヘイブンだけに責任があるわけではない。なぜなら、オフショアは他の場所との関係においてのみ存在するからだ。だからこそ「オフショア（海岸から離れた、海外の）」と呼ばれているのである。オフショアについて理解しなければ、現代世界の歴史を正しく理解することはできないだろう。われわれの知識のこの空白部分を埋め、オフショアがどのように世界の経済を現在の形にねじ曲げ、社会や政治システムを思いどおりの姿に変えてきたのかを理解する作業を始めるときがきたのである。

オフショアの役割が広く知られている稀《まれ》な事例から始めることにしよう。ほぼ間違いなく史上最も深くオフショアに関わっていた銀行、国際商業信用銀行（BCCI）の事件である。この話は広く知られているが、一、二の重要な特徴はあまり認識されていない。BCCI事件の発端は、現在ジョン・ケリー上院議員が委員長を務めているアメリカ上院外交委員会の調査官で弁護士のジャック・ブラムが、一九八八年に不正の印に気づいたことだった。

ボサボサ頭でおおらかな雰囲気のブラムは、『ニューヨーク・タイムズ』紙で「世界の不正に憤激し、それに対して何も手を打てない人々に我慢できない男……研磨機が火花を出すように、高レベルの腐敗に対する攻撃を生み出す粘り強く道徳心の高い改革の戦士」と評されたことがある。(注4)彼は一九四一年にブロンクスに生まれ、ニューヨーク州ポキプシー市近郊で改革を唱える新聞を設立し、その後、法律を学んで、悪者を追いかけるために政府で働くようになった。七〇年代には議会職員として、航空会社ロッキード・マーティンの世界的な収賄事件の解明に尽力し、アメリカ国際電信電話会社（現ＩＴＴ）がチリのサルバドール・アジェンデ政権を倒そうとした事件を調査し、バーニー・コーンフェルドの不正なオフショア帝国、インベスターズ・オーバーシーズ・サービシーズ（ＩＯＳ）の摘発に関わり、アメリカの支援を受けていたニカラグアの反政府勢力、コントラが麻薬密売に関わっていた事件を調査した。

大多数の人と同じく、ブラムも当初は守秘法域を、主として麻薬密売業者やその他さまざまないかがわしい人間の集まる場所とみなしていた。だが、一九七四年にアメリカ上院外交委員会の仕事でケイマン諸島を訪れたとき、宿泊していたホテルのロビーで、立派な身なりの男たちが電話の列に並んでいるのを目にする。そして、彼らが、脱税をもくろむアメリカ人クライアントの要請で口座や信託を開設するために、ケイマンの銀行家と会う約束を取り付けようとしているアメリカの弁護士や会計士であることを知った。アメリカの銀行は自国の顧客をカナダの同業者に紹介し、カナダの銀行も同様に自国の顧客をアメリカの銀行に紹介していた。やがてブラムは、そこにもっと精巧なトリックがあることに気づき、誰も想像したことがないほど大規模な不正が行われていることを理解した。ブラムはこう語る。

「麻薬はほんの一部にすぎないことがわかってきた。麻薬の他に犯罪マネーがあり、脱税マネーもあった。そのときわかったんだ。なんてこった。これは全部簿外のカネ、バランスシート（貸借対照表）に載っていないカネじゃないかってね。オフショアでは帳簿のつけ方にルールなどない。オフショアは企業の帳簿がでっち上げられる場所なんだ」

一九八〇年代後半にＢＣＣＩについてタレ込みを受けるようになったとき、ブラムはこの銀行にひどくいかがわしいところがあるのを知っていた。かつて民間で働いていたとき、自分のチームがピッツバーグのメロン銀行のスタッフとのミーティングでBCCIの話を持ち出したときのことを、彼はこう振り返る。「メロンの国際部門のシニアスタッフ全員が、テーブルの上に吐かんばかりの反応を見せた」。BCCIが発行した信用状は、どんな状況下でも受け取るつもりはないと、彼らは断言したのである。(注5)

BCCIは、インド生まれの銀行家、アガ・ハッサン・アベディによって一九七二年に設立された。出資者には、サウジアラビアの王族やアブダビの首長、ザーイド・ビン＝スルターン・アール＝ナヒヤーンが名を連ねていた。BCCIは単純なビジネスモデルによって超がつくほどの急成長を遂げた。信頼できるビジネスという見せかけを作り、有力者と近づきになり、それから、誰のためにでも、どこでも何でもすることに同意するのである。BCCIは政治家にたっぷり賄賂を贈り、サダム・フセイン、テロ組織の指導者アブ・ニダル、コロンビアの麻薬密売組織メデジン・カルテル、アジアの麻薬王クン・サなど、二〇世紀の最大級の悪党たちにサービスを提供した。中国のシルクワーム・ミサイルのサウジアラビアへの売却を通じて核物質の取引に関わったこともあるし、北朝鮮のスカッドBミサイルをシリアに売り込んだこともある。BCCIのカリブ海地域やパナマの支店は中南米の麻薬密売業者のために働き、当時、石油ブームとオフショア・バンキングの人気で沸きに沸いていたアラブ首長国連邦の同行子会社は、パキスタンやイランやアフガニスタンのヘロイン密売業者を顧客にしていた。BCCIはさらに、香港《ホンコン》を使って、ラオス、タイ、ミャンマーの麻薬密売業者にもサービスを提供していた。

BCCIはオフショアの守秘性を利用して自身の関与を隠すことでアメリカの規制当局の懸念をかわし、アメリカの銀行システムにも入り込んだ。また、ワシントンのインサイダーを買収し、CIA（中央情報局）と堅固な協力関係を築いた。これによって強力な政治的庇護《ひご》を受け、そのためブラムの調査は最初からきわめて困難だった。

「ワシントンのいたるところに、これはすばらしい銀行だと主張しようとする者がいた」と、ブラムは語る。法執行機関にいた友人たちが命の危険があると警告してくれたが、ブラムは突き進んだ。彼はマンハッタン地区担当連邦検事、ロバート・モーゲンソーの判断をあおぎ、モーゲンソーはブラムと同じく怒りに燃えて、BCCIを倒すためのチームを結成した。ワシントンの議員や政府関係者の半分を敵に回しているように思えたに違いない熾烈《しれつ》な戦いの後、モーゲンソーは一九九一年、BCCIを営業停止に追い込み、同行とその創業者たちを「世界の金融史上、最大の銀行詐欺」を行ったとして起訴した。

BCCIの最も興味深い点は、その組織構造だった。アベディはどの国の当局も全体像を把握できないよう、自分の銀行を法域によって二つに分割し、それぞれの持ち株会社をルクセンブルクとケイマン諸島に登記した。二つの持ち株会社には別々の監査法人が使われた。(注6) だが、アベディは世界的に有名な金融センターに店舗を構えているという信用も手にしたかった。そのような金融センターで、しかもわずらわしい質問はほとんどしない監督の緩いところとなると、一つしかなかった。シティである。一九七二年、BCCIはシティの中心、リーデンホール・ストリートの豪華なオフィスに本店を構え、イギリスの保守党に多額の献金をするようになった。(注7)

金融部門の経験則では、銀行は単独の借り手に自己資本の一〇パーセント以上を貸し付けるべきではないとされているが、BCCIは一部の顧客には自己資本の三倍、すなわち許容される割合の三〇倍もの額を貸し付けていた。一九七七年にイングランド銀行が規制を強化すると、アベディはそれを逃れるために、いかがわしい融資をごっそりケイマン諸島に移した。BCCIのある幹部が当時言ったように、ケイマン諸島には「帳簿づけの点で明らかにより大きな柔軟性が」あったからで、同行の幹部たちはそこを「ゴミ箱」と呼んでいた。(注8) イギリスの規制当局もルクセンブルクやケイマン諸島の規制当局も、監視の責任を引き受けはしなかった。

ＢＣＣＩは大胆ではあるが単純なオフショアのトリックも編み出した。あらゆる銀行の基盤であり、安全のための緩衝材である自己資本を、無からでっち上げたのだ。その手法はこうだ。ルクセンブルクの銀行がアベディの友人であるＢＣＣＩの株主に資金を貸し付け、彼がその資金をケイマンの銀行に投資して、その銀行の資本を増強する。ケイマンの銀行もやはりアベディの友人の株主に資金を貸し付け、彼はそれを使ってルクセンブルクの銀行で資本を創造するのである。最初は二五〇〇万ドルにすぎなかったＢＣＣＩの自己資本は、オフショアを使ったこの自己資本増強策のおかげで一九九〇年には八億五〇〇〇万ドル近くに達していた。(注9) アベディは友人たちの借金を帳消しにしたが、いわゆるポンジ・スキーム（運用益ではなく投資家から集めたカネを配当にあてて高いリターンを装い、さらに多くの投資家を引き寄せる投資詐欺）によって拡大を続けた。スタッフの年金基金を流用したり、どんどん預金を受け入れて、それで出金をまかなったりしていたのである。同行の八万人の預金者の多くが途上国の比較的貧しい人々で、見かけ上はロンドンに本店を置き、富裕なアラブの首長たちが後ろ盾になっているこの銀行が、虚構の上に建てられた虚構であることなど知るよしもなかった。

モーゲンソーがこの銀行について調べようとしたとき、ケイマン諸島の当局は協力を拒んだ。「われわれはケイマンのＢＣＣＩオーバーシーズに召喚令状を送った。ところが彼らは、『申し訳ないが、ケイマンの法律では情報提供は許されていない』と言ってきたんだ」と、モーゲンソーは「偏屈なイギリス人」のケイマンの法務長官に対するいら立ちをにじませながら語る。「われわれはもう一度召喚令状を送った。彼らはようやく（アメリカ・ケイマン租税情報交換）協定にのっとって要請してもらう必要があると返答してきた。われわれはそのとおりにした。すると彼らはこう言ったんだ。『協定には地区検事は含まれていない。司法省を通してくれ。あなたに見せることはできない』。司法省もすこぶる協力的とは言いがたかった」。(注10) モーゲンソーと彼の部下のジョン・モスコウは、次にイングランド銀行に行った。「イングランド銀行からも協力は得られなかった」と、モーゲンソーは振り返る。「われわれはロンドンから財務記録を入手しようとしたのだが、何も提供してもらえなかった」。ジョン・ケリー上院議員の支援を受けて、モーゲンソーはイングランド銀行に、行動しないなら世論に訴えると脅しをかけた。イングランド銀行はそれでようやくＢＣＣＩの営業停止に同意したのである。

このスキャンダルはイギリスの議会で大騒ぎを巻き起こした。守勢に立たされたイングランド銀行は、ＢＣＣＩの営業を一九九一年まで許していたのは、そのときまで詐欺の「決定的証拠」がなかったからだと主張した。イングランド銀行にはいったいどんな証拠が必要だったのだろう。詐欺に関与したとしてＢＣＣＩがアメリカで起訴されたのは、この二年半前のことだった。ある起訴状では、マネーロンダリングはＢＣＣＩの「企業戦略」の一環だったとされていた。(注11) 監査法人のプライス・ウォーターハウス（ＰＣ）は、一九八九年にＢＣＣＩの子会社について正式な会計監査報告を出していたし、一九九〇年にはＢＣＣＩの社員たちが、大蔵省、イングランド銀行、それにイギリスの閣僚たちに、同行内部の詐欺を通報する手紙を送っていた。同じ年に、イギリスの諜報機関がイングランド銀行に、テロ組織のリーダー、アブ・ニダルがロンドンのＢＣＣＩ本店の四二の口座をコントロールしていることを知らせており、バーゼルの国際決済銀行（ＢＩＣ）は懸念を表明していた。さらに、プライス・ウォーターハウスは、「ナクヴィ・ファイル」と呼ばれる隠しファイルを発見して、広範囲に及ぶ不正行為、架空会社、簿外の預金、でっち上げの融資、預金者のカネを盗み取った証拠などを暴き、それをイングランド銀行に伝えていた。BCCIの本店はイングランド銀行から徒歩でほんの数分のところにあったにもかかわらず、イングランド銀行は何もしなかったのだ。

イギリスの『オブザーバー』紙のマイケル・ギラード記者は「(BCCIがイギリスでの営業を許可されるために)義務づけられている高い倫理基準は、BCCIが自行の幹部やコロンビアのメデジン・カルテルの二人の代理人と共謀して、脱税やコカイン売却益を洗浄した罪を認めることとどのように整合するのだろう」と皮肉った。だが、イングランド銀行総裁のロビン・リー＝ペンバートンは、ロンドンの「見て見ぬふりをする」オフショアの倫理観を見事な言い回しで表明した。現在の監督システムは「コミュニティーのためになってきた。……詐欺の事実を発見するたびに銀行を閉鎖していたら、銀行の数は今よりかなり少なくなっていただろう」[注12]。この発言は、シティがすでに世界第一位のオフショア・センターになっていることを示す十分な証拠だったはずだ。BCCIに関するPCの報告書の全文は、イギリスの「国際的パートナーたち」を動揺させるという理由で、今日でもまだ機密扱いになっている。これは、ロンドンはタックスヘイブンだとはっきり認めているようなものだ[注13]。

BCCI事件以来、モーゲンソーは人々にオフショアの犯罪を認識させようと尽力し、四人のアメリカ財務長官に、もっと関心を払うよう直接、要請してきたが、成果はほとんどなかった。「二年ほど前、オフショア銀行について講演したんだが、聴衆はみんな眠ってしまったよ」と、モーゲンソーは語る。「ところが、オフショア・マネーについての講演なら、彼らは目をキラキラさせて聞き入るんだ」[注14]

アンゴラ

BCCIのスキャンダルが落ち着いたころ、アフリカの産油国、アンゴラで、オフショアが絡んだもう一つのスキャンダルが表にあらわれようとしていた。私は当時ロイターの特派員としてアンゴラに駐在していたのだが、この国では、ジョナス・サヴィンビ率いる反政府組織、UNITAが、主要都市を包囲して迫撃砲を浴びせ、兵糧攻めにして降伏させようとしていた。そうした都市の一つ、クイト市では、住民たちは追いつめられ、イヌやネコ、ネズミまで食べて命をつないでおり、けが人までも病院のベッドから這《は》い出て武装した食料調達隊に加わっていた。彼らはひそかに町を出て、往々にして地雷の埋まっている畑に行ってキャッサバなどの作物を探し、ときには途中で戦闘を繰り広げながら見つけた食べ物を町に持ち帰っていた。国連はこの内戦を世界で最もひどい戦争と呼んでおり、アンゴラ政府は国際社会から武器禁輸措置を受けていた。

そのため政府は一九九二年、私が後にガボンで遭遇するネットワークと関係のあるフランスのエルフの秘密ネットワークに頼り、彼らの助けで武器の供給を確保した。アンゴラがスロバキアの会社から武器を調達する手助けをするために、アルカディ・ガイダマックという名のロシア生まれの富裕なユダヤ人が八億ドルあまりの購入資金を集め、その返済はアンゴラのオイルマネーで、禁輸措置をかいくぐるためジュネーブを経由して行われた。石油と武器を交換するこうした取引を調べていたフランスの予審判事たちは、後にある関係者から、こうした契約は「大規模な詐欺であり……最大規模の武器取引では六五パーセントものマージンを生み出す巨大なカネのなる木」だと聞かされた。(注15) そのカネの流れには、もちろんいくつものタックスヘイブンが関わっていた。

私は二〇〇五年九月に、いわゆるアンゴラゲート事件に関与したとして国際指名手配されていたガイダマックに潜伏先のモスクワで話を聞くことができた。(注16) 彼は誤解を解きたいと思っており――彼の言葉によれば――アフリカと中東に平和をもたらすための自分の活動について意見を交わすことを強く望んでいたのである（ちょうどそのころ、彼は最終的には失敗することになるイスラエルの政界への進出計画に乗り出していた）(注17)。ガイダマックは一九七二年、二〇歳のときにソ連を出て、まずイスラエルに、それからフランスに移住して、そこで通訳会社を設立し、主としてソ連の通商代表団のために働いた。「通訳はつまりは仲介者だ」と、彼は説明した。「電子工学の分野で活動している人なら、ビジネスの世界で付き合う相手は、通常、電子工学関係の人々になる。銀行家なら、銀行家と付き合うことになる……だが、通訳者、つまり仲介者の場合は、みんなと知り合いになるんだ」

ポスト・ソビエト時代初期の当時は、アンゴラの指導者たちはまだロシアを強力な庇護《ひご》者として頼りにしていたが、急速に変化していくモスクワで進むべき方向がわからなくなっていた。「私は仲介者として活動するようになった」と、ガイダマックは続けた。「ロシアは急速に変化していた。何もかも新しくなっていた。どこに行けばよいか、どうやって行けばよいか、どのように準備すればよいかを知る必要があった。私はあらゆることの、いわば手配役だった」。ガイダマックは、アンゴラがモスクワで頼りにする男になった。彼はどの法域にも属さない場所にビッグマネーがあることを知っており、その文脈で、史上最もオフショア的な言葉の一つと思われる言葉を発した。

いくつもの規制や課税や労働条件に関する法令があるいわゆる市場経済では、金儲《もう》けなんかできない。成果が得られるのは、ロシアのような国で富の再分配が行われている間——それはまだ終わっていない——だけだ。要するに、それがロシアマネーなんだ。ロシアマネーはクリーンなカネだ。ちゃんと弁明できるカネだ。今日のフランスで、どうやって五〇〇〇万ドルのカネを作ることができよう。方法があったら、説明してほしいもんだね。

ソ連崩壊後のロシアで起きた大規模な富の上方再分配を、一九世紀アメリカの泥棒男爵の時代になぞらえる人がいる。だが、両者には決定的な違いがある。一九世紀のアメリカ人は、富を隠すための巨大なオフショア・ネットワークは持っていなかった。さまざまな不正を行いはしたが、男爵たちはもっぱら国内に投資していた。また、軽率な投資家からカネを巻き上げたり、政治プロセスを堕落させたりした一方で、アメリカの産業的繁栄を築くという功績も残した。彼らが舞台を去った後のアメリカは、以前より強くなっており、やがて彼らの最もひどい行きすぎを抑制できるようになった。だが、二〇世紀末のアンゴラとロシアでは、カネはオフショアに永遠に消えてしまっただけだ。アフリカ諸国の政府は以前よりさらに弱くなっており、オフショア・システムを強化している張本人の国々からの援助にさらに依存するようになっている。略奪のために建てられたオフショアという倉庫が登場し始めたのとちょうど同じ時期に、アフリカの国々が独立を獲得したのは、まさしく「アフリカの呪縛」だった。これらの国の多くにとって、独立とは実際にはその国のエリートたちがわずらわしいルールから解放されることを意味していた。植民地主義勢力は去ったものの、搾取のメカニズムをこっそり残していったのだ。

冷戦後、アンゴラはロシアに対して約六〇億ドルの債務を抱えており、ガイダマックは一九九六年にこの債務の再編交渉に首を突っ込んだ。債務は一五億ドルに減額され、三一枚の約束手形に分割された。アンゴラはこれを、ガイダマックと彼のビジネスパートナー、ピエール・ファルコンが設立した会社で、ジュネーブのＵＢＳに口座を持つアバロン社を経由して、石油で返済することになっていた。ＵＢＳはこの取り決めに不安を感じたようで、同行の内部メモにはこう記されていた。「当事者のいずれかの代表者が新聞記事で取り上げられるようなことがあれば、たとえ後に事実無根もしくは単なる中傷と判断されるとしても、スイスの判事、とりわけジュネーブの判事は、名前を挙げられた人物にまず関心を持つだろう」(注18)。だが、この取引は進められた。

ガイダマックにとって不運なことに、二〇〇一年二月、アンゴラが約束手形の半分あまりを払い終えたとき、スイスの判事が割り込んできた。この判事は、アバロン社からの不可解なカネの流れに気づいていたのである。そのなかには、ガイダマック名義の口座への六〇〇〇万ドルを超える送金、アンゴラの高官たちの口座への何千万ドルもの送金、エリツィン時代のロシアの新興財閥への五〇〇〇万ドル近い送金などがあった(注19)。だが、ほとんどのカネは、スイス、ルクセンブルク、イスラエル、ドイツ、オランダ、それにキプロスのさまざまな口座に送金されており、ロシアの国庫にはまったくといってよいほど入っていないように見えた。ガイダマックは、ロシアの国庫にはこれらの謎めいた口座を経由して間接的に返済されていたのだと主張し、これは「われわれにとってきわめて好都合な典型的な金融取引のやり方」だと付け加えた(注20)。

オフショアの守秘性ゆえに、ガイダマックの主張が部分的にでも正しいのかどうかを確かめるのは不可能だ。はっきりしているのは、アンゴラの指導者たちがロシアの財閥やオフショアの仲介者と結託して、一部のインサイダーに莫大《ばくだい》な利益をもたらし、アンゴラやロシアの国民に対する説明責任はまったくない、オフショアを経由する奇妙な取引をでっち上げたということだ。アフリカのインサイダーたちは、このようにアンゴラの資産からではなく負債から利益を得るためにオフショアを利用していたのである。スイスのこの判事はその後昇進し、彼の後任者は二〇〇三年一〇月、アンゴラもロシアもこの取引に不満を表明していないとし、アンゴラの高官たちが持っている口座は「戦時に海外に置かれる戦略的資金」のようなものだという主張を受け入れて、約束手形の支払い差し止めを解除した。

うさんくさいアフリカのオフショアの話は、その気になればいくらでも挙げられる。ガイダマックの取引は、オフショア・システムがアフリカから流出させたもののほんの一部にすぎない。最近発表された二つの調査は、この問題の規模を物語っている。

二〇一〇年三月、ワシントンのシンクタンク、グローバル・ファイナンシャル・インテグリティ（GFI）が、アフリカからの違法な資金流出に関する調査レポートを発表した。(注21) 一九七〇年から二〇〇八年の間に「アフリカから違法に流出した資金の総額は、控えめな推定でも約八五四〇億ドルだった。違法な資金流出の総額は実際には一兆八〇〇〇億ドルにのぼるかもしれない」。その控えめな総額のうち、アンゴラが一九九三年（ガイダマックのアンゴラゲートの主な取引が始まった年）からアバロン社の債務取引が終わった翌年の二〇〇二年までの間に失ったのは、四六億八〇〇〇万ドルだったと、このレポートは推定している。(注22) アンゴラの経済と指導者たちについて何年も調べてきた私の個人的な考えでは、GFIの推定値――その期間の石油とダイヤモンドの輸出額、五一〇億ドルの九パーセント強にすぎない――は、略奪をひどく過小評価していると言わざるをえない。(注23) 何十億ドルものカネが、通常の国家予算の枠外で行われた不透明な石油担保融資を通じてオフショアに消えたわけだが、その多くがロンドンから離れた場所で運営されている二つの特別信託会社を経由していた。(注24)

GFIのショッキングな推定値は、私が先に挙げた、違法な資金流出の規模に関する数字を補完するものだ。途上国は違法な資金流出によって二〇〇六年だけで一兆ドルものカネを失った。すなわち、途上国に入ってくる海外からの援助一ドルにつき一〇ドル流出したのである。(注25)

もう一つの調査は、二〇〇八年四月にマサチューセッツ大学アマースト校が発表したもので、さまざまな方法を使って一九七〇年から二〇〇四年までのアフリカ四〇ヵ国からの資本逃避を調べている。(注26) この調査の結果もやはり強烈だ。「三五年間の実質的な資本逃避額は、四〇ヵ国全体で四二〇〇億ドル（二〇〇四年のドル価で）にのぼった。帰属利子を含めると、資本逃避の累積額は二〇〇四年末現在で約六〇七〇億ドルとなった」。だが、同時に、これらの国々の対外債務は合計で「わずか」二二七〇億ドルだった。つまり、アフリカは、その対外純資産がその債務を大きく上回っており、世界の他の地域に対する純債権者なのだと、この調査報告書の著者たちは指摘している。だが、資産と負債の間には決定的な違いがある。「アフリカ大陸の民間対外資産が狭い層の比較的裕福な人々に所有されているのに対し、公的対外債務は政府を通じて国民によって負担されるのだ」

私はアンゴラで人々が目の前で死んでいくのを見てきた。感染症のため頬が腐り、ゴルフボール大の穴があいた六歳の少女が、基本的な医療も受けられず病との戦いに敗れるのを見てきた。だから、アフリカの人々が自国の公的債務をどのような形で「負担」しているのかを、部分的にではあるがじかに知っている。貧困、戦争、手の打ちようがないほどの機会の欠如、腐敗した強欲なエリートたちによって日常的に加えられる肉体的・経済的暴力といった形で負担しているのである。GFIのディレクター、レイモンド・ベーカーは、オフショア・システムの出現を「世界の経済事象における奴隷制度以来の醜悪な出来事」と呼んだが、まったくそのとおりなのだ。(注27)

二〇〇三年二月、テキサス選出の元共和党上院議員で、スイスの投資銀行、UBSウォーバーグの副会長になったフィル・グラムが、アメリカの財務長官ジョン・スノウに書簡を送り、国際金融取引の透明性を高める案に反対する主張を展開した。「この案は経済的自由を制限し、資本逃避が世界の高税率国に与える圧力を弱めるでしょう」と。(注28)違法な資金流出はよいことだと、グラムは事実上言っていたのである。なぜなら、それは被害者に規律を教えるからだ、と。富裕な支配者（違法な流出の受益者）と普通の市民（その被害者）の間にある違いを理解している人なら誰でも、グラムの地位から彼の狙いを見抜くことができる。だが、欧米の多くのエコノミストにとって、敗者は愚かだとか、堕落しているとか、自分に対する厳しさが足りなかったのだといった、時代を超えた言いがかりに基づくこうした考え方は、信仰に近いものになっているのである。

元マッキンゼーの主任エコノミストで、一九八〇年代からこの問題を調べてきた唯一の人物と言ってもよいジェームズ・ヘンリーは、「世界の開発危機の根本原因とされているものは、エコノミストの作り話だ」と言う。「それは実際に起きたことの暴力的な面をすべて無視している」。ヘンリーの二〇〇三年の衝撃的な著書*The Blood Bankers*（『血塗られた銀行』、未邦訳）は、オフショア・バンキングのせいで次から次へと危機に陥った低所得国のいくつもの奇怪なエピソードを描き出している。銀行はまず、これらの国に生産的に使える額よりはるかに多額の資金を貸し付け、それから現地のエリートたちに、富を略奪し、隠匿し、洗浄し、こっそりオフショアへ持ち出す方法を教えた。その後、銀行がこれらの国に債務を返済するよう圧力をかけるのを、ＩＭＦ（国際通貨基金）が融資を実行しないという脅しをかけて手助けした。これらの国の資本市場は、「適切な市場安定化法や銀行規制や租税徴収機関があろうがあるまいが」、計算ずくで外国資本に対して開放されたのだ。

ヘンリーは、一九八三年にフィリピン中央銀行の「友好的な民間監査」に参加していたＭＨＴ銀行のアメリカ人行員を探し出して話を聞いた。「私は中央銀行の暑い小さな部屋で、中央銀行がわが行から受け取ったと帳簿に記載していた額を合計し、それをわが行の支払額と照合した」と、その行員は語り始めた。(注29)

すると、五〇億ドル近いカネが記載されていなかった。つまり、そのカネはフィリピンに入っていなかったのだ。われわれはちゃんと支払っていたのに、中央銀行の帳簿からは完全に抜け落ちていた。調べてみると、こうした融資のほとんどが、フィリピンのオフショア銀行や他の民間企業の口座に払い込まれていた。どうやら中央銀行がMHTにそれらの口座番号を教え、わが行はそれが中央銀行の口座かどうか一度も確かめなかったらしい。そこにそのまま送金したんだ。そして、そのカネはオフショアに消えてしまった。

フィリピンの高官たちは、この銀行員が何をしようとしているのかをはっきり察知した。翌朝、その銀行員の部屋にホテル側のサービスとして豪華な朝食が届けられた。だが、時間がなかった彼は、トーストを一口かじっただけで空港に向かった。経由地の東京に着くころには気分が悪くなっており、アメリカに向かう機中で痙攣《けいれん》を起こした。そして、バンクーバーの病院に三日間入院して、医師たちが「未知の毒素」と判断したもののダメージからようやく回復した。彼はその後、ニューヨーク連邦準備銀行と国家安全保障会議の友人に自分の発見したことをすべて報告した。「だが、彼らはどうやらそれを自分の胸にしまっておいたらしい。そのため、フィリピンはその中央銀行の借金を今なお返済し続けている」。ヘンリーは後にフィリピンに行ってその銀行員の話を確認したが、その話は本当だった。彼は政府が着服したことが証明できる少なくとも三六億ドルの海外借款《しゃっかん》の詳細を調べ、それが最終的にフェルディナンド・マルコス大統領と彼の最も親しい友人たちの懐に入っていたことを突き止めたのだ。

第三世界のあちこちでこうした事態が起きていたころ、アメリカ国内では、自国をこの増大しつつあるダーティーマネーにとってより魅力的な場所にし、ハドソンに渡されたメモにあったように、アメリカ自体を守秘法域に変貌させるために、大勢の銀行家や弁護士や会計士がロビー活動を行っていた。その間も、オフショア産業は引き続き、小さなタックスヘイブンの立法機関を乗っ取って、グローバルなダーティーマネー・システムを完成させようとしていた。三角形の三つの角――富が流出する源泉地国、その富を受け入れている、ますますオフショア化する経済先進国、その富の経由地となるオフショアのコンデュイット（導管）――がすべて積極的に関わることで、グローバルなプライベート・バンキングが史上最も儲かるビジネスの一つになったのだ。

「一九七〇年代、八〇年代に第三世界への借款が増大したことが、今では世界の最も腐敗した市民を匿《かくま》うようになっているグローバルなヘイブン・ネットワークの基礎を築いた」と、ヘンリーは説明している。彼の計算によると、最も債務の多い国々が借りたカネの少なくとも半分は、通常一年足らずで――典型的な例では数週間で――裏口からふたたび国外に出ていた。第三世界の国々の公的債務は、それらの国のエリートたちがアメリカや他のタックスヘイブンに貯《た》め込んでいた個人資産の額とほぼ一致していた。そして、一九九〇年代初めには、ヨーロッパとアメリカに隠された逃避資産は、それが生み出す所得に控えめにでも課税されていたら第三世界全体の債務を返済できるだけの額になっていた。メキシコ、アルゼンチン、ベネズエラなど、一部の国については、自国のエリートたちがオフショアに蓄えた違法な富は、その国の対外債務の数倍にのぼっていた。今日の途上国では、所得上位一パーセントの世帯が、すべての個人金融資産および不動産資産の推定七〇～九〇パーセントを所有している。ボストン・コンサルティング・グループは二〇〇三年に、中南米諸国の最も富裕な市民たちが保有している富の半分以上がオフショアに置かれていると推定した。「問題は、これらの国に資産がないことではない」と、ＦＲＢ（連邦準備制度理事会）のある高官は言う。「問題は、これらの国の資産がすべてマイアミにあることなのだ」

一九八二年、メキシコのホセ・ロペス・ポルティージョ大統領は、議会に対して、自国が直面している課題を説明する演説を行った。「金融の伝染病は、世界中でますます大きな混乱を引き起こしています。それは卑劣な者たちによって広められ、その結果は失業と貧困、企業の倒産、そして投機による蓄財です」。ポルティージョは「開闢《かいびゃく》以来われわれを搾取してきた諸帝国よりも多くの富をこの国から奪い去ってきたプライベートバンクによって指導され、助言・支援されている一群のメキシコ人」を批難した。[注30] そして、ＩＭＦの指示を無視して、銀行を国有化し、為替管理を導入することを誓った。だが、銀行とビジネス界と保守派がタッグを組んで、一〇日もしないうちに彼にその主張を撤回させた。ＩＭＦとＢＩＳは、オフショアに逃避したメキシコの富は見て見ぬふりをして、メキシコや他の債務国に「自分の始末は自分でつけろ」と命じたのだ。

エコノミストのマイケル・ハドソンは、一九八九年にボストンの資産運用会社に採用されて、途上国の国債に投資するソブリン債券ファンドを組成したときの体験を話してくれた。[注31] 当時、アルゼンチンやブラジルのドル建て国債はリスクプレミアム（上乗せ金利）が高く、四五パーセント近い利回りを生んでおり、それに対し、メキシコの国債は二五パーセントの利回りだった。オランダ領アンティルで法人化されたこのファンドは、初年度に、この種のファンドとしては世界第二位の高い運用成績をあげた。ハドソンは何が起きているかに気づいた。「最大の投資家は政府関係者だった。彼らは自国の中央銀行が高いリスクプレミアムにもかかわらず自国のドル建て債券を償還することを知っていて、このファンドに投資したんだ」と、彼は語る。最も大口の投資家のなかには、中央銀行や政府のトップの座に座っている人々がいた。「誰が中南米諸国のヤンキー債を保有しているのかを、われわれは理解した。それはオフショア口座を持つ現地の財閥たちだった。一九九〇年代初めのアルゼンチンのドル建て債務は、主としてオフショア金融センターで活動しているアルゼンチン人に対する債務だった。対外債務返済の主な受益者は、資金とともにオフショアに逃避した自国の資本家だったんだ」

これはいわゆる「ハゲタカ・ファンド」が日常的に行う手法になっている。富裕な外国人投資家が不良ソブリン債を額面一ドルにつき数セントで——一般的には九〇パーセント引きで——買い占め、それらの国債が満額償還されたとき莫大な利益を手にするのである。これを成功させる一つの秘訣《ひけつ》は、割引国債を買い占める投資家グループに現地の有力者をこっそり参加させることだ。そうすれば、彼らはその国債が満額償還されるようにするためにその途上国の政府内で奮闘するからだ。もちろん、彼らの参加はオフショアの守秘性という盾で隠されなくてはいけない。自国の富がどのように奪われているのかを、その貧困国の市民たちが決して探り出せないようにするためだ。

エコノミストたちはこの問題を完全に無視してきたわけではないが、ほぼ例外なくそれを個別の国レベルの問題に分解し、腐敗した現地のエリートのせいにしている。もちろんエリートたちの責任は大きいが、このような分析は、これらすべての事態に共通する要素、すなわちオフショアをとらえにくくする。

また、オフショアの害が考慮に入れられた数少ない例でも、それは一時しのぎの対応で事足りる単純な不都合ととらえられてきた。ＩＭＦのあるレポートは次のように述べている。「オフショア・バンキングは間違いなくアジア金融危機の要因になった。したがって、新興経済諸国が……国際的に認められたプルーデンシャル基準（最低所要自己資本比率など金融機関の健全性を確保するための基準）や監督

基準を普及させることにより経済危機を回避する手助けをするために、特別な努力が必要とされている」（注32）

ＩＭＦはここで循環論法に陥っている。オフショア・システムは、現地のエリートたちが事実上、法を無視する手助けをし、不正にいざなう新しい誘惑を生み出すことによって、これらの国々を当のオフショア・システムから守るために必要なプルーデンシャル基準や監督のチャンスを奪っているのである。これらのエリートたちが自分のカネを自国に置いておかねばならないとしたら、そこまでいかなくても少なくとも自分の富を申告し、妥当な税金を払い、適切な法律に従わねばならないとしたら、どうなるだろう。開発が進み、国が豊かになって、よい政府がなぜ自分たちの直接的な利益になるのかが、彼らにもすぐわかるようになるだろう。

この問題の最も残念な点は、それについて少しでも考えたことのある者には解決策が明白だったはずなのに、誰も考えてこなかった、ということだ。

二重非課税

こうした問題に加えて、途上国をほとんどの人が思っているよりもさらに不利な立場に置く、グローバル経済に深く組み込まれた、もっと根強い問題がある。それは二重課税という古くからの問題に関連したもので、簡単に触れておく必要がある。

たとえば、ドイツの銀行なり企業なりがタンザニアに投資するとする。その投資主体が現地で得た利益に対して、タンザニアはすんなり課税できると思っていた人がいるかもしれないが、すでに述べたように、諸国はまずアフリカの源泉地国で課税され、それからヨーロッパでふたたび課税されるのを防ぐために、互いに二重課税防止条約を結んでいる。このような条約のもとでは、タンザニアはその企業が現地で得た利益に課税しないことに、おそらく同意するだろう。そうしなければ、ドイツの企業が投資先として他国を選ぶようになるからだ。ここには明らかに力関係がある。

だが、このような条約が結ばれていても、そのドイツ企業にとって問題はまだ解決されていない。二重課税防止条約によってタンザニアの課税は逃れたかもしれないが、この企業がその非課税の利益をドイツに送還したら、まだそこで課税されるからだ。そのため、この企業はその利益を、タンザニアとの条約を含む幅広い租税条約ネットワークを持つ第三国――コンデュイットとかトリーティ（条約）ヘイブンと呼ばれている――に送金する。この条約ネットワークは、タンザニアがその所得に課税しないことを保証するとともに、トリーティヘイブンもその利益に課税せず、その利益が周到に築かれた非課税の道を通ってタンザニアからより広い世界に出ていく飛び石の役目を果たすことを保証するのである。タックスヘイブンの専門家、ソル・ピチオット教授はこう説明する。「ぴったりマークされている二人のサッカー選手がマークされていない三人目の選手にボールをパスするように、コンデュイットは税務当局のディフェンスに大きな空きスペースを作ることができる」

タックスヘイブンは、この二重課税の問題を回避し、投資の流れをスムーズにする優れたツールとして、自らを正当化している。だが、二重課税を避けて、投資がそれを必要とするところに確実に行くようにする方法は他にもあるし、これまで見てきたように、このシステムは二重非課税というひどい結果を生じさせる。(注33) この例で言うと、タンザニアもドイツも、オフショアのせいで税収を合法的に奪われているのである。

世界には二五〇〇本以上の租税条約がある。これはグローバル貿易・投資体制の、広範囲にわたるが、ほとんど認識されていない相棒だ。この分野の規則やモデルや基準は二つの国際機関が定めている。豊かな国々のクラブであるＯＥＣＤ（経済協力開発機構）と、貧しい国々がより大きな発言権を持っている国連だ。驚くには当たらないが、ＯＥＣＤのほうが優位に立っている。貧しい国々を犠牲にして豊かな国に有利なように土俵を傾けるＯＥＣＤの租税条約モデルを勝利させるために、ＯＥＣＤは精力的に活動している。また、競争相手の国連を間接的に攻撃することにも精を出している。元ジャージーのアドバイザーで、現在は透明性を高める運動を推進しているジョン・クリステンセンは、二〇〇九年にジュネーブで開かれた国連の租税に関する会議で、イギリス代表がリヒテンシュタイン代表と示し合わせて議事を妨害したときのことを振り返る。「彼は話をさえぎり続けた。それは途上国が自分たちの利益をよりよく代表できるようになることに対する全面的な攻撃だった。その会議では、国連租税委員会により多くの資源を与えることについて話し合われていたんだからね。彼はとにかくしゃべり続けた。議長が『われわれに話をさせてください』と、二度も注意しなければならなかった。出席者たちは彼に本当に怒っていた。彼がイギリスとアメリカの利益を守るために進行を邪魔していることは、われわれみんなの目に明白だった」

オフショアという注目されない領域で国際援助よりはるかに多額のカネが失われているとき、市民社会の関心が国際援助の水準に関する議論で占められていることに、これらの援助国は満足している。失われたカネの額をグローバルレベルで調べた人はいないが、二〇〇八年にコンデュイットの一つであるオランダを一八兆ドルのカネが通り過ぎたことを考えると、途上国が国際援助の流入額を大きく上回る数百億ドル、場合によっては数千億ドルの税収を失っていると想像するのは、理屈に合わないことではない。しかも、忘れてはならないのは、これが合法的なビジネスだということだ。これは先に挙げた違法な資金流出の額には含まれておらず、それに加算されるべきものだ。南アフリカの財務大臣、トレヴァー・マニュエルは、援助に関する議論の矛盾を鋭く指摘している。「開発援助の増額を支持しながら、途上国の課税基盤をむしばむ多国籍企業などの行動を見て見ぬふりをするのは矛盾である」と。

タックスヘイブンは、国際投資の流れが往々にしてきわめて奇妙に見える理由の一つになっている。二〇〇七年に中国に対する投資額で一位と二位を占めたのは、日本やアメリカや韓国ではなく、香港とイギリス領ヴァージン諸島だった。(注34) 同様に、インドに対する投資で総額の四三パーセント強を占めてトップに立ったのは、アメリカやイギリスや中国ではなく、オフショア・システムの新星、モーリシャスだった。(注35) そしてここに、もう一つの奇妙な物語がある。

フランス語を公用語の一つとしているが、モーリシャスは長年、イギリスの植民地だった国で、今日でもシティと複雑なつながりを維持している。(注36) シティ、ジャージー、マン島の助けを得て、一九八九年にオフショア・センターを設立し、今では多くの点でオフショア・センターとして理想的な場所になっている。政治的に安定しているし、教育程度が高く複数の言語を話す安価な労働力もあり、おまけにヨーロッパ、アジア、アフリカと取引するのに理想的なタイムゾーンに位置している。公式には独立国だが、イギリス連邦の一員で、最終審裁判所はロンドンの枢密院だ。

二〇〇六年から二〇〇八年までスタンダード銀行の上級オフショア専門職としてモーリシャスで働いたルドルフ・エルマーはこう語る。「ジャージーとマン島でモーリシャス用の研修を受けてから、そこに派遣された。イギリスの影響が強い国で、バークレイズやHSBCのような大手銀行が、首都ポートルイスの南部のサイバーシティに巨大な事業所や高層ビルを建てている。六年前には、こうしたビルは五棟しかなかったが、今では四〇ほどあると思う」

モーリシャスはアジアやヨーロッパやアフリカの主要経済国と四〇以上の租税条約を結んでいる。「シティの投資会社は、アフリカやアジアのプロジェクトに資金を調達するために、モーリシャスを通じて、モーリシャスと租税条約を結んでいる国々と取引する。モーリシャスは今注目の場所だ。近いうちに突出した存在になるだろう」

モーリシャスは、インドのような国への国際投資やそうした国々からの対外投資の通路になっているだけでなく、「ラウンド・トリッピング」と呼ばれる、もう一つの一般的なオフショア活動の場にもなっている。たとえば、富裕なインド人が自分のカネをモーリシャスに送ると、そのカネは守秘性の仕組みのなかで見栄えよく包装し直され、それから国際投資を装ってインドに送り返されるのだ。このカネの送り主はインドで得た収入に対するインドの課税を逃れることができ、おまけに守秘性を利用して悪《あく》辣《らつ》なことを行うこともできる。たとえば、互いに競争している多様で無関係ないくつもの企業に見えるものが、実際には同じ企業に支配されている事実を隠すことで、国内市場を独占するというようなことだ。オフショアの守秘性を利用したひそかな独占は、特定の部門では広く行き渡っており、たとえば、一部の途上国で携帯電話の料金がきわめて高い理由の一つになっている。

こうした租税条約がもたらす弊害にもかかわらず、現地のエリートたちはそれを求めてロビー活動を行う。「インドのモーリシャスとの租税条約は、純然たるトリーティ・ショッピング（租税条約を利用した国境を越えた租税回避行為）だ」と、アメリカの国際課税専門家、デイヴィッド・ローゼンブルームは言う。「インドの人々はなぜそれを容認しているのだろう。アメリカはバミューダとこうした条約を結んでいるが、これも馬鹿げている。バミューダにはそもそも税制すらないんだから。国はおかしなことをするが、その多くが政治的な動きだ。政治的な動きは合理的思考を拒否するんだよ」

第9章 オフショアの漸進的拡大
危機のルーツ

逆進課税制度

高利貸し、つまり行きすぎた高金利でカネを貸し付けることは、歴史的にいまわしい行為とされてきた。預言者エゼキエルはこれを強姦《ごうかん》、殺人、強盗とともに「忌むべきこと」の一つに挙げた。「出エジプト記」「申命記」「レビ記」はこれを禁じており、プラトンとアリストテレスはこれを不道徳で不当なこととした。ダンテの「地獄篇《へん》」では「邪悪な高利貸し」は地獄の第七圏にいるし、コーランは「高利貸しに逆戻りする者は業火《ごうか》の住人になる」と述べている。古代ギリシャで金利の規制が廃止されたとき、借金を抱えたアテネ人は最終的に奴隷として売られるはめになった。高利貸しは殺人や強盗とは異なり相対悪にすぎないと主張することもできるが、規制が廃止された市場では、貧しい弱者は必ず最も多く払わされる。年率四〇〇パーセントを超える金利をとられることも珍しくないのである。(注1)

アメリカは従来、貸出金利を厳しく規制していた。だが、一九七八年、ネブラスカ州のファースト・ナショナル・バンク・オブ・オマハが州外のミネソタ州居住者を自行のバンカメリカード・プランに加入させるようになったとき、新しい時代が始まった。当時、ネブラスカ州が銀行に認めていた上限金利は年率一八パーセントだったが、ミネソタ州の上限金利は一二パーセントだった。ファースト・ナショナル・バンクがわが州の上限より高い金利を課すのは何としても阻止したいと、ミネソタ州の司法長官は考えた。ネブラスカ州の銀行はミネソタ州の居住者に一八パーセントの金利を「輸出」できるのか。これが争われた裁判で、連邦最高裁判所は「できる」と裁定し、ウォール街がそれに注目した。一つの州が金利の上限を廃止したら、銀行はそれをアメリカ全土に輸出できるのだ。一九八〇年三月、サウスダコタ州が、高利貸しを禁じる上限金利規定を完全に廃止する法律を可決成立させた。この法律こそ、ネイサン・ヘイワードによれば「大筋はシティバンクが書いた」このドラマの主役だった。この法律のおかげで、アメリカの銀行にとって新しい機会が開けていた。サウスダコタ州の法人になることで、銀行はアメリカ全土で、上限金利規定に縛られることなくクレジットカード事業を展開できるようになったのだ。それからデラウェア州が登場した。同州の一九八一年金融センター開発法は、一〇人ないし一五人の有力者が寄り集まって成立させたもので、彼らの多くが友人や同僚たちとともに、このきわめて重要な法律から莫大《ばくだい》な富を引き出してきた。

当時のデラウェア州知事、ピエール・S・〝ピート〟・デュポンの首席補佐官だった白髪まじりの愛想のいい弁護士、デイヴィッド・スウェイジは、この法律が制定されたいきさつを次のように語り始める。「シティバンクが（サウスダコタ州で）やったことの意味が、他のマネーセンター銀行にわからないはずがなかった。彼らもやりたかったが、サウスダコタには行きたくなかった。あそこは寒いからね」。デュポンのまたいとこで、当時州政府の閣僚の一人だったヘイワードが話を続ける。「ピートが就任したとき、この州の財政状態はひどいものだった。何年も赤字が続いていて、その赤字をごまかしや予算のカラクリで隠していた」。一九七六年にデュポンが知事に選ばれてから、州の財政状態は改善しており、彼の再選は確実視されていた。「われわれは有頂天になってはいなかったが、かなりいい気分にはなり始めていた」と、ヘイワードは語る。

一九八〇年六月初旬、チェース・ナショナル銀行の一行が、デラウェア州の商業中心地ウィルミントンの老舗高級レストラン、ユニバーシティ・アンド・ホイスト・クラブにやってきた。(注2)州の高官たちに会うためだった。仲介役を務めたのは、かつてチェースにいたデラウェア銀行幹部のヘンリー・ベックラーで、彼はすでにチェースを説得して、一部の海外事業をデラウェアから運営する気にさせていた。「ヘンリー・ベックラーの息子と私の息子は同じ学校に通っていた」と、デュポンは語る。「このような法律をまとめようと思ったら、銀行の話を聞かないわけにはいかない。彼はとても重要だった。この法律にどのようなことを盛り込む必要があるかを、彼がチェースの連中に聞いてくれたんだ」

デュポンは前マサチューセッツ州知事のミット・ロムニーにどことなく似ており、ロムニーをもっと高齢にして、ハンサム度を落としたらこうなるのでは、と思わせる容貌《ようぼう》をしている。一世紀以上にわたってデラウェアの政治を支配してきた一族の出身だが、その社会的地位を考えると驚くほど消極的なプレイヤーだったようだ。この件についての記憶もあまりはっきりしておらず、どうやら細かいことが苦手な人間らしい。何があったのか詳しく教えてくださいと頼んだのに、漠然とした話に終始して、結局、「あれはよかった。非常によかった」といった類いの言葉で終わったことが三、四度あった。ある種の法人が鉄壁の守秘性を提供するのをデラウェアが許していることについて異議を申し立てても、具体的な反論はせず、「そうは思わない。すべてとてもうまくいっている」と言っただけだった。だが、彼はこの法律制定プロセスの一つの重要な要素を、確かに的確に指摘した。大勢に逆らわないという、小さな町のグループシンクである。「デラウェアのいいところの一つは、ここが小さな州だということだ。みんなが同じ考えを持ってるんだ」

六月の会合の目的は「われわれに力を貸してくれていたデラウェアの銀行家諸氏の友人であるニューヨークの銀行家の意見を聞くことだった」と、ヘイワードは振り返る。「彼らは『貴州が市場レートでの融資を許可してくださるなら大変ありがたい』と言っていた」。チェース側は、一九八〇年一一月に予定されていた知事選挙の前に、数週間で一気に法律が作られることを望んでいた。それは時間的にかなり厳しい案だった。だが、その後の展開は驚異的だった。複数の取材相手も、一九八一年の『ニューヨーク・タイムズ』紙の調査[注3]も、またデュポンの公式の伝記もこれを裏づけているが、それは小さなオフショア法域のエリートたちの能力、自分たちに有利なコンセンサスを築き、維持する能力の証しとも言うべき展開だった。

民主党員の有力弁護士フランク・ビオンディ[注4]とデュポンの法律顧問チャック・ウェルチが私に会いにきたと、ヘイワードは振り返る。「そして、こう言ったんだ。この件について話すロッカー・ルームが小さすぎる。万一この話が外に漏れたりしたら、民主党の知事候補になっている州南部の農民、ビル・ゴーディがたちまち飛びついて、上下両院の民主党議員たちがこれを選挙戦の争点にするだろう。そうなったら、われわれは鎧《よろい》をつける前に負けてしまう」。デュポンは人気があったので、共和党はこの州の選挙についてはさほど心配していなかった。だが、この話が外に漏れたら、他の共和党候補者、とりわけ大統領候補のロナルド・レーガンの選挙戦に影響が出るのではないかと危惧していたのである。

「ゴーディはこの話全体の隠れた立役者の一人だった」と、ヘイワードは話を続ける。「彼は善良な養豚業者だ。フランク（ビオンディ）とチャック・ウェルチはウェルミントンからヘリコプターに乗って彼に会いに行き、こう話した。『ビル、われわれがやろうとしていることを聞いてもらいたい。そして、協力してもらえないだろうか。この件については口をつぐんで、選挙の争点にしないでほしいんだ』」。

ありがたいことに、ビル・ゴーディは『承知した』と言ってくれた」。デラウェア州の民主党陣営全体がこぞって沈黙することにしたようだ。しかも、それは彼らだけではなかった。「『ニュースジャーナル』紙を調べてみればわかるが、この選挙戦のシーズン中、新聞はこの件に一言も触れなかった」とヘイワードは言う。(注5) この計画はデラウェア州のビジネス界と政界のトップ・エリートたちの間に知れ渡った。そのなかには、高利貸しを一般消費者に対する脅威とみなしていたポピュリスト（人民主義者）の議員も数人含まれていた。「その夏の間、デラウェアには大手銀行の関係者が続々とやってきた」と、もう一人の立役者グレン・ケントンは言い、シティコープのCEO（最高経営責任者）、ウォルター・リストン、チェースの頭取、トム・ラブレックなどの名前をスラスラ挙げる。「でも、それに気づいた者はいなかった。驚くべきことだよ」

それでも、この稀《まれ》にみる秘密サークルのなかにおいてさえ、抵抗は出てきた。「最大の抵抗勢力は地元の銀行だった。もちろん表立っての抵抗ではなかったが」と、スウェイジは語る。「特権の上にあぐらをかいていた彼らは、大手銀行に大差をつけられるのではないかと恐れたんだ」。ウォール街が圧力をかけ始めた。六月のウィルミントン・クラブでの会合で、チェースはデラウェアをあきらめてサウスダコタにすると脅しをかけて、デラウェアの関係者に活を入れた。(注6)「地元銀行は抵抗をやめてこう言ったよ」と、デュポンが続きを語る。「『われわれが（この制度を作るために）協力したら、みなさんは、つまり政府は、われわれを見捨てるようなことはなさらないでしょうね？』とね」。デュポンは、チェースのプランを検討する非公式のタスクフォースを立ち上げることに同意し、九月までに回答するとチェースに約束した。

最終的に、ウォール街とデラウェアの地元銀行は妥協点を見いだした。地元銀行を守るために、州外の銀行がデラウェアでリテールビジネスを行うことを禁止する条項を盛り込むことを、ウォール街が約束したのである。八月半ばには地元銀行もこの計画に参加しており、タスクフォースは法案作成作業に取りかかった。この件を民主的手続きから切り離すために、通常の法律制定手順の枠外で特別議会が招集された。『デラウェア・ロイヤー』誌によれば、この特別議会の目的は、「通常の議会でよくある『駆け引き』によってこの法律の制定が妨げられないようにするため」だった。

もっと大きな州なら、経済活動を規制する法律は、道徳的・政治的・経済的問題が絡まり合った複雑な問題ととらえただろうが、デラウェアはオフショアのレンズを通してしか問題をとらえていなかった。地元住民をカネ持ちにするために主権の一部を売り渡してもかまわないと思っていたのである。

チェースがサウスダコタではなくデラウェアを選んだのは、一つにはシティコープの後塵《こうじん》を拝するのを嫌ったからだった。「チェースは、『シティコープと同じところに行くつもりはない』と言っていた」と、ケントンは振り返る。「だが、シティコープのほうは、『サウスダコタに行ったのは、どこかに行く必要があったからにすぎない。デラウェアが門戸を開くのなら、うちも必ずデラウェアに行く』と言っていたよ」

ウォール街の関心が高まるなかで、ビオンディはいくらかコネのあったJPモルガンに話を持っていくことを提案した。JPモルガンはクレジットカードを発行していなかったが、デラウェア側は他のビジネスもできるのではないかと期待したのである。「われわれはモルガンを訪ねて聞いてみた。『必要なものは何か』とね」と、ケントンは語る。「すると、彼らはこう言った。『ここではいやになるほど税金を取られている。だから税金の低い環境が必要だ』」。そこで、デラウェアはオフショアの最高傑作を用意した。逆進課税制度、つまりカネ持ちになればなるほど税率が低くなる制度である。デラウェアは銀行営業税を二〇〇〇万ドル未満の所得に対しては約八パーセント、二〇〇〇万〜二五〇〇万ドルに対しては約六パーセントとだんだん下げていき、莫大な所得があれば、わずか一・七パーセントの税金ですませられるようにした。スウェイジによれば、その目的は「一つには地元の銀行業界を競争の脅威から守ること、もう一つにはデラウェア州外の銀行持ち株会社が新設する銀行をデラウェアに誘致し、そのビジネスを成長させること」だった。(注7) 巨大銀行から取り損ねることになる税金については、アメリカのよその州の納税者が肩代わりしてくれるだろう、というわけだ。

ビオンディの会社、モーリス・ニコルス・アーシュト・アンド・タンネルは、チェースの代理人もJPモルガンの代理人も務めた。ビオンディ自身も彼の会社も、この件で自身が果たした役割について何の忌憚《きたん》もなく語る。「チェース・マンハッタン銀行とJPモルガン銀行は、モーリス・ニコルスのフランク・ビオンディを雇ってこの法律の草案を作成させるとともに、これを採択するよう州議会に働きかけた」と、同社の社史は述べている。(注8) ビオンディ自身も、「州議会にロビー工作をしたかって？ そりゃ決まっているじゃないか、そうしたよ」と言う。つまり、チェースとJPモルガンは、地元の代理人を使って事実上自分たちで法律を書き上げたのだ。『ニューヨーク・タイムズ』紙が後に報じたところによれば、草案はデラウェア州の高官による書面での分析を抜きにして作成され、ビオンディの草案がそのまま他の銀行の代理人による予備審査にかけられた。(注9) 当事者全員に自分の立場を明らかにしていたのだから、利益相反はまったくなかったと、ビオンディは言う。

一九八〇年一一月四日、デュポンがデラウェア州知事に再選され、その二ヵ月後の一月一四日に法案が一般に公開された。州政府は銀行側が要求している期限を議会に伝えた。「二月四日までに可決してもらいたい。でなければ、この取引はご破算にする」とのことだった。[注10]法案は二月三日にすんなり可決され、その二週間後、デュポンの署名によってデラウェア金融センター開発法が成立した。デラウェアはクレジットカード、消費者ローン、自動車ローンなどの上限金利を廃止することになった。銀行は、クレジットカードの債務を返済できなくなった人々の住宅を差し押さえる権利を持つようになった。事業所をオフショアに設立できるようになり、おまけに逆進的な税制度の恩恵を受けられるようになった。そして、決定的に重要な点として、デラウェア州の法律を他の州に輸出することが可能であるため、これがアメリカ全土に広げられることになった。二〇〇〇年にわたって続いてきたアメリカの金利の上限を定める法律は、今や死文化したのである。[注11]

この法案が可決されてから一週間もしないうちにロナルド・レーガンがアメリカ大統領に就任したのだが、そのタイミングにもかかわらず、取材したすべての人が、これはデラウェア州とニューヨークの銀行だけで決めたことであり、ワシントンは関係ないと断言した。デュポンの伝記作者は、「議員たちは、金融センター開発法が州の権力機構のほぼ全員に――また、自分の将来の選挙に大いに役立つと思われる勢力に――歓迎されていることにすぐに気づいた」と記している。[注12]

州外の銀行がデラウェアにどっと押し寄せ、クレジットカード産業が急成長した。数ヵ月もしないうちに、クレジットカード大手のMBNAがスーパーマーケットの空き店舗に最初のオフィスを開いた。一〇年後には同社のクレジットカードの債務残高は八〇〇億ドルを超えていた。「あらゆるクレジットカード会社の領収書や書類を運ぶヘリコプターが、毎晩ここから飛び立った」と、デュポンは語る。「この法律はデラウェアに二五年にわたる経済成長をもたらし、歳入は毎年増加した」。一九八〇年以前は、デラウェアの銀行営業税収入は年間三〇〇万ドルにすぎなかったが、二〇〇七年には一億七五〇〇

万ドルに増えていたのである。(注13)

法案可決から二ヵ月後、『ニューヨーク・タイムズ』紙は、「銀行やその支援者にとって、この法律は熟慮のうえで作成された近代的で包括的なものだ」としたうえで、次のように書いた。

一部の州高官、議員、およびデラウェア州内外の消費者保護活動家にとっては、この法律はデラウェア州議会を乱暴に通過したもので、偏っており、ある批判者の言葉を借りるなら、銀行家の「夢」である。

銀行家に言わせれば、デラウェア州のプランが他州でも法制化できることは、州間の健全な競争の証しであり、州の権利を重視する現在の考え方の反映である。だが、彼らを批判する側に言わせれば、これは強大な力を持つ民間企業が、最も弱く最も御しやすい州を選んで利用することによって全米に影響を及ぼす法律を制定できるということを示している。(注14)

この記事は他の問題点も指摘している。「多くの議員が、六一ページの法案を読まないうちに支持を表明し、この複雑な法案を理解しないうちに採決したと語っている」。民主党が多数を占める州議会上院で院内幹事を務めていたハリス・B・マクダウェルは、ぎりぎりになって話を聞いたと言う。「白状するが、私には金融分野の知識はまったくない。この法案には困り果てたよ」。彼が賛成票を投じたのは、この法律ができれば雇用が創出されると言われたからだった。他の議員の話では、この法案に関する公聴会はたった一度、三時間開かれただけで、しかも、多くの議員が出席できないような時間帯に、反論を抑えるようなやり方で進められたという。デラウェア州の消費者問題省は、可決されるまでこの法案を一度も見たことはなかった。この意図的な排除をケントンはこう弁明する。自分もデュポンも、「銀行は欲しいだけの手数料を請求するべきだという『偏見』を持っていた。この基本原則に賛同しない人にそれを説明することに意味があるとは思えなかった」

このパターンは世界中のオフショアの議員に広く見られるものになる。銀行はデラウェアに御しやすい議会を見つけ、特別な立法手続きを使って厄介な反対者と他の利害関係者を切り離し、反対者に知られないようあらゆる努力を払った。すべてうまくいくと議員たちをだまして安心させ、アウトサイダーに地元住民には与えられない特別免税を与える仕組みを築いた。最も重要な点は、このすべてを可能にした典型的なオフショアの特質だった。「何しろ小さいから、地域の指導者たちをすぐに集めることができる。知事だけでなく、議会のリーダーにもビジネス界のリーダーにも簡単に会うことができた」と、ビオンディは語る。デュポンもまったく同じことを言う。「彼らによく言ったものだ。何か問題があったら、いつでも来なさい、とね。その問題がどんなものであれ、このテーブルのまわりに問題解決に必要な人たちを全員集めることができる。それから相談しようじゃないか。われわれは少人数だから、迅速に動ける。仕事を片づけることができる」(注15)。スウェイジも同じ考えで、こう付け加えた。「ニューヨーク州議会にはこれに反対するかなりの勢力があった。デラウェアは小回りのきかないニューヨークとの違いをうまく生かしたんだ。われわれは少人数だ。チャンスを生かして、その空白を埋めることができる」。つまり、銀行が必要とするものをどこよりも早く提供できるということだ。デラウェアの州議会は「いつでも雇える」ものだったのだ。

デラウェアが陥落すると、銀行はこれを梃《てこ》にして他の州の門戸をこじ開けにかかった。ペンシルベニア銀行協会のトーマス・シュライヴァーは、「ペンシルベニア州議会がわれわれの提案している法律を可決しなければ、デラウェアがきわめて可能性の高い選択肢になる」と脅しをかけた。メリーランド州消費者保護局のロバート・アーウィン局長は、他の州がデラウェアからの「圧力」に屈したら、「五〇州が互いに相手を出し抜こうとして自滅するロシアン・ルーレットになるだろう」と警鐘を鳴らした。

金利の上限が廃止され、クレジットカード産業が急成長し、アメリカ人はどんどん消費するようになった。グローバル金融危機が浮上した二〇〇七年半ばには、アメリカの消費者のクレジットカード債務残高は一兆ドル近くに達していた。(注16)それに加えて、クレジットカードの支払いをするために住宅を担保にして借りたカネもあった。それなのに、本書のために取材した関係者はみな、金融センター開発法がすばらしいものだということをかけらも疑っていないようだった。

尊敬を集めているリベラル派の弁護士トーマス・ゲーガンは、この出来事の重要性を次のように指摘している。「このたびの金融崩壊は技術的なミスによるものだったと――たとえばデリバティブ（金融派生商品）とかヘッジファンドとかを規制できなかったせいだと――まだ考えている人がいる」

そうではない。この「混乱の時代」を招いた規制緩和は、もっと根深い、もっと邪悪な性質のものだった。問題はわれわれが「ニューディールの規制を緩和した」ことではなく、もっと古い、古代からあると言ってもよい法律、高利貸しを禁止する法律を緩和したことにあった。このような法律はバビロニア帝国の時代からジミー・カーター政権が終わるまで、どの文明にも何らかの形で存在していた。あまりにも当たり前のものとみなされていたので、ロースクールで教えられたことさえなかったものだ。このたびの危機で、先進工業国の経済が金利に上限を設けずに活動しようとするとどういうことになるかを、われわれは思い知らされたのだ。(注17)

これは少し言いすぎだろう。先ごろの金融危機は一つの理由だけで説明しきれるものではないからだ。それでも、ゲーガンが重要な要因を指摘しているのは確かである。金利の上限廃止はさまざまな金融分野に広がった。イングランド銀行のポール・タッカーが、危機の後とあって広く参照されている金融安定化に関する二〇一〇年の論文で述べていることは、そうした分野の一つに対する影響をよく示している。(注18) 彼が取り上げたのは、危機の根底にあった影の銀行システムの主要プレイヤー、いわゆるマネー・マーケット・ミューチュアル・ファンド（市場金利連動型投資信託）——これについては後ほど説明する——である。

過去数年の歴史をまとめたほとんどの記述で、マネー・ファンドはかなり重要な役割を与えられるだろう。銀行が預金に対して支払う金利の上限はとうの昔に廃止されたが、マネー・ファンドはこの金利規制への対応策としてアメリカで生まれたものだ。今ではアメリカの金融システムの巨大な一部となっている。総額約三兆ドルで、商業銀行の当座預金とほぼ同じ規模である。

これらのファンドは、銀行に対する短期資金の主な貸し手となり、銀行が本当の財務状態を隠す手助けをし、金融システムをさらに脆弱《ぜいじゃく》にした。際限のない借金をあおり、危機を招いたクレジットカード債務、マネー・マーケット・ファンド、それに他の数々の金融商品——金利の上限廃止は計り知れない影響を及ぼしたのだ。

有限パートナーシップ法

債務に関する規制緩和と債務の供給増大に一役買ったデラウェア州は、需要サイドの分け前の獲得にも乗り出した。証券化産業、すなわち住宅ローン、クレジットカード、自動車ローンなどの債権をひとまとめにし、パッケージし直して販売するビジネスの主要プレイヤーになったのだ。デラウェアは今度もまた、企業が望むとおりの法的枠組みを整えることによって、これを成し遂げた。

一九八一年のデラウェア金融センター開発法自体が、「金融子会社」に対してあらゆる州税を免除する条項を含んでいた。こうした会社は銀行のような働きをするが、正式には銀行ではないため、銀行規制の対象外となる。ストラクチャード・インベストメント・ビークル（SIV）やその同類とともに、これらの会社は二〇〇七年から世界を金融危機に引きずり込んだグローバルな影の銀行システムの中核をなしている。この種の会社はアメリカでとくに活発に活動しているが、なかでもデラウェアは突出している。一九八三年には、国際銀行業務開発法によって、デラウェアは国際銀行業務という新しいオフショア・ゲームに参入した。この法律が制定されると、チェースをはじめとする数行の銀行が、それまで海外で行っていたオフショア活動をただちにデラウェアに移転させた。

ビオンディはその後制定された他のいくつかの法律について、また自分がそこで果たした役割について話してくれた。「それらの法案は、私がここにいる部下たちと一緒に書いたんだ」。一九八三年の法律をベースに作られた一九八六年の海外開発法は、デラウェアの逆進的な銀行営業税を外国の銀行も利用できるようにするためのものだった。一九八七年の新しい税法は、証券取引に乗り出したいと思っていた銀行を引き寄せた。「それもうちの社員と私が書いたものだ。われわれは、モルガン、チェース、シティコープ、バンク・オブ・ニューヨーク、バンカーズ・トラストの代理人だった」とビオンディは説明する。彼のチームは一九八九年の銀行および信託会社保険業務権限法も起草したが、これは銀行に保険商品の販売や引き受けを許可するものだった。(注19) 一九八八年の法定信託法は、法定信託を設定する人々に大きな柔軟性と「債権者からの信託資産の保護」を提供するもので、この法律によってデラウェア州はいわゆるバランスシート型CDO（債務担保証券）の組成でトップの法域となった。バランスシート型CDOは、銀行がその資産を他の投資家に譲渡できるようにするもので、これも金融危機を引き起こした重要な要因の一つだった。(注20) 二〇〇〇年一月の新しい法律は、有限責任パートナーシップ（LLP）を認めるもので、企業のガバナンスの劣化を大きく促進したのだが、この件については後ほど詳しく説明する。証券化の蛇口をさらに開けた二〇〇二年の資産担保証券促進法もあった。これらのすべての法律が、デラウェアが、ある専門家の言う「証券化に最適の法域」(注21) になるのに一役買ったのだ。

デラウェアは、グローバル銀行業務を、貯蓄を生産的な投資に送り込むという伝統的な業務から、もっと投機的でリスクの高い手数料ベースのビジネスに変貌させるうえでも中心的な役割を果たしてきた。「デラウェアは金融サービス産業が手数料ベースの活動に急速に移行していることに気づいた。そして、その移行に合わせた法律や規制の枠組みを提供した」とスウェイジは語る。(注22)

ここで重要な点を述べておきたい。私はこの話が住宅ローン・金融危機の原因についての衝撃的な新事実を明らかにするものだと主張するつもりはない。これはグローバルな惨事の多くの錯綜《さくそう》した原因の一つにすぎなかった。私の意図は、タックスヘイブン、すなわちよそから来た金融ビジネスに乗っ取られた州や国の姿を明らかにすることにある。次の話は、大西洋を挟んでデラウェアから何千マイルも離れたジャージーが舞台になるが、デラウェアの物語とほぼ完全に呼応している。

一九九五年六月、ジャージーの金融サービス庁長官がムラン・デュ・フ&ジュンヌの幹部と会合した。ムラン・デュ・フ&ジュンヌは、オフショアで最も積極的に活動している一〇社ほどの法律事務所、いわゆるオフショア・マジック・サークルの一つである。この会合で話し合われたのは、有限責任パートナーシップと呼ばれる法人形態のことだった。その後、ムラン・デュ・フ&ジュンヌから金融経済委員会会長に宛てた一九九五年一〇月九日付の手紙が、ジャージーの政界で回覧された。

「当事務所は、プライス・ウォーターハウス（PW）のイギリスのパートナーシップやイギリスの法律事務所スローター・アンド・メイとともに、PWのビジネスを根底から再編することなく、またパートナーシップの文化的利点を失うことなく、パートナーの個人資産に対する有限責任による保護を取得する方法を見つけようとしてきました」と、この手紙は述べていた。そして、いくつかの法域を検討した結果、ジャージーが最適であると判断したとして、こう続けていた。「そこで、一九九六年中にジャージーにおいて特殊有限責任パートナーシップ法を制定していただけるよう、貴委員会のご支援をたまわりたく、お願い申し上げる次第です」。要するに、これらの法律事務所はジャージーの新しい法律を作りたがっていたのであり、その法律の草案はすでにロンドンで作成されていたのである。

この手紙は、ジャージーで大きな権限を持つ金融経済委員会に一二月までにこの法律について検討し、翌年の一月か二月にジャージーの議会で審議される運びにしてもらいたいと要請していた。さらに、「特殊有限責任パートナーシップ法に関連して必要となる他のいかなる法律についても、われわれが草案を作成させていただくことを、あわせて提案させていただきます」と述べていた。そして、「これがきわめて短いタイムスケールであることは認識しております」としたうえで、ジャージーのPR会社サンドウィックスとPWのメディアチームが支援することを提案し、「メディアに正しいメッセージを送ることは、PWにとって、また私の考えではジャージーの金融業界にとっても、大変重要になるでしょう」と記していた。

プライス・ウォーターハウス（現・プライス・ウォーターハウス・クーパース〈PwC〉）、アーンスト・アンド・ヤング、KPMG、デロイト・トウシュの四大会計事務所は巨大組織である。なかでもPwCは、二〇〇八年の従業員数一四万六〇〇〇人以上、売上高二八〇億ドルで、世界最大の専門サービス会社となっている。会計監査人はグローバル経済のなかで特別な位置を占めてもいる。彼らの監査を通じて、社会は世界の巨大企業のことを知り、そうした企業を規制することができる。彼らは、いわば資本主義の民間警察なのだ。(注23) エンロン、ワールドコムなど、ほとんどの大規模な企業スキャンダルの背景には、監査の失敗があった。先ごろの金融危機の背後にあった企業破綻のほとんどについてもそうだ。ずさんな監査はコーポレート・キャピタリズム（法人資本主義）全般に、また個々の市民に極度の危険をもたらすがゆえに、政府はこの職業をとくに厳しく規制しようとする。

一九世紀半ば以来、有限責任は企業統治の核心にある包括的取り決めの一部になってきた。有限責任会社が破産した場合、会社の所有者と株主は投資した資金は失うだろうが、彼らの損失（責任）はそれに限られる。その会社が抱えている他の債務に対しては、彼らは責任を問われないのである。このコンセプトは導入時に論議を呼んだが――説明責任の基準をなし崩しにするのではないかと危惧されたのだ――保護があることで安心して投資できるので、経済活動が活性化されるとして法制化された。だが、それには但《ただ》し書きがついていた。有限責任の恩典を得る代わりに、法人はその会計を適切な監査にかけ、その監査結果を公表し、その活動が外から見えるように真実かつ公正な窓を開くことに同意しなければならないとされたのだ。それはリスクを制御するための早期警戒システムだった。

ジェネラル・パートナーシップ（無限責任組合）、すなわち一般的なパートナーシップは有限責任会社とは大きく異なる。パートナーシップに出資する人々は、自分のしていることをわきまえているはずの経験豊富な専門家であり、無限の責任を負う。経営が傾いたときは、すべての損失に対して個人的に支払義務を負い、理屈の上では、債権者に背中からシャツをはぎ取られても文句は言えないのである。彼らは損失を社会に押しつける権利を放棄しているので、それほど厳しい情報開示義務は負わされない。だが、連帯責任を負わされ、自分自身の過失だけでなく、パートナーシップ内の他の人々の過失についても賠償責任を負うことになる。[注24] こうした事情から、監査人は自分の仕事をきちんと遂行することに——さらには同僚の仕事を監視することにも——関心を集中することになる。

無限責任会社であるスイスのウェゲリン・プライベート・バンクの経営パートナー、コンラート・フムラーは、このようなルールによって活動することがどういうことかを、次のように説明する。[注25]

（連帯）無限責任を持つパートナーたちの間には連帯意識がある。グループ内のダイナミズムがまったく違う。多くの取締役会では——取締役会は私もかなり経験しているが——出席者は正しい質問をしない。これ（無限責任）だけが本当に聞きにくい質問——たいていとても単純な質問——をあえてぶつけてビジネスをする方法だ。たとえば、私が「すみません、議長、この問題がまだ理解できないのですが」と発言するとしよう。議長は「あなたは配布された資料をきちんと読んでおられないようだ」と言う。そう言われても私は引き下がったりしない。もう一度「議長、やっぱり私にはこいつがどうしてもわからないのです」と発言する。これがその違いだ。無限責任があるので、しっかり考えるわけだ。

監査法人のパートナーの連帯無限責任は、現代の資本主義を監視するという特殊な役目を考えると、明らかにきわめて優れた方法だ。

だが、ジャージーで提案されていたものは、それとも違っていた。有限責任パートナーシップを認める法律だったのだ。会計法人の有限責任パートナーシップは、両方のいいとこ取りの見本のようなものだ。LLPのパートナーはパートナーシップの特典――より少ない情報開示、より低い税金、より弱い規制――だけでなく、有限責任という保護も得ることができる。パートナーの一人が規則を破ったりずさんな仕事をしたりしても、それに関与していない他のパートナーたちは、その結果に対して何の責任も問われないのである。この法律は、エセックス大学のプレム・シッカ教授に言わせれば監査法人の究極の目的のために、すなわち「国を利用して自分たちの失敗の結果がわが身に振りかからないようにする」ために生み出されたものだ。当事者たちにとっては最高だろうが、社会の他のメンバーにとっては最悪だ。

ジャージーLLP法の草案はさらにひどかった。この草案によれば、LLPは自身の会計報告について監査を受ける必要はなく、請求書やレターヘッドにジャージーで登記されている法人であることを明示する必要さえなかった。監査法人を規制したり、不正を調査したりするための規定はなく、しかも他の利害関係者――すなわち公衆――には何の権利も与えていなかった。公衆からこうしたビックリするほど寛大な譲歩を得るために、これらの数十億ドル規模のグローバル法人は、一回限りの手数料を一万ポンド払い、それ以降は毎年五〇〇〇ポンド払うだけでよいことになっていた。

デラウェアの上限金利の自由化と同じく、ジャージーのこの法案もロナルド・レーガンとマーガレット・サッチャーが関わった思想革命の遅ればせにあらわれた反応だった。競争市場にはしっかりした規制が必要だという考えから市場主体による自主規制を無邪気に信じる姿勢への転換だったのだ。大手会計法人はすでにアメリカではLLPの身分を獲得していた。一九九一年にまずテキサス州議会に働きかけてLLP法を成立させ、それから四年足らずで半数近くの州がLLPを認めるようになっていたのである。有限責任条項は「法律や会計を専門とする法人から自己統制の最も強い動機を奪った。それが、この国に吹き荒れた企業不祥事の嵐の原因の一つだった」と租税問題の専門家、デイヴィッド・ケイ・ジョンストンは指摘している。(注26) LLPが導入されたら、個々の監査案件に充てられる時間が短くなり、質が低下するということは、アメリカを見ればすでに明らかだった。このような事例で決定的な原因を特定するのは不可能に近いが、エンロンやワールドコムの破綻《はたん》、それにエンロンの監査法人だったアーサー・アンダーセンLLPの崩壊で、こうした特権が重要な要因になったのは間違いない。

イギリスでは、BCCI事件やポリー・ペック事件など、注目を集めた何件もの監査の失敗の後、監査法人はすでに政府から主だった特権を引き出しており、一九八九年には有限責任会社になる権利を獲得していた。(注27) だが、有限責任会社に転換した監査法人はほとんどなかった。会計報告を公開する義務を負いたくなかったからだ。一九九〇年に貴族院が、監査法人は監査の失敗のために損害を受けた個人ステークホルダー（利害関係者）に対して「注意義務」を負わないという裁定を下したことで、事態はさらに悪くなった。

それでも、イギリスはLLP法の導入に抵抗していたのであり、少なくともこの件では正しいことをしていた。ジャージーのLLP事件を調べたシッカはこう説明する。「イギリスは……世界に対して

『ロンドンは信用してもらっていい』と言いたかったのだ。監査法人を訴えることが不可能になれば、クリーンな印象を与えにくくなる」。だが、会計士たちには別の考えがあった。「イギリスが陥落したら、ヨーロッパの他の国々もそれに倣うだろうし、旧イギリス植民地も収まるべきところに収まるだろうという計算があったはずだ。彼らは『イギリスが動けば、他もすべて落とせる』と考えてたんだ」

会計士たちの戦略は単純だった。オフショアの操りやすい議会を見つけて、そこでLLPの特権を獲得し、それからイギリスがLLP法を作らなければ、あちらに移転すると脅しをかけるのだ。彼らは最初はマン島に、次にガーンジーに話を持ちかけたが、拒否された。それからジャージーに近づいた。ジャージーの元老議員スチュワート・サイブレットの言葉を借りると、ジャージーには（デラウェアのように）「いつでも雇える議会」があったのだ。

最初の手紙から一ヵ月後、プライス・ウォーターハウスとアーンスト・アンド・ヤングはジャージーLLP法の草案を知らせてきた。内部関係者によれば、ジャージー政界の長老たちは、法案は「すんなり可決」されるだろうと両社に請け合っていた。だが、みんなが満足していたわけではなかった。ジャージーで法案起草を担当する上級職員は、この新しい法律は「完成したクロスワードパズルをもらって、ヒントを書けと言われている」ようなものだと不満を訴えた。サイブレットは初めて法案を見たときのことをこう振り返る。「会計について何も知らなかったのに、突然それがわれわれの机の上に置かれ、二週間後にそれを審議しなければならなくなったんだ」。彼は、うさんくさいと思った他の数少ない議員の一人、ゲイリー・マシューズと一緒に、LLP法について勉強し始めた。マシューズがイギリスの下院議員オースティン・ミッチェルに連絡し、ミッチェルがさらにシッカに連絡した。彼らが新しい法律が意味するところを理解したとき、マシューズはズバリと言った。「この法律は毒だ」と。

シッカは、マシューズとサイブレットが大急ぎで知識を身につけようとして、彼に初めて連絡してきたときのことをこう語る。「ゲイリー・マシューズは、『彼らはこれを早急に可決させようとしているが、自分には一言も理解できない。他の議員にも聞いてみたが、彼らもやっぱりわかっていない』と言った。あそこで休暇を過ごしたことはあったが、あの奇妙な小さな島に興味を持ったことはなかった。ゲイリー・マシューズからあの宿命的な電話を受けるまではね。調べれば調べるほど、あそこは腐敗していると思われた」

マシューズとサイブレットは、何かに反対するのがきわめて難しい政治構造の島で、十分な資力を持ち、強い動機もある支配者層に立ち向かった。ジャージーには政党はない。議会の五三人のメンバーは直接選挙で選出されるが、三つのグループに分かれている。一二人の元老議員、二九人の代議員、一二人の教区長である。グループによって選挙の時期がずれているため、総選挙は存在せず、政権交代もない。政府と野党の対決という伝統がなく、恒久的な体制が中身を入れ替えながら続いていく。そのため支配者層のコンセンサスに反対する勢力はきわめて弱くなる。保守主義の思想家エドマンド・バークは、「悪人たちが協力するとき、善人は結束しなければならない。さもなければ、卑劣な戦いのなかで一人また一人と同情されない犠牲者になるだろう」と書いている。政党がなければ、善意の男女は孤立し、次々に狙い撃ちされるのだ。

「ここでは民主主義は機能していない」と、ジャージー議会の数少ない反対派代議員の一人、ジェフ・サザンは言う。「議会には五三人のメンバーがいるが、立ち上がって『私たちに投票してください。そうすれば、私たちのグループはこれをやります』と言える者はいない。代わりに、『私はよい人間です。だから私に投票してください』と言うだけだ。マニフェストは綿菓子のように空疎なものだ」。ジャージーの政治は人柄で決まるのであり、争点などない。共通の基盤がないため、議員たちは公益を反映した共通の課題を掲げるよりも自分自身の利益を考える傾向がある。「過去二〇〇年にわたり、支配層は、政党政治は悪《あ》しきもので、不和を生じさせ、害をもたらすという考えを育んできた」と、サザンは語る。「メディアはその考えを広めている。調査すればわかるが、住民の三分の二が政党政治は望ましくないと答えるだろう。プロパガンダが蔓延《まんえん》している。ここのメディアはソ連時代のロシアのメディアと同じなんだ」

投票率も民主主義の欠如を物語っている。二〇〇五年一一月の選挙の投票率は三三パーセントで、世界ランキングで見ると一七三ヵ国中一六五位だ。スーダンよりわずかにましだが、一九四五年以後のヨーロッパ諸国の平均値、七七パーセントにはるかに及ばない。貧しい有権者にとってはとくに、小さな障害が山ほどある。サザンによれば、人口の一〇パーセント近くを占めるポルトガル系の労働者層のなかには、自分に投票権があることすら知らない人が大勢いる。また、有権者は三年に一度選挙人登録をしなければならないのだが、サザンの選挙区の名簿にはすでに亡くなっている人の名前が記載されていたことがあるという。

教区長は教会の教区制度から生まれた職位だが、その性質上もともと保守的で、経験もなく、採決のたびに支配層に同調する。彼らの多くは小規模商店主、農民、ゲストハウス経営者、配管工などだが、重要ポストに就いて金融分野に進出することもできる。ジャージーが銀行規制のグローバル・スタンダードを採用するかどうかを決めるとなると、彼らは責任ある判断を下すことはできない。『ウォール・ストリート・ジャーナル』紙は、当時この点について次のように記した。「ジャージーは二〇年前までボートの建造、タラ漁、農業、観光で生計を立てていた島だ。この地を取り仕切っているのは主として小規模自営業者と農民のグループで、彼らがジャージーの社会的・政治的エリート層を形成している。こうした人々が、今、何十億ドルものカネを動かすグローバル産業を監督する立場にいるのである」。記事は続いて、当時ジャージーの経済顧問だったジョン・クリステンセンの意見を紹介している。「全般的に見て彼らは完全に力量不足だ(注28)」

クリステンセンの記憶では、議会のメンバーの大多数が国際金融の複雑な動向をまったく理解していない田舎町の政治家だった。彼らは何もわからないままただ法案を可決したのである。「金融経済委員会の政治家たちと話をしたとき、私はこれから提出される法案について何度も繰り返し説明した」と、クリステンセンは語る。「すると、彼らはこう言ったんだ。『正直に言うと、私には細かいことはわからない。でも、弁護士や銀行家が必要だって言ってるんだから、それを信じるよ』」。デラウェアの議員たちが一九八〇～八一年に言っていたことと驚くほどよく似ている。イギリスの小さな町の二、三の教区、もしくはアメリカの小さな郡に広大なグローバル金融センターが付け加えられたようなものだ。「彼らは地元のポニー・クラブの予算については延々と論議できる」と、クリステンセンは言う。「だが、新しいLLP法や新しい信託法は何の異論もなくすんなり可決される。まさに乗っ取られた国だよ」

サイブレットは、この島の最も有力な政治家の一人で、LLP法の主な推進者であるレグ・ジュンヌ元老議員が、この話を最初に持ち込んだ法律事務所、ムラン・デュ・フ＆ジュンヌの顧問も務めており、したがってLLP法を推進することが直接彼の金銭的利益につながることにも気づいた。『『なんてこった。厚かましいにもほどがある』と思ったよ」と、サイブレットは言う。「議会が始まったとき、私は立ち上がって、ジュンヌには利益相反がある、金銭的利害関係がある、と発言した。ジュンヌはまるで銃で撃たれたかのように見えた。よろめきながら議場を出て行ったよ(注29)」。サイブレットはジャージーの支配層から謝罪するよう激しく迫られた。それを拒否すると、ふたたび迫られたが、ふたたび拒否した。別の有力政治家が、前言を撤回しなければ「深刻な事態」になると脅しをかけ、さらに「残念だね、君にはたくさんしてもらうことがあったのに」と付け加えた。その政治家は「あった」というところを強調したので、サイブレットは脅迫と受け止めた。だが、彼は自説を曲げなかった。「そんなたわごとをまともに受け取るつもりはなかっただけだ」と彼は言う。彼は議会への出席停止処分を受け、彼の不在中の審議で彼とマシューズは「内部の敵」と呼ばれた。シッカはというと、彼は「国家の敵」と呼ばれた。

元老議員ジョン・ロスウェルは、マシューズの懸念に対し、ジャージーの支配層の倫理に対する取り組み方を持ち出してこう答えた。「この島は、控えめだがきちんとしているというイメージをとてもうまく打ち出してきた。だが、議会で政府の倫理に関する発言を聞いて、金融業界の人々は議員たちのものの考え方にかなりいら立っているだろう」(注30)。PRアドバイザーという仕事をしているロスウェルは、自分の話していることの意味をはっきり理解していた。LLP法に反対すれば、金融サービス業界はジャージーを頼りにならないと判断し、マネーはよそへ行ってしまうということだった。

マシューズとサイブレットの頑強な抵抗は、法案の迅速な可決を遅らせたものの、食い止めることはできず、LLP法は一一月についに可決された。その年の選挙では、資金力のある候補者が「波風を立てるな」と書いた横断幕を掲げてマシューズに対抗し、彼を公然と批難した。マシューズは議席を失い、その後職に就くこともできなかった。彼は島を出てイギリスに行き、彼の結婚生活は破綻した。シッカの言葉を借りると「彼らはあの男をズタズタにした」のである。

表面上は、ジャージーはイギリスにとてもよく似ており、この島の支配者たちは、ここはしっかり規制された、透明性の高い、協力的な法域だといつも言っている。だが、実態はまったく違う。支配層全体が基本的にグローバル金融の虜《とりこ》になっており、反対する者に対しては必ず脅迫したり恫喝《どうかつ》をかけたりするのである。後の章で、ジャージーのような場所がどれほど抑圧的になりうるかを示すことにする。

ジャージーでLLP法が可決されると、会計法人は次にロンドンで戦線を開いた。イギリスがLLP法を制定しなければわれわれはジャージーに移転すると、公然と脅しをかけたのだ。シッカはそれを阻止するために戦った。「私は政治家たちに『これを認めてはいけない。彼らは脅して譲歩を引き出そうとしているのだから』と忠告した」と、シッカは語る。彼は『タイムズ』紙に寄稿して、このような法律がいかに有害かを説明し、ジャージーに移転するという脅しは明らかにはったりだと主張した。大手会計事務所は、ロンドンのオフィスを閉鎖してクライアントやスタッフを切り捨て、あらためて契約交渉をしてジャージーで営業し始めるようなことは決してしない、と。「監査法人に責任の上限を認めたら、食品、飲料、医薬品、自動車にも同じものを認めないわけにはいかなくなる。そのいずれをとっても消費者にとって望ましいことではない」

『フィナンシャル・タイムズ』紙も会計法人の本当の狙いを見抜いて、彼らは「『オフショア』に移転するという脅しを、（イギリス）政府に有効なLLP法を作らせるための手段にとどめておきたいと思っている」と書いた。だが、会計士たちはイギリスの金融関係のマスコミの大部分を味方につけ、シッカを批判し、イギリス政府は「アンチビジネス」だという、あのいつもの批難をさかんに持ち出した。このキャンペーンは功を奏した。イギリスは二〇〇一年にLLP法を可決し、会計法人はこの国にとどまった。アーンスト・アンド・ヤングのあるパートナーは、「これはアーンスト・アンド・ヤングとプライス・ウォーターハウスがジャージー政府とともに成し遂げた仕事だ」と、誇らしげに語っている。「まず、イギリスの閣僚たちの考えを一つにまとめ上げた……われわれとプライス・ウォーターハウスがジャージー移転をちらつかせて法案を政府の議題に押し込んだのは間違いない」(注31)。シッカが言うように、「ジャージーという小魚が目的達成に役立った。イギリスというサバが釣り上げられたのだから」

イギリスのLLP法はジャージーのそれほどひどくはなかった。たとえば、もっと情報開示が義務づけられていたが、これはシッカのキャンペーンのおかげだったかもしれない。それでも、会計監査において監査人が十分な注意を払う動機は大幅に薄められていた。アーンスト・アンド・ヤングは二〇〇一年にLLPになり、KPMGは二〇〇二年五月、プライス・ウォーターハウス・クーパースは二〇〇三年一月、デロイト・トウシュは同年八月にLLPに転換した。弁護士、建築設計士など、多くの専門職事務所がこれに続き、パートナーシップに与えられる税法上のメリットと限定的な情報開示という特権を享受しながら、有限責任という特権も獲得した。

カナダは一九九八年にLLP制度を導入し、それに続いてニュージーランド、オーストラリア、南アフリカ、シンガポール、日本、インドなど、多くの国がLLPを採用した。こうした変化は先ごろの金融危機の要因になっただけだった。自分自身やパートナーが監査に失敗したら、監査人が個人的に大変な事態に陥るリスクを背負わされていたら、彼らはあれほどの簿外金融取引をあれほど軽々しく承認するようなことはしなかっただろう。

ジャージーとデラウェアの出来事は、一五年という時の隔たりと大西洋という空間的隔たりがあり、まったく異なる人物や法律が関わっていたにもかかわらず、驚くほどよく似ている。ここにはグローバル金融をめぐる深い真実が作用している。ジャージー・ファイナンス社のテクニカル・ディレクター、ロバート・カークビーは、デラウェアの内部関係者が誇らしげに語っていたことをそのままなぞるかのようにこう語る。「誰かが新しいことを思いついても、オンショアでは規制のために実行できない。……オンショアでロビー活動をしてもよいが、その場合、利害関係者が多く、その全員を説得しなければならないので時間がかかる。だが、ジャージーではこうしたことを短時間ですいすい進めることができる。われわれは何年も前に最先端に来ている。イギリス、フランス、ドイツなどよりはるかに迅速に会社法や規制を変えることができる」。二〇〇九年三月、無謀な規制緩和が大きな要因となった金融危機のさなかにあって、カークビーはあえてジャージーの新しい無規制ファンドや証券化ビジネスへの特化を賞賛してみせた。住宅ローン債権や他の債権を集めて証券としてパッケージし直し、投資家に売りつける証券化ビジネスこそがあのような騒動を引き起こしたのだが、カークビーは「基準を導入すればいい。そうすれば規制は軽くできる」と言う。

私は、原則的には規制緩和に異存はない。ただし、それは、影響を受ける国内外のすべての利害関係者のニーズを考慮した、誠実な――誠実であることが肝要――民主的交渉によるものでなければならない。だが、ジャージーやデラウェアに見られるのは、ごく少数の内部関係者や大企業の利益にのみ役立つ荒々しい野放しの規制緩和だ。かつてヨーロッパの貴族たちは、周辺の農民をより強く従属させ、より多く年貢を搾り取るために、自分の城に説明責任を負わない権力を集中させていた。それと同じように、金融資本は説明責任を負わない政治的・経済的権力が集まるこれらの防備を固めた金融センターに集まって、現地の政治を乗っ取り、これらの法域を、外部の干渉を寄せつけず、支配層のコンセンサスと異論の抑圧によって守られた、迅速かつ柔軟な私設の法制定マシンに変えてきたのである。

オフショアは単なる場所ではない。それは概念であり、物事のやり方であり、さらには金融産業の武器なのだ。それは底辺への競争のプロセスでもある。金融の要塞《ようさい》と化した法域で生まれた仕組みが別の法域に飛び火し、オフショア・システムが徐々に、より広く、より深くオンショアに浸透していくにつれて、規制や法や民主主義の諸制度が徐々に劣化していくプロセスだ。タックスヘイブンは規制緩和の破城槌《はじようつい》になっているのである。

守秘法域

ほとんどの人がオフショアのこうした深刻な実態をまだ理解していないが、それは互いに関連する二つの混乱のためだ。一つは、税率や守秘性の形態など、専門的な基準を使って守秘法域を定義しようとすることから来る混乱である。だが、こうした基準はもっと深い実態の結果にすぎない。オフショアの地図を作るのなら、何よりもまず、これらの金融権力の本拠地を特定する必要がある。私のおおまかな定義――守秘法域とは「個人や法人がよその法域の規則や法律や規制を回避するのに役立つ政治的に安定した道具立てを提供することによって、ビジネスを誘致しようとする場所」である――のような定義は、そうした本拠地を見つけるのに役立つ。二つ目の混乱は、守秘法域とは実際には政治的な支配区域のことであり信頼に支えられたネットワークのことであるのに、地理的な区域だと思ってしまうことから生まれる。オフショア・システムが約束する未来は、明らかに中世的な特質を備えている。形の上ではまだ民主的な国民国家によって運営されている世界で、オフショア・システムは、説明責任を負わない、往々にして犯罪を行っているエリートたちに奉仕するギルド（同業者組合）のネットワークのようなものなのだ。

ジャージーとデラウェアは、オフショアの倫理に異議申し立てをしなければどのような事態になるかという、より大規模な経済圏にとっての反面教師ととらえるべきだ。

デラウェアの物語は、オフショアが先般の金融危機にどのような役割を果たしたのかを部分的に明らかにする。また、ジャージーの例は、危機が迫っていることになぜ誰も気づかなかったのかを説明する一助になる。さらに二、三の例を挙げて、その図をもう少し具体化していこう。

先ごろのグローバル経済・金融危機の根底にあった大きな要因の一つは債務である。世界で最も豊かな国々になぜこれほど多額の債務が積み上がっているのだろう。「債務は資本主義のダーティー・リトル・シークレット」と題された二〇〇九年六月の『フィナンシャル・タイムズ』紙の記事は、一つの答えを示している。「経済成長の恩恵は富豪の懐に入り、大多数の人には及ばなかった。では、なぜ革命が起きていないのか。解決策があるからだ。債務である。稼げないなら借りればよいということだ」。これを実現するためのインフラも整備された。タックスヘイブンはその大きな一部を構成している。

オフショアに由来する債務に関連したシステミックな脅威については、すでに一九九〇年代から専門家がときおり警鐘を鳴らしていた。一九九九年にはＩＭＦ（国際通貨基金）が、銀行同士が相互に貸し借りするインターバンク市場について論じるなかで、この問題を真正面から指摘した。「デリバティブ商品のＯＴＣ取引（相対取引）の成長は、その大部分にオフショア銀行が関与していたと思われる」としたうえで、(注32)ＩＭＦは次のように述べていた。「オフショア市場はインターバンク的な性質を持つため、金融危機が発生した場合、伝染する可能性が高い……オフショア銀行はおそらく負債比率が高く、オンショア銀行より支払い能力が低い」。この報告書は、この線に沿った指摘を他にもたくさん含んでおり、とりわけオフショアの緩い規制について懸念を表明している。これは危機が発生するはるか前に発せられた直接的な警戒警報だった。

この報告書は、ヘッジファンド、ロングターム・キャピタル・マネジメント（LTCM）の崩壊からまもない時期に発表された。あちこちに分散されていたこの典型的なオフショア法人は、偏執的と言えるほどの秘密主義でリスクを隠していたが、巨大なリスクをとったあげく、一九九八年にアメリカの金融システムを崩壊寸前にまで追い込んだ。LTCMの経営陣はコネチカット州グリニッジにいたが、このヘッジファンドが設立された場所はデラウェアで、それが運用していたファンドはケイマン諸島に置かれていた。それなのに、LTCM崩壊後の苦悩に満ちた分析には、オフショアという観点にまともに関心を寄せたものは一つもなかった。(注33) このパターンはその後もずっと繰り返されている。

先ごろの金融危機は、いわゆる影の銀行システムを温床としていた。影の銀行システムは、借り入れた金を貸して利益を得るあらゆるタイプの特別目的事業体（SPE、影の銀行）を含む広大な経済セクターで、通常の銀行規制の対象にはなっていない。それは一つには、SPEが、出資者である規制対象の金融機関から法的には完全に切り離されているからだ。そのため、その金融機関のバランスシート（貸借対照表）に載せる必要がないのである。影の銀行システムは、従来はオフショアのものともオンショアのものともされていなかった。だが、国際決済銀行（BIS）が二〇〇八年に行ったSPEに関する詳細な調査は、危険な影の銀行が実際はどこにあるのかをはっきり示している。「アメリカの証券化ビジネスが最もよく使っている法域は、ケイマン諸島とデラウェア州である。……ヨーロッパの証券化ビジネスが最もよく使っているSPE法域は、アイルランド、ルクセンブルク、ジャージー、イギリスである」と、BISは述べている。(注34) いずれも重要な守秘法域であり、単純なビジネスモデルを使っている場所だ。つまり、金融機関に何が必要かを尋ね、それからそれに従って民主的な議論抜きで法律を作っているのである。

ＢＩＳの調査報告書はケイマンをオフショアとし、デラウェアをオンショアとしている。[注35] 守秘法域は現在の大混乱にはまったく関係がないという広く行き渡っている主張は、まさにこの誤解――物理的な地理区分と政治的な地理区分の混同――によるものだ。ＢＩＳは、他のあらゆる主要国際金融機関とともに、オフショアとは何であり、どのように機能しているのかを理解する必要がある。

金融危機に果たしたオフショアの役割を真剣に検証した数少ない研究者の一人が、ダブリンのトリニティ・カレッジの金融論シニア・レクチャラー（上級講師）、ジム・スチュワートだ。彼は二〇〇八年七月の研究報告書[注36]で、ダブリン国際金融サービスセンター（ＩＦＳＣ）について考察している。ＩＦＳＣは、アイルランドの腐敗した政治家チャールズ・ホーヒーの政権下で、主としてシティの大手金融機関の支援を受けて一九八七年に設立された守秘法域だ。高リスクの荒々しい金融資本主義の見本のようなダブリンＩＦＳＣは、ロンドンの大規模な規制緩和、ビッグバンの一年後に誕生し、現在は世界のトップ五〇に数えられる金融機関の半数以上がここに進出している。影の銀行システムの重要なプレイヤーとなり、今では八〇〇〇のファンドを受け入れており、これらのファンドの資産を合計すると一兆五〇〇〇億ドルにのぼる。ダブリンのあらゆる魅力のなかで最も強力なのは、その「ライトタッチの（軽い）規制」だと、スチュワートは述べている。[注37]

二〇〇七年六月、ケイマン諸島に登記されていたベア・スターンズの二つのヘッジファンドが巨額の損失を発表し、ベア・スターンズの破綻の前兆となった。ベア・スターンズは二つの投資ファンドと六つの債務証券をアイルランド証券取引所に上場しており、持ち株会社ベア・スターンズ・アイルランドを通じてダブリンＩＦＳＣで三つの子会社を経営していた。この持ち株会社は、自己資本一ドル当たり一一九ドルの総資産を調達していたのだから、きわめて高い危険な比率の資本構成だった。ベア・スターンズ・アイルランドの運用報告書は、同社はアイルランド金融サービス規制局の監督下にあったと述べており、EU（欧州連合）指令もホスト国に規制監督責任があると定めている。だが、取材をしてみると、アイルランドの規制当局のトップは、自分たちの権限は「アイルランドの銀行」にしか及ばないと考えていると言った。つまり、ベア・スターンズ・アイルランドは事実上どこの規制も受けていなかったのであり、この会社の破綻についてのメディアの分析で、アイルランドの規制当局に触れていたものはまったくなかった。スチュワートは調査報告書のなかで、この危機で窮地に陥っている一九のファンドを挙げ、「ほぼ例外なく、IFSCとの関連は取り沙汰されていない」と指摘している。

苦境に陥ったドイツのいくつかの銀行も、ダブリンでファンドを上場していた。七八億ユーロの公的支援を受けたIKB（ドイツ産業銀行）、一七八億ユーロの緊急融資と二八億ユーロの公的支援を受けたザクセンなどだ。「だが、調査対象となったいずれの年度の運用報告書でも目論見書でも、規制にもアイルランドの規制当局にも触れられていなかった」と、スチュワートは記している。「アイルランドの側はというと、規制当局は、サブプライム（低所得者向け）融資をベースとするファンドへの募集や投資を主たる業務とする法人に対しては、われわれは責任を負っていないと主張していると言われてきた」。この出来事に関する『フィナンシャル・タイムズ』紙の分析は、ドイツの銀行制度の仕組みにほぼ一〇〇パーセント責任があるとしていた。

スチュワートによると、アイルランドでは、適切な書類を午後三時までに規制当局に提出すれば、ファンドは翌日認可される。だが、上場された証券の目論見書は複雑な法律・金融文書であり、たとえばザクセン銀行が発行した債務証券の目論見書は二四五ページもの長さだった。規制当局の担当者が、午後三時から通常の終業時間までの二時間でそれを審査できたはずがない。スチュワートによれば、ルクセンブルクの新しい法律は、ファンドマネジャーが設立から一ヵ月以内に規制当局に「通知」すれば、ファンドは仮承認を受けられると定めている。ここもやはり乗っ取られた国だ。

二〇一〇年四月、アメリカ証券取引委員会（SEC）は、アバカス2007－AC1と呼ばれるCDOについて投資家を故意に欺いたとして、ゴールドマン・サックスを詐欺容疑で訴追した。ゴールドマンは容疑を肯定も否定もしないまま、五億五〇〇〇万ドル払って和解することに同意した。この取引の仕組みは注目に値する。

発行者：Abacus 2007-AC1, Ltd. ケイマン諸島で設立された有限責任会社
共同発行者：Abacus 2007-AC1, Inc. デラウェア州の法律に基づいて設立された法人(注38)

主流のメディア組織でただ一つ、この取引のオフショア的性格について調査したマクラッチーは、ゴールドマン・サックスがケイマン諸島で七年間に一四八回もこうした取引を行っていたことを暴き出した。実際、ウォール街のあらゆる大手プレイヤーが、ケイマン諸島をこのビジネスのために使っていたのである。これらの取引は「クレジット・デフォルト・スワップ（CDS）と呼ばれる保険に似た非標準型デリバティブ取引の連鎖の要になっていた。CDSは、大手金融機関がケイマンの不透明な規制システムの陰に隠れて、バランスシートに載せずに、ますます大きなリスクをとることを可能にし、それによってグローバル経済危機を悪化させた」と、『マクラッチー』紙は報じた。(注39)

大手プレイヤーにとって魅力的だったのは、ケイマン諸島の不透明さよりも——それももちろん魅力的だったが——むしろ「柔軟性」だった。タックスヘイブンの支持者が、タックスヘイブンはグローバル市場の「効率性」を高めると主張するとき、彼らが言わんとしているのはこのことだ。この効率性の核をなすのがこれらの法域の柔軟性であり、それは実際には、これまで見てきたように、これらの法域が金融資本によって政治的に乗っ取られているということなのだ。

二〇〇三年までスイスの銀行のケイマン支店で上級会計士を務めていたルドルフ・エルマーは、これをさらに詳しく説明してくれた。ケイマン諸島の監督は格別緩かったと、彼は言う。「正しい規制の枠組みがある場合でも、銀行や企業の会計監査には頭脳集団が必要だ。だが、オフショアの世界には概してそれがない。ケイマン諸島では高リスクの案件が大量に動いていたが、CIMA（ケイマン諸島金融庁）の若手の監査官がそれを処理していた」

エルマーのいた支店の仕事の一つは、安価な短期資金を借り入れて、その資金をよりリターンの高い長期資産に投資することだった。これは税金のかからない資金を作る手軽な方法だが、危険でもあった。短期融資を数日ごとに借り換えなくてはいけないからだ。これは好景気のときは簡単だが、二〇〇七年のように貸し付けが干上がったら、それでも返済はしなければならないのに、それに代わる新しい融資は突如としてどこからも得られなくなり、またたく間に債務不履行に陥る恐れがある。二〇〇七年にイギリスの銀行ノーザン・ロックが破綻したのはまさにこのためだった。それなのに、ケイマンの規制当局はこうしたいわゆる満期ミスマッチに関して極端なまでの放任主義をとっていたと、エルマーは言う。「この短期と長期の問題は、規制の観点から言うと、イギリスやスイスではわれわれはそんなことはできなかっただろう。ケイマン諸島金融庁はそれに気づくべきだった」

エルマーはＣＩＭＡの監査を二度受けた。最初の監査では、現地のＣＥＯと一緒に一時間ほど当局の役人と話をした。「ＣＩＭＡの監査官が『これは以前のものと同じですか』と尋ね、ＣＥＯが『はい、同じです』と答えた。すると、監査官は『では、問題ありません』と言った。彼はうちのＣＥＯをよく知っていて、このＣＥＯが彼にウソはつかないことを知っていた。人間関係が重要だったんだ」と、エルマーは語る。二回目の監査はもっと大がかりになり、一週間ほど続いた。「この種の仕事には経験が必要だ。若い監査官が二人やってきて長々とした報告書を作ったが、ほとんど中身のない報告書だった。この二度の監査から言えるのは、規制という観点からは、決して十分なものではなかったということだ」。だが、それ以上の対策はとられなかった。「(われわれの) グループにとって、ケイマンやＢＶＩ(イギリス領ヴァージン諸島) の法人を使うことはきわめて重要だった。その理由は税制、規制、法律上の利点の三つに集約される。ずいぶん自由が利くんだよ」と、エルマーは言う。

この行きすぎた自由が、守秘法域を高リスクの新しい金融商品の温床にし、世界の主要経済国の危機を招く大きな原因になったのだ。

世界の国々における債務の増大には、他にもオフショアに関連した要因があった。ここでは最も重要なものをいくつか簡単に紹介するだけにとどめよう。

ＩＭＦは二〇〇九年に発表した報告書で、タックスヘイブンがオンショアの税制の歪《ゆが》みとあいまって、企業を株式による資金調達ではなく借り入れに向かわせることによって、グローバルな債務膨張にいかに拍車をかけたかを詳細に説明した。借金に頼るやり方は、「浸透しており、概して大規模で、金融の安定性に及ぼす影響を考えると正当化しがたい」と、報告書は述べている。二〇〇八年と二〇〇九年に

G20（主要二〇ヵ国）の首脳たちがタックスヘイブンについてあれこれ発言していたころ、IMFは、この危険な側面はこれまでまったく見過ごされていたと断定した。(注40) IMFが描き出した基本原理は単純だ。企業はオフショアから借金し、その借金の利息をオフショアの金融機関に返済する。そうすることで移転価格操作という昔ながらのトリックを使うことになる。つまり、利益は税金のかからないオフショアに、コスト（支払利息）は課税所得から控除できるオンショアに振り分けるのだ。このトリックはプライベート・エクイティ投資会社のビジネスモデルの中心になっている。彼らは他人が汗水垂らして何年もかけて築いた会社を買収し、それからその会社に債務を負わせて、税額を減らし、リターンを大きくするのである。

買収先企業の資産などを担保に借金して企業を買収するレバレッジド・バイアウト――必ずオフショアからの借金をともなっている――は、危機の前から急増していた。プライベート・エクイティ投資会社が集めた額は二〇〇七年には二〇〇三年の六倍以上の三〇〇〇億ドル強に膨らんでおり、そのころにはアメリカのM&A（合併・買収）活動に占める彼らのシェアは三〇パーセントに上昇していた。いくつもの報告書が、プライベート・エクイティ投資会社の卓越した「価値創造」を賞賛している。プライベート・エクイティ投資会社は実質的な価値を生み出すことも確かにあるが、彼らのビジネスモデルの核となる特徴は、価値の創造ではなく、価値をかすめ取ることだ。税額が大幅に削減され、その企業の株価、すなわち価値が上昇し、経営陣の報酬が膨れ上がり、富が納税者から富裕な経営者や株主に移行する。このプロセスのどこにおいても、誰一人、よりよい製品やより安価な製品を生み出してはいない。それどころか、金融システムに余分な債務が注入されるのだ。多くの優良企業が、オフショアの債務を背負わされた結果、倒産したが、『ニューヨーク・タイムズ』紙は二〇〇九年にこれを「『フリップ・ジス・ハウス』のウォール街バージョン」(『フリップ・ジス・ハウス』は、リフォームによって住宅の価値をいかに高めるかを見せるテレビ番組)と評した。その年に債務不履行に陥った企業の半数以上が、プライベート・エクイティ投資会社が以前所有していたか、そのとき所有している企業だった。(注41)

中小企業では、多くのイノベーションが行われている。ここで言うイノベーションは、より優れた、より安価な商品やサービスを生み出す有益なイノベーションであり、単に富を上に、リスクを下に移すシティ流のイノベーションではない。だが、オフショア・システムは、こうした有益なイノベーションをもろに妨げる。

オフショア・システムは、多国籍企業が税金を減らし、より速く成長する手助けをすることによって、革新的な中小企業が立ち向かうのを難しくする。また、小さな革新的企業が生まれてきても、そうした企業をより大規模な、より多角化した企業に統合することで生まれる「シナジー」から「価値を引き出そう」とする略奪者の標的にされる。シナジーには規模の経済性のように有効なものもあるが、多くの場合、略奪者はただ単に不正で非生産的なオフショアの税制上の特典をよりうまく利用することによってのみ価値を引き出す。まだそうした悪習に手を染めていない真に革新的な小企業を見つけ出して収奪することで、莫大な利益を手にする者もいる。

こうした収奪によって、小回りが利いて競争力のある革新的な企業は市場から追い出されて大企業の硬直した組織に組み込まれ、競争が抑制されて、おそらくは価格が上昇する。債務が増大し、普通の人々はより多くの税金を徴収されるか、でなければ、彼らの利用する学校や病院がボロボロになる。しかも、略奪者は、利益をオフショアに置きっぱなしにすれば、その利益に対する税金の支払いを無期限に繰り延べることができる。税金の繰り延べは、すでに述べたように、事実上、政府からの返済期限のない無利子の融資である。要するに、債務がさらに増えるわけだ。

この多国籍企業が銀行だったらどうなるかを考えてみよう。移転価格操作で急成長する多国籍企業のように、銀行もオフショアに進出して急成長してきたが、それをとくに巧みに行ってきた。タックスヘイブンを利用して税金を逃れ、準備金規定や他の金融規制を回避し、借り入れを増やすのだ。イングランド銀行の資料(注42)によると、一九八六年から二〇〇六年の間の銀行の自己資本利益率は年率一六パーセントという驚異的な数字だった。オフショアが促進したこうした急成長により、銀行は今やわれわれ全員を人質にできるほど巨大になっている。納税者が銀行の望むものを与えなければ、金融大混乱が発生するのである。この大きすぎてつぶせないという問題は、オフショアのせいだ。だが、オフショアの責任はまだこれで終わりではない。

次に挙げる点については少し説明が必要だ。先ごろの危機は規制緩和だけによるものでなく、グローバルなマクロ経済的不均衡も一因になったと、多くの論者が主張している。中国、インド、ロシア、サウジアラビアのような巨額の貿易黒字を出している国々からアメリカやイギリスのような貿易赤字国に大量の資金が流入し、これが赤字国の過剰消費や借金につながったと言うのである。だが、グローバル・ファイナンシャル・インテグリティ（ＧＦＩ）の推計によると、年間一兆ドルもの不正な資金が途上国から流出している。これもやはり大部分は中国、ロシア、サウジアラビアのような発展途上の大国からイギリスやアメリカのようなＯＥＣＤ（経済協力開発機構）の大国に流入している。反対方向への不正な資金フローははるかに小さいので、正味で言うと、毎年何千億ドルもの不正な資金が豊かな国と守秘法域に流れ込んでいることになる。(注43)記録されず、ほとんど気づかれることもないこの不正な資金フローを合わせると、不均衡はさらに大きくなる。

こうした不正な資金の流れが何をともなうのかを見てみよう。リインボイシング（移転価格操作）と呼ばれる方法を例にとると、ロンドンの貿易会社がモスクワの輸出業者から一億ドル相当の石油を買うとする。輸出業者はロンドンの輸入業者に一億二〇〇〇万ドルを請求し、このうち二〇〇〇万ドルは輸出業者のロンドンの口座にひそかに入れてくれと依頼する。ロシアの貿易統計では、実際には一億ドル分の石油しか流出していないのに、一億二〇〇〇万ドル分が流出したと記録される。消えた二〇〇〇万ドルは貿易統計を作成している専門家にはまったく見えないが、それはロシアからイギリスへの紛れもない不正な資金フローであり、具体的な影響を及ぼす。その二〇〇〇万ドルを、たとえばロンドンの住宅に投資すれば、ロシアの輸出業者は税金のかからない家賃収入を得ることができるのだ。この不正な資金フローは生産性の向上にはまったく貢献せず、それどころかイギリスの住宅市場を歪め、銀行が住宅ローン事業から得る利益を増大させる。イギリスの住宅価格は上昇し、初めて住宅を購入しようとする人は、住み替える人とは違って、購入が難しくなる。住宅バブルはさらに膨らみ、経済のなかの債務が増えていく。

それだけではない。二〇〇九年五月、イングランド銀行のアンドリュー・ホールデンは、金融危機に関する画期的な論文のサマリーで次のように記した。「統一的なテーマがあるとすれば、それは情報の失敗だ。これは情報の失敗から生まれ、情報の失敗のせいで長引いている危機なのだ」(注44)。二〇〇七年に金融市場が行き詰まったのは、市場の他のプレイヤーが何をしているか、彼らにどれだけの価値があるか、彼らのリスクがどれくらいの規模で、どこにあるのかを、誰も知らなかったからだ。もしくは、そうした情報を誰も信頼しなかったからだ。そして、不透明性を生み出すことにかけては、オフショア・システムほど強力なものはないのである。

守秘法域はだましを専門としている。それこそが守秘法域のやっていることだ。守秘性や他の法域との協力をしぶる姿勢とともに、守秘法域は法人、とくに金融関係の法人に、規制当局をだますために、通常はオフショアとオンショアが入り混じったいくつもの法域に業務を分散させるインセンティブを際限なく提供する。ＩＭＦが例によって礼儀正しく堅苦しい控えめな言い方で指摘しているように、オフショア・システムは「金融の監督を妨げる恐れのある……金融取引の複雑さと不透明さの増大」を促進した。把握不可能なオフショアでの処理の痕跡は切り刻まれて世界各地に散らばっており、そのため貸し手と借り手の間の距離が拡大して、ついには銀行が自分たちの最終的な顧客が誰なのかを把握できないほどになった。二〇〇三年にロイヤル・バンク・オブ・スコットランドが、マンチェスター在住のモンティー・スレーターなる者に利用限度額一万ポンドのゴールド・クレジットカードを勧めたのも不思議ではない。モンティー・スレーターはじつはシーズー犬だった。

ジョン・メイナード・ケインズは、誰よりも巧みにこの問題をまとめてくれている。「所有と経営の距離が離れていることは人間同士の関係では悪であり、長期的にはおそらく、もしくは確実に、対立や反目を生じさせて、財務上の計算を台無しにするだろう」。これこそが、グローバル化プロジェクトの中心にある大取引の欠陥なのだ。金融に自由を与えることで、民主主義国の人々は自分たちの望む法律や規則を選択し実行する自由を失った。彼らがこれらの自由を世界の金融業者に引き渡したのは、自由な資金の流れから得られる効率性の向上は、それと引き換えに自由を失ってもかまわないほど大きいという期待があったからだ。タックスヘイブンはこの胸算用をぶち壊すのに一役買ったのだ。

第10章 抵抗運動
オフショアのイデオロギーの戦士との戦い

「租税競争」のウソ

一九九八年四月、世界で最も重要な守秘法域も入っている豊かな国々のクラブ、OECD（経済協力開発機構）が、驚くべき報告書を発表した。タックスヘイブンが大きな害をもたらしていることを認める報告書である。タックスヘイブンとそれに関連するオフショア活動は、「他国の課税基盤をむしばみ、貿易や投資のパターンを歪《ゆが》め、課税制度全般の公正さ、中立性、幅広い社会的受容を損なっている。このような有害な租税競争は世界の幸福を減少させ、課税制度の完全性に対する納税者の信頼を損なっている」と、この報告書は述べている。(注1) オフショアは場所やシステムやプロセスであるだけでなく、さまざまな知的主張の集合体でもある。OECDのこの新しいプロジェクトは、世界史上初めて行われた守秘法域に対する本格的かつ持続的な知的攻撃だった。(注2) 当時はグローバル化の明らかな弊害に対する抗議が広がっていたが、反グローバル化運動はその攻撃の矛先を主として貿易に向けており、オフショア・システムはほとんど無視していた。国際課税に関する当惑するような主張が数多く盛り込まれていたOECDの報告書は、グローバル化に抗議する人々の議題にはほとんどのぼらなかった。

この報告書が表に出ることができたのは、いくつかの理由からだった。第一に、タックスヘイブンの利用が「拡大し、爆発的な勢いで広がっている」証拠を無視するのは不可能になっていた。第二に、報告書はOECD加盟国ではない小さなカリブ海諸国をもっぱら攻撃し、OECD諸国の役割を覆い隠していた。(注3)さらに、タックスヘイブンではないOECD諸国が、この報告書を強く後押しした。だが、この報告書が日の目を見た理由としては、もう一つ、重要な理由があった。タックスヘイブンには重要な政府間機関に対する無関心が染みついているので、OECDが二年前から報告書を出すと予告していたにもかかわらず、報告書の登場を阻止する真剣な活動を始めるほど大きな関心を持った者はオフショアにはほとんどいなかったのだ。

ジョン・クリステンセンは報告書が発表されたときジャージーにいた。「あそこでは、私以外に事実上誰一人、それをまともに受け取りはしなかった」と、彼は言う。「銀行家たちは『OECDって何だ。あれは関税を扱う機関か何かじゃないのか』と話していた」。守秘法域の最も声高な支持者の一人、ワシントンの右派系シンクタンク、ヘリテージ財団のダニエル・J・ミッチェルも、パリに本拠を置くOECDに対して同じような感想を持った。「『頭のおかしいヨーロッパの社会主義者連中のやりそうなことだ』と思ったよ」(注4)。それでも、ミッチェルはヘリテージ財団のためにこの報告書について二、三の主張を発表することにし、やがてそれが重大な意味を持つことに気づき始めた。おまけに、二〇〇〇年のOECDのフォローアップ報告書には、爆発寸前の爆弾が仕込まれていた。三五の守秘法域のブラックリストと、襟を正さないタックスヘイブンに対しては「防衛策」をとるという脅しである。ミッチェルにとってさらに憂慮すべき点は、OECDを支持していたのは「ヨーロッパの集産主義者」だけでなく、クリントン政権も支持していたことだった。

「不意打ちされたような気分だった」と、ワシントンで取材したときミッチェルは語った。「ヘリテージは大きな総合シンクタンクで、一つの問題だけに集中的に取り組むことはしない。私はこれに反論するグループを作るべきだと思った」。というわけで、彼は大学時代からの友人アンドリュー・クインランと、パリで学んだリバタリアン（自由至上主義者）の学者ヴェロニク・ド・ルジィとともに「自由と繁栄のためのセンター（CF&P）」という小さな団体を旗上げし、「租税競争の大義」を擁護することを目的とする「租税競争同盟」という下部組織も結成した。彼らはこの団体を、ワシントンにある資金の潤沢な自由市場推進派のシンクタンク、ケイトー研究所に置いた。

このころ、ワシントンでは反税感情が高まっていた。デラウェア州選出上院議員ウィリアム・ロスは、「現在の所得税法を根っこから引き抜き、二度と根づかないように投げ捨てる」という共和党の公然たる戦略に従って、アメリカ内国歳入庁（IRS）に猛攻撃をしかけていた。(注5) 富裕層のための減税を熱狂的に支持するロスは、効果的な政治劇を演出した。IRSの職員を公聴会に召喚したのだが、ギャングの一員であるかのようにカーテンの向こう側で証言させ、彼らの声にも電子的な変更を加えたのだ。防弾チョッキを着たIRSの職員たちが住宅に突入して、十代の少女たちに銃を突きつけて服を着替えさせたなどといった証言に、ロスの仲間たちは大喜びした。IRSには反論する権利がなく、しかも大部分の主張は真実ではなかった。(注6) ロスはさらに、OECDの報告書に関する電子メールを政治家たちに大量に送りつけたり、「グローバル税警察」などの見出しで全国紙に恐ろしげな論説記事を寄稿したりして、OECDを公然と侮辱した。オフショア世界初のなかで敵意が高まり始めていた。

オフショア金融の知的土台を理解するには、守秘法域の最も騒々しく、最も活動的な擁護者であるダニエル・J・ミッチェルから始めるのがよいだろう。彼は思いやりに満ちた、きわめて人間的魅力のある人物だ。「国際的な自由：アメリカの、また世界中の政府を抑制する」と題した個人ブログのなかで、彼は「私はジョージア・ブルドッグスの熱烈なファンだ」と宣言している。「だから、アメリカの低率のフラット税制をとるかジョージア・ブルドッグスの全国制覇をとるかと言われたら困るだろう。本気でそう思っている」。このブログで彼は、イギリスの中道左派の『オブザーバー』紙が自分を「軽い税と小さな国家を説くリバタリアニズムの（自由至上主義）大僧正」と評してくれたが、これは「自分について言われたこれまでで一番すばらしい言葉」だと述べている。

租税競争は有益だというミッチェルの世界観は、経済学者チャールズ・ティボーの一九五六年の論文から生まれた。ティボーは、市場が完全で、しかも租税検査官が身じろぎするだけで自由な市民が群れをなして別の法域へ逃げ出すとき、何が起きるか（もちろん理論上の話に限定される）を探究した。当然のことながら、現実の世界はそんなふうには動かない。リバタリアンや租税競争の擁護者たちは、ティボーの考えをゴムのように引き伸ばして、タックスヘイブンを守るための知の盾に仕立てたのだ。

ミッチェルはレーガン政権時代に本格的に政治に興味を持つようになり、ジョージ・メイソン大学を卒業するころには、ジェームズ・ブキャナンやバーノン・スミスといった保守派の経済学者に魅了されていた。彼らは公共選択論という経済学の一分野について研究していたが、公共選択論は、政治家は市民や社会のために行動するという考えをしりぞけ、政治家を利己的な個人ととらえる。この理論の信奉者は政府を嫌う傾向があり、それはミッチェルのなかに芽生え始めたリバタリアン的なものの見方やレーガン賛美とぴったり一致した。ミッチェルは共和党上院議員のボブ・パックウッドのもとで働いた後、ブッシュ／クエールの政権移行チームで働き、それからヘリテージ財団に入った。

ミッチェルが思い描いているのは、政府の機能を治安維持などのごくわずかな役割に限定し、他のすべてを市場に委ねる世界である。「スーパーモデルになることを夢見る人がいるが、私の場合はGDP（国内総生産）の五パーセントの政府を持つことを夢見るね」と、彼は言う（現在、ほとんどのOECD加盟国の政府がGDPの三〇〜五〇パーセントに相当する税金を徴収しているのだから、これはかなりの野望である）。彼は自分は学者であるとにおわせる。私の取材の間も、「私は理論しか扱っていない。ビジネスの現場で働いたことがないんだ」というような責任逃れの言葉で何度かお茶を濁した。

ミッチェルの得意技は、自分が軽蔑する人や考えについて述べるとき、眉をつり上げていかにも信じられないという表情を作ってみせることだ。彼のサウンドバイト（一〇秒前後の短く刺激的な言葉）は、いかにももっともらしく聞こえるように巧みにまとめられている。彼の元気いっぱいの短いインターネット・ビデオは、わかりやすく、単純で、強烈だ。素朴な知恵をちりばめ、「フリーダム」とか「リバティ」といった言葉を繰り返し使い、敵に対する毒舌を吐いている。「国際的官僚組織」「でしゃばりな政府」「ヨーロッパ人」（とくにフランス人）はとりわけ不愉快な存在で、これらの言葉はいかにもぞっとするというように芝居がかった口調で発音する。二〇〇九年八月、コロラド州の反税団体スティームボート・インスティテュートのフリーダム会議で行った威勢のいい演説で、ミッチェルは「恐ろしい数字を挙げさせてください」と切り出した。そして、巨額の増税という化け物をよみがえらせた向こう七五年間の財政予測に言及し、ジョージ・W・ブッシュ（ミッチェルが嫌いな人物の一人）の無駄使いの癖について統計値をスラスラと挙げた後、次のような予測を述べた。「われわれの政府はヨーロッパのどの福祉国家よりも大きくなるだろう。フランスやスウェーデンよりもだ。……このままでいくとアメリカはヨーロッパ型の福祉国家になるだろう」

ＯＥＣＤの報告書が出る前から、ミッチェルは国際課税を回避するためにできる限りのことをしていたと言う。「私の専門は財政政策だった。減税か増税かというような問題なわけだ。その私からすれば、国際課税――移転価格、利息配分など――は、日々の食生活にミルクが欠かせないモンゴルでミルクに消費税をかけるくらい悪いことだった」。当時はタックスヘイブンの本格的なイデオロギーはまだ存在していなかった。オフショア・システムがどれほど重要になりつつあるか理解している人はほとんどいなかったし、急速なグローバル化のなかでそれを問題にする人もほぼ皆無だった。ミッチェルにとって幸運だったのは、ＯＥＣＤが小さな法域を不当に扱っているような印象を与えまいとして、自分たちの取り組みをタックスヘイブンに対する攻撃というより有害な租税競争に対する攻撃として打ち出していたことだった。つまりゼロ税率などの魅力を提供することで気ままな資本を引き寄せようとする国家間の底辺への競争を問題にしていたのである。そのおかげでワシントンのミッチェルはたちまち有利な立場に立ち、ＯＥＣＤは競争に反対する巨大な官僚組織だと批難できるようになった。

　この競争という問題は、タックスヘイブンが自らの存在を正当化するためによく使う主張の一つであり、検討してみる価値がある。ミッチェルは誰よりも巧みにこの主張を展開する。「国際的官僚組織と高税率国の政治家は、これらの法域に対する協調攻撃をしかけている。世界の高税率国はＯＰＥＣ（石油輸出国機構）のようなものを作りたがっている」と、ミッチェルは二〇〇九年のワシントンでの演説でぶち上げた。アラブの頭巾をかぶった人相の悪い男たちの写真を背後のスクリーンに映し出しながらだ。「これは、カルテルを作って、政治家が悪い租税政策を実行できるようにしようとする高税率国のたくらみだ」[注7]。こう述べたうえで、さらに次のように続けた。

　たとえば、町に一つしかガソリンスタンドがなかったとしよう。そのガソリンスタンドは高い価格を請求できた。不便な時間帯に営業できた。ひどいサービスでごまかすことができた。だが、町に五つのガソリンスタンドができたら、それらのガソリンスタンドは互いに競争しなければならなくなる。価格を下げなければならないし、顧客のニーズに関心を払わなければならない。われわれは国際的にも政府間で同じようなことを目にしてきた。

あなたがマサチューセッツ州知事だとしよう。あなたは隣のニューハンプシャーを閉鎖したいと思うだろう。競争相手だからだ。オバマや他の左派集産主義者たちがタックスヘイブンを嫌うのは、それが自由の前哨基地だからだ。グローバリゼーションのおかげで、労働力と資本はかつてよりはるかに自由に移動できるようになっている。政府が高率の税金を課そうとしたら、（人々には）自分自身もしくは自分のカネを国境を越えて移動させることを選ぶ自由がある。町に独占的なガソリンスタンドが一軒しかなかったところに、突然新しいガソリンスタンドができたら、「カネをもぎとるあのガソリンスタンドではもう買わないことにしよう。払った金額に対してもっと大きな価値を提供してくれるガソリンスタンドがあるんだから」と言えるようになるのと同じことだ。

要するに、租税競争は有益であり、それと戦うなんてもってのほかだということだ。一見したところでは、この主張はもっともなように思えるが、よく考えてみるとでたらめな理屈であることがわかる。その理由を説明しよう。

市場における企業間の競争は、課税をめぐる法域間の競争とはまったく異なるものだ。次のように考えてみれば、それがよくわかる。企業に競争力がなければ、倒産して、よりよい財やサービスをより安く提供する別の企業にとって代わられる。このような「創造的破壊」は痛みをともないはするが、資本主義の活力の源泉でもある。だが、国に競争力がない場合は、どうなるか。破綻国家になるのだろうか。国の場合は、まったく異なる展開になる。ミッチェルが言ったように「ニューハンプシャーを閉鎖」する者はいないだろうし、そんなことができる者もいない。競争力がある国とは、実際には何を意味するのだろう。諸国の政府が国内の治安維持について競争することは明らかにないだろう。市民の教育については競争するかもしれないが、この種の競争をすると、よりよいサービスの費用をまかなうために税金を引き上げねばならなくなる。

ジュネーブに本部を置く世界経済フォーラム（WEF）は、「国の生産性のレベルを決定する一式の制度・政策・要因」という、もっと包括的な定義を打ち出している。インフラ、制度、マクロ経済の安定性、教育、財市場の効率性など、一二の競争力の「柱」を使っているのである。ケチをつけようと思えばつけられるだろうが、これは十分に良識的なリストである。柱のほとんどは、適切なレベルの税収を必要とする。実際、WEFの基準で最も競争力のある国々は、高税率の国である。もちろん、大きなばらつきはある。世界の三大高税率国であるスウェーデン、フィンランド、デンマークは、二〇〇九～一〇年の指標で最も競争力のある国の四位、五位、六位にランクされていた。それに対し、アメリカは比較的税率が低い（それでも世界の基準からすればとくに低いわけではない）が二位に入っている。だが、アフガニスタンやグアテマラなど、本当に税率が低い国は、最も競争力が低い国とされている。

データをさらに掘り下げると、他にも興味深い事実が出てくる。社会的ニーズに多額の支出をすることにミッチェルは反対しているが、こうした支出をする国が競争力のランキングで最も高い位置を占めているのである。（注8）税金が高ければ、教育、医療など、労働者の競争力を高めるプログラムにより多くのカネを使うことができる。租税について言えることは、法律や規制についても言える。ヘロイン密輸の中継地になったり、児童買春ツアーを野放しにしたりすることで「競争優位」を得られることもあるだろうが、他国との良識的な比較で、そのような特徴がプラスの要素とみなされることはありえない。

ミッチェルは、守秘法域は他の国々よりたいてい裕福だとも主張しており、これをオフショアがよいものである証拠としている。これはカネ持ちの独裁者とその取り巻きが持っているプライベートジェットやヨットや宮殿を、腐敗が富を生み出す証拠として挙げるようなものだ。それでも一つの分野では、ミッチェルの言っていることはおそらく正しい。

世界中で何年も前から税率がどんどん下がっているのである。ミッチェルによれば、たとえば法人税は、一九八〇年の五〇パーセント近くから現在では二五パーセント強に低下している。これは主として法域間の競争の結果であり、タックスヘイブンはその先頭を走っている。「報酬を決める面談では、それは私がケイトー研究所のために世界中の政府が減税せざるをえなくなるようなすばらしい論文を書いているからだと、いつも言っているが、本当は租税競争のおかげだ……そしてタックスヘイブンはこの租税競争の最も強力な媒介者なのだ」とミッチェルは言う。

これは容易には証明できない点だ。だが、グローバルな減税や金融規制緩和の推進力として世界はイデオロギーに注目してきたが、実際には租税競争のほうが大きな推進力になっていたのかもしれないと推量するのは理にかなっている。とはいえ、多くの経済学者が、それは事実ではないと考えている。税率は低下してきたが、税収はかなり安定しているからだ。豊かなOECD諸国の個人所得税は、一九六五年以来、税収全体の二五〜二六パーセントと、驚くほど変わらぬ水準で推移している。(注9)法人税の割合は九パーセントから一一パーセントへと、わずかながら上昇すらしているのである。この事実は租税競争が重要な要因ではない証拠であると主張する向きもあるが、数字の背景をよく見ると、興味深い図が浮かび上がってくる。

豊かな国々は税収の総額は維持しているものの、企業や富裕層の支払う税額が全体に占める割合はずいぶん低下している。納税額のもとになる企業利益は急上昇してきた。(注10) その間、富裕層は資産や所得が上昇しただけでなく、その所得を個人所得税ではなく法人税の区分に移して、はるかに低い法人税率による納税ですませようとしてきた。たとえば、アメリカの所得上位四〇〇人の一九九二年の申告を見ると、所得の二六パーセントが給与および賃金、三六パーセントがキャピタルゲイン（資産価格の上昇による利益）とされていた。二〇〇七年には、彼らが勤労所得として申告したのはわずか六パーセントで、六六パーセントはキャピタルゲインとして申告されていた。(注11) 同様の現象が、少なくとも一九七〇年代以降、すべてのOECD諸国のあらゆる高所得層で起きている。つまり、法人税率の低下が税収に及ぼしている影響は、富裕層の租税回避によって隠されているのである。(注12) それに対し、勤労者の個人所得税と社会保険料は過去三〇年にわたって上昇しており、その一方で彼らの賃金は横ばいを続けている。ミッチェルの言うとおり、租税競争は現実のものだ。しかも、それは手痛い影響を及ぼすのである。

租税競争が途上国にどのような打撃を与えてきたかを見ると、もっと大きな物語が浮かび上がってくる。これまでに行われた数少ない調査の一つが二〇〇四年に発表されたＩＭＦ（国際通貨基金）の短い論文で、この論文は次のように述べている。「国際的な租税競争が発展途上国や新興市場国にどのように影響を及ぼしてきたかについては、ほとんど注意が払われてこなかった。本稿はこうした問題に初めて目を向ける」。(注13) その結果は注目すべきものだった。これらの国の税率は、豊かな国々より速くはないにしても、少なくとも同程度の速度で低下しており、最も急激な低下を見せているのはサハラ以南アフリカだ。税収も急速に減少している。一九九〇年から二〇〇一年の一一年間で低所得国の法人税収は四分の一減少した。これがとくに問題なのは、途上国にとって、少数の大企業に課税するほうが何百万人もの貧しい人々に課税するよりはるかに簡単で、したがって法人税のほうが大きな収入源だからである。法人税収が減少した一つの理由は、特別優遇措置だ。一九九〇年にはこうした税制優遇措置を導入している国は、貧しい国々のごく一部にすぎなかった。だが、二〇〇一年にはほとんどの国が導入していた。二〇〇九年七月に発表された、この問題に関するＩＭＦの初めての詳しい調査は、外国資本を誘致するためとされている税制優遇措置は、税収を大幅に低下させているが、経済成長を促進してはいないと断定している。(注14)

援助とは異なり、租税は開発のための最も持続的な資金源だ。租税は政府に国民に対する説明責任を負わせるが、援助は政府に外国のドナー（提供者）に対する説明責任を負わせる。多くのアフリカ諸国がこれをよく承知している。ウガンダのヨウェリ・ムセベニ大統領は、「私は徴税を最前線の機関にした。これこそがわれわれを物乞いから解放できるものだからだ」と語っている。ウガンダの税収はＧＤＰのおよそ一一パーセント相当にすぎない。「ＧＤＰの二二パーセント程度を徴収できれば、援助を要請して誰かをわずらわせる必要はないはずだ。この地を訪れて、これをくれ、あれをくれと言ってみなさんを困らせるのではなく、みなさんに挨拶《あいさつ》するために、みなさんと貿易をするために、ここに来るだろう」(注15)

租税競争は途上国の税収を破壊し、途上国の援助への依存度をさらに高めている。ブラジルでは租税競争のことをゲーラ・フィスカル、すなわち租税戦争と言う。これは実際に起きていることをずっと的確に言いあらわす言葉だ。アメリカのカール・レヴィン上院議員も同じような感覚を持っており、「タックスヘイブンはアメリカに対する経済戦争を行っている」と述べている。より正確に言うと、タックスヘイブンは少数派のアメリカ人による勤労者に敵対する運動を手助けしているのだが、ここにはもっと微妙な問題が絡んでいる。豊かな国の多国籍企業が低所得の国に投資するとき、二国間の租税条約によってどちらの国が所得のどの部分に対して課税できるかが決定される。だが、世界の租税条約の体制は、OECDの影響のもと、多国籍企業に課税する権利を貧しい国々から豊かな国々に徐々に移行させてきた。そのため、ウガンダがたとえばアメリカの大手コーヒー会社に免税期間を与えたら、この会社はより大きな利益をあげ、その利益をオフショアに隠すか、でなければアメリカに持ち帰ってそこで課税される。これもまた、豊かな国が租税競争にもかかわらず法人税収を維持してきた理由の一つになっている。豊かな国は低所得の国々を犠牲にして、国際貿易の利益に対する租税のより大きな分け前を確保してきたのである。

減税は脱税を減らすか

ミッチェルは「道徳的観点からのタックスヘイブン擁護論」という演説も行っている。[注16] 二〇〇八年一〇月のこの演説のビデオを見れば、その雰囲気がよくわかる。

世界の人口の大多数は、政府が文明社会の基本的な保護を提供しない国に住んでいる。(ここで金《キム》正日《ジョンイル》、ロバート・ムガベ、ウラジーミル・プーチンの邪悪そうに見える写真が映し出される) タックスヘイブンはこうした人々に自分の資産を隠す安全な場所を提供することで、彼らを腐敗した無能な政府から守るのに一役買っているのである。

スイスが金融の秘密を守るという賞賛すべき人権政策をとっているのは、一つには一九三〇年代に、ナチスから資産を守りたいと願うドイツのユダヤ人のために法律を強化したからだ（ここでヒトラーが車のなかから敬礼している写真、ゲシュタポの士官が脅えている女性たちを一ヵ所に集めている写真が映し出される）。長年こつこつと貯《た》めてきた蓄えが、通貨切り下げによって一夜にして消し去られるかもしれない危機に直面したアルゼンチンの家族のことを考えてみよう。

オフショアにカネを置いておけば安全だと、彼は言う。ここでも、彼の主張は説得力があるが、立ち止まってよく考えてみればたちまちそうでないことがわかる。

第一に、すでに説明したように、スイスの銀行の守秘性の起源についてミッチェルが述べていることは魅力的な作り話にすぎない。それに、悪政が行われている国だとしても、オフショアに行って財産を守ることができるのが、なぜ裕福なエリートだけでなくてはならないのか。ある国に不当な法律があるとしたら、その国の最も裕福で最も有力な市民にオフショアという逃げ道を与えたら、改革を実現するための真の影響力を持つ唯一の層から、それを促す圧力を取り去ることになる。彼らの財産を国内に閉じ込めておけば、変革を促す圧力が速く高まるはずだ。それに、悪政が行われていたり、不当な法律があったりする場合でも、オフショアの守秘性によって財産を守る必要はまったくない。私がロンドンに一〇〇万ドル預けて五パーセントの利子を稼いでいるタンザニア人だとすると、私はその所得に対して四〇パーセントの税金を支払うべきであり、自国の政府にその年の税金として二万ドル支払う義務がある。イギリスは私の預金についてタンザニア政府に洗いざらい知らせることができるが、それでもタンザニアにはいかなる国際条約によっても私の一〇〇万ドルを没収する権利はない。アルゼンチンの家族は財産をマイアミに移すことで、ハイパーインフレーション（物価暴騰）からその財産を守れるが、この保護に守秘性は何の役割も果たさない。普通の銀行口座に預ければ、所得に関する情報交換があり、その所得に対して税金を支払うことになるが、元本はまったく安全なのだ。

人々は自分のカネを圧政者から守る必要があるという問題については、ミッチェルに次の問いに答えてもらいたい。守秘法域を利用して自分の財産を守り、自分の立場を強化しようとしているのはいったい誰なのか。牢獄《ろうごく》で拷問されている人権活動家か。真実を明らかにしようとする勇敢なジャーナリストか。街頭で抗議活動をする人々か。それとも、こうした人たちすべてを抑圧している残虐で強欲な圧政者か。その答えは誰の目にも明らかだ。

だが、ミッチェルはこう反論するだろう。「個人情報が誘拐犯に売られ、あなたの子どもが誘拐されることだってあるかもしれない」。透明性はサウジアラビアの同性愛者やフランスのユダヤ人など「腐敗した政府や独裁的な政府の被害を受けている」人々を脅かす。「いわゆるタックスヘイブンで自分の資産を守ることができなければ、これらの人々はもっと大きな危険にさらされるだろう」。解決策は「マイアミの銀行にお金を預けることだ。アメリカはタックスヘイブンなのだから」(注17)。この主張はうわべはもっともらしいが、それはあくまでもうわべだけだ。誘拐犯は課税データなんかなくても誰がカネ持ちかを知っている。それに、最も富裕な層の人々はボディガードを雇っており、誘拐事件の被害者になる可能性は相対的には低い。被害者になるのは通常、中産階級や労働者階級だ。だが、さらに重要な点がある。あらゆる調査が示しているように、優れた租税制度はよりよい統治を促進するのであり、したがって誘拐事件も減ることになる。エリート層が自国の富を略奪する手助けをすることによって、守秘法域は、ミッチェルが心配だと主張するまさにその問題を引き起こしているのである。

自由の問題に関しては、ミッチェルの主張はきわめて明快だ。高税率の福祉国家は「人間の精神の牢獄だ。それはすべての人間をペット化する。われわれを小さな檻《おり》に入れて自由を奪い、われわれの人生を支配する。これこそ、われわれが戦うべきものだ」。租税は悪であり、タックスヘイブンがその解決策、というわけだ。この世界観によると、私有財産は侵すべからざるものであり、課税は窃盗だ。「財産を香港《ホンコン》のような場所に置いて家族の利益を守るのは理にかなったことだ。そうすれば、自分の国の政治家にその財産を見つけられることはない。見つけられなければ、盗まれることもない」。この言葉が犯罪行為である脱税をあおっているように聞こえることはさておいて、課税は窃盗なのか否か、ここで一考してみてもよいだろう。

哲学者のマーティン・オニールが指摘したように、財産権は課税規範を含む法的・政治的規範の総合的な体系から生まれるものだ。だとすると、課税は窃盗であると主張するのは、課税に反対するために、課税がその重要な一部をなす体系を武器として使うということだ。これは循環論法だ。企業も法的に言えば国家から生まれるものだ。「国家は企業を生み出すことができる世界でただ一つの機関である」と、ジョエル・ベイカンはベストセラーとなった『ザ・コーポレーション』（早川書房、酒井泰介 訳）で述べている。「国家だけが企業に対して法人格や有限責任などの基本的権利を与えることができる……国家がなければ企業は存在しない。文字どおり『存在しない』のだ（注18）」。企業に対する課税は窃盗だと主張することも、やはり完全な循環論法である。

オフショアに関しては、他にも非論理的な主張や皮肉や矛盾がいくらでもある。守秘法域は、われわれの役割は金融市場の効率性を高めることだと決まって主張するが、これらの法域が提供する秘密保持という隠れ蓑《みの》は、効率的市場という概念に完全に相反する。効率的市場には透明性が欠かせないからだ。カリフォルニア大学バークレー校の経済学教授、ブラッド・デロングは、「なぜダン・ミッチェルのような連中について論じる必要があるのか」と題した論文で、ミッチェルの寄稿記事をいくつか挙げている。そのなかには、アイスランド経済が破綻する直前に減税と規制緩和を柱とするこの国の経済政策を賞賛した記事や、課税逃れの資本を「抑圧的な高税率国」から吸い上げるために、外国人に支払われる配当金の源泉徴収税を廃止するようアメリカに求める「フランスを苦しめるもっとよい方法」と題した記事も含まれている。ミッチェルはタックスヘイブンを善とする自分の主張と矛盾することを言っているわけだ。結局、タックスヘイブンは他の国を「苦しめる」のだ。

金融政策もオフショアの支持者たちが支離滅裂になる分野である。一般に、この種の人たちはマネタリズム（通貨供給量重視論）を支持してきた。インフレや失業には通貨の量を調整することで対処するべきだとする理論である。この理論がミルトン・フリードマンの一九五六年の論文に起源を持つのは皮肉なことだ。まさにこの年に、ユーロダラー市場とオフショア・システムが本格的に始まったのであり、オフショア・システムはマネタリズムに直接ダメージを与えるからだ。規制のないオフショアに資本がやすやすと逃げ去り、銀行が楽々とマネーを創造できる世界では、政府が通貨供給量をコントロールするのは容易ではない。フリードマン自身が「通貨の量を目標値として用いる方法は成功しなかった」と、二〇〇三年についに認めたのだ。

租税回避ももう一つの好例だ。タックスヘイブンは、われわれは企業に税の効率性を提供しているとしきりに自己宣伝しているが、租税回避は非効率的だ。会計士のリチャード・マーフィーは、「租税回避をしなければ投資を成功させられないとしたら、それはそのための資源配分を誤っているということだ」と指摘している。

オフショアのもう一つのお気に入りは、減税は、人々の租税回避傾向を低下させることもあって、かえって歳入を増加させるというおなじみの主張である。ここからさらに発展して、租税競争は税率を押し下げるのでよいことに決まっている、となる。多くの共和党員の頭のなかでは、この考えが、オフショアの反政府リバタリアン世界が奉じるもう一つの人気のある考えとセットになっている。大きな政府という野獣を飢えさせるには減税が不可欠だという考えだ。熱烈な反税論者のグローバー・ノーキストの有名な言葉を借りると、政府は「浴槽に沈めて溺れさせることができるくらいのサイズに」縮小するべきだという考えである。(注19)これにはもちろん問題がある。減税は歳入を増やすと考えている人がいる一方で、「野獣飢えさせるべし」派は、減税は歳入を減らすと考えているのである。どちらも正しいということはありえない。互いに相いれない二つの考えがなぜ四半世紀以上も共存共栄してきたのだろう。シティズンズ・フォー・タックス・ジャスティスのボブ・マッキンタイアに言わせれば、その理由は単純だ。「共和党の連中は、月曜と水曜と金曜には減税は歳入を増やすと言い、火曜と木曜と土曜には、減税は政府が支出を削減せざるをえなくなるほど歳入を減らすと、つまり野獣を飢えさせると言うんだよ。そして日曜には休息するわけさ」。実を言うと、まじめなアナリストのほとんどが、税率はそれだけではさほど大きな変化はもたらさないと考えている。現実のビジネス・ピープルがどこに投資し、どこで人を雇うかというと、製品に対する需要としっかりしたインフラ、それに健康で教育程度の高い労働力がそろっているところであるのは明らかだ。ほとんどの業種で、法人税率は進出場所を決める際の比較的小さな考慮要因にすぎないことが、いくつもの調査で明らかになっている。アラスカでいくら大幅な税制優遇措置が提供されていても、トロピカーナはそれだけでアラスカでオレンジを栽培しようとは思わないだろう。一九四七〜七三年の黄金時代には、アメリカ経済は年率四パーセント近いペースで成長したが、その間の最高限界税率は七五〜九〇パーセント強だった。(注20)こうした税率があのような高成長をもたらしたわけではないが、高税率は明らかに経済成長を阻みはしなかった。

それに、ミッチェルが言うように減税が脱税を減らすための良策であるなら、世界中で税率が急激に下がった一九七〇年代以降、国際的脱税が世界各地で急増したことや資本逃避という突然の災厄が頻発するようになったことを、彼はどう説明するのだろう。本当のいきさつは、タックスヘイブンが爆発的に増え、金融規制が緩和されて、その後、脱税と資本逃避が急増したのである。

タックスヘイブンの有害な租税競争に関するOECDのプロジェクトが進展するなかで、ミッチェルと彼の同志たちは、二〇〇〇年には手紙や電子メールや意見表明でワシントンに猛攻撃をしかけるようになっていた。これに対して反論を述べる者はほとんどおらず、OECDはまもなく守勢に立たされるようになった。さらに、タックスヘイブン自体も力を結集するようになった。二〇〇一年一月、イギリス連邦事務総長がOECDを招いて、小さな加盟国、すなわちタックスヘイブンも大国と同等の発言権を持つ合同ワーキング・グループを立ち上げた。このグループがOECDのプロジェクトを官僚的手続きでがんじがらめにし、すべてが密室の交渉という闇に沈み込んだ。タックスヘイブンはさらに、「国際租税投資機構」という団体を設立して防衛策を調整し、ミッチェルや自由と繁栄のためのセンターと連携するようになった。そのとき、ジョージ・W・ブッシュが政権の座に就いた。

クリントン政権の財務長官ラリー・サマーズは、OECDを応援しており、最後に組んだ予算案にタックスヘイブンに対する制裁措置を盛り込んだほどだった。ブッシュ政権の初代財務長官になったポール・オニールは、当初はこの問題について確たる考えを持っていないように見え、「透明性と協力を重視することに賛成だ」と発言してミッチェルをあわてさせたりもした。自由と繁栄のためのセンターは圧力を強めた。ジェシー・ヘルムズやトム・ディレイのような大物を含む八六人の議員を組織して、O

ECDのプロジェクトを頓挫させるようオニールに迫った。ミルトン・フリードマン、ジェームズ・ブキャナンなどの保守派経済学者もそれに加わった。大量の手紙が財務省に押し寄せた。ミッチェルはOECDを「パリの怪物組織」と呼んで激しく批難し、ケイマン諸島の高官は突然、国連にあらわれて「大国による小国いじめ」に激しく抗議した。ロビイストたちは、ケイマン諸島が事実上ロンドンから統治されていることには言及しなかった。イギリス連邦はワシントンでのミッチェルの批判と同じ主張を展開し、OECDを弱いものいじめをする高圧的な官僚組織とこきおろした(注21)。

カリブ海地域のタックスヘイブンは、大きな力を持つ黒人議員連盟にも行動するよう働きかけて、OECDの取り組みは「わが国の最も親密な隣人であり同盟国である国々のひ弱な経済を害する恐れがある」と警告する手紙をオニール宛てに送ってもらった。これらの小国は、自分たちがはるかに大きいアフリカ諸国に与えている影響にはもちろんまったく言及せず、自分たちのオフショア活動の主な受益者が裕福な白人の銀行家や弁護士や会計士であることにもまったく触れなかった。

ミッチェルが飛びついた点は他にもあった。OECDのブラックリストには、OECD加盟国は一つも含まれていない──スイスも、ルクセンブルクも、もちろんアメリカ、イギリスもだ──という点だ。「先進工業国のカネ持ちクラブであるOECDは、この反タックスヘイブンの聖戦に乗り出しているが、おのれの加盟国はブラックリストに入れていない。彼らは人種差別主義の偽善者の集まりだ。白人が統治しているヨーロッパの大国が、カリブ海地域のようなところの弱い国々を標的にしているのだ。植民地主義の時代は終わったのだということを、パリの官僚たちに教えてやる必要がある」(注22)。このたびは彼の主張には一理あり、ほどなく彼は大きな成果を勝ちとった。二〇〇一年五月一〇日、オニールがカルト教団の指導者、文鮮明が設立した、タックスヘイブンの代弁者のような保守系新聞『ワシントン・タイムズ』に寄稿して、ＯＥＣＤのミッションは「この政権の優先事項とは一致していない」と述べたのだ。(注23)アメリカは「政府に――企業に対してと同様――効率を生み出させる競争を抑圧することには、まったく関心がない」と、オニールは続けていた。この文章は、まるでミッチェル自身が書いたかのような印象を与える。アメリカは「他国にその国の税率や税制はどうあるべきかを指図しようとする動きは支持しない」と、オニールは断言していた。(注24)すべてを終わらせたのはオフショアの矛盾だった。タックスヘイブンは「主権国家としてのわが国の権利に干渉するな」と叫びながら、その一方で他国の法律や税制には嬉々《きき》として干渉しているのである。

ＯＥＣＤのプロジェクトは瀕死《ひんし》の状態になった。『タックス・アナリスツ』誌のマーティ・サリバンが述べているように、この取り組みは「応援と点数稼ぎが入り混じったような弱腰の意見表明に徐々に堕していった。ＯＥＣＤはその対決姿勢を放棄し始めたのだ」。ＯＥＣＤはブラックリストの基準を緩めた。タックスヘイブンは今や「参加パートナー」となり、改善すると約束するだけでブラックリストに載らずにすむようになった。しかも、その約束を実行する必要があるのは、スイス、イギリス、アメリカ、それに独立したばかりの香港のような大物を含めて、他のすべての国も実行する場合のみだった。それはつまりは、決して実行されないということだった。

オニールの寄稿から二ヵ月後、カール・レヴィン上院議員が、孤独な延命作戦を開始して、オフショアを使った脱税のためにアメリカは毎年推定七〇〇億ドルを失っていると指摘した。「これは莫大《ばくだい》な額であり、その半分でも徴収されれば、まったく増税せず、どの予算も削らずに、メディケア（高齢者向け医療制度）処方薬プログラムの費用をまかなえるだろう」。一一〇万件以上のオフショア口座のうちＩＲＳにきちんと申告されているのは六〇〇〇件に満たないとレヴィンが指摘したとき、これに対する

オニールの反応は簡単明瞭だった。「それは面白いですね」の一言だけだったのだ。(注25)

二〇〇一年七月、タックスヘイブン対策をまとめるOECDの期限が来て、そのまま過ぎ去った。後にOECDは、このプロジェクトをこの先続行する意思はないことを公式に表明した。その後、ミッチェルの仲間のアンドリュー・キンランが、一〇日間ロビー活動をするだけでOECDのアメリカの分担金を出させないようにすることができると、ダメ押しの警告をした。この出来事について著書を出したジェイソン・シャーマンは、この結果を簡潔にまとめている。「OECDは国際的な租税競争を規制しようとする野心を断念せざるをえなかった」。タックスヘイブンが勝利したのである。

タックスヘイブンの主張の多くが、国家権力の範囲をどうとらえるかにかかっている。

民主主義国は、スコットランドの経済学者アダム・スミスが説明したような累進課税の原則を長年、支持してきた。「裕福な者が公の費用を、単に自分の収入に比例してではなく、それよりいくらか多く負担することは、さほど不合理なことではない」と、アダム・スミスは述べている。だが、アメリカでは――他の多くの国でも同様だが――アダム・スミス以来受け入れられてきた累進課税の原則が消えうせている。二〇〇九年には、最も豊かな一パーセントのアメリカ人は、連邦所得税の総額の四〇パーセント強しか払わなかった。右派の民間団体タックス・ファウンデーションは、この事実は「『カネ持ち』は租税の公正な負担分を払っていないという連邦政府のお決まりの主張がいつわりであることをはっきり証明している」と主張する。だが、二〇〇九年には、最も豊かな一パーセントがこの国のすべての金融資産のほぼ半分を保有していたのであり、しかもその割合は上昇しているのである。これは富裕層に対する高率の課税という問題ではなく、富の集中と格差の拡大という問題なのだ。しかも、四〇パーセントという割合は所得税だけの話だ。富裕層は通常、所得のほとんどをキャピタルゲインに転換しており、キャピタルゲインの税率は勤労所得よりはるかに低い。さらに、社会保障税や州税があり、これらの税は中・低所得層の人々の肩に、富裕層の場合より重くのしかかる傾向がある。アメリカの最も富裕な四〇〇人については、彼らの事実上の税率ははるかに低く、わずか一七・二パーセントだ。しかも、この割合は低下している。所得税統計にはあらわれないオフショアを使った富裕層の脱税を計算に入れると、この歪みはさらに大きくなる。租税問題専門のジャーナリスト、デイヴィッド・ケイ・ジョンストンは、「四半世紀にわたる減税は、上が豊かになることで富が下にしたたり落ちるトリクルダウンではなく、大量の富が上に吸い上げられるナイアガラアップを生み出している」と記した。(注26)

ワシントンでのミッチェルに対する長いインタビューの間に、私と彼はケイトー研究所の近くの質素な食堂に出かけた。そこで元ケイマン諸島金融局長で現在はケイトー研究所のスタッフになっているリチャード・ラーンにばったり会った。ラーンはぶっきらぼうでまじめな男で、片目に眼帯をしていた。ミッチェルが親切にも私たちを紹介してくれたとき、ラーンは私をにらみ返して握手を拒否し、「ヨーロッパの共産主義者め」がどうこうとつぶやいて大股で出て行った。だが、それから一年ばかりしてラーンを訪ねたところ、彼は話をしてもよいと言ってくれた。今回はもっと愛想がよく、私をヨーロッパのいかれた詮索好きとしてケイトー研究所中に紹介して回った後、アメリカ独立宣言とアメリカ憲法が印刷されているパスポートサイズの茶色の小冊子を私に手渡した。「EU(欧州連合)のパスポートみたいだろう?」と、彼は目を輝かせながらかすれ声で言った。「一方はもちろん抑圧の道具、もう一方は自由の文書だがね」

「私の先祖はアメリカの独立戦争で戦った」と、彼はかなり殺風景な自分のオフィスに私を案内して言った。「私は遺伝的に外国政府が嫌いなんだ」。ミッチェルの著書を二〇ドルで買わされた後（私はすでに一冊持っていたが、ラーンの気分を害したくなかった）、私たちは話し始めた。

ラーンは、富裕層の利益を追求する共犯者というより、少なくとも部分的には深い個人的信念から行動している人物のように見えた。「君たちヨーロッパ人にはムカつくよ……根性が曲がってるのか、ものを知らないだけなのか、どっちなんだろうと、よく思うね」と、彼は言い放ち、「課税の抑圧は世界中で悲惨な事態を生み出している」と断言した。そして、この事実は文献でも十分に証明されているとして、自分の主張を裏づけるブルガリアの最近の調査を挙げた。「国際的官僚組織が、悪税を課していない国を攻撃したがるとき、それは何というか、私の『悪』の定義にぴったり当てはまると思うね」。そう言って彼は、増税をたくらむ「国際的官僚層の陰謀」――組織的な陰謀というより、自分たち自身の福利や特権の費用をまかなうために歳入を増加させようとする絶え間ない努力――について説明した。

これはおそらく一理あるだろう。だが、彼の次の主張には反論しなければならない。というのも、それはオフショアの知の体系の土台になっているからだ。「資本は経済成長の種だ。資本がなければ、成長はない。自分自身の種に税を課すのは自殺行為だ」。この主張には、タックスヘイブンの自己弁護その一がついてくる。すなわち「タックスヘイブンは資本の国際的な流れを円滑にし、促進して、資本不足の途上国に資本を効率的に送り込む手助けをしている。資本は途上国で生産的に成長して、すべての人に利益をもたらすことができる」という主張である。ラーンの「成長の種」説は真実の核心を含んでいる。資本は確かに投資や経済成長を促進できるし、実際に促進する。資本が効率的に流れるようにすることは、一見よい考えのように見える。だが、この主張が崩壊するのはこの点においてなのだ。

第一に、金融資本は唯一の資本ではない。社会資本――教育程度が高く経験豊富な労働力、信頼できるビジネス環境など――のほうが重要だ。種は豊かな収穫をもたらす要因の一つにすぎず、他にも雨、よい土壌、肥料、それにこれらすべてをうまく作用させるための労力や知識や自信が必要なのだ。「資本へのアクセスは、実際には経済成長を制約する決定的要因ではない」と、経済学者のマーティン・ウルフは述べている。「重要なのは、社会的・人的資本、それに全体的な政策体制だ」。(注27)これらは、もちろん税金を必要とするものだ。

第二に、課税は歳入だけを目的とするものではない。歳入（revenue）は4Rと呼ばれる課税の四つの機能の一つにすぎず、他の三つのRもきわめて重要だ。再分配（redistribution）、すなわち格差に取り組むことは、民主的な社会ではつねに求められることだ。リチャード・ウィルキンソンとケイト・ピケットが緻密な調査に基づく著書『平等社会』（東洋経済新報社、酒井泰介 訳）で述べているように、平均寿命から肥満や非行、うつ病や十代の妊娠まで、社会の幸福度を示すほぼすべての指標で社会がどの位置にいるかを決定するのは、貧困や富の絶対的水準ではなく格差なのだ。三つ目のRは代表（representation）――市民から税を徴収するためには支配者は市民と交渉しなければならない――で、これは説明責任や代議制につながる。四つ目のRは価格改定（repricing）で、これはたとえば喫煙を減らすといった目的のために税率を変更することをいう。守秘法域は最初の三つの機能をもろに損なっており、見方によっては四つ目の機能も損なっている。

さらに、ちょっとした証拠の問題がある。資本はそれが豊富にある豊かな国から乏しい低所得国に流れ、生産的投資や経済成長や万人のよりよい生活を促進すると、一般に考えられているかもしれない。だが、現実の世界では、そのようにはなっていない。低所得国のうち、中国のようにきわめて高い成長を続けているのは、一般に資本を輸入するのではなく輸出してきた国々だ。(注28)国にとって必要なものは、何よりも健全な制度と優れたインフラと実効的な法の支配であり、これはまさにオフショア・システムがむしばんできたものだ。

これはさほど意外なことではない。一エーカー（約四〇〇〇平方キロメートル）の土地がそれに見合う量の種しか受け付けないように、国もそれぞれの国に見合った量の資本しか吸収できない。低所得国に融資された資本は、生産的投資には回されず、マイアミやロンドンやスイスのプライベートバンクの口座に逆戻りして、その後に公的債務を残してきた。オフショアで効率的に処理された金融資本の大波は、次々に金融危機を招いてきた。経済学者のダニ・ロドリックが述べているように、多くの低所得国では「資本の流入はせいぜいよく言って効果がなく、悪くすると有害」なのだ。

しかも、これですべてではない。世界の富の多くは、経済学者の言うレント、すなわち産油国の支配者が労せずして得るような不労所得から生まれている。ポーランド人ジャーナリスト、リュザルド・カプチンスキーは、「石油は思考を麻痺《まひ》させ、視野を曇らせ、腐敗を促進する資源である」と述べている。「石油は、汗と苦悩と努力によってではなく幸運な偶然、幸運の女神の口づけによってもたらされる富という、人間の永遠の夢そのものだ。この意味で、石油とはおとぎ話であり、あらゆるおとぎ話と同じくちょっとしたウソなのだ」。アダム・スミス以来のほとんどのまっとうな経済学者が、レントに対してきわめて高率の税をかけるのは、すこぶるよいことであり、すこぶる効率的なことだとこぞって考えてきた。レントのなかには、医薬品の特許、四大会計事務所が持つ政府の認可、納税者の保証つきの国際銀行、さらには世界のサッカーを統括する超リッチな国際組織、唯一無二の国際サッカー連盟（FIFA）など、市場の独占や寡占から生まれるものもある。

これらのきわめて儲《もう》かる産業のほとんどの主要プレイヤーが、経済効率のあらゆる概念に反して、そのグローバル本部をオフショア、とくにスイスに置いている。たとえばＦＩＦＡは、その独占的立場を利用して、貧しい南アフリカの二〇一〇年ワールドカップ特別税バブルに参加し、その利益を南アフリカから持ち出した。この組織の二億ドルかけたチューリッヒの豪華な本部は、私がこの本を書いている場所からほんの数百メートルのところにある。

オフショアの自己弁護

オフショアはもちろん租税だけの問題ではなく、規制の問題でもある。オフショアが打ち出しているさまざまな自己弁護の主張をここで紹介しよう。

最もよく使われる主張は、問題に対する責任を認めない「ごく少数の腐ったリンゴ」論だ。システムは基本的にクリーンだが、ときおり悪いやつが出入りするのだ、という主張である。国際商業信用銀行（ＢＣＣＩ）が倒産した直後に、ケイマン諸島銀行協会会長のニック・ダガンは、「ＢＣＣＩの件は特異な世界規模の事態であり、地元の銀行業界の不名誉になることではまったくない」と言った。(注29)

もう一つの主張は税に関する主張と似通っている。タックスヘイブンは金融イノベーション（革新）を促進し、オフショアについて書いているウィリアム・ブリテェィン・キャトリンの言う「金融市場の目新しい商品の売り手、新しいフレーバーを開発する資本主義のケーキ屋」になることによって効率を高める、という主張である。先ごろの金融危機は、この金融イノベーションが本当は何をともなっているのかを白日のもとにさらした。革新的な形態の不正は、抵抗すべきものであって、奨励すべきものではない。

オフショアの次の主張は歪曲《わいきょく》をともなうものだ。ケイマン諸島金融庁長官のアンソニー・トラヴァースはこのテクニックをよく使う。「無実の罪を着せられたケイマン」と題した二〇〇四年の『ザ・ロイヤー』誌の記事で、彼は世界史上最大級の経済スキャンダル——ケイマンがきわめて重要な役割を果たしたBCCI、エンロン、パルマラットの三つの事例——について、なぜケイマンにはまったく責任がなかったのかを説明しようとしている。[注30]

パルマラットは、同社のケイマンの金融子会社で、四〇億ユーロ近い資産があると偽っていたボンラット・ファイナンシングによって倒産に追い込まれた。トラヴァースの主張はこうだ。ボンラットの消えた数十億は、「腐敗したパルマラットの幹部がイタリアで捏造《ねつぞう》した書類のなかを除いて、どこにも存在していなかった。ボンラットに関連した詐欺がそのような性質のものだとすれば、ケイマンの『役割』は正確に言うとどれくらい『実体のある』ものなのか」。つまり、ケイマンは詐欺の中心にはいたが、詐欺師は実際には他の場所にいたのだから、ケイマンに責任はない、という主張である。BCCIについても同じような主張を展開している。「BCCIは、ケイマン諸島の銀行規制担当官がイングランド銀行からの出向者だった時期に、イングランド銀行によって（預金引受業者としての）営業許可を与えられた。そうでなかったら、同社の子会社がケイマン諸島で営業許可を与えられることはなかっただろう」と。エンロンがケイマン諸島に設立した六九二の不透明な子会社については、「これらの会社はバランスシート（貸借対照表）に載る連結子会社で、エンロンの海外の営業資産を保有していたのだから、アメリカの租税を合法的に繰り延べることができた」とし、これらの子会社の利益は「適切に申告され、監査されていた」と主張する。エンロンがケイマン諸島に設立した有限パートナーシップ（LLP）、LJM No2は、彼に言わせれば「犠牲者であって加害者ではない」。加害者はデラウェアの有限パートナーシップなのだ。つまり、詐欺はよそで行われた、というわけだ。こうした主張を踏まえて、彼はこう断言する。「現在のグローバル危機の多くを引き起こした金融業界の無謀な行為のどれ一つとして、ケイマン諸島で行われたものでもなければ、ケイマン諸島が関与したものでもない」(注31)

トラヴァースの主張の厚かましさには唖然《あぜん》とするが、そこには真実が含まれている。詐欺はケイマン諸島だけではできなかったということだ。他国に共犯者がいる必要があったのだ。「このような行動に責任のあるペテン師は、ケイマン諸島よりずっとウェストミンスターに近いところにいる」と、トラヴァースは指摘する。そのとおりだ。だが、トラヴァースは肝心な点を、つまりオフショア・システムはもともとそのような仕組みになっているのだということを、意図的に無視している。オフショア法人はいつも他国の市民や組織のために活動するのであり、したがって受益者はいつも他国にいる。だからこそオフショアと呼ばれるのである。もっともらしくしらを切れることが、このゲームのすべてなのだ。詐欺師はよそにいるかもしれないが、その詐欺を成立させるのはオフショアだ。詐欺師にとって守秘法域は、泥棒にとっての盗品買受人のようなものだ。ケイマン諸島からのこのような主張は、盗品を売買している者が、そもそも窃盗を防がなかったと警察を批難しているのと同じである。ケイマン諸島は「租税の透明性に関する新しい最も高い国際基準を満たすことを固く誓っている」場所だと、トラヴァースは主張する。そして「名誉棄損に関する法律に気まぐれがなかったら」と、法域には名誉棄損訴訟を起こす資格がないことに触れて、「この種のコメントは告訴できるだろうに」と、いくぶん脅しめいた調子で嘆いている。

二〇〇一年九月一一日、OECDのタックスヘイブン・プロジェクトが消滅して二ヵ月後、アルカイダがアメリカを攻撃し、今日まで続いている新しい偽善と欺瞞《ぎまん》の物語が始まった。この攻撃の後、ジョージ・W・ブッシュの政権はそれまでとは打って変わって、テロリストへの資金提供について守秘法域からより緊密な協力と透明性を得たいと思うようになった。だが、オフショアを使った脱税はそのまま放置しておきたかった。問題は、どうやってそれを行えばよいかだった。この二つの活動には、まったく同じ法域、同じ法人、同じテクニックが関わっているからだ。解決策は、これまでに編み出されたもののうち最も巧妙と言ってもよいオフショアのトリックという形で登場した。

国と国とが情報を共有する最もよい方法は、いわゆる自動的な情報交換で、この場合、各国は、たとえば自国の納税者の金融取引について、当然のこととして互いに伝え合う。これはEU内部では日常的に行われており、他の少数の国の間でも行われている。この方法は情報が漏れやすく、あらゆる種類の抜け穴を塞《ふさ》ぐための改良が必要ではあるが、それでも十分うまく機能している。プライバシーが侵害されることはない。医師が患者の痔疾《じしつ》や性病の詳細を秘匿するのと同じように、税務当局も情報を外に漏らさないからだ。医師や税務当局はそうした情報を必要とし、同じくそれを必要とする他の人々に伝えることはあるが、公開はしない。

だが、情報を共有する方法はもう一つある。「請求に基づく」情報提供だ。ある国が他国の納税者についての情報をその国に提供することに同意するが、その提供は個別ベースで判断され、具体的に請求された場合にのみ、しかも、きわめて限定された条件――情報を請求する者は、なぜその情報が必要なのかを厳密に説明できなければならない――が満たされた場合に限って行われる、というものだ。つまり、情報を請求するとき、請求者は、その情報がどのような内容のものかを事前にほぼ知っていなければならないのだ。やみくもに情報をあさること、つまり脱税を見つけるためにさまざまな情報をごっそり入手しようとすることは許されない。そのため、情報を入手しなければ犯罪行為を立証できず、犯罪行為を証明できなければ情報を入手できないという堂々巡りになる。『キャッチ＝22』の主人公、ヨッサリアン大尉なら、このジレンマがよくわかったことだろう。「請求に基づく」情報提供は、ただの言い逃れの道具である。このおかげでタックスヘイブンは、これまでどおりのやり方を続けながら、われわれは透明性を確保していると主張できるのだ。

　この方法は、もちろんブッシュ政権の承認を得たものだ。実現されたのは本当の透明性ではなく、きわめて限定的な条件がついた透明性、透明化する許可がある場合に限っての透明性だった。「請求に基づく」情報提供は、ＯＥＣＤの方式にもなっている。

　世界全体でどれだけの情報が請求に基づいて交換されているかを知るのは容易ではない。だが、ジャージー・ファイナンスのＣＥＯ（最高経営責任者）ジェフ・クックが二〇〇九年三月に認めたところによれば、アメリカと租税条約を結んでからの七年間に、ジャージーがアメリカの調査官と情報を交換した事例は、わずか「五、六件」にすぎなかった。[注32]この数字を、レヴィン上院議員が突き止めた一〇〇万件以上というアメリカのオフショア口座の数と対比させると、このシステムは明らかに無意味である。そのうえ、情報の請求を処理するには数ヵ月とか数年といった時間がかかることがあり、その一方で調査対象の資産は数時間で、ときには数分で、他の法域に移すことができる。おまけに、二〇〇七年に発生した金融危機の後、今では守秘法域の言いなりになっているＯＥＣＤが、世間の圧力に応えるためにもう一つ巧みなトリックを編み出した。Ｇ20（主要二〇ヵ国）諸国の首脳たちに促されて、ＯＥＣＤはタックスヘイブンのブラックリストを作成したのだが、ブラックリストから削除されるためには、ＯＥＣＤのどうしようもない「請求に基づく」方式での情報交換協定を一二ヵ国と結べばよい、としたのである。

　ＯＥＣＤは大規模な改革の動きが進行中だと主張した。「われわれが目の当たりにしているのは革命に他ならない」と、OECDのアンヘル・グリア事務総長は誇らかに断言した。「租税の世界のダークサイドがもたらす課題に取り組むことによって、グローバルな租税透明化を求める運動が精力的に展開されている」と。新聞には「銀行の守秘性は死んだ」というような見出しが躍り、イギリスのゴードン・ブラウン首相は、目的は「タックスヘイブンを非合法にすること」だと宣言した。

G20が銀行の守秘性は死んだと宣言してからわずか五日後の四月七日には、OECDのブラックリストはからっぽになっていた。OECDの役に立たない協定を一二ヵ国と結ぶと約束しただけの三二のタックスヘイブンを、OECDはリストからはずしたのだ。最終的にこれらの協定の三分の一が北欧諸国と交わされたが、そのなかにはグリーンランドやフェロー諸島のような「グローバル経済大国」も含まれていた。残りの三分の一かそこいらは、他のタックスヘイブンとの間に結ばれた。例によって、オフショアを使った不正で最も被害を受ける途上国のことは誰も気にしていなかった。インド、中国、ブラジル、それにアフリカ諸国は、完全に脇に追いやられていたのである。(注33)

この分野についておそらく誰よりもよく知っているマイケル・マッキンタイア教授は「ブラックリストは悲しいジョークだった」と述べている。「OECDのプログラムは、納税者が母国の租税を逃れるのを積極的に手助けしている国々に世間体のよさを与えた」(注34)。ブラックリストはごまかしだった。先ごろの金融危機で一時的に後退したものの、オフショア・システムは今ではふたたび猛烈な勢いで成長している。そして、OECDは今日に至るまで、そのほとんど役に立たない「請求に基づく」方式の情報交換が「広く受け入れられている国際基準」だと主張しているのである。

豊かな国々の政府がタックスヘイブンや透明性に関して正しいことをすると期待することはできない。多くの政府がより高い透明性やより緊密な国際協力を要求しながら、実際にはその両方を妨げる動きをしている。道理に基づく議論を要求しながら、実際には誹謗《ひぼう》中傷や秘密取引やもっと悪質なことを行っている。民主主義や自由といった言葉を使いながら、説明責任を負わない無責任な権力や特権を擁護している。だが、市民社会が活動し始めている。現在のリーダーはワシントンのグローバル・ファイナンシャル・インテグリティとヨーロッパのタックス・ジャスティス・ネットワーク（ＴＪＮ）だ。彼らの知識は本書を書くうえでなくてはならないものだった。ＴＪＮの理事、ジョン・クリステンセンは、ワシントンＤＣの上院議員会館で職員を対象にオフショアに関するブリーフィングを行ったとき、一人の上級職員が目に涙を浮かべているのを目にしたと語る。ワシントンの右派の猛烈なロビー活動に逆らって、オフショアの問題について何らかの前進を引き出そうと戦ってきた彼女は、「市民社会がこの問題に関心を持つのを何年も待っていたと話していた」。もっともっと大きな力を結集することが、今求められているのである。

ＯＥＣＤの情報交換方式、減税は歳入を増やすという説と減税は野獣を飢えさすという説の矛盾、オフショアに関するミッチェルの矛盾をはらんだ主張――こうしたごまかしがなぜ幅をきかせ続けているのだろう。ジャーナリストのジョナサン・チャイトがよい答えを教えてくれる。「あちこちのつむじ曲がりにとっての教訓は、ある理論が裕福で有力な集団に直接利益をもたらす場合には、その理論が成功する可能性は高くなるということ、そして裕福で有力な人々以上に裕福で有力な集団はないということだ」。この章の最後は、シティズンズ・フォー・タックス・ジャスティスのボブ・マッキンタイアの言葉で締めくくろう。ワシントンのロビイスト軍団との戦いに人生の多くを費やしてきた彼は、疲れ果てた様子でため息まじりにこう語る。「われわれはこんなに少人数だ。そして、彼らはあんなに大勢いるんだ」

第11章 オフショアの暮らし
人間の要因

バハマ——ベス・クラールの場合

二〇〇九年に元プライベートバンカーのベス・クラール（本名ではない）に会ったのは、ずっと気になっていた問題について話を聞かせてもらうためだった。それは、犯罪者や腐敗した政治家の財産隠しに手を貸しているプライベートバンカーは、自分たちの行為をどのように正当化しているのかという問題だった。

私たちはクラールの住むワシントンDCで会うことにし、ある日曜日、デュポン・サークルのそばにあるクレイマーブックスのにぎやかなカフェで顔を合わせた。彼女はプライベートバンクを辞めてから非政府部門の職に就いていたが、印象的な白黒模様の上着を着たその姿には、まだ洗練された国際金融業者の雰囲気が色濃く残っていた。金融業界で二四年近く過ごした四七歳のクラールは、まだ過去の生活と折り合いをつけようとしている最中だった。自分が目にしてきたことを嫌悪しており、自分の経験した恐怖を打ち明けることで明らかに動揺していたが、自分がかつて秘密保持を誓った顧客情報については断固として明かすことを拒否した。金融業界で築いた多くの友人関係を壊さないよう注意しながら、何を話し、何を話さずにおくかを慎重に選別していた。

クラールのオフショア世界での最後の職場はバハマにあった。人口三〇万人あまりのバハマ諸島は、アメリカの組織犯罪の黄金時代だった一九二〇～三〇年代以来、重要なオフショア・センターであり続けてきた。私は数ヵ月前ケイマン諸島の弁護士から、バハマで「あれこれ聞き回る」つもりなら、身の安全に気をつけろと忠告されていた。クラールも、あそこに戻ったら何をされるかわからないと言った。あなたに話すことで、プライベートバンカーの守秘義務に部分的にそむいているのだから、と。「コンクリートの靴を履かされて、海に沈められたくはないわ」。そう言った彼女の顔は、ニコリともしていなかった。彼女の恐怖の一つの理由は、そもそも彼女の怒りをかき立てていたものだった。彼女が取引していた相手の多くが、それぞれの国で社会の有力なメンバーだったのだ。ある取引には「国際政治の場で活躍しているきわめて著名な人々」が関わっていたという。

バハマで働く外国人銀行員には珍しく、クラールはジャンカヌー・フェスティバルに深く関わっていた。これは中南米とカリブ海地域のカーニバルの伝統をミックスしたような祭りで、専門のウェブサイトによると、「バハマだけでなく世界全体のきわめてすばらしい文化的イベント」だ。ジャンカヌーに一緒に参加していた仲間たちは――ナッソーに残してきた他の多くの友人たちは言うまでもなく――バハマのオフショア産業に対する彼女の批判を「反バハマ的」とみなすかもしれないと考えて、彼女は気が滅入《めい》っているようだった。私が彼女と会ったのは、彼女が自分はなぜバハマに戻れないのかを彼らに告げる勇気を奮い起こそうとしていたときだった。自分がそのなかでキャリアを築いたオフショアの価値観、「守秘性はよいことだ。マネーをもたらすものは何であれよいものだ。沈黙の掟《おきて》を破る者はだらしない人間か裏切り者だ」という価値観に対して、この先どのような姿勢をとるべきか、まだ結論を出せないでいたのである。

クラールはイギリスのレスターに生まれ、学校を出てから金融畑一筋に歩んできた。一九八〇年にイギリスのミッドランド・インターナショナル・バンクに入り、半国営のスウェーデンの銀行を経て、一九八七年にはルクセンブルクのチェース・マンハッタンに移ってそこの事務処理部門で働くようになった。チェースはいくつかの債券の支払い代理人を務めており、クラールはクーポン（利子）部の金庫室で、ユーロボンドの保有者が利子を確実に受け取れるようにする作業に精を出した。「ここで対応していた顧客は、債券投資の世界で『ベルギーの歯医者』と呼ばれる現金決済の投資家だった」とクラールは振り返る。「こうした投資家が一度にどっと来ることもあった。私たちがクーポン・バスと呼んでいたものが到着してね。彼らはベルギーやドイツやオランダからやってきて、ロビーを埋め尽くし、ドアの外にまであふれ出た。いきり立ってクーポン（利札）を突きつけ、小切手を受け取っていった」。金庫室には高額資産保有者に関係する「封印封筒」も保管されていた。「何が入っているのか、まったくわからなかった。プライベートバンカーと顧客管理担当マネジャーがそうしたものを金庫室にしまうのよ。私たちには中身は見当もつかなかったわ」

日に一四〜一六時間、ときには週末も仕事をするのが当たり前で、プレッシャーは大きかった。「そこにあったのは恐怖の文化だった。顧客が損を出したって？　なんてこった、厄介なことになるぞ、という調子。私たちは極度のストレスを受けていた。期限の前にさらに期限があった。社内の権謀術数は尋常ではなかった。強いプレッシャー、謀略、卑劣さ、熾烈《しれつ》な戦い、裏切りに満ちていた」。彼女はチェースからブラジルの銀行、バンコ・メルカンティル・ド・サンパウロに移り、それからバハマのシティトラストに移ってミューチュアルファンド部門で評価と会計を担当した。ここから先は、クラールは雇用主の名前を明かすことを拒んだ。

シティトラストの後は、バハマにあったイギリスの有名銀行のプライベート・バンキング部門で顧客関係マネジャーとして働いた。この部門が取引していたのは、マネージドバンクとかシェルバンクといった婉曲《えんきょく》的な呼び方をされる、オフショアならではの実体のない銀行だった。これらの銀行は登記されている場所に実際に存在するわけではないので、その地の規制当局の監督を免れることができる。シェルバンクは通常、タックスヘイブン法域の代理人を通じて運営されている。代理人はたいてい有名なグローバル銀行で、シェルバンクを支える信用度の高い名前と住所を提供しているが、それ以外は何の責任も負っておらず、シェルバンクが実際に何をやっているかをまともに把握してさえいない。したがって、シェルバンクがたとえばバハマに登記されているとしても、その所有者や経営者はよそにいるかもしれないのだ。

シェルバンクは多くの銀行が敬遠するビジネスを手がけている。アメリカのカール・レヴィン上院議員は、シェルバンクについてこう語っている。「これらの銀行は一般に規制当局の検査を受けることはなく、その銀行がどこにあり、どのようなビジネスをしているのか、顧客は誰なのかを、そのシェルバンクの所有者を除いて事実上誰一人知らない。あるシェルバンクの所有者が言うには、彼の銀行は、どこであれ彼がそのときいる場所に存在しているのだそうだ」。法人登記代行サービスの広告は、わずか数千ドルでシェルバンクが設立できると謳《うた》い、「細かい背景審査なし」とか、「ヨーロッパの法域」で「短期間で設立」といった約束を掲げている。クラールが働いていた銀行は、シェルバンクにその広く知られた名前を提供してバハマの規制当局を安心させていた。私はクラールに、そのイギリスの銀行は、こうした法人についてどれくらいデューディリジェンス（投資対象の実態を把握するための調査活動）を行っていたのかと質問した。「アハハ」という笑いが彼女の最初の反応だった。「そうね、これらの銀行はバハマ中央銀行に四半期ごとに報告書を提出していたけど、それをチェックするのはうちの銀行の仕事ではなかったわ」

彼女のいたイギリスの銀行の受付ロビーには「バンコ・デ・○○」と書かれた真鍮《しんちゅう》のプレートが掲げられていたと、彼女は言う。おそらく、この銀行のバハマの住所と電話番号をレターヘッドに使用しているアルゼンチンの銀行の名前だったのだろう。バハマの規制当局にはアルゼンチンで行われていることはわからないし、アルゼンチンの規制当局にはバハマのことはわからない。典型的なオフショアの手法である。予想されるとおり、これらの銀行のなかには、五大会計事務所の一つによって監査・承認されていたにもかかわらず倒産したところがある。スペイン語も話すクラールは、彼女の銀行が関わっていた銀行やファンドが破綻《はたん》したとき、怒った預金者からの電話を何本もとったという。「人々は生涯かけて貯《た》めたおカネを失って泣きながら電話してくる。そういう人たちに私はこう言うの。『おカネを取り戻そうと飛行機でこちらへ来られても無駄ですよ。ここにはおカネはありませんから』」。実際、おカネがそこにあったことは一度もなかったのだ。

二〇〇一年九月一一日の同時多発テロの後、アメリカは急遽《きゆうきよ》シェルバンクを禁止する法律を作った。これにより、バハマの銀行が実態のあるビジネス組織として認められるためには、シニアバンカーを二人雇い、帳簿や記録を現地でつけなければならなくなった。「それは裏を返せば、ビルの一室を借りて、そこに二人配置すれば、それで銀行ができるということよ」と、クラールは言った。そして、まさにそれをやっているバハマの信託会社のウェブサイトを教えてくれた。二人の取締役、帳簿や記録をつける場所など、本物の銀行のような体裁は備えているが、実態はない会社である。このような舞台装置を整えることで、ほぼこれまでどおりのビジネスを続けながら、規制当局の基準をクリアできるのだ。

クラールは次にヨーロッパの大手銀行に移った。ポジションはやはり顧客関係マネジャーで、具体的には富裕な顧客を見つけて彼らを満足させておくことが彼女の仕事だった。顧客探しの過程で中南米の人物の名が挙がってくることがしょっちゅうあり、彼女はそこへたびたび出張した。「入国カードには目的はレジャーと書くんだけど、スーツケースのなかはビジネススーツとポートフォリオ（資産構成）のパフォーマンス評価、つまりバハマの信託がなぜ有利なのかを説明するマーケティング資料やプレゼン資料でいっぱいだった」。ポートフォリオのパフォーマンス評価に顧客の名前は記されていなかった。それどころか、この銀行は口座名として顧客の名前を記録することさえしていなかった。「口座名や口座番号を載せないので、その書類は株式や債券などの保有資産のリストにすぎなかった。それが誰のものか特定するのは不可能だった」。入国審査を受けるときはドキドキすることもあったが、彼女はいつも問題なく通過できた。

顧客が法を破る手助けをすることが多かったにもかかわらず、クラールには悪いことをしているという意識はほとんどなかったという。「自分の良心を見つめないようにすること」ができたのは、一つには、自分の行為は誰かの助けになっていると思える事例がいくらでもあったからだ。たとえば、ブラジルのような国には法定相続人制度があって、両親の死後、家族の誰が財産を受け継ぐかが決まっているが、オフショア信託がそれを回避する手段になることがある。クラールが自分の知っている例として挙げたのは別の国の事例だったが、この事例では、法定相続人制度によれば財産は遊び人の息子のものになるはずだったが、家族は特別なニーズを持つ娘のほうに受け継がせることにした。

業界で「美人パレード」と呼ばれている銀行群、すなわち顧客やその代理人が資産運用を任せる先として真っ先に検討するサービスのよい銀行群に仲間入りするために、クラールは大物の弁護士や資産運用マネジャーにたびたび売り込み電話をかけた。顧客獲得の秘訣《ひけつ》は、よい信頼と悪い信頼が混然一体となった信頼関係を築くことだ。よい信頼に関しては、銀行は資産に対する確実で安全なリターンを提供する。悪い信頼は、この銀行は顧客の身元を秘匿し、顧客のために違法行為をしてくれると信用してもらうことだ。このとらえにくい信頼関係を築くために、クラールはリオデジャネイロでポロの試合やオペラやクラシックコンサートに行き、町一番の高級レストランで顧客や見込み顧客と朝食やランチやディナーを何度もともにした。

次第に良心の呵責《かしゃく》が募ってきたにもかかわらず、クラールは最終的にバハマにあるスイスのブティック型プライベートバンクで働くことになった。ここは決して普通の銀行ではなく、彼女が現金の詰め込まれたスーツケースを実際に目にした唯一の銀行だった。「その銀行ではクライアントが訪れることは一度もなかった。バンカーとクライアントが一緒に猛獣狩りツアーに行ったり、ブダペストにバレエを観《み》に行ったりする。そうした場所でそれが行われるわけよ」と彼女は語る。その口調からは、「それ」がみだらな性行為か何かのように聞こえた。実際のビジネスはスイスで行われ、バハマは純然たる「駐車場」、つまりマネーの中継点であり、守秘性のベールをもう一枚かけるための場所だったのだ。こうしたビジネスの大きな推進力になっていたのは、言うまでもなく、犯罪の利益を受け取って保管する必要性だった。

「おカネのために人格を切り売りする売春をしているような気がしたわ。自分の関係しているシステムが世界の貧困を永続させる働きをしていることに気づいたのよ」と、彼女は言った。そして、少し考えてから、こう言い添えた。「でも、あの興奮は本当に面白かった。刺激でわくわくさせられると、普通なら当然疑問に思うようなことも気にならなくなるものよ」

彼女の同僚たちは古くからのヨーロッパの貴族サークルの出身だった。彼女は完璧に仕事をこなし、大物の弁護士や資産運用マネジャーたちと仕事上、親しく付き合っていたが、隔たりは残っていた。「彼らは王族や大使と一緒にパーティーに出かけていた。私は彼らの仲間には入っていなかった」

そのころ、弱々しいながら世界的な規制強化の動きがあって、バハマの法律も少し厳格化され、クラールは人事異動でコンプライアンス・オフィサーに任命された。このごろでは、オフショア銀行は、不正なカネを追放するために顧客の身元確認のルールを作るという大芝居を演じている。預金者は、たとえばパスポートの認証謄本を提出し、資金の出所を説明しなければならないことがある。バハマやケイマン諸島などの法域はこうした要求事項を法律に盛り込んでおり、銀行はこれを強制するためにクラールのようなコンプライアンス・オフィサーを配置している。少なくとも理屈の上ではそうなっている。

新しい仕事をするなかで、クラールはルールを回避する方法はいくらでもあることに気づくようになった。「こちらが資金の出所を聞いたら、相手は何とでも答えることができた。それを証明する書類を求めたりはしなかったんだから」。クラールの知り合いのコンプライアンス・オフィサーは、特定のファイルを見ることをはっきり禁止されていた。バハマの法律には抜け穴があり、法制度が整備されているとされる法域の金融機関から紹介された顧客である限り、バハマの銀行はしかるべき審査をせずにすませることができた。ちゃんと法律を守っていることを示すために、銀行はときおりマネーロンダリング（資金洗浄）を暴くことがあった。そうすることで銀行が怒らせたくない人物の名前が表に出るようなことがない限り、銀行は喜んでそうしていたと、クラールは言う。

オフショアでは、犯罪者とそうでない者を区別する法的枠組みが崩れ、社会的地位のある立派な人物と身元の定かでないうさんくさい人物を区別する信頼のネットワークが、それにとって代わっている。

資金を洗浄したいとか、最低限の課税で投資したいと思う人間は、良心の呵責など感じない信頼できる相手と取引しようとする。相手と知り合いでなければ、バンカーは多くの試練を潜《くぐ》り抜けなければならない。相手が長い付き合いのある信頼できる顧客なら、ルールは消えてなくなる。富と特権を持つ貴族階級は丁重に遇し、形式的な法律には抵抗する、こうした信頼に基づくネットワークこそ、銀行の富裕な顧客にとって究極の安心なのだ。マフィアの行動規範とよく似ているのは決して偶然ではない。

「銀行同士は互いに競争しているが、協力し合うこともある」と、クラールは言う。「こうした銀行のトップ連中は、友人や仕事仲間が寄り集まった内輪のグループに属していて、あらゆる社会的つながりがそこを軸に進展する。ビジネス上の関係と社会的つながりが絡まり合っていて、彼らは互いの間で仕事を回し合う。法律では疑わしい活動は金融情報室（ＦＩＵ）か警察に通報しなければならないことになってるけど、小さな場所ではみんなが知り合いだし、いとこ同士だったりする。だから、通報しても、それが通報者の身元を伏せて適切なルートで処理されるとは思えなかった。ＦＩＵや警察の誰かが自分の働いている銀行の連中と親しい可能性は大いにある……その場合は、問題を提起したりしたら、ひどい目にあう恐れがあった」

クラールの任務は、口座への不審な資金の出入りをチェックすることとされていた。不審なものはたくさんあった。彼女は何度もおかしいと指摘した。「上司たちはいつも、『これは手数料だ』と言ってたわ」。それは賄賂だったのか。手数料だったとしても何の手数料だったのか。「私は引き下がり、それっきり答えはもらえなかった」。彼女の銀行と取引していたスイスのある信託会社は、自社のウェブサイトにジュネーブのすてきな噴水の写真数点以外、ほとんど何も載せていなかった。「この会社がうちの銀行に持ち込んだのは信じがたいようなひどい代物だった。責任ある受託者なら決してあんなものは引き受けない。信託設定者は誰なのか、どのような資産で、出所はどこなのか、まったくわからないんだから。私は強く反対したけど、うちの銀行は引き受けた」

彼女の良心の呵責は日増しに強くなり、彼女は強い孤独感にさいなまれるようになった。「ボーイフレンドにさえ話せなかったわ。銀行の守秘義務を守らなくちゃいけなかったから」と彼女は振り返る。「彼は私が何か口外できないことでとても強いストレスを感じているらしいと察してはいたけれど、彼にわかるのはそれだけだった。とても忍耐力のある人だったけど、彼にはわかりようがないことで疲れ果て、落ち込んで青白い顔で帰ってくる人間と暮らすのは、楽なことじゃなかったのよ」。彼女が言葉を交わす他のコンプライアンス・オフィサーのなかにも、無力さを感じている者がいた。「あそこは不安だらけだった。役員たちに厄介な問題を報告しなくちゃいけない立場にいる。でも、その報告は感謝されない。そういうジレンマを抱えるわけよ。ほとんどの人が、銀行や国の名誉を守り、しかも自分の倫理的・道徳的・法的義務も果たしながら仕事をしたいと思っている。そういう気持ちで職に就くんだから」

私は自分自身が先ごろケイマン諸島で経験したことを彼女に話した。ケイマン諸島で最初に取材した人たちの一人に、私がタックスヘイブンに批判的な組織とつながっていることを明かしたら、どうなったかという話を、だ。インタビューは数分で打ち切られた。私をこの取材相手の女性に紹介してくれた共通の友人は、インタビュー後に彼女から何通もの電子メールを受け取った。後でどれほど「不安な」気持ちになったかを力説し、私が彼女の身元を明かすことは絶対にないと約束してくれと、繰り返し頼むメールだったという。

私の取材した相手は、たとえば人口五万人強の島の繁栄と、人口三億五〇〇〇万人の北米、六億人の中南米、やはり六億人のアフリカの利益をどのように調和させるのかという質問をすると、ほぼ例外なく不愉快そうな顔をするか、すぐに話題を変えるかだった。だが、私にとってもっと意外だったのは、自分の見方に自信を持っているにもかかわらず、私自身が、ケイマン諸島について意見を述べるとき臆してしまったり、ほとんど恥じ入るような気持ちになってしまったりしたことだった。クラールはその気持ちをすぐにわかってくれた。「バハマを離れようと考えていたとき、友人たちが別のプライベートバンクの仕事を紹介しようとしてくれた。私はその仕事を続けると考えただけで、本当に吐きそうになるほどいやな気持ちになった。でも、この友人たちは、まさにその業界で働いていて、親切にしてくれる。そんな彼らに、もうこの仕事は絶対にできないと、あからさまに言えるわけがない。彼らはまだその業界にいるんだから。私はいろんな面で自分は『汚い』と感じたわ。あんな仕事をしてきたから汚い、友だちに対して本当のことを正直に話していないから汚いってね」

私の古くからの友人で、二人の子を持つアメリカ人、ステファニー・パディラ＝カルテンボーンは、最近までケイマン諸島に住んでいた。彼女はそこに移り住んでまもなく、好奇心や率直さに暗黙の制限があることに気づいた。「あそこに住んでると、裏にあるものを見たくないという感覚を持つようになるの。それは私にはとうてい処理できないほど複雑なものだということがわかってるから。他の人に話すこともできないしね。それは越えることのできない奇妙な目に見えない線で、半分は自分で選んだ制限、つまり自己検閲なのよ」

ケイマン諸島──「デビル」の証言

二〇〇九年にケイマン諸島を訪れたとき、ケイマンの元ベテラン政治家と彼の自宅で話をしていたら、がっしりした体格の浅黒い肌のケイマン人の男が入ってきた。年齢はおそらく四〇代で、青いポロシャツとカーキ色の短パン、それにサングラスといういでたちのこの男は、「デビル」と名乗った。いまだに彼の本名は知らないが、まじめで幅広い人脈を持つその家の主は、この男は信用していいと請け合ってくれた。その謎の男は、自分は国際的な法執行機関の信任状を持っていると言った。そこで私は、少し前に携帯電話のカメラで撮っていたマンハッタン地区担当連邦検事で警察関係者には広く知られているロバート・モーゲンソーの写真を見せて、この人物は誰かと聞いてみた。確かめる方法をそれしか思いつかなかったのだ。確かに高度なテストではなかったが、この見知らぬ男はそのテストに難なく合格した。

ケイマン諸島で好き放題に行われている世界的な犯罪を何年も前から捜査してきたという彼は、いくつかの事件について話してくれた。その多くが私には初めて聞く話だった。一つはイマド・ムグニヤに関係した事件で、この人物は二〇〇八年にシリアで殺害されたヒズボラの幹部であることを、私は後に知ることになる。もう一つは、イランへのミサイル技術の移転にケイマンの会社が関与したとされる事件で、私は後にアメリカの外国資産管理局に確認して、これがまだ捜査中の事件であることを知る。彼は国際的な武器商人ビクター・バウトのケイマンでのビジネスにも触れたが、これはメディアに一度も取り上げられていない話だった。彼はさらに、ケイマンのヘッジファンド、ミューチュアルファンド、特別目的法人（SPV）について、これは犯罪だらけの分野だと言ったが、もっと詳しく語ることは拒否した。そして、私に身の安全に気をつけるよう注意してくれた。

「この件についてあなたに話したら、あなたはサルマン・ラシュディのようになるだろう。ここには話してはいけないことがある。これは本当だよ。……ここは危険で悪意に満ちた場所なんだ」。自分は通常なら意図的に裏返さないまま放っておく石に興味を持ちすぎたために、支配層の敵になったのだと、彼は説明した。だから、デビルと名乗っている、支配層が今では自分をそのように扱っているからだ、と。

「本心を見破られないよう気をつけなくてはいけない」と、彼は話を続けた。「彼らは敵とみなす人間を経済的に孤立させる。その人間の信用や人望を破壊する。尊厳をはぎ取る。ここの人間は、マフィアのオメルタのような沈黙の掟に従っている。彼らはそんなことはないと言うだろうが。ここには秘密結社がある……ビジネス界の連中が団結して——非公式な団結だ——この男は問題を起こすに違いないと断定する。あなたはそれとない脅しの言葉を受け取ることになる。気をつけたほうがいい」。強力な秘密結社ネットワークやそれに類したネットワークが作動しているのである。彼によれば、秘密結社にはケイマンの政治家は含まれていないが、彼らは「政治家に電話を入れて、ああしろ、こうしろと指示する」のだという。この家の主——私がこの島で出会った唯一の反体制派——が言葉を挟んで、この秘密結社については「まるで幽霊について話すかのように、陰でひそひそ噂《うわさ》されている」と言った。「この問題の一番厄介な点は、この島の少数の人間、国際社会が違法行為とみなすことを行ってきた連中……彼らが取締役の座に就き、高い社会的地位を持ち、指導者とみなされていることだ」と、デビルは語る。

ケイマンは顧客の詳しい身元確認を義務づけた法律があることを自慢している。この法律は確かにかなり強力だ。少なくとも書類上は。だが、バハマでベス・クラールが気づいたように、顧客がネットワークの信頼されている一員なら、ルールは簡単に消え去るのだ。「私が（その銀行と）まったく関係のない人間なら、彼らは私の下着のサイズまで知りたがるだろう」と、デビルは言った。「だが、その銀行と確固たる関係を築いている場合には、そんなルールは適用されない。裕福な人物として認められていれば、信頼性に疑問を持たれることはないんだ」。彼の言葉から、私は二〇〇四年にアメリカ上院常任調査委員会によって明るみに出されたリッグス銀行の内部文書を思い出した。「顧客はバハマに登記されている民間投資会社であり、その受益所有者の投資ニーズを管理する手段として使われている。この受益所有者は、現在は引退している職業人で、職業生活のなかで大きな成功を遂げ、引退に備えて在職中に正しい方法で富を蓄積した」と、その文書は記している。この「引退している職業人」とは、チリの元独裁者で多くの国民を拷問にかけたアウグスト・ピノチェトのことだった。

私は後に、デビルから聞いた話やクラールの話をケイマン諸島で働いた経験のある会計士に話した。サルマン・ラシュディの名前が出されたことに触れると、彼は激しくうなずいてこう言った。「そう、そのとおり。それはまじめな話だ。こうした脅迫を本気にするのは決して馬鹿馬鹿しいことではない。何かまずいことが起きたら、君は真っ先に刑務所に入れられることになる」。彼はオフショアで起きた不可解な死亡事件をいくつか教えてくれたが、その一つはフレデリック・ビーゼというスイス人銀行員が、二〇〇八年にケイマン諸島のグランド・ベイで燃えている車のトランクから死体で発見された事件で、頭部には鈍器で殴られた痕があったという。

この会計士は、元ヘッジファンドのコンプライアンス・オフィサー兼主任会計士だった人物で、何が行われているのかをどのようにして徐々に理解するようになったかを話してくれた。「あそこに行って三、四年でどこか変だと思うようになった。うちの会社はどこか怪しげな口座を通じてビジネスを行っていた。社員はあちこちで少しずつ情報を拾って、それを寄せ集めることはできたが、質問してはいけなかった。おかしいとわかっていても、口に出してはいけなかったんだ。私は口に出してしまった。その結果、ミーティングで情報がもらえなくなった。ミーティングに出されるのは、すでに議論の終わった情報ばかりだった。一種の芝居が繰り広げられているような気がしたね」。彼には疑いの目が向けられ、山ほど仕事を与えられた。一年に一二〇〇時間の超過勤務をしたが、それに対する報酬はなかった。「CEO（最高経営責任者）に『それも君の仕事だ』と言われたよ」

二年のうちに社員が四〇～五〇パーセント入れ替わっていた。何らかの理由でシステムに合わない人間は追い出されるんだ。質問したら、解雇されるか、辞職せざるをえなくなるほど働かされる。あからさまに何か言われるわけじゃないよ。ミーティングに呼んで、「質問はやめたまえ」と言ったりはしないんだ。彼らは高い教育を受けたきわめて知的な連中で、独自のコミュニケーションの方法を持っている。後から入った人間は、言外の意味を読み取れるようにならなくちゃいけない。彼らは「私は君に脅しをかけている」なんてことは言わない。「この人はうちの会社にはしっくりこない」と言うんだ。私は何年もあの業界にいたから、彼らが言わんとしていることはよくわかる。

ケイマン諸島に滞在するには労働許可が必要だ。厄介なことを引き起こす在留外国人は——出向してきた警察官だろうと、弁護士や規制官や監査人だろうと——労働許可を与える権限を持つケイマン保護委員会から許可を取り消されてしまう。ケイマン諸島で生活する外国人は、自分たちがこの点で弱い立場にあることを痛感している。

オフショアで働いている大多数の人は、全体の断片しか目にしないので、何が行われているのか理解していない。

たとえば、ケイマン諸島で設定された信託があり、証券ポートフォリオはスイスにあるとすると、ケイマン諸島ではごくわずかの情報しか得られない。物事がなぜこうなるのか、なぜああなるのかといったことは理解できない。犯罪を行っている連中、つまり信託を設定したり、SPVを設立したりする連中は、たいていニューヨークやロンドンにいる。多くの場合、社員は誠実な人間で、一所懸命仕事をしている。本当のことを知っているのは弁護士かCEO、もしくはCOO（最高執行責任者）だろう。

「内部告発をして、しかも島にとどまるとしたら、内部告発者に対する保護はまったく得られない。オフショア・センターではそれが普通だ。ある場所で声を上げたら、ネットワークが作動して、その人物は二度と仕事に就けなくなる。それは肉体的にも経済的にも自殺行為だ。保護してくれるものなど決して見つからない」。彼はそう言って、強調するために片方の手をもう一方の手で切り落とすまねをした。「ジョン・グリシャムの『ザ・ファーム』という映画を観《み》たかい。あれよりひどいよ。弁護士だけでなく、政治環境全体がつぶしにかかるんだから」

二〇〇九年にケイマン諸島を訪れる前、私はインタビュー取材を申し入れるためにこの島の当局に連絡をとった。その際、ケイマンのような守秘法域を強く批判している専門家主体の組織、タックス・ジャスティス・ネットワーク（TJN）のために働いたことがあると告げた。ケイマンに到着すると、政府広報官のテッド・ブラバキスが「関わりになるつもりはない」と言い、私に近づかないようにすることが「政府のトップレベルで」決定されたと言い添えた。私はそれ以前に、ケイマンの規制機関の上級職員に電子メールでインタビュー取材を申し入れていた。その職員はその後、自分の前任者ティム・リドリーが私のインタビューを手配しようとしたことを批判するメールを（うっかりして）私にCCで送ってきた。「われわれのためになることをしていると言わんばかりにティムがこの男を案内して回るのはご免こうむりたい。……差し障りのない事実を記した書面は用意してやるが、録音するようなインタビューはすべて断るつもりだ」と、そのメールは記していた。私は返信を送って、このメールを私に送るつもりはなかったのではないかと聞いてみた。「そのとおり」と彼は答え、それから重要な事実をきっぱり指摘していた。「世間一般がTJNの意見をどのように見ているかをあなたに理解してもらうのは、何の問題もないことだ。私はいつも率直にそう言っており、みんなが同意してくれている」。彼の言う「世間一般」はオフショア環境のことであり、そこには支配層のコンセンサスに対する反対意見はどうやら皆無のようだ。

島の生活には、異論を封じ込め、彼が示したようなグループシンクを助長する何かがある。デイヴィッド・グターソンは小説『ヒマラヤ杉に降る雪』で、こうした島国根性全般の本質をとらえている。「島での敵は永遠に敵である。その他大勢のなかに溶け込むこともできないし、別の近隣社会に移ろうにも移る先がない。島の住人は、まさにその地形の性質ゆえに、いついかなるときも自分の言動に注意しなければならない」。島の住人が感じる社会的・政治的抑制は「すばらしいと同時にお粗末だ。すばらしいのは、ほとんどの者がそれに注意を払うからで、お粗末なのは、それが精神の近親交配、過度の抑制、後悔や誰にも言えない悩み、住民が心を開くのを恐れ、不安のなかで暮らす世界を意味するからだ」

島という金魚鉢のなかには隠れる場所がない。トラブルメーカーを抑え込んで支配層のコンセンサスを維持できるおかげで、島国はオフショア金融にとってとくに快適な場所になっている。金儲《もう》けビジネスに民主政治が介入することは現地の支配層が許さないはずだと、国際金融業者たちは安心していることができる。こうしたグループシンクは島国のタックスヘイブンで生まれたわけではない（これらの地は、イギリスや他の大国を中心とする、より大きなグローバル・パワー・ネットワークの強力な結節点にすぎない）。だが、これらのタックスヘイブンは、よそで生まれた、貧乏人を足蹴《あしげ》にする反政府的姿勢のエッセンスを受け入れ、保護して、野放しの状態で花開かせてきたのである。

ジャージー——ジョン・クリステンセンの場合

ジャージーの元経済顧問で、現在は反タックスヘイブンの運動を展開しているジョン・クリステンセンは、開発エコノミストとして海外で働いた後、一九八六年に故郷の島に戻ったとき、オフショアの極端な右派の考えにぶつかった。それはちょうどシティの金融規制改革「ビッグバン」の年で、ジャージーは投機ブームに沸いていた。美しい首都セントヘリアでは、古い住宅や土産物店や個人商店がとり壊され、銀行やオフィスビル、駐車場やワインバーがそれにとって代わっていた。就職斡旋《あっせん》会社を訪ねたクリステンセンは、何でも望みどおりの仕事に就けると言われ、翌日、三件のオファーを受けた。

彼は会計事務所に就職し、一五〇人以上の富裕な個人客を相手に仕事をした。この会計事務所はリインボイシングを行っていた。すでに説明したように、これは国境を越えて資金をひそかに移動させるために、貿易の当事者同士が取引の価格について合意し、公式の記録にはそれとは異なる価格を記載するというやり方だ。リインボイシング（移転価格操作）によってどれくらいの資金が移動しているかを把握するのはきわめて難しい。ワシントンのシンクタンク、センター・フォー・インターナショナル・ポリシーの違法資金フロー監視プログラムグローバル・ファイナンシャル・インテグリティ（GFI）は、この方法による流出だけで途上国は毎年約一〇〇〇億ドルの資金を失っていると推定している。これは豊かな国々からの対外援助の総額とほぼ同じである。「これは資本を国外に移して税金を逃れる資本逃避で、本当に汚い手口だ。こんな仕事が毎日入ってきていた」と、クリステンセンは言う。彼のいた会計事務所は、ファックス番号、レターヘッド付き便箋、銀行口座、それにイギリス流の堅実さと信頼性の見せかけを提供していた。

クリステンセンはそこで二〇ヵ月働いた。担当した顧客のほとんどが、イギリスと歴史的つながりの深い国々、たとえば南アフリカ――仕事の多くがアパルトヘイト（人種隔離）政策批難の経済制裁を回避するための資金移動に関わるものだった――ナイジェリア、ケニア、ウガンダ、イランなどの富裕層だった。「私はインサイダーだった。それに、何百件もの顧客ファイルを体系的に処理していた。だから、断片的な情報を継ぎ合わせて『ああ、この顧客は身元を知られたくない政治家だな』などということが徐々にわかるようになった」と、クリステンセンは語る。フランスの右派の有力政治家が、フランス各地の土地に開発許可がおりるよう、不動産開発業者のために関係当局に働きかけていることがわかったこともあった。彼がジャージーを使っていたということは、フランス国民は誰一人彼のやっていることに気づかないということだった。クリステンセンによれば、一般にオフショアの下っ端社員は自分の処理しているカネがどのような性質のものなのか気づいていない。さまざまな法域を経由するうちに、手がかりが消えてしまうからだ。「ファイルをざっと見ただけではこういう情報はわからない。私はフランスのオフィスに電話して、この人物の名前を知ったんだ。彼らは『その件については上院議員に聞く必要がある』と言った。あそこで長く働いていたら、彼らもこっちのことを知るようになり、気を許してあれこれ教えてくれる。市場の不正操作とかインサイダー取引とかね。あそこで机に向かったまま思ったよ。『なんてこった、これはとてつもなくヤバい話じゃないか』ってね。この連中はとても有名な一族の人間だった。この件が表沙汰になったら、新聞の一面に載るだろう」

クラールと同じくクリステンセンも詳細は明かそうとしない。「生涯守らなくちゃいけない誓約書と契約書に署名したからね。もしもそれを破ったら、死ぬまで刑務所に入れられることになりかねない」

リインボイシングは、守秘法域の世界では日常的なビジネス活動の一つにすぎない。「彼らはこれをよいビジネス慣行だと思っていた。ありとあらゆる方法でそれを正当化していた。外国人が政治リスクや激しい通貨変動から財産を守ろうとしているのだ。アフリカの人々が貧しいのは彼らがちゃんと働かないからだ。もしくは腐敗しているからだ。貧しい国があるなら援助を送ればいいではないか。こういった類いの理屈で正当化するわけだ。経済システムのことなど考える気はなかったんだ」

ジャージーに流れ込む資金がどんどん膨れ上がるなかで、クリステンセンは職場を転々とした。彼が出所に不安を抱いた資金は多くがアフリカからのものだったが、そうした不安を口にしても一蹴されるだけだった。ある金曜日、恒例のオフィスの飲み会の前に、彼は上司からこう言われた。こういうことは話題にしたくないし、「いずれにしてもアフリカのことなんか知ったこっちゃないわ」。「彼女の態度は典型的だった。収益性はとてつもなく高く、誰も自分の行為とよその国の犯罪や不正を結びつけたりはしなかった。関与していた金融仲介業者はどこもみな――銀行も法律事務所も会計事務所も監査法人も――不正な資金移動についてわざわざ報告しようとはしなかったし、疑問を持つことすらなかった」。

クリステンセンは、子どものころからの知り合いで今は公認会計士をしている男とパブで飲んだときのことをこう語る。

私がインドやマレーシアやトレッキングのことなどを話し始めると、彼はすぐにうわの空になった。まったく興味を示さなかった。彼はバブルに浸りきっていた。昨日のパーティーはどうだった、どんな車に乗っている、誰が誰とデキている、そんな話ばかりだった。故郷に戻って私がどれほどショックを受けたか、口では言いあらわせないほどだ。ジャージーのあちこちで極端な考えにぶつかった。根深い人種差別、性差別、抑圧的な雰囲気、以前は見たこともなかった露骨で極端な消費主義、進歩的な考えに対する狂信的と言えるほどの憎悪などだ。

そこには「異論を唱えるな」というメンタリティーがあった。ロンドンの友人たちの間では、人種差別批判などは当たり前のことだったが、ジャージーに戻ったら「ここではそんなことをするんじゃない、この若造」となった。

進歩的な法律が外の世界からジャージーに入るには何年もかかる。イギリスは一九六七年に同性愛禁止法を廃止したが、ジャージーがイギリスの圧力を受けてこの法律を廃止したのは一九九〇年のことだった。イギリスで一九四八年に廃止された鞭《むち》打ち刑がジャージーの法典から消えたのは二〇〇五年で、やはり外圧を受けてのことだった。

ジャージーに戻ってまもないころ、バイクでカクテルパーティーに行ったクリステンセンは、そこでジャージー・ビジネス界の重鎮につかまって自説を聞かされた。「ヘルメット着用義務は個人の自由の侵害だと、彼は主張していた。この男はシートベルトにも反対、課税にも反対、政府にも反対だった。

彼はさらに、アパルトヘイトは南アフリカの黒人のためになると主張した。植民地主義は復活させるべきだ。『こうした連中』は、『白人政府』が支配していたときのほうがはるかにいい暮らしをしていた、ってね」。クリステンセンは、ジャージー金融界の大物で、「アパルトヘイトの熱烈な擁護者、帝国の強力な推進者、これまでに出会った誰よりも強烈なリバタリアン（自由至上主義者）」のこの人物、ジュリアン・ホッジ卿《きょう》と言い争った。ジャージーの元老議員でイギリス国教会の牧師、ピーター・マントンとも、公開ミーティングで激しく論争した。この男も、南アフリカの黒人はアパルトヘイト政策のもとで他のどの国よりもいい暮らしをしていたと、公然と言い放ったのだ（マントンはその後性犯罪で起訴され、今では死亡している）。男女差別と女性の機会均等について検討する政府委員会の会議で、ベテラン政治家がこんな会議は無意味だとばかりに、居眠りをし、いびきをかくふりをしたこともあった。会社経営者の別の政治家はもっとひどかった。「今でもはっきり覚えてるよ」とクリステンセンは言う。「彼はこう言ったんだ。『うちの会社の女の子が妊娠したら、すぐにクビにする。妊娠した子が机に向かっているところなんか誰も見たくないからな』。それが彼の呼び方なんだ。すべての女性を『女の子』って呼ぶんだ」

オフショアは、イギリスの昔の少年向け新聞『ボーイズ・オウン・ペーパー』の小説の世界のように感じられることがある。白人男性がスコッチ・ウィスキーを傾けながら問題を解決し、世界の他の地域を消耗資源とみなす世界である。クリステンセンは次のように説明する。

支配階級の連中は、アメリカが民主党政権になっても、ドイツが社民党政権になっても、イギリスが労働党政権になっても、心配する必要はないことを知っている。彼らは国内で戦う必要はなかった。世界のあちこちに存在する帝国の残骸をすでに持っていたからだ。赤い郵便ポストやイギリス風の生活様式、それにイギリスの支配階級に対する信じがたいほどの卑屈さなどだ。私はジャージーで、カネを持っている外国人に現地の政治家がどれほどこびへつらうかに驚いた。イギリスの支配階級にはこんな考えがあった。「もともとわれわれのものであるこうした小さな島々を乗っ取っても何ら問題はない。現地の連中はかえってわれわれに感謝するだろう」。こうした場所にはチェック・アンド・バランス（抑制と均衡）はない。マスコミもない。それに、彼らは外国からの干渉を嫌う」。結構なことだ。シティの紳士たちは、民主主義の脅威から身をかわす方法を見つけていたわけだ。

島国に限らず、小さな法域には集団としての劣等感が生まれやすい。住民は自分たちを、弱いものいじめをする大きな近隣諸国の略奪から地元の利益を守ろうとしている勇敢な戦士とみなすようになる。このような不信感に満ちた自己愛からリバタリアンの「放っておいてくれ」という世界観まではほんの数歩である。リバタリアンの世界観では、外部の人間を犠牲にして自分を向上させることは、専制に対する勇気ある抵抗とみなされる。これは言うまでもなく、オフショアの「それはわれわれの問題ではない。自分で何とかしろ」という倫理的枠組みとピッタリ一致する。よその市民や政府の権利を取るに足りないものとし、民主主義を大衆による専制とみなし、社会という概念自体を無視し、軽蔑さえする姿勢と一致するのである。

外国の租税を逃れるための便宜を提供することは、この倫理的枠組みに明らかに当てはまる。租税に対する全般的な反感も同様で、これは極端なまでに徹底されることもある。二〇一〇年二月にニューヨークで提出された裁判文書で、イギリスのプライベート・エクイティ（非公開株投資）界の帝王、ガイ・ハンズは、合法的に租税を回避するために王室属領のガーンジーに移住して以来、税法上の非居住者の身分を維持するために、イギリスに住む学齢期の子どもたちにも両親にも「一度も会いに行っていない」と述べている。(注1) 歯に衣《きぬ》着せぬ物言いで知られるスイスの大物銀行家、コンラート・フムラーは、ドイツとフランスとイタリアを、税率が高すぎるとして「違法国家」と呼んでいる。脱税、すなわち彼の言う「システム外でのスイス流貯蓄」は、彼に言わせれば「損害をもたらす福祉国家の行政官たちとその財政政策の支配から部分的に逃れようとする」市民の正当な防衛策なのだ。(注2)

オフショアの世界は地理的には多様だが、論理やアプローチや手法の驚くほどの類似性といくつかの際立った心理的共通点を備えており、同じような考え方を持つ一つのグローバルな文化圏とみなすことができる。この世界の住民構成は独特で、自分の城を持っている大陸ヨーロッパの由緒ある貴族、アメリカのリバタリアン作家アイン・ランドの熱烈なファン、世界各国の情報機関のメンバー、国際的な犯罪者、イギリスのパブリック・スクールの生徒、種々雑多な権力者たちとその夫人、それに山ほどの銀行家だ。この世界の悪者は政府と法律と租税、スローガンは「自由」である。

政府は「この世界の生産的な人々の背中にたかる利己的なノミである」と、科学ジャーナリストのマット・リドレーは記した。「政府は国を運営しているのではない。国に寄生しているのだ」。王室家政長官を務める第四代リドレー子爵の息子でイートン校出身の彼は、後にイギリスの住宅金融銀行ノーザン・ロックの執行権のない会長になった。ノーザン・ロックはガーンジーにグラナイトというストラクチャード・インベストメント・ビークル（ＳＩＶ）を設立しており、このＳＩＶを通じて貸し出し資金の多くを調達していた。具体的には、ノーザン・ロックが住宅ローン債権をグラナイトに売却し、グラナイトはそれを証券化して販売することで購入資金を調達していたのである。グラナイトのおかげでノーザン・ロックは住宅ローン債権をバランスシート（貸借対照表）に載せずにすんでおり、それが二〇〇七～九年のグローバル金融危機の入り口での同行の破綻と巨額の税金を使った救済につながったのだ。(注3)ちなみに、ノーザン・ロックは、グラナイトの記名証券の受益者として、ダウン症の人々のための小さな慈善基金の名前を無断で使っていた。

ノーザン・ロックのSIV、グラナイトは、オンショアの組織でもオフショアの組織でもなく、その両方に属していた。これはオフショアの世界観の重要な特徴をあらわしている。オフショア的姿勢は守秘法域で大きく花開いているが、たいていオンショアの支配階級の間で生まれているのである。

極端な姿勢を持つ人々が集まることで、ジャージーのそうした姿勢はますます強化されていくと、クリステンセンは言う。「私のようなリベラルな人間は、ほとんどが島を出た。学校時代のリベラルな友人たちは、ほぼ全員ジャージーを離れて大学に行き、ほぼ全員戻らなかった。あそこでは口では言いあらわせないほど暗い気持ちになる。私は落ち込むタイプの人間ではないが、あそこではかなりひどく落ち込んだよ。自分が大切だと思うものはすべて何の意味もないように思えた。頼れる人は誰もいないという気がした」。ジャージーを出ていこうと考えていたとき、クリステンセンは研究者のマーク・ハンプトンにとどまるよう説得された。ハンプトンはタックスヘイブンを理解するための新しい枠組み作りに取り組んでおり、このシステムを内側から知ることがいかに大切かを彼に説いたのだ。「私は内密に調査を進めた。特定の個人や会社のスキャンダルを暴くためではなく、自分が理解できなかったからだ。私が話を聞いた学者たちも誰一人理解していなかった。役に立つ文献もまったくなかった」と、クリステンセンは語る。彼は自分の兄弟にも何をしているか話さなかった。それを一二年も続けながら、いくつかの会社を渡り歩き、最終的にジャージーの経済顧問になった。
「何もかも隠さねばならなかったので、他のことで忙しくしてストレスを発散させることにした」と、クリステンセンは言う。彼はジャージー映画同好会の会長になり、高速カタマランヨットのレースに参加し、家庭を持った。ジャージーの体制に対する嫌悪感を隠したことはなかったが、この島初の、そして唯一のジャン=クロード・ヴァンダム鑑賞会を設立するなど、ふざけた活動をしていたので、政治家たちは彼を取るに足りない人間とみなし、したがって脅威とは考えなかった。一九八七年に経済顧問に任命されると、すべてを包括するコンセンサスに立ち向かうということがいったいどういうことなのかを、ひしひしと感じるようになった。重圧が強すぎて、ときに声が出なくなったこともあるという。

緊張で息苦しくなるんだ。金融経済委員会や他の政府委員会との会議や議論の最中に、ときおり怒りで本当に息が詰まりそうになることがあった。立ち上がって「すみません、私はこれに賛成できません」と言うには、本当に勇気がいった。教会でおならをしてしまった子どものような気分になったよ。こうした委員会の会議では本当に孤独だった。支持してくれる人がいたためしはなかった……委員会で反対意見を述べるということは、「自分のここでのキャリアはどうなってもかまいません」と言うようなものだ。私は自分のクビを切っていたわけだ。

ジャージーがどういうところかは、現地の次の三つの格言によくあらわれている。「汚れた下着は見えるところに干すな」「ボートを揺らすな（波風を立てるな）」「明日になればいやでも船が来る（急《せ》いては事を仕損じる）」

ジャージーにはエリートたちの秘密のインサイダー・ネットワークがはびこっており、そうしたネットワークはたいてい金融部門につながっている。経済顧問に任命された後、クリステンセンは彼に会いに来た多くの人から秘密結社的なグループの支部に入るよう誘われ、秘密の合図を送られた。「指を一本曲げて握手する、それが合図さ」と彼は説明する。

たいてい私がよく知らない人たちで、私のオフィスに来てあれこれ当たり障りのない話をする。それから、いきなり「この支部に加入する気はありませんか」と切り出すんだ。私はいつも考えておきましょうと答えたが、一度も考えなかった。こうした話を持ちかけてきた人たちは銀行家や大物実業家やベテラン政治家だった。握手するとき相手の手を見たりはしないが、かたまりがあるのを感じるんだ。ちょっとけがらわしい感じがしたよ。われわれはいかがわしい協定に参加している仲間なんですよと言わんばかりに秘密めかしていてね。子どものすることだよ。

「彼らの考え方はOBネットワークのそれにそっくりだ。自分たちの仲間でなければ、即敵なんだ」と、クリステンセンは話を続ける。「彼らの言う仲間とは、何も言わなくても正しいことをしてくれる信頼できる人間ということだ。たちの悪い意味での『信頼』ということだがね。私は結局、信頼できない人間というレッテルを貼られた。彼らが私のことを『われわれの仲間ではない』と言うのをよく耳にしたよ。一度、面と向かって言われたこともある」

メディアでさえコンセンサスに支配されていた。ジャージーの最も有力な新聞は、元老議員のフランク・ウォーカーが会長を務める会社が、二〇〇五年まで長年にわたり所有していた。ウォーカーは大きな権限を持つ金融経済委員会の委員長で、ジャージーの金融産業の最も声高な支持者の一人だった。『フィナンシャル・タイムズ』紙は一九九八年に「これはゴードン・ブラウン（当時のイギリス蔵相）やオスカー・ラフォンテーヌ（ドイツの財務相）が自国の全国紙をすべて所有しているようなものだ」と記した。(注4) ウォーカーは二〇〇五年に新聞から離れ、この新聞は今では反対意見や多くのまともな記事を載せるようになっている。それでも、論説の全体的な調子や記事の取り合わせはタックスヘイブン産業を断固として支持するものになっている。

ＢＢＣ（英国放送協会）ラジオのベテラン記者だったパトリック・ミュアヘッドは、二〇〇四年までジャージーのＩＴＶテレビの夜のニュース番組で総合司会を務めていたが、当時の雰囲気を次のように述べている。

人口九万人の島では人と人との距離がきわめて小さい。私と一緒に司会を務めていた女性の自宅は、政治家や意思決定者が集まる人気のサロンになっていた。そのような親密な雰囲気のなかでは、意味のある異議申し立ては不可能になる。「あなたは人の神経を逆なでしている」。そう言って、彼女は私のやり方を冷たくはねつけた。私がそこを去った後、私の誠実さや仕事上の能力や人気は、敵意を持つ防衛意識の強いジャージーのメディアや住民によって、さんざんこきおろされた。(注5)

誰にも説明責任を負っていないエリートはつねに無責任だ。私は二〇〇九年三月にジャージーを訪れたとき、初日にこの地の時代遅れの統治の仕方を垣間見ることになった。この日、『ジャージー・イブニング・ポスト』紙は、一面に「修羅場の議会」という見出しの記事を掲載した。「昨日の議会は、暴言や中傷が飛び交って、まるで学校の運動場のようだった」と、その記事は報じていた。人気はあるが何かと物議をかもす政治家、スチュアート・サイブレット元老議員が、ジャージー議会の議事の最中に、保健相が自分にあれこれささやきかけてくると公然と抗議していたのである。同紙はこの件を次のように報じていた。

(サイブレットは)立ち上がって発言した。「大臣のお話をさえぎって申し訳ありませんが、一言言わせてください。右隣の大臣、パーチャード元老議員が、『お前はまったくの〇〇〇だ。どこかに消えて首でもつったらどうだ、このろくでなし』と、私にささやきかけてくるのです」。パーチャード元老議員は即座に反論した。「そんなことは絶対にしていません。この男の言いがかりにはもううんざりです」。議事を生中継していたBBCは、使用された言葉について謝罪しなければならなかった。

サイブレットは、いつも異論封じ込めの被害者になってきた。「ここでは体制に異を唱える人間はみんな盗聴されるんだ」とサイブレットは語る。「島全体を恐怖が支配している。誰であれ、思いきって反対意見を述べた人間は、反ジャージーであり、ジャージーの敵とされる。裏切り者、不忠者とみなされる。この手のスターリン主義のプロパガンダ(宣伝)だらけなんだ」。私の訪問から数週間後、八人の警官がサイブレットを逮捕して七時間にわたって拘束し、その間に彼の自宅や、コンピューターを含む個人ファイルを荒らしまくった。翌日、サイブレットのブログの管理者が、何者かが彼のパスワードを盗もうとして失敗したようだと彼に報告してきた。そのすぐ後に彼に電話したところ、彼のいたずら好きな性格を物語る留守番メッセージがこう告げた。「警察の盗聴を怖がらないでください。あなたは違法なことをしているわけではないのですから、自由にお話しください。ただし、私のヘロイン密売人の方でしたら、新しい引き渡し場所はおわかりですよね」。自分の拘束について書いた彼のブログは、ジャージーの雰囲気を巧みにとらえている。「太陽の降り注ぐジャージーに行こう。イギリス海峡の北朝鮮に！」

二〇〇九年一〇月、ある看護師の行動に関する警察の報告書を漏らしたとして起訴されたサイブレットは、ロンドンへ逃げて下院に庇護《ひご》を求めた。ジャージーでは公正な裁判が受けられないと訴えたのだ。イギリス自由民主党のジョン・ヘミング議員は、「彼が引き渡されることを、そしてインチキ裁判にかけられることをわれわれは許してはならない」(注6)と宣言して、サイブレットを自宅に引き取った。サイブレットは二〇一〇年三月に選挙戦のために帰国し、空港で逮捕された。「ここは一握りの特権層が支配する、チェック・アンド・バランスがまったくない社会だ」と、サイブレットは言う。「一党独裁国家で、しかもその状態が何世紀も続いてるんだ」

秘密主義のオフショア金融に場所を提供していることを正当化する一貫性のある理論を構築するのは容易ではない。そのため、通常使われるのは、メッセージそのものではなくメッセージを伝える人物を攻撃するという手法である。反対派に対する攻撃は、たいてい卑劣な中傷や当てこすりという形で行われる。この人物は無知だ、妬《ねた》みで動いている、経済のことがわかっていない、頼りにならない、精神的に不安定だ、信頼できない、などだ。かつて調査のために何度もジャージーを訪れていたポーツマス大学講師のマーク・ハンプトン博士は、ジャージーのオフショア的状態を公然と批判してメディアで注目されるようになるまでは、当局の連中はきわめて親切だったと語る。彼のジャージー行きが歓迎されなくなったのは「ハンプトン（ハンプトン・コート宮殿）はポーツマスにあるからさ」と、同僚が冗談を言った。「彼らは私について悪い情報を流し始めた。いろんな悪口を言いふらすようになった。私の博士号はインチキだとか、いろんなことをでっち上げてるとか、洟《はな》垂れ小僧だとかね。彼らは私をドクターとは呼ばなくなった。私はたいして地位のある人間ではないし、学生たちもただマークと呼んでるんだから、そんなことは大きな問題ではない。だが、彼らはそうやって私の専門家としての信用を切り崩そうとしていたんだ」

反体制派の代議員ジェフ・サザンは、今では公然と異議申し立てをするのは避けるようにしていると言う。彼が前回それをやったときは、『ジャージー・イブニング・ポスト』紙にヒトラーを思わせるようなポーズの彼のイラストが掲載された。彼も彼の友人のトレバー・ピットマン元老議員も、「ジャージーの破壊者」とか「内部の敵」といったレッテルを貼られていると、うんざりした様子で語る。二人は個人的な恨みで行動していると公然と批難されている。陰湿な動機をほのめかす言葉があちこちに振りまかれているのである。私たちが会ったとき、サザンと、ピットマンの妻でやはり代議員のショーナは、選挙法の誰も知らないような規定に違反して、高齢の住民や障害のある住民の郵便投票申込書への記入を手伝ったとして起訴されていた。彼らは後に有罪判決を受け、罰金刑に処せられた。現地の人々によれば、こうした攻撃の一番奥に控えているのは曖昧模糊《もこ》とした金融産業だという。「金融産業はアメーバのようだ」と、ジャージーの別の政治家が匿名を条件に語る。「攻撃されても、それを吸収して反撃してくる。金融産業は島の寄生虫だ。島をすっかり乗っ取っている。われわれを支配し、ここで起きるあらゆることを決定している」

ジャージーの美しい南西海岸にあるスマグラーズ・インで、私は世界的に有名なダレル動物園のツアー・ガイド、ジョン・ヘイズと、彼の友人で、かつては印刷業と養豚業を営んでいたが今では引退しているモーリス・メーレットに話を聞いた。メーレットは、ジャージー古来の言葉で、近くのノルマンディーで使われているフランス語にとてもよく似たジェリ語を、まだ話すことができる。古い友人のこの二人は、『ジャージー・イブニング・ポスト』紙の投書欄や他の公の場で自分の意見を発表したところ、裏切り者としょっちゅう公然と批難されるようになった。ヘイズは指でテーブルをたたきながら、「ここは独裁国家だ」と言う。「民主主義国じゃない。ジョン・クリステンセンは国家の敵ナンバー・ワンといったところだ。彼らは軍事政権のようなもので、人々は怖くて彼らに抵抗できないんだ」。メーレットは身内の者からクリステンセンと付き合うなと言われている。「彼はジャージーのためにならない人間だとか、裏切り者だとか、いろいろ言われてるよ」。サイブレットが言った恐怖の支配について、この二人も語ってくれた。仕事から締め出される恐れ、行き場がなくなる恐れ、ブラックリストに載せられる恐れ、などについて。「ここの大臣たちは神様だ」と、メーレット。「そして、その神様たちは彼らに仕えてるんだ」

ヘイズは閣僚の一人から反体制派の友人に送られてきた電子メールを見せてくれた。その友人は大臣にクリスマス・メッセージを送って、世界が貧困にあえいでいるなかで巨額の資金がジャージーに隠匿されていることを、生意気にも指摘したのである。大臣はスペルミス、文法ミスだらけの次のようなメールを返信してきた。

裏切り者へ

こんな頼みもしないクズを送ってくるのはやめてもらいたいね……あんたがまだこの「タックスヘイブン」の島に住んでいるのに驚くよ……そんなに悪いところなら、どこかよそへ行ったらどうだい……いい厄介払いができるというもんだ……でも、たぶん出て行かないだろうね。ここではいい暮らしができるから。銀行や住宅ローン会社のカネのおかげでね……私の一族は何代もジャージーで暮らしてきて、私はそれを誇りに思っている。あんたのような裏切り者のまぬけの言葉を聞くと頭にくるよ。

あんたにクリスマスおめでとうと言う気にはなれないね。それどころか、あんたがその裏切り者の世界で惨めに暮らし続けることを願ってるよ。

返事はお断り。

たまに訪れる人間にとっては、ジャージーは街並みも人々の暮らし方もイギリスによく似ているように感じられる。だが、実際は私の知っているイギリスとはまったく違うのだ。

小さな国では誰もが知り合いで、利益相反や腐敗は避けがたい。ジャージーのインサイダーにこの問題について語らせると、とりわけ腐敗については何時間も話が尽きないだろう。ときには利益相反が政治構造そのものに組み込まれていることもある。ジャージーの検事総長ウィリアム・ベイルハッシュは、彼の兄である行政長官フィリップ・ベイルハッシュ卿の指揮下にある法廷で、長年事件を起訴している。つまり、ジャージーの行政長官は女王に任命され、ジャージー王立裁判所の上席判事と国会議長を兼務する。つまり、同じ人間が司法の不偏性を監督すると同時に、政治的に安定しているまともな国というイメージを打ち出す責任も負っているのである。そのため、支配集団の利益が住民全体の利益と同義になる。独立したシンクタンクも大学もなく、行政機関は小規模で立場が弱く、立法・司法・行政の明確な分離はされておらず、議会の審議を精査する第二院は存在していない。一般市民は委員会の会議に出席することも、その議事録や政策文書を調べることもできず、重要な法律に関する議会の討議も文書に記録されてはいない。

こうした問題は金融産業の統治にも及んでいる。ジャージーには、オフショア金融を検査したり規制したりする信頼できる真に独立したプロセスは存在していない。ジャージーの政治に関する最も詳細な学問的分析の一つである会計商務協会（AABA）の二〇〇二年の報告書は、この状況を簡潔にまとめている。「ジャージーの政治家のほとんどがビジネス界にいる。彼らはビジネス界のためにロビー活動を行い、ビジネス界の利益を促進する。彼らは法案を作り、修正し、可決する。彼らは規制機関のメンバーにもなっており、事実上、苦情や違法行為について裁定を下す『番人』として行動している。政治家が規制するとされている企業の取締役会に当の政治家たちが名を連ねている」(注7)

このような小さな島では密接な関係が生まれるのは避けがたいが、だからこそ、利益相反に向かう内在的傾向を抑えるために、検査を強化し、透明性を向上させることが必要になる。ジャージーが国際金融でこれほど重要な役割を果たすようになっている今日、これはとくに重要なことだ。これは私たちみなに関係がある問題だ。警戒心の強い金融業者は、オンショアの規制当局と同じく、腐敗がはびこっている場所を嫌う。不正にどっぷりつかっている守秘法域は、懸命に清廉さを装うことによってこれを防ごうとする。「ここはクリーンで、しっかりした規制があり、透明で、協力的な法域である」という基本的なメッセージを繰り返し発信して高潔ぶりをアピールするのである。こうしたメッセージに色を添えるのが、ＩＭＦ（国際通貨基金）の金融活動タスクフォースやＯＥＣＤ（経済協力開発機構）のような無力なオフショア監視機関からの慎重に言葉を選んだコメントや賞賛だ。こうした芝居のためには、批判者と関わることを拒否する姿勢も欠かせない。ケイマン諸島の高官は、私が取材を申し込んだときこう言った。「あなたと関わっているところを人に見られたら、われわれにとって何の益にもならない。むしろ、その正反対だ」[注8]。クリステンセンと彼の仲間のリチャード・マーフィーは、中立的な立場でオフショア産業に関するテレビ討論をしようと、ジャージーの支配層に長年申し入れているが、それに応じた有力者は一人もいない。

地元の批判者を黙らせるために使われる最大の武器は、おそらく雇用市場だろう。匿名を条件に語ってくれたジャージーのある中年男性は、自分が巻き込まれたオフショアの腐敗について批判的な意見を口にしたためにキャリアを失ったという。「あらゆる資格を持っているのに、今では法律事務所のお茶汲《く》みにも雇ってもらえない」。サイブレットも同じことを指摘する。「金融業界――彼らを怒らせたら、キャリアは終わりだ」

アンゴラやクウェートが石油に依存している国だとすれば、ジャージーは金融に依存している国だ。経済学者によれば、鉱物資源の豊富な国は「オランダ病」にかかるという。国の収入が急増すると、物価水準が上昇し、国内で生産された財、とくに工業製品や農産物は安価な輸入品に対抗できなくなる。これらの産業分野は衰退する。それと同時に、人材は優勢な産業分野に吸い込まれ、政治家は他の産業をつぶさないようにするという厄介な仕事に関心をなくす。簡単に儲かる産業につくほうが、ずっと楽で実入りがいいからだ。ジャージーの金融産業は、直接雇用している人数は約一万三〇〇〇人で、労働人口の四分の一程度にすぎないが、今では政府の歳入の九〇パーセント以上を占めている。アンゴラで石油産業が他の産業を壊滅させたように、ジャージーでは金融産業が他の産業を押しのけているのである。ジャージーの住宅価格は一九八五年から二〇〇一年の間に五倍に上昇し、それから二〇〇八年半ばまでにさらに六〇パーセント上昇した。平均住宅価格は五〇万八〇〇〇ポンドと、やはり住宅バブルに沸いたイギリスの平均住宅価格の二・五倍近い数字になっている。二〇〇六年までの九年間にジャージーの銀行預金残高とファンド価値は二倍に膨らんだが、農業と製造業の所得はそれぞれ二〇パーセントと三五パーセント低下した。農業と製造業はそれぞれ経済のわずか一パーセントに縮小しており、観光業も急速に衰退している。

かつてゲストハウスを経営していた人物は、金融産業の乱入で商売を続けられなくなったと語る。「すべて売り払ったよ。いくつかの銀行が買ってもいいと言ってきた。『すぐ売りなさい。ここでやっていける見込みはありませんよ』ってね」。クリステンセンもジャージーの雰囲気はすっかり変わったと言う。「ジャージーは家族で水遊びを楽しむのに最適の観光地だった。イギリス本土から面白い連中がしょっちゅう来ていた。いいバンドやコメディアンやすてきなショーがやってきて、本当に活気があった。今では銀行家が弦楽四重奏団を連れてくるだけさ」

石油で潤う経済の場合と同様、上層にいる人々はまたたくまにカネ持ちになるが、底辺の人々は賃金が頭打ちになるか下がるかだ。「ほとんどの人の頭に強烈な定番のイメージがある。ジャージーにはジンをガブ飲みするような大富豪がいっぱいいて、住民はみんな蹴っ飛ばしてやりたくなるようなろくでなしのカネ持ちだというイメージがね」と、サイブレットは言う。「だが、実際のところは、ジャージーのほとんどの住民は政治的に無力で、ブタみたいにむさぼり食っているのは固定した一握りの支配層だけなんだ」。経済格差はそのまま政治格差になり、異論を唱える人々に対する圧力を拡大する。

タフで怖いもの知らずの労働組合活動家ローズマリー・ペスタナは、ジャージーでおカネのない暮らしをするとはどういうことかを話してくれた。三人の子を持つシングル・マザーの彼女は、心臓病とぜんそくのため身体障害者に認定されており、セントヘリアの商業地区の、ぬかるんだ空き地に面してアパートが乱雑に立ち並ぶ一角に住んでいる。ジャージー総合病院で三五年間パートタイムの清掃員をしているが、年収は一万三〇〇〇ポンド——平均住宅価格のおよそ四〇分の一——で、八〇〇〇ポンドの所得援助を受けて何とか食いつないでいる。彼女によれば、ぎりぎりの生活をするだけで週に約四〇〇ポンド必要だが、最低賃金は保険・税金込みで二三〇ポンドだ。そのため、多くの人が仕事を二つかけ持ちしている。しかも、ここの奇妙な労働法ではストライキをするのはきわめて難しい。

散らかり放題の狭い台所で、彼女は自分の子ども時代を振り返ってこう語る。「あのころも大変だったけど、今ほどじゃなかったわ」。両親が離婚しても子どもたちは学校に通い続けることができたし、たまには日帰り旅行や休暇を楽しむこともできた。「今はそんなことはできないわ」。そう言って彼女は医療費がどれほど高いかを説明してくれた。ジャージーにはイギリスのような国民医療制度はなく、患者は医者に診療代を払わなければならない。二〇〇九年のジャージーの「年次社会調査」によれば、医者や歯医者にかかる費用がきわめて高くなっているため住民の半数以上が定期的な健康診断を受けていなかった。(注9)「私はこの島が好きよ。でも、昔の島に戻ってほしいわ」とペスタナは言う。

クリステンセンは、格差に大きな実質的影響を与えるジャージーの小売物価指数（ＲＰＩ）をコントロールしていた。家賃や水道料金など多くのものがこの指数に連動していたし、物価が上がったら雇用主は一般従業員の賃金を引き上げなければならなかった。「政治家の干渉がしょっちゅうあったが、それをはねつけてこの指数をしっかり守ってたんだ」と、クリステンセンは言う。一九九一年のある日、ジャージーの有力政治家の一人が廊下で彼を呼び止めた。「彼は私のことを小僧としか見ていなかった。『お母さんは元気かね』と尋ねてから、こう言った。『いいかい、このインフレは問題の種になっている。

どうすればいいかね』。私は来年の今ごろには低下に向かうと思いますと答えた。彼は『それじゃ役に立たんな。今すぐどうにかする必要がある』と言った。私がそれをはねつけたら、二度と口を利いてくれなかったよ」。ジャージー商工会議所はRPIについて何度も調査させたが、そのたびにクリステンセンが正しいことが証明された。クリステンセンはイギリスのエリート官僚である上司のコリン・パウエルとは概してうまくやっていたが、ときにはそのパウエルとも衝突することがあった。ある年のクリスマス、クリステンセンは友人の漫画家にパウエルの絵を描いてもらった。ストーンヘンジでヤギをいけにえに捧げようとしている魔術師姿のパウエルで、「小売物価指数の発表」というキャプションがつけられていた。パウエルは不快感を示した。

ジャージーの法律では非金融分野のビジネスを立ち上げるのはきわめて難しいが、外国人労働者がふらりとこの地にやってきてもすぐに仕事にありつくことができる。「労働力に対する需要は調整するが供給は調整しないとなれば、結果は一つしかない。賃金に対する下降圧力だ」と、クリステンセンは説明する。クリステンセンがジャージーにいた当時は、最低賃金も失業給付もなかった。コストを抑えられるので金融産業にとってこの上なく都合のよい状態だ。クリステンセンが『ジャージー・イブニング・ポスト』紙のインタビューで最低賃金を唱えたとき、商工会議所は公式に苦情を申し立てた。

オフショアでは極端な経済格差が許容されているばかりか、往々にして貧しい人々の労働意欲を高めるとして歓迎すらされている。それは経済学者のJ・K・ガルブレイスが「所得分配と租税の『馬とスズメ』理論」として批判した考え方、「馬にカラスムギをたっぷり与えたら、一部は道路に落ちてスズメの餌になる」という考え方だ。「貧乏人から搾り取れ」は、ジャージーが資本招致競争で他の法域に勝つために一貫してとってきた方針だ。二〇〇四年、ジャージーは二〇パーセントだった法人税を金融産業は一〇パーセントに、その他の産業は軒並みゼロに引き下げた。これによって社会給付制度全体を十分まかなえるほどの額が歳入から失われたため、政府は何百人もの人員を削減するとともに消費税を導入して、貧困層にとくに大きな打撃を与えた。ジャージーの代議員ショーナ・ピットマンは、これを「カネ持ちを助けるために貧乏人から税金をとる」政策と呼んでいる。「ジャージーの社会構造はヒルトン・ホテルのようなものだ」と、ジェリー・ドーレイ元老議員は指摘する。「互いに何のつながりもない人々がカネ儲けをするためにここに集まっているだけだ」

ジャージーでは、きわめて富裕な個人や企業は交渉によって自分の税率を決めることができる。一九九〇年代のほとんどの期間、ジャージーに居を定めようとする富豪たちは、弁護士を直接クリステンセンの事務所に派遣して税率について交渉させていた。交渉によって年間最低納税額を取り決め、ジャージーの一律二〇パーセントという税率で計算すると税額がちょうどその金額になるだけの資金をジャージーに送金していたのである。クリステンセンの前任者たちは二万五〇〇〇～三万ポンドの最低納税額で折り合っていたが、クリステンセンはこれを一五万ポンドに引き上げた。富豪たちにとって、これは年間七五万ポンドの所得をジャージーに送金するということだ。世界全体で一〇〇〇万ポンドの所得があるとしたら、実質的な税率は一・五パーセントである。法人にも同じような原則が適用される。ジャージーの国際企業にとって、税率は最高二パーセントで、どれだけの利益をジャージーで計上するかによってそこから徐々に低くなっていくのである。(注10)

富豪たちは概して目立たないように気をつけている。セントヘリアの中心部近くにある、一階にニューラジ・カレー店が入っているみすぼらしい一九五〇年代のオフィスビルは、ポルノ雑誌の発行で財をなし、新聞社や放送局のオーナーにのし上がったリチャード・デズモンドのメディア帝国の拠点である。

町のはずれに近いクリステンセンが通っていた学校の隣にある建物は、何年も前からヒュー・サーストンの事務所になっている。彼はイギリスのマーガレット・サッチャー元首相とその家族の財務、それに兵器産業の大手多国籍企業BAEシステムズの財務の面倒を見ていた会計士だ。元不動産開発業者で今では引退しているある人物は、匿名を条件にこう語った。「私が納めている税金は、うちのゴミを収集する作業員が納めている額の四分の一だ。私は一日中ゴルフができるが、彼は自分の住む家を買うことさえできないだろう。ジャージーで暮らすというのはこういうことだ。カネがあれば、最上のものが得られるんだ」(注11)。ジャージーの現在の閣僚一〇人のうち六人が大ガネ持ちだ。「これは富裕層の議会だ」と、反体制派の代議員ジェフ・サザンは言う。「農民が政権に入ったりしたら今なお反発があると思う」

一九九六年のある冬の夜、クリステンセンのジャージーでの暮らしが終わりに近づいたころ、彼は『ウォール・ストリート・ジャーナル』紙の記者の取材を受けて、自分の知っていることを話した。この記者は、ジャージーを拠点に活動していたスイスの銀行がアメリカの投資家からカネをだまし取った詐欺事件について調べていたのである。数ヵ月後、「オフショアの危険:ジャージー島は通貨投資家にとって決して安全な場所ではない」という見出しの記事が、『ウォール・ストリート・ジャーナル』の一面を飾った。ジャージーの金融業界と政治家はひきつけを起こさんばかりになった。クリーンで、きちんと規制されているはずのジャージーの金融部門が、まじめなグローバル紙で批判されたのはこれが初めてと言ってよかった。記事の最後には上級公務員の言葉が引用されていたが、ジャージーの誰もがこれはクリステンセンだと思った。クリステンセン自身、記者に話をしたら辞表を出したも同然になることはよく承知していた。

「それ以後、彼らは何とかして私を追い出そうとしたが、私の任期はまだ残っていた。追い出すためには、職業上の不正を働いたとか聖歌隊の少年と寝たとかいう罪で私を有罪にするしかなかった。ものすごい緊張感だったよ」。クリステンセンはすぐには島を出なかった。翌月次男が生まれたし、辞職するためには長い予告期間が必要だった。それに、島を離れるのはたやすいことでもなかった。「小さい池のなかの大きな魚という立場はとてつもなく魅力的なんだ。その気になれば、ナウタースワン社の五二フィートのヨットを簡単に買えただろうし、すばらしいキャリアを積んで、最後に勲章をもらうことだってできただろう」。だが、彼は今では反体制派であり、辛辣《しんらつ》な言葉がイギリス海峡を越えて今なお投げつけられている。『ジャージー・イブニング・ポスト』紙は、後に彼を強く批難する記事を載せた。「クリステンセン氏の踏んだブドウほど酸っぱくなったブドウはない。彼はかつてジャージーで働いていて、昇進を望んだがかなえられなかった。それ以来、愚かにも自分を軽んじた島の信用を傷つけるためにたゆみなく活動してきたのである」。二〇〇九年四月にフランスの『ル・モンド』紙が引用したジャージーの人物の発言では、彼は「国に対する反逆者」とされていた。ジャージーの体制内部にいる人々によると、こうした言葉で彼を攻撃することは半ば公式の政策になっているという。

オフショアの繁栄を支えているのは、狭い自己利益の追求とセットになった共謀の文化である。オフショアの擁護者たちは、自分たちを批判する者に対しては、卑しい動機や隠れた目的のためにそうしているのだという批難を、病的なまでにすばやく投げつける。だが、昇進を望んでいる人間は、普通はそのために『ウォール・ストリート・ジャーナル』に実情を話したりはしないものだ。

金融産業は島国根性や臆病さや道徳的短視眼を利用するのではあるが、ジャージーの支配層の「貧者から搾り取れ」という価値観は、島に固有の精神からではなく、もともとはオフショア産業とそれを操るオンショアの人々から生まれたものだ。オフショアの抑圧はもっと大きい法域でも起こりうる。いくつかのオフショア・センターの銀行で働いた後、自分が目にした腐敗について内部告発したスイスの銀行家ルドルフ・エルマーは、人口八〇〇万のスイスでも抑圧があるのを知った。

二〇〇四年、エルマーは出勤途中に二人の男に尾行されているのに気づいた。その後、娘の幼稚園の駐車場で彼らを見かけ、さらに台所の窓からも彼らの姿を見た。彼の妻も車を運転しているとき跡をつけられた。この男たちは道端で彼の娘にチョコレートを差し出したり、夜遅く、彼の自宅がある行き止まりの道に車で猛スピードで突っ込んできたりもした。こうしたストーカー行為は断続的に二年以上続いた。彼は当時中国企業で働いていたのだが、ストーカーたちは背中に龍《りゅう》の絵がついた中国風のTシャツを着てあらわれたこともあった。彼がかつて勤務していたジュリアス・ベアは関与をきっぱり否定した。誰がこの男たちを送ってくるのか突き止める方法はなかった。警察に相談しても、われわれにできることはないと言われただけだった。二〇〇五年、検察の令状を持った一団が彼の自宅を家宅捜索し、彼は三〇日間収監された。スイスの銀行の守秘義務に違反した容疑で、それはエルマーの言葉を借りれば「殺人のような正式な違法行為」なのだ。

「そのころの私は自殺を考えていた」とエルマーは語る。「夜中の二時に窓から外を眺めながら思ったもんだ。やつらは妻や子どもたちや近所の人たちを脅えさせている。私はお尋ね者なんだ、ってね。私はある子どもの名づけ親になっていたんだが、その子の父親は金融業界で働いていた。その男が、私にもうやめにしろと言ってきた。『君は家族にとって脅威なんだ』ってね」。身近な親戚が職場の上司から、エルマーと接触しないよう強い圧力をかけられた。一度はっきり口に出してそう言われた後、その親戚は泣く泣く会社を辞めた。「私はおめでたいことに、スイスの正義は小さなタックスヘイブンのそれとは違うと思っていた」とエルマーは語る。「人口八万人のマン島なら、住民がコントロールされるのもわからないでもないが、ここは人口八〇〇万の国だよ。金融業界の一握りの人間がどうして社会全体の意見をコントロールできるんだ。これはいった何なんだ。マフィアなのか。現実はこんなふうに動くんだ。ジャージー、ケイマン諸島、スイス――このシステム全体が腐ってるよ」

大きな民主主義国では長年のけ者にされてきた右派のイデオロギーが、オフショアでは何の制約も受けずに成長してきた。オフショア金融がグローバル経済のなかでますます大きな影響力を持つようになり、オンショアの経済を重要な点で作り替えていくにつれて、オフショアの価値観も影響力を強め、より大きな経済のなかで力と信用を獲得するようになった。これは世界経済を崩壊の瀬戸際まで追いやるほどの力を持ちながら、それでもまだより多くを求め、厳しい規制や高い税金をかけられたらよそへ移転すると脅しをかける銀行家たちの一歩も譲らぬ傲慢《ごうまん》さにはっきりあらわれている。また、自分のオフィスの清掃員より低い税率を期待するようになっている大富豪たちの要求にも、はっきり見て取れる。貧困撲滅運動の世界一著名な活動家として長年名をはせているアイルランドのミュージシャン、ボノが、租税回避のために自分の金銭の扱いをオフショアのオランダに移し、それでもなお社会に好意的に受け入れられているのを見ると、この戦いは負けのように思える。偉大な民主主義国アメリカは、今では、説明責任を負わず、不正に関与し、往々にして犯罪まで行っているエリートたちの世界観の虜《とりこ》になっている。これも大部分はオフショア金融のせいだ。

われわれの大多数が暮らしている大きな国々の経済や政治システムを乗っ取ったオフショア金融は、われわれの考え方まで乗っ取る方向に大きく前進してきたのである。

第12章

怪物グリフィン
シティ・オブ・ロンドン・コーポレーション

テイラー師とグラスマンの調査

二〇〇七年からの金融危機の到来について、早くからはっきりと警鐘を鳴らしていた数少ない人物の一人が、『フィナンシャル・タイムズ』紙のジリアン・テットである。ケンブリッジ大学で社会人類学を学んだ後金融ジャーナリズムに転じた彼女は、二〇〇四年に同僚からシティ・オブ・ロンドン、すなわちイギリスのグローバル金融サービス産業の構成図を見せられたとき、シティの大きな部分が無視されていることに気づいた。(注1)「社会の仕組みを理解するためには、いわゆる社会的ノイズの分野――すなわち、みんなが話題にしたがる分野、株式市場とかM&A（合併・買収）といった誰もが注目する目立つ分野――だけでなく、社会的沈黙の分野にも目を向ける必要がある」と、彼女は言う。後に影の銀行システムとして悪名をとどろかせるものに、彼女は気づいていた。ストラクチャード・インベストメント・ビークル（SIV）とか、資産担保コマーシャルペーパー（ABCP）コンデュイットといった、当時はまだ知られておらず、ほとんど規制されていなかった法人群だ。これらの法人は、二〇〇七年に危機が勃発するころには、アメリカの銀行システム全体の資産、一〇兆ドルを上回る資産を持つようになっており、(注2)世界経済を破綻《はたん》寸前にまで追いやることになった。

その社会的沈黙は今では十分理解されていると、われわれは思っている。だが、シティ・オブ・ロンドンは、はるか昔からの沈黙に取り囲まれているのである。「ずいぶん前にこの地区で働き始めたとき、シティ・オブ・ロンドンについての調査は、左派の連中でさえまったく行っていないことに驚いたものだ」と、イギリスの政治ジャーナリスト、ロビン・ラムゼイは言う。「社会には立ち入り禁止の区域があり、君はイギリスの政治の区域の一つに入ろうとしているんだ」。私をこの区域に案内してくれたのは、二人の卓越した人物だった。ロンドン北部に住むユダヤ人学者、モーリス・グラスマンと、イギリス国教会の若き司祭、ウィリアム・テイラー師だ。シティ・オブ・ロンドンの行政府、シティ・オブ・ロンドン・コーポレーション（通称コーポレーション・オブ・ロンドン）と真剣に真っ向から対決してきた民間人は、現存する人々の記憶にある限りこの二人だけだ。彼らが見つけた社会的沈黙の背後には、グローバル金融の歴史の最も驚くべき物語と呼べるものが潜んでいるのである。

テイラー師は一九九〇年代後半に、シティの北東側面に食い込んでいるインナー・ロンドンの貧しい地区、スパイタルフィールズの開発に反対する運動に参加した。彼はこの地区をよく知っていた。一九八八年に大学を卒業した後、司教から、司祭に叙任されることを考える前に教区の生活を少し経験したほうがよいと言われて、スパイタルフィールズで野菜や果物を配送する運転手としてしばらく働いていたのである。マーガレット・サッチャーの三期目の政権がスタートしたころで、一九八六年の金融サービスの自由化、いわゆるビッグバンの後とあって、開発業者たちは金融地区をシティの境界の外に拡大しようとしていた。シティに隣接するスパイタルフィールズは魅力的な候補地だった。「自由市場イデオロギーがひとり勝ちの状況だった」と、テイラーは振り返る。「私は、これは問題だと思った。そして、教会はそれについて発言するべきだと思った」

スパイタルフィールズには、イギリスの最も趣のある古くからのストリートマーケットのいくつかが今なお残っている。ブリックレーン、ペティコートレーン、それにオールド・スパイタルフィールズ・マーケットだ。アイルランド人、ユグノー、ユダヤ人、ベンガル人、マルタ人など、さまざまな移民の歴史や文化がひしめき合っている。「スパイタルフィールズの歴史を語る資格があると主張するグループがいくつもあった」と、テイラーは振り返る。「移民のコミュニティー、古いジョージアン様式の家に住んでいる景観保護論者、パブやマーケットに出入りする下町訛《なま》りの老人たち。そしてそこに、資本主義の代理人とも言うべきこの新しいグループ——開発業者や開発プランナーたち——が加わっていた。さまざまな価値観が激しくぶつかり合うコミュニティーだった」。テイラーは虜《とりこ》になった。

トニー・ブレアの労働党政権が発足した一九九七年五月一日、テイラーはシティ・オブ・ロンドンのギルドホール大学礼拝堂の司祭になった。労働党政権はただちにイングランド銀行に運営の独立性を与えた。それはシティに経済的・政治的権力を移譲したということであり、『インディペンデント』紙はこれを「イングランド銀行の三〇〇年の歴史で最も大胆な改革」と呼んだ。(注3)

開発業者の巨大な力に立ち向かうスパイタルフィールズの住民運動は下火になっていたが、二〇〇〇年二月にふたたび燃え上がった。開発業者がスパイタルフィールズ・マーケットの半分以上をオフィス地区にする計画を当局に提出したのである。(注4) 突然、新たに猛烈な勢いを得た開発業者たちのバックにいる銀行団に異例の株主がいることに、テイラーは気づいた。切れ目なく続いている世界最古の地方政府、シティ・オブ・ロンドン・コーポレーションである。「公的機関がどうしてその管轄区域の外で開発業者として行動できるのか、私には理解できなかった」と、テイラーは言う。「私は興味を持った。コーポレーション・オブ・ロンドンとはいったい何なのか、ってね」。彼はそれを突き止めようと決意した。

テイラーはギルドホール大学で、政治学のシニア・レクチャラー（上級講師）、モーリス・グラスマンと知り合った。一九六一年に貧しいユダヤ人移民の孫として生まれたグラスマンは、家族の歴史の傷跡にいろどられた社会主義的世界観を母親から吸収した。「ホロコーストの話を何度も聞かされながら育った。自分がその場にいたかのように感じるほどにね」。彼はカール・ポランニーの思想について研究していた。ポランニーは主流の経済理論に異を唱え、経済が社会や文化にどれほど深く組み込まれているかを強調したが、これは一九八〇年代にはほとんど忘れ去られていた見方だった。グラスマンは一九九五年からギルドホール大学で教えていた。彼とテイラーは共通の考えや疑問について議論し、商品化、すなわちあらゆるものに値段があるという考えについて語り合った。「脳に損傷を受けたわが子の治療費のために自分の臓器を売ることを人々が必要とみなすとき、そして、それが道徳的善であると主張されるとき、商品化が何を意味するかがよくわかる」と、グラスマンは言う。「それは売るために作られたわけではないものを市場で売るということだ。人間の腎臓は売るために作られたものではない。学校の運動場も公立図書館も同様だ」。言うまでもなく、シティはこのすべてが行われている場所だった。「売春もあれば人身売買もある。教会はいったいどこにいるのか」と、グラスマンはテイラーに問いかけたという。「ヨーロッパの他のすべての国で、教会は規制のない自由市場について意見を述べていた。だがイギリスでは、同性愛者と女性司祭のことしか話していなかった」

テイラーは「スパイタルフィールズ・マーケットを守れ（ＳＭＵＴ）」という運動を開始し、地元コミュニティーや宗教グループがそこに結集して、裁判所の開発計画中止命令を勝ちとった。ＳＭＵＴのある役員によると、この開発計画は「コーポレーション・オブ・ロンドンがシティからスパイタルフィールズ・マーケットにその巨大な鉤爪《かぎづめ》を伸ばそうとしている」ように見えた。建設は中断されたが、開発業者たちにひるむ様子はなかった。テイラーとグラスマンは、コーポレーション・オブ・ロンドンに強く関心をかき立てられた。「最初は単なる地方政府だと思っていた」と、グラスマンは振り返る。「だから、どうしてこんなに余分なカネを持っているのか不思議だった。他の地方政府はみな財政不足だからね」。知れば知るほど、コーポレーションが他の地方政府とは違うことがわかってきた。実際、それは二人がそれまで出会ったこともないようなものだったのだ。

「シティ・オブ・ロンドン」という言葉は、最も広い意味では、イギリスの首都のなか、および周辺に位置する金融産業を指す。より正確に言うと、シティ、別名スクエアマイルは、テムズ川左岸のヴィクトリア・エンバンクメント（河岸通り）から、北上して時計回りにフリート・ストリート、バービカン・センターを経て北東のリヴァプール・ストリートまで行き、それから南下してロンドン塔のちょうど西側のテムズ河岸に戻る線を境界とするロンドン中心部の一・二二平方マイル(注5)（約三キロ平方メートル）の一等地である。金融サービス産業のもっと小さい集積地は、グレーターロンドンの他の地区にもある。地下鉄で南西に数駅のメイフェアにはヘッジファンドが集まっているし、テムズ川沿いに東に三マイル（約四・八キロメートル）行ったところにあるもっと新しい地区、カナリーウォーフには、過密状態のスクエアマイルからあふれ出た金融サービス会社が集まっている。この二つの新興金融センターも、またエディンバラやリーズなどにある他の小規模金融センターも、スクエアマイルにとって真のライバルではない。

平日の朝はリヴァプール・ストリート駅から人波がどっとあふれ出し、彼らがグレーターロンドンのなかや周辺のベッドタウンに帰る夕方にはその波がスーッと引いていく。夜には、シティの三五万人強の労働者――金融サービス部門の被雇用者数の五分の四――のほとんどがいなくなり、九〇〇〇〇人足らずの居住者と、警備員、清掃員、それに夜勤の労働者だけになる。シティから東に進んでスパイタルフィールズに入ると、手入れの行き届いた整然とした通りが一転して、紛れもない貧困の印が点在するみすぼらしい地区になる。シティは昔から一貫して貧しい地区に周囲を囲まれた富の島なのだ。

ロンドンには外国の銀行が他のどの金融センターよりもたくさんある。二〇〇八年には、国際的な株式取引の半分、店頭デリバティブ（金融派生商品）取引の四五パーセント近く、ユーロ債取引の七〇パーセント、国際通貨取引の三五パーセント、国際的な新規株式公開の五五パーセントをシティが占めていた。[注6] 証券化、保険、M&A、資産運用などの分野ではニューヨークのほうが大きいが、ニューヨークのビジネスはその多くが国内取引で、したがって国際的な――そしてオフショアの――金融ハブ（拠点）としてはロンドンが世界最大だ。

ロンドンはかつて世界最大の帝国の中心地だったので、何世紀もの間に蓄積された専門知識がここに集まっている。アジアとアメリカの間のヨーロッパに位置していること、それに英語の母国であることは、強力な強みになっている。もう一つの力の源泉は、そのオフショア構造だ。一九五〇年代以降、金融サービス会社がロンドンに集まってきたのは、母国ではできないことができるからだ。すでに見たように、ニューディール規制の負担を回避しようとするアメリカの銀行に逃げ道を提供したのは、一九五〇年代後半、イギリスの公式な帝国が崩壊したちょうどそのときロンドンに誕生した規制のないオフショア・ユーロ市場だった。アメリカがエンロンやワールドコムのような企業からアメリカ市民を守るために二〇〇二年にサーベンス・オクスリー法を導入したとき、シティは何もしなかった。海外で上場するロシア企業はみなニューヨークではなくロンドンを選ぶが、それは一つにはイギリスの寛大なガバナンス基準のためだ。

歴史家のP・J・ケインとA・G・ホプキンスは次のように書いている。「脱構築の断片が行きすぎたとしても、シティの紳士たちはすでに進路を変えており、国家や帝国を超えたグローバルな機会が差し招く新しい地平に向かって進んでいた」

一九八六年のビッグバンは、ロンドンのオフショアとしての地位を高めた。図々しいアメリカ人が押しかけてきて、法外な給与を要求したり、イギリスの銀行を買収したりして、トップハット姿のイートン校出身者と地主たちで構成されるシティの紳士のクラブを作り替えたからだ。シティの新しい価値観はイギリス社会全般に急速に浸透し、「ライトタッチの（規制の軽い）ロンドン」からの競争圧力は、世界中のロビイストにとって要求を通すための梃《てこ》になった。「これをやらなければ、マネーはロンドンに行ってしまう」とか、「ロンドンではすでにできるのに、ここではなぜできないんだ」などと、彼らは騒ぎ立てた。シティは規制反対の感情を世界中にまき散らし、まるで遠隔操作のように他国の経済や銀行システムの規制緩和を推し進めた。イギリス帝国は死んだふりをしていただけのように思われた。

アメリカの金融サービス会社の破綻は、元をたどればたいていこれらの会社のロンドン事務所に行き着く。保険会社AIGを破滅させ、アメリカの納税者に一八二五億ドルもの負担を背負わせたのは、ロンドンに置かれていた同社の総勢四〇〇人の金融商品部門だった。二〇〇八年六月、市場操作に対する批判のただなかで世界の原油価格が急騰していたとき、元規制官のマイケル・グリーンバーガーは上院の委員会でこう証言した。エネルギー・デリバティブの規制機関であるアメリカ商品先物取引委員会（CFTC）は、「アメリカに供給されるきわめて重要なエネルギー製品を取引しているアトランタのアメリカ所有の取引所が、これらの市場に対する規制が明らかに不十分なイギリスによって規制されているように見せかけようとしてきた」(注7)。二〇〇八年九月のリーマン・ブラザーズの破綻について調査した裁判所選任の調査官は、リーマンがレポ105と呼ばれるトリックを使って五〇〇億ドルの資産を簿外に移していたこと、そして、アメリカの法律事務所なら絶対に承認しないと思われるその取引を、ロンドンの大手法律事務所が喜んで承認していたことを明らかにした(注8)。アメリカのフォーチュン五〇〇社の四分の三、それにアメリカのすべての大手銀行が、現在、ロンドンに事務所を構えている(注9)。

ロンドンのもう一つの魅力は守秘性だ。イギリスは銀行の秘密保持について、それに違反することを犯罪行為とするスイス方式はとらず、別の仕組みを使っている。イギリスの元欧州担当相、デニス・マクシェーンは、ヨーロッパのセミナーで銀行の守秘性を批判したときの体験をこう語る。ルクセンブルクの欧州担当相が「振り返って穏やかにこう言った。『イギリスの信託法を詳しくご覧になったことがありますか。わが国の銀行家や金融専門弁護士はみんな言っていますよ。絶対に見つからないようにカネを隠したいなら、ロンドンに行って信託を設定しろ、とね(注10)』」。イギリスの法律では、オフショア法人がイギリス企業の取締役になることができる。そのため、本当のオーナーは誰なのかを突き止めるのは通常不可能なのだ(注11)。

シティは一九八〇年代には富裕なアラブ人を迎え入れ、一九九〇年代にはカネ持ちの日本人や石油富豪のアフリカ人を迎え入れた。そして最近は、キプロスのようなコンデュイットの助けを得て、ロシアの財閥たちに自国の法執行機関の力が及ばない抜け穴を提供することで、彼らを積極的に誘致してきた。二〇〇八年四月には、旧ソ連の独立国家共同体（CIS）から一〇〇社もの企業がロンドン証券取引所に上場しており、同取引所におけるCIS企業の株式取引額は九五〇〇億ドル近くにのぼっていた(注12)。約三〇万人のロシア人がロンドンに住み、ロシア人がイギリスの名門サッカークラブのオーナーになり、アレクサンドル・レベデフというロシア人が『ロンドン・イブニング・スタンダード』紙と『インディペンデント』紙を所有している。他にも多くのロシア人が、イギリスの寛大な税法や「聞かず、語らず」というシティの文化に引き寄せられている。ロシアの副検事総長アレクサンドル・ズヴャギンツェフは、二〇一〇年二月に「ロンドングラード」――ロシアではときおりこう呼ばれる――は「犯罪によって得た資金を洗浄する巨大な洗濯屋」だと言い捨てた。(注13)

二〇〇九年一月、アメリカの法執行機関はイギリスの銀行ロイズTSBに三億五〇〇〇万ドルの罰金を科した。イランやスーダンの資金をアメリカの銀行システムにひそかに送り込んでいたことを同行が認めたのだ。マンハッタン地区担当連邦検事ロバート・モーゲンソーは、電信送金がアメリカの金融機関のフィルターをすり抜けるよう、イランからの送金とわかる特徴をロイズがどのように取り去っていたかを説明してくれた。(注14) 最近はほとんど見られなくなっているとはいえ、アメリカには不祥事の後、銀行家を刑務所に送り、銀行を厳罰に処す長い伝統がある。だが、イギリスは違う。「この国では、銀行家は刑務所には行かない」と、政治ジャーナリストのロビン・ラムゼイは言う。「誰かがフレッド・グッドウィン(著名な銀行家)の家に卵を投げつけて、それで終わりだ。ロンドンで責任を問われることはない」。パリの予審判事エヴァ・ジョリは海外の見方を次のように言いあらわす。「シティ・オブ・ロンドン、あの国家のなかの国家は、外国の判事に使いものになる証拠を一片たりともくれたことはない」

ロンドンのオフショアとしてのもう一つの魅力は、いわゆるドミサイル(永住地)の規定である。ドミサイルの概念は、もともとは植民地の住人が帝国内のどこに住んでいても身元を証明できるようにするために編み出された。インド駐在のイギリスの植民地行政官は、インドの居住者だが、ドミサイルはイギリスだった。イギリスが彼らの「自然な」故郷であり、彼らはイギリスの法律に従うものとされていた。それに対し、ロンドンに住むインド人は、ドミサイルはインドのままで、完全なイギリス人になることは決してできなかった。一九一四年に税法がねじ曲げられて、イギリスの居住者だがドミサイルはイギリスではない人々は、世界全体から得る所得について課税を逃れられるようになった。実際にイギリスで得た所得に対してのみ課税されることになったのだ。もともとは外国人を差別するために作られたこの規定は、やがて普通のイギリス人居住者を差別するものになった。[注15] この状況は、基本的には今日も変わっていない。ノンドミサイル（非永住者）のヘッジファンド・オーナーは、自分のすべての所得をイギリス国外で計上することで所得に対する課税を逃れられるのだ。

イギリスには現在、約六万人のノンドミサイルが住んでいる。そのなかにはギリシャの海運王、サッカークラブ・オーナーのロシアの財閥、サウジアラビアの王族、インドの鉄鋼王ラクシュミ・ミッタルなどもいるが、ノンドミサイルの多くがきわめて少ない税金しか払っていない。システムをさらに馬鹿げたものにしているのが、イギリスに居住している多くのノンドミサイルがこの国で生まれていることだ。その一人がアシュクロフト卿《きょう》で、彼はサセックス生まれの貴族院議員だが、彼の心は、少なくとも税務上の目的のためにはベリーズにあるようだ。

二〇〇六年の『サンデー・タイムズ』紙の調査によると、イギリスに住んでいる五四人の大富豪――必ずしも全員がノンドミサイルというわけではない――が納めた所得税の合計額は、合わせて一二六〇億ポンドと推定される資産に対してわずか一四七〇万ポンドだった。しかも、その三分の二は、発明家のジェームズ・ダイソン――掃除機を製造している真の起業家――が納めていた。[注16] 彼らがこの資産に対してたとえば七パーセントのリターンを得て、四〇パーセントの所得税を払っていたら、彼らは三五億ドル以上の税収をもたらしていたことになる。実際の数字の約二五〇倍である。著名な起業家リチャード・ブランソン卿――彼は複雑に組み合わせたオフショアの信託や法人を通じて自分のビジネス帝国を所有している――は、二〇〇二年に、オフショア法人を通じて合法的に租税を回避していなかったら、自分の会社は現在の半分の規模にとどまっていただろうとのたもうた。(注17) イギリスのメディアは、そのブランソンを畏敬の念をもって遇しているのである。

シティはグローバル経済のなかで、奇妙な疑似オフショア的役割をもう一つ果たしている。世界の通商を規制する機関やそれに影響を及ぼす機関の多くがここに事務所を構えているのである。ロード・メイヤー（シティ・オブ・ロンドンの市長）の公邸マンションハウスから数ヤードのところに、ガラス張りの高床式クルーズ船のように見える近代的なくさび形のビルが建っている。これは、企業は財務データをどのように発表するべきかというルールを定める国際会計基準審議会（ＩＡＳＢ）の本部である。一〇〇以上の国がＩＡＳＢの基準を使っており、アメリカは現在、自国の基準をＩＡＳＢのそれと一致させる作業を進めている。ＩＡＳＢの規則では、多国籍企業はさまざまな国であげた利益を一つの数字にまとめて発表してもよいことになっている。そのため企業は、地域別の内訳くらいは示すかもしれないが、それ以上の細かいデータは示さない。企業がたとえばアフリカからの総利益を発表したとしても、数字を分解してそれぞれの国の利益を算出するのは不可能なのだ。世界貿易の六〇パーセント以上が多国籍企業の内部で行われていることを考えると、これは途方もない不透明さである。何兆ドルもの国境を越えた資金の流れについて、基本的な情報が完全に視界から消えるのだ。ＩＡＳＢの規則では、誰が企業の本当の所有者なのかを突き止めることさえできない場合が多く、多国籍企業がますます複雑になるなかで、この問題はどんどんひどくなっている。

こうした現状に人々の関心を集めるのに誰よりも貢献してきた公認会計士のリチャード・マーフィーは、問題を次のように言いあらわす。「どの国で活動する場合でも、企業はその国の国民を代表する政府から活動の許可を得る。そして、そのお返しに会計報告をする義務を負う。これがスチュワードシップ（受託責任）とアカウンタビリティー（説明責任）の本質だ。ＩＡＳＢはこの二つの概念を意図的に忘れている。今の企業は、すべての国の上に位置しているかのように行動している。だが、本当は上ではない」。ＩＡＳＢが多国籍企業に、財務情報を国別に表示することや、それぞれの進出先で何を行っているかを開示することを義務づけたら、市場の透明性はぐんと高まり、投資家は自分のカネがどこで使われているのかを把握できるだろう。諸国の政府は、オフショア戦略のせいでどのように税収を奪い取られており、競争市場がどのように歪《ゆが》められているかを理解でき、市民は自国で活動している企業の本当の所有者を知ることができ、エコノミストは国際市場の仕組みを理解する助けになる新しい情報の宝庫を手にすることができるだろう。(注18)

ＩＡＳＢは民主的に選ばれた議会に対して説明責任を負う公的なルール設定機関ではない。四大会計事務所と世界最大手の一部多国籍企業が出資してデラウェアで設立した民間企業である。これはエセックス大学のプレム・シッカ教授の言う「公共政策策定の民営化」の典型的な例だ。シティに本拠を置くＩＡＳＢを通じて、これらの巨大企業は自分たちの開示ルールを自分たちで作成しているのである。多くの市民がスタンダード・オイル、エクソンモービル、ユニオン・カーバイド、ウォルマート、ハリバートン、ＦＯＸニュース、マクドナルドなどに対する抗議デモを行ってきたが、ＩＡＳＢに対して抗議デモを行った者がいるだろうか。

だが、グローバル・オフショア・システムにおけるシティの最大の役割は、イギリスのクモの巣の運営に関わるものだ。イギリスが二〇〇九年第二・四半期にジャージー、ガーンジー、マン島の三つの王室属領から受け取った資金は、正味で三三二五億ドルにのぼった。(注19) 国際決済銀行（ＢＩＳ）のデータによれば、二〇〇九年六月には、クモの巣全体のオフショア銀行預金残高は推定三兆二〇〇〇億ドルと、世界の総額の約五五パーセントを占めていた。しかも、これは銀行預金だけを見たものだ。忘れてはならないのは、このイギリスのクモの巣がシティに三つのものを提供していることだ。第一に、世界各地に散らばっているタックスヘイブンは、クモの巣が昆虫をとらえるように、通り過ぎようとする外国の資金をとらえて、それをロンドンに送り込んでいる。第二に、それは資産を貯蔵する働きをしている。そして、第三に、それは資金を洗浄するフィルターであり、シティがダーティービジネスに関わることを可能にし、同時にそれをもっともらしく否定できるだけの距離をシティに提供している。

起源

ここできわめて奇妙なシティ・オブ・ロンドン・コーポレーションに話を戻そう。このコーポレーションのウェブサイトのあらゆるページを何日もかけて読んでみても、わかるのはそれがスクエアマイルの政府だということだけで、「これはいったい何なのか」という問いに対する満足のいく答えを見つけることはできない。その結果、それはたいてい無視される。

コーポレーションの奇妙な点その一は、自身が率直に認めているように、「世界の主要国際金融ビジネスセンターとしてのシティの地位の維持・向上に取り組んでおり……世界中の意思決定者や有力者と関係を築く」ことをめざしている点だ。コーポレーションのトップはロード・メイヤー・オブ・ロンドンである。グレーター・ロンドンのトップであるメイヤー・オブ・ロンドンと混同してはいけない。グレーター・ロンドンはシティよりはるかに大きな行政区で、シティを含んでいるが、シティに対する権限はまったく持っていない。「ロード・メイヤーの今日の主な役割は、イギリスに拠点を置くすべての金融専門サービス会社の大使になることです」と、コーポレーションのウェブサイトは述べている。「民間の会議や講演で、ロード・メイヤーは自由化のメリットを説明します」(注20)

こうした機会の一つについて報告しているシティの公式文書は、コーポレーションの野望と勢力範囲をうかがわせてくれる。(注21)二〇〇七年一〇月にロード・メイヤー——当時は元プライス・ウォーターハウス・クーパーズ（PwC）中国事務所長が務めていた——が、自分の妻、シェリフ（ロード・メイヤーの補佐役）とその妻、それに四〇人のビジネス界代表を引き連れて、香港《ホンコン》、中国、韓国を歴訪した。中国共産党第一七次全国代表大会の期間中に行われたこの訪問の目的は、シティの報告書によると、次のとおりだった。

▼中国に現在の経済・金融自由化のコースを維持するよう働きかけるとともに、韓国により開放的な政策をとるよう促す。

▼世界クラスの金融・ビジネス・サービスを提供するグローバル金融センターとしてのロンドンを売り込む。

▼規制や企業統治に対するイギリスの自由主義的アプローチを説明し……中国の銀行・保険・資本市場部門の自由化と市場アクセスの改善を促す。これには（違法な資金フローの抑制を目的とし、中国企業の海外での上場に中国政府の承認を義務づけている(注22)）政令第一〇号の競争を制限するような効果や国際的なプレイヤーとより緊密に関わるメリットを浮き彫りにすることも含まれる。

▼韓国にとくに法律サービスの分野でより自由主義的な政策をとるよう促すとともに、地域金融ハブになるというソウルの野望を実行に移すよう働きかける。
▼貿易政策や貿易規制に対するイギリスの自由主義的アプローチを説明するとともに、同様の考え方をする国がクリティカルマス（商品などの普及率が一定水準を超えると一気に広まる、その分岐点のこと）に達するよう働きかける。

シティのメッセージは「われわれが訪問した中国のすべての都市で、高位の人々に明確に理解された。とりわけ世界の主要グローバル金融センターとしてのロンドンの登場は、高い関心をもって受け止められた」と、報告書は述べている。金融改革の試験区に認定されている天津《テイエンジン》の高官たちとのミーティングでは、戴相竜市長が「シティ・オブ・ロンドンを国際金融とグローバリゼーションの『聖地』と呼び、シティとの協力を深化させることはきわめて重要だと述べた」

これが九〇〇〇人足らずの住民のための行政府の姿なのだ。シティ・オブ・ロンドン・コーポレーションは、シティの金融サービス産業の保護や売り込みだけでなく、金融の自由化の推進やそのために世界中で戦うことも公式に任務としている。ロンドンのライトタッチ規制に端を発したグローバルな規制緩和の機運は、積極的なロビー活動によって補完されているのである。コーポレーションは世界の金融規制の分野における、最強ではないにしても、きわめて強力なプレイヤーであり、いくつものさりげない手段や影響力を通じて、イギリスの金融規制当局や政治家に目に見えない影響を及ぼしている。大きな権限を持つシティの政策資源委員会の委員長スチュアート・フレイザーは、二〇一〇年に、私はおそらくイギリスで最も成果をあげているロビイストだろうと豪語した。（注23）

シティは何よりもまず、金融サービス産業のための強力な調整機関である。コーポレーションの強力なロビー勢力と議会で真っ向から対決してきた数少ない政治家の一人、労働党のジョン・マクダネル議員は、「シティ・コーポレーションは公式化されたOBネットワークの典型的な例だ」と言う。「城門のところで、シティのどこに誰が行くかを彼らが決め、これが他のネットワークにも波及していく」。イギリスの大蔵大臣アリスター・ダーリングは、二〇〇九年に銀行員のボーナスに課税する案をプレ予算案（PBR）に盛り込んだとき、このロビー勢力の力をひしひしと感じた。「何人もの銀行家が電話をかけてきた。そして、おかしなことに、判で押したように同じことを言った」と、ダーリングは語る。「まず、この案には賛成しかねると言った。そりゃ、そうだろうよ。そして、この案が実施されることになったら、われわれはロンドンについて、また他のすべてについて、慎重に検討しなければならないだろうと言ったんだ[注24]」

コーポレーションは金融業界に有利なコンセンサスを形成し、維持していく。国内外の立法機関に影響を及ぼそうとする。二〇〇一年の金融サービス・市場法にはコーポレーションの指紋がベタベタついている。この法律はイギリスの当時の規制機関、金融サービス機構（FSA）について、FSAは「新しい金融商品の発売を妨げては」ならず、「規制障壁を築くこと」や「イギリスの競争力を損なうこと」は避けなければならないと謳《うた》っている。だが、このように説明してみても、実際に行われていることがそれで完全にとらえられるわけではない。というのも、テイラーやグラスマンのように深く調べていくとわかるのだが、コーポレーションは大昔から存在しているきわめて不可解なものなので部外者にはほとんど理解できないからだ。

コーポレーションのウェブサイトは、隠れた関係や予想外のつながりが複雑に入り組んだ迷路である。

そこには、刺繍《ししゅう》業者組合、皮革加工業者組合など、一〇〇〇年も前から存在している一一三の同業組合が載っている（現在のロード・メイヤー、ニック・アンスティーは塗装業者組合の名誉組合員だ）[注25]。それから、行政府の諸機関とその幹部たち。シェリフ（ロード・メイヤーの補佐役）、アルダーマン（長老参事会員）、コート・オブ・コモン・カウンシル（市民議会）、それに『行動規範』も載っている。金ぴかの馬車に乗ったロード・メイヤーがサテンの長服をまとった長老たちを従えてパレードする変わった儀式、ロード・メイヤーズ・ショーは、毎年一一月に行われる。この儀式はロンドンの街頭で五〇万人が直接見物し、さらに数百万人がＢＢＣ（英国放送協会）テレビで視聴する。外国の国家元首がイギリスを訪問したとき最も豪華な晩餐《ばんさん》会を開くのは、女王ではなくロード・メイヤーだ。貧しい女王がバッキンガム宮殿での晩餐会に二〇〇人のゲストしか呼べないのに対し、ロード・メイヤーは七〇〇人も招待することができる。

何世紀もの間に、コーポレーションはかなりの程度までイギリスの法律や民主的諸制度の外に位置する政治領域を自身のために作り上げてきた。最高の社会的沈黙と同じく、これは必ずしも秘密にされてはいない。見るべきところを見れば、ちゃんとわかるようになっている。

シティ・オブ・ロンドンは、シティのツアーガイドが「いつだかわからないほど遠い昔」と呼ぶときから存在している。一部の歴史家の言葉を借りると「記録にないほど遠い昔から」で、より正確に言うとリチャード一世が即位した一一八九年より前からだ。コーポレーションのウェブサイトによると、コーポレーションの実際の誕生を裏づける直接的な証拠はない。コーポレーションの広報官たちは、シティの「現代」はノルマン朝が成立した直後の一〇六七年に始まったと、半ば本気で述べている。「シティ・オブ・ロンドンは今なお続いている世界最古の民主的な自治都市です」。議会より前から存在しており、その政体は「一〇六六年のノルマン・コンクエスト以前から市民が享受していた古くからの権利や特権に根ざしています」

何かが記録にないほど遠い昔から存在しているなら、「その場合、それは法の対象範囲の外に位置することになる」と、グラスマンは言う。イギリスの主流の政治制度が何世紀にもわたって進化してきたなかで、シティはイギリスの他のすべてを変貌させた歴史の流れに逆らう要塞《ようさい》であり続けてきた。シティの特権はつまるところ金融資本の力によるものだ。イギリスの支配者たちはシティの資金を必要とし、資金と引き換えにシティに望みのものを与えてきたのである。コーポレーション自身が暗にそう述べている。

シティの自治の権利は、国王から譲歩を引き出しながら徐々に勝ち取ってきたものです。貿易、人口、富の中心地としてのロンドンの重要性のおかげで、シティは他の町や都市より早く権利や自由を獲得しました。中世からスチュアート朝時代（一四～一八世紀）まで、シティは君主に対する融資の主な供給元でした。君主たちは、自身の国内政策や対外政策を支える資金を得ようとしたのです(注26)

イギリスの政治制度全体が、ある意味で、シティ・オブ・ロンドン・コーポレーションから生まれている。貴族院――長老貴族で構成される議会上院――は、もともとはシティのコート・オブ・アルダーメン（長老参事会）をもとにしたもので、庶民院、すなわち下院は、シティのコート・オブ・コモン・カウンシル（市民議会）をもとにしたものだった。首相という職は、コート・オブ・コモン・カウンシルによって選ばれるロード・メイヤーを模して設けられた。コート・オブ・コモン・カウンシルは、自身を議会の祖母と称している。「シティは今なお国家のなかの国家として行動している」と、グラスマンは言う。「シティから会談の申し入れがあったら、首相は一〇日以内に応じなければならないし、女王は一週間以内に応じなければならない」。大蔵大臣は毎年ギルドホールとロード・メイヤー公邸で演説することになっており、その演説では金融部門の利益に自分がどのように役立ってきたかを説明することを期待されている。

　現代のイギリスには成文憲法（コンスティテューション）はないが、一部の歴史家は、古くからの権利や特権や自由をともなう古くからのコンスティテューション（政体）という言い方をする。これは国のさまざまな柱の権限や影響力の範囲や柱と柱の関係の変遷について言う言葉だ。古くからの政体の四つの柱について、グラスマンは、国王はそのリーダー、教会はその魂、議会は国民、シティはカネと言いあらわす。シティは国王や議会に従属しているというよりも、それらの柱と複雑な政治的関係で結ばれていた。一〇六六年にウィリアム征服王がイングランドに侵攻したとき、他の都市がこぞって権利を放棄するなかで、シティは自由保有不動産や昔からの特権や自身で組織した民兵を保持し続けた。シティに入るときは、国王でさえ武器を置かねばならなかった。[注27] ウィリアムがドゥームズデイ・ブック——王国の資産や収入の調査台帳で、課税の基盤となった——を作成させたとき、シティ・オブ・ロンドンは調査対象からはずされた。[注28]

　五〇〇年後の宗教改革でイギリスの教会は国王に従属することになり、その後の数百年で国王の権力は衰え、議会は徐々に貴族的性格を失って、ほぼすべての成人に選挙権が拡大された。だが、シティはそうした変化から依然として隔絶されていた。一九世紀のある改革者が言ったように、シティは「不思議なことに現代まで生き延びている有史以前の怪物のよう」だった。シティの権利や特権をはぎ取ろうとした君主や扇動者たちはときに成功することもあったが、その成功はたいてい不愉快な終幕を迎え、シティは自身の権利をしっかり取り戻した。イングランド銀行のスレッドニードル・ストリート側から交差点を越えてしばらく行くと、優雅なジョージアン様式のロード・メイヤー公邸があるが、この公邸のガイド付きツアーで、そうした不愉快な終幕の一つを見ることができる。壮麗なステンドグラスの窓に、ロード・メイヤー、ウィリアム・ウォルワースが、一三八一年の農民反乱の指導者、ワット・タイラーを刺し殺す場面が描かれているのである。

ヘンリー八世のアドバイザーとして権勢をふるっていたウルジー枢機卿は、累進課税を導入し、貴族たちに多額の「慈善寄付金」を払わせ、さらにはシティの同業者組合の紋章や看板をすべて取り上げて、シティの怒りを買った。ウルジーは「国王を梅毒にかからせようとした」などの嫌疑を受けて一五二九年に失脚するが、この追い落とし工作にはシティが一枚噛《か》んいた。シティはこの一件を決して忘れず、国王に彼の債務を絶えず思い起こさせるために一五七一年に王室債権徴収官のポストを設けた。世界最古の制度的なロビイストである王室債権徴収官は、今日のイギリスでも「議会とシティのパイプ役」(注29)として大きな力を持ち続けている。議員以外でただ一人下院の議場に入ることができ、議長の後に目立たないように座っている。王室債権徴収官の役割は、「政策の立案を担当する省庁の役人と日常的な接触を保つこと、法案を起草し推進すること、および議会の両院ならびにその委員会との関係に責任を負うこと」だ。王室債権徴収官は、現在はポール・ダブルという人物が務めており、「シティの地位を維持、向上させ、シティの確立された権利が確実に守られるようにすること」(注30)を責務としている。以前の王室債権徴収官のなかには、自分の行動原理は「コーポレーションが享受している権利や特権を妨げると思われるあらゆる法案に反対すること」だと、言い放った者がいる。二〇一〇年の本書執筆の時点で、コーポレーションの最新の広報誌には、ヘッジファンドの活動を制御しようとするヨーロッパの動きに反対する主張(注31)や、店頭デリバティブ取引が金融危機の一因になったという説を否定し、デリバティブに対する厳しい規制に反対する主張(注32)が掲載されている。王室債権徴収官の事務所は、シティのオフショア的立場ゆえに、重要な国際的役割も担っている。シティの外交部門を担当し、外国の国家元首や政府首脳を歓迎する晩餐会や夕食会について王室と緊密に協力しているのである。

グラスマンは、かつてギルドホール図書館に行ってシティ・オブ・ロンドンのチャーター（設立許可書）を見せてほしいと言ったときのことを話してくれた。チャーターは、主権者による権限授与の証書であり、都市や法人や他の人為的組織がそれによって設立されるものだ。チャーターは単なる個人の集まりを自己統治する機関に変えるのだ。チャーターを与える機関は与えられる機関より上位にあるというのが暗黙の了解事項であり、したがって、たとえばチャーターを与えられた都市は国家に従属する。ところが、グラスマンがチャーターを見せてほしいと言ったとき、ギルドホール図書館のスタッフはくすくす笑ってこう言ったのだ。「チャーターはありません」。「それはひどい瞬間だった」と、グラスマンは言う。「『それでは私の職業は用無しだ』と思ったよ」。チャーターがなければ、シティはイギリスの政体との関係で永遠に曖昧な状態にとどまることになる(注33)。重力と同じように、その真の性質は、それが周囲の機関に及ぼす影響のなかにしか見て取ることができないのだ。

ロンドン北部の自宅の雑然とした台所に座って、グラスマンは次から次へと言葉を引用した。イギリスを統治する法令がシティのなかに及ばないようにするために、シティがどのように次から次へと特権を獲得してきたかを描き出す言葉を、だ。たとえば、ウィリアム三世とメアリー二世の一六九〇年の法律は、「コーポレーションの特権を確認して」、次のように述べている。

彼らの自由権または営業権、もしくはシティ・オブ・ロンドンのメイヤーや法人構成員や市民の自由権、特権、営業権、免責特権、土地、保有財産および法定相続産、権利、権限、または不動産権のいずれかに関するすべての特許状、譲与証書、開封勅許状、委任状は、いかなる人物に与えられたものであれ……事実上、無効であり、ここにその旨を宣言し、認定する。

ウェストミンスター（イギリス議会）で作られる法律は、一部はコーポレーションにも適用されるが、多くがシティを完全にもしくは部分的にはっきり除外している。したがって、シティはイギリスという国につながってはいるが、今なお別の政体であり続けている。この点で、シティは、そのサテライトを構成するオフショア法域、ジャージーやケイマン諸島とよく似ている。気まぐれなグローバル資本にとって、これは重要な点だ。シティに対するどのような異議申し立ても、歴史の神秘性と多くの金融のしもべたちの途方もないスキルや力にぶつかることになる。ボルチモアからバーミンガムを経てボルネオに至るまでの家庭にひそかに影響を及ぼしている、この世界を包含する革新的な金融サービスセンターは、きわめて特異できわめて堅固な古くからの政体を土台にして築かれているのである。

シティのきらびやかな儀式は単なる華やかな遺物ではない。それらの儀式は、ほとんどの者がその意味を理解していないこともあって、シティの友人や協力者たちに強い印象と安心感を与えて、シティの力を強化するのである。コーポレーションの古いハンドブックには、こう記されている。これらの儀式は「単に娯楽のために行われる無意味な慣行やショーではない。権利や特権を具体化して目に見えるようにするものなのだ」。一八八四年、改革派がシティをグレーターロンドンと合併させる法案を提出した年のロード・メイヤーズ・ショーは、あるシティ研究者によると「今日までに開催された最も壮麗で、最も政治的色彩を帯びたショー」(注34)となった。最も大きな横断幕には「ロード・メイヤーズ・ショーのないロンドンはロンドンではない」と書かれていた。もちろん、シティが改革されたらロンドンはロンドンではなくなる、という意味だ。ギルドホールの晩餐会にはそれまでより多くの政治家が招かれた。この法案に関する公開ミーティングで抗議の声を上げさせるために、シティの裏ガネを使って地方から人が送り込まれた。改革運動を率いる「勘違いしている連中」(注35)を批難するキャンペーンが展開された。結局、改革は棚上げされた。

改革が試みられたのはこれが初めてではなかった。一七世紀には、「囲い込み」として知られる冷酷な土地改革のために職を失った人々が農村部からどっと押し寄せたため、国王はコーポレーションに、昔からの法的保護と特権をロンドンの新しい地区にも拡大するよう求めた。コーポレーションはこれを拒否し、現在の北アイルランドに作られたアルスター・プランテーションやコーポレーション・オブ・ロンドンデリーに余剰人口を送り込んで、(注36)そこで大きなプロテスタント・コミュニティーを築かせた。グラスマンはこれを「グレートリフューザル(大拒絶)」と呼ぶ。シティがイングランドを捨て去り、ロンドンの歴史が本当に二都物語になった瞬間だと言うのである。

メイヤー(グレーターロンドンのトップ)とロード・メイヤー(シティ・オブ・ロンドンのトップ)がいるのは、まさにロンドンが二つの都市だからだ。多くの問題を抱えた、活気あふれる大きな人口集積地と、その真ん中のきわめて富裕なオフショア・アイランドである。ロンドンの人々は単一の地方行政機関を持っておらず、その一方で、ビジネス、とりわけ金融部門は、意のままに使えるイギリス最古の政治機関を持っているのである。

グラスマンは、ロンドンの政治ガバナンスとコミュニティー編成の改善を求める一四〇あまりの市民グループや宗教グループのネットワーク、ロンドン・シティズンズとともに活動している。このネットワークは、バラク・オバマが政治的組織化の方法を学んだシカゴのコミュニティー・オーガナイザーたちの活動から大きなヒントを得ている。ロンドン・シティズンズの事務局長、ニール・ジェイムソンは、二〇〇七年の金融危機の勃発後にシティ・コーポレーションと接触するようになった。「われわれは危機の原因を調べていた。すると、すべての道がわれわれの隣人、われわれがよく知らない隣人に至るように思われた」と、彼は説明する。コーポレーションはかなりよそよそしい態度をとった。「私の第一印象では、『寄付するのはかまわないが、無理強いされるのはご免だ』という態度だった」。シティを代表して世界中を訪れているロード・メイヤーが、ロンドン市民を代表する深く根を張った大きな市民団体を無視していることに、ジェイムソンは憤慨した。彼は二〇〇九年にロンドン・シティズンズのイベントにコーポレーションを招待した。これに対するコーポレーションの一風変わった堅苦しい返事は、普通のロンドン市民に対するこの機関のアレルギーに近い反応をよくあらわしている。「われわれはロンドン・シティズンズを、他のすべてのグループと同様に歓迎する」としたうえで、「この点で『公式の訪問』には意味がない……錯誤回避のために述べておくと、これはいかなる形の承認も交渉も意味するものではない」と述べていたのである。

今では曲がりなりにも関係と呼べるものが生まれているが、コーポレーションの幹部たちはミーティング中に不満をあらわにして退席することがしょっちゅうある。もっとも、数分後にはまた席に戻るのではあるが。また、ロンドン・シティズンズがシティの調理師や清掃員などの生活賃金、二〇パーセントの上限金利、シティの資源を使ってロンドンに手ごろな価格の住宅を建設する、などを要求する声明を出したときは、コーポレーションは「だまし討ち」にされたと不満を表明した。

一八世紀には、シティは独立を求めるアメリカの植民地との戦争に反対して、「自由というきわめて重要な不変の原則に……深い、そしておそらく致命的な傷(注37)」を負わせてはならないと、猛烈なロビー活動を展開した。国王は「私の臣民が……北米の……反抗心をけしかけるとは、このうえない驚き」であると述べた。アメリカの独立が宣言されたとき、「このニュースはシティできわめて大きな喜びをもって受け止められた(注38)」と、シティの公式文書は記している。イギリスがフランスとの戦争に備えて民間人を海軍に強制徴募したとき、ロード・メイヤーは「強制徴募隊はシティにあえて入ろうとはしなかった」と、自慢げに語った。

一九一七年、労働者階級の男たちがフランスの戦場で命を落としていたとき、誕生まもない労働党のハーバート・モリソン書記長は、改革の新たな機運をとらえて、こう訴えた。「シティ・オブ・ロンドン・コーポレーションの尊大な悪ふざけにロンドンが敢然と立ち向かい、ロンドンの地図からシティを消し去ってもよいころではないだろうか。……シティは今では一平方マイル(一・六キロ平方メートル)の頑迷な反動勢力であり、現代の金融の魔術とあの発育不全のマスコミの本拠地だ。シティは行政組織としては過去の遺物である(注39)」。戦後、うわべは労働者階級の政党である労働党は、コーポレーションを廃止して、統一されたロンドン市の政府に組み入れるという公約をマニフェストに盛り込んだ。「労働党は従来、国民の長期的な利益のために金融部門を制御するべきだ、という立場をとっていた」と、労働党のジョン・マクダネル議員は言う。

大恐慌を経て、さらに第二次世界大戦でふたたび多くの労働者階級の男たちの血が流された後、イギリスの歴史でほとんど類を見ない臆病ムードが人々の間に広まった。「イギリスはその歴史上初めて、しかもただ一度だけ、実体経済の考え方を採用して、金融経済をニーズに従属させた」と、グラスマンは書いている。クレメント・アトリー首相は、労働党のマニフェストに背くことなく、自分の目標をはっきり打ち出した。

この国にはウェストミンスターにある権力とは別の権力があることを、われわれは何度も繰り返し目にしてきた。シティ・オブ・ロンドン——金融サービス会社の集合体をあらわす便利な用語——は、この国の政府に逆らって自身の立場を主張することができる。マネーを支配している人々は、国の内外で、国民によって決定された政策と相いれない政策を追求することができる。この権力を移転させるための第一歩は、イングランド銀行を国家機関に切り替えることだ。(注40)

イングランド銀行は一六九四年に、主として海軍建設のための信用を提供する目的で、プロテスタントのシティの豪商たちが出資して民間機関として設立された。この銀行の誕生と国家債務の創出が金融革命の先導役となって、またたく間に抵当権市場、保険取引所、証券取引所、金融新聞が登場し、海外貿易が急拡大した。金融部門はP・J・ケインとA・G・ホプキンスが「帝国のエンジンの支配者」と言いあらわしたものを構成するようになった。

アトリーは望みをかなえた。イングランド銀行は一九四六年についに国有化されたのだ。だが、この明らかな勝利でさえ、実際は勝利とはほど遠いものだった。イングランド銀行には強力なカードがあったからだ。この国のマネーに対する支配権と帝国を維持しようとするアトリー政権の強い思いである。

ジャーナリストのゲイリー・バーンが述べているように、帝国へのこのこだわりゆえに「スターリング・ポンドの国際的な役割が戦後まもない時期の最も重要な経済プロジェクトになった」。結局、国有化は幻想だったのだ。イングランド銀行は基本的には以前と同じイートン校OBのマーチャント・バンカーたちによって引き続き運営されていたし、イングランド銀行自身が認めているように、同行を国有化した法律は、同行の役割や目的には「まったく触れていなかった」[注41]。政府はイングランド銀行に「指示」を出す権限を持つようになったものの、二〇一〇年に認めたように「これまでのところ、その権限は一度も行使されていない」[注42]。『エコノミスト』誌は国有化の直後に「一九四六年に国有化された銀行は一九四五年以前の民間銀行と基本的な点では何一つ変わらないだろう」[注43]と指摘したが、実際そのとおりだった。これが金融業界を制御しようとする努力の限界だったのだ。

アトリーとモリソンはロンドンの統一に失敗し、一九五一年にはシティに好意的な保守党が政権の座に戻った。その後、イギリス全土の地方政府の大改革を推進した一九五七年の審議会が、「論理には限界があり、シティの地位はその限界の外にある」[注44]という印象的な言葉とともに活動を開始した。一九六三年には、帝国が衰え、ユーロダラーという「ビッガーバン」がシティをふたたび活性化させるなかで、イングランド銀行は揺るぎない勝利を収めており、イングランド銀行総裁のクローマー卿が新首相のハロルド・ウィルソンに、選挙公約の半分を反故《ほご》にして政府支出を大幅に削減せよと迫るほどだった。ウィルソンは激怒して、こう叫んだ。「総裁、誰がこの国の首相なんですか。あなたですか、私ですか」[注45]

一九六五年には、コーポレーションが確たる地位を維持するなかで、それよりはるかに大きいロンドン・カウンティ・カウンシル（州議会）が廃止された。一九八一年には、シティを廃止して「シティ・オブ・ロンドンにイギリスの他の地方政府と同じタイプの民主的な地方政府を与えよう」[注46]とする動きが、議会でふたたび持ち上がった。だが、これは結局、頓挫した。そのころにはマーガレット・サッチャーが首相になっており、ほぼすべての政治家が製造業に対する信頼を失って、シティにひざまずくようになっていた。学校の運動場、電話会社、鉄道、市場など、あらゆるものが売りに出された。シティは金融化というグローバルなトレンドの先頭に立っていた。レバレッジを利かせた買収で製造業の企業を投資商品に作り替えるとか、少し後になるが、住宅ローン債権をパッケージ化して資産担保証券（ABS）としてグローバル市場で売却するといったビジネスがさかんに行われるようになった。

イングランド銀行は議会に対して説明責任を負っているのであって、コーポレーションに対してではない。だが、その建物がシティの地理的中心に置かれていることは、その心がどこにあるかを物語っている。イングランド銀行は、何世紀もの間に確立されたシティの考え、進歩への道は金融資本の規制緩和と自由化にあり、シティはその先頭に立つべきだという考えを共有している。一九九一年、同行の幹部たちはイングランド銀行の目的をより明確にしようと決意し、三つの主な目的を打ち出した。二つは普通の中央銀行がめざしていることと同じで、通貨価値を守ることと金融システムの安定を維持することだ。だが、三つ目は、エディー・ジョージ総裁によると「イギリスの金融サービス部門の有効性を確保」し、「シティ・オブ・ロンドンならびにイギリスの他の金融センターの国際的な競争ポジションを高める」金融システムを推進することだ。(注47) 要するに、オフショア・センターとしてのシティを保護し、売り込むことなのだ。

この方針――オフショア・センターとしてのシティを保護し、売り込むこと――は、シティとその支持者たちが、自分たちこそその代表だと主張している自由市場の原理とは正反対のものだ。一方、グラスマンは、彼の愛する町の生き生きした豊かな部分――難民として逃れてきた彼の祖父母を受け入れてくれたこの活気に満ちたイギリスのるつぼ――が、シティ政府の外に締め出されてきたことに憤っている。これまでの改革者たちと同じく、彼とテイラーも、シティ・コーポレーションがロンドンの他の地区に融合することを望んでいる。そして、とりわけシティの莫大《ばくだい》な資産を貧困対策のために有効に活用できるようになることを願っている。

政治学はコーポレーションにほとんど関心を向けておらず、ましてやその重要性を認識してはいない。シティを取り上げた現代の主流の出版物は、シティの曖昧な地位をうまくごまかしている。(注48) 政治学者たちは、あらゆる他の権力形態が国家に従属してきたことを知っているのだから、資本は国家の外ではなくなかで活動することによって勝利すると容易に推定できるはずだ。金融資本の自己組織化の仕組みにはあまり関心を持たない傾向があるマルクス主義者たちは、概してシティを製造業と金融資本の対立という、より広い文脈でとらえている。哲学者ジョン・ロールズの信奉者たちは、社会契約――支配者と被支配者の関係――には注目してきたが、制度や歴史の役割には相対的に小さな関心しか払ってこなかった。グローバリゼーションの進展により、市場の経済主体の行為や相互作用についてはあらゆる分野から研究されるようになっているが、政治制度については通常抽象的なレベルでしか論じられていない。法人（コーポレーション）の役割については多くの研究がなされてきたが、法人は国家から活動許可を得るのであり、国家権力の創造物だ。だが、シティ・オブ・ロンドン・コーポレーションは別だ。それは議会の祖母であるかもしれないものだ。いずれにしても、OBネットワークの祖父であるのは間違いない。

個人的な親しさで動く政治、共通のアイデンティティーと原則という絆、精巧に作り込まれた儀式によって、シティはきわめて強大でありながらほとんど目に見えない存在であることに成功している。それは、グラスマンの言葉を借りると「大昔のきわめて小さな私的関係の制度であり、人々の頭のなかにあるどのような現代のパラダイムにも当てはまらない。それは資本を代表する中世のコミューン（共同体）だ。とにかくつかみどころのないものだ」

シティ改革法案

スパイタルフィールズの開発業者たちと戦うなかで、グラスマンとテイラーはもう一つ奇妙なことにぶつかった。シティは二五のサブ区域、すなわち区に分かれているが、まとまった数の居住者がいる区はそのうちの四つだけで、残りの区はほとんど商業用不動産で占められている。テイラーは情報提供者を通じて、開発業者が居住者のいる四つの区のうち最も貧しいポートソークンの小学校の土地を買収する交渉を進めており、買収したら小学校を閉鎖するつもりでいることを知った。そこで、閉鎖に反対する運動を起こすために、二〇〇一年一二月の市民議会の選挙にこの区から立候補することにした。シティのすべての区のうち、実際に選挙が行われたのはこの区だけだった。その年の選挙では、他のすべての区で候補者は一人だけだったのだ。選挙の前に市民議会の数人の議員が彼に立候補を取り下げるよう要請し、おまけに、選挙の担当官にテイラーは立候補を取り下げたと連絡した。それでも彼は一歩も引かなかった。そして、ポートソークンの住民は彼を選んだのだ。

グラスマンとともにシティの選挙慣行を調べるうちに、テイラーはメディアにほぼ完全に無視されている、下院を通過しようとしている議員立法があることに気づいた。

一九九七年の総選挙で一九二〇年代からイギリスの左派の砦《とりで》になってきた労働党が勝利したことで、シティとそのオフショア・サテライトにとって新しい、より対立的な時代が始まると、人々は思ったかもしれない。ブレア政権の大蔵大臣に任命されたゴードン・ブラウンは、一九九三年にこう公約していた。「他のすべての人を犠牲にして超富裕層を甘やかすことでわが国の財政の中核に影響を及ぼす租税逃れをやめさせる……労働党の大蔵大臣は、オフショアのタックスヘイブンで億万長者に税の減免が与えられることは許さない」。だが、一九九二年の総選挙前には、労働党党首のジョン・スミスが、いわゆる「プローン・カクテル・オフェンシブ」——金融部門の支持を得るためにシティの幹部たちとひそかに会食を重ねたこと——を行っていた。スミスのこびへつらう姿勢をこうからかった。「この高潔かつ博識な紳士は、シティで注目の的になっている。……次から次へとランチを重ねるたびに、ディナーを重ねるたびに、確約の言葉が流れ出る。耳障りな言葉はかけらも出てこない。……あのすべてのプローンカクテルが無駄だったのだ。これほど多くのエビが無駄死にしたことはかつて一度もなかっただろう」

それからまもなく、労働党は一九七九年のマーガレット・サッチャーの勝利から数えて連続四度目の敗北を喫し、スミスは一九九四年に心臓発作で死亡した。彼の後任となったトニー・ブレアは、労働党をシティが支持できる組織についに変貌させる。その作業でブレアの有能な補佐役を務めたのが、ハーバート・モリソンの孫のピーター・モリソンだった。一九九六年、ブレアはコーポレーション・オブ・ロンドンを廃止するという労働党の八〇年にわたる公約をひっそり取り下げて、シティを「改革する」という曖昧な公約に置き換えた。金融部門に本当に立ち向かうイギリス最後の大きな砦が陥落したことに、ほとんどのイギリス人は気づきさえしなかった。(注49) 翌年の総選挙でブレアが地すべり的勝利を収めたとき、コーポレーションは自身の立場は安泰だと安心していることができたのだった。

コーポレーションの有力な機関、政策資源委員会の当時の委員長、マイケル・キャシディは、ブレアのアプローチを「双方向の取引だ。労働党は当然コーポレーションにもっと近づきたいと思っている」（注50）と説明した。労働党の下院議員ジョン・マクダネルは、党内部からはそれがどう見えたかを次のように語った。

一八年も野党暮らしをしてきたら、どんなことをしてでも政権に就きたいと必死になる。ブレアとブラウンはシティに魂を売り渡すファウスト的契約を結んだんだ。狙いは、シティに自由に儲《もう》けさせて税金をとろうということだった。だが、それはこちらの条件で結んだ関係ではなかった。「彼らに望みのものを与える」だけの関係だったんだ。ブラウンが自分のやっていることを理解していたとは思わないね。それは単に政権を安定させるための方策だった。

おまけに、労働党の提案した「改革」――グラスマンとテイラーが気づいたあの議員立法――は、コーポレーション・オブ・ロンドンに対する譲歩どころか、驚くべき降伏だった。表面上は、この法案は重要ではないように見えた。コーポレーションの統治機関である市民議会の投票権を合理化する法案にすぎなかった。（注51）だが、その背後にはとんでもない事実があったのだ。市民会議の選挙では、シティの九〇〇〇人あまりの居住者は一人一票与えられていたが、シティの企業にも投票権が与えられており、その数は二万三〇〇〇票にのぼっていた。企業の意思が人間の意思を簡単に打ち負かせる仕組みになっていたのである。

ブレアの改革は住民の力をさらに弱めようとするものだった。住民はまだ九〇〇〇票与えられはするが、企業の票を三万二〇〇〇に拡大して、企業に『ガーディアン』紙の言う「シティを運営する自由裁量権」を与える、というものだったのだ。企業は従業員数に応じて投票権を与えられるが、従業員の意思を考慮に入れる義務はまったくないとされていた。投票するのは経営陣――マネー代表――であって、普通の従業員ではなかった。[注52]したがって、ゴールドマン・サックス、中国銀行、モスクワ・ナロードニ銀行、KPMGなどが、イギリスの選挙で投票することになる。グラスマンは何人かの学者に、他国にこれに類したものがあるかどうか、彼の言葉で言うと「市民としての人格を与えられていない労働者」の例があるかどうか聞いてみた。彼が得た反応は、決まって困惑だった。「私が何のことを言っているのか、誰もわからなかったんだ」と、グラスマンは振り返る。

スイスのコンコルダンスという制度が政治的反対を骨抜きにしてきたように、また、ジャージーの非政党政治が金融業界に乗っ取られた政治エリートたちの考えを押しつけてきたように、コーポレーション・オブ・ロンドンはシティにおいて対立の政治の死を制度化してきたのである。

二〇〇二年五月、テイラーはシティ改革法案に反対する請願書を提出し、この請願は二〇〇二年一〇月にイギリスの最上級の裁判所である枢密院に受理された。テイラーとグラスマンは召喚されて意見を陳述した。[注53]ジョン・マクダネルなど、数人の議員を除いて、[注54]彼らを支持する者はいなかった。マクダネルは議会でこの法案に反対して一人で引き延ばし作戦を展開し、その成立を四年間遅らせていた。次から次へと修正案を出して時間を稼いだのだ。反対を取り下げれば北アイルランド特別委員会のポスト――彼は長年このポストを望んでおり、党執行部はそれを知っていた――を与えると言われたが、彼はそれを拒否した。労働党の重鎮トニー・ベンは彼らの数少ない支持者の一人だった。[注55]「われわれが審議しているのは腐敗法案だ」と、彼は以前の議会討論で述べていた。「われわれは政治的目的のために票をカネで買うことを法制化してくれと要請されているわけだ」。シティ・オブ・ロンドンは「テムズ川に浮かぶオフショア・アイランドであり、多くの他のオフショア・アイランドが羨《うらや》むような自由を手にしている(注56)」

グラスマンは、彼とテイラーが枢密院に召喚されて、議長のジョーンセイ卿が厳しい目で見つめるなか、ズラリと並んだ公証人やアルダーマン、弁護士や法廷弁護士、シティ・コーポレーションの華麗さと権力を代表する他の人々に相対した場面について語ってくれた。まずコーポレーションのCEO（最高経営責任者）、トム・シモンズが、コーポレーションの昔からの特権的立場について説明した。普通の地方行政機関ではなく、自分で資金をまかなっている広大かつ強力なロビー活動ネットワークであり、必要に応じて企業や業界団体を通じて巨大な金銭的・政治的力を動かしたり、自身の資源を使ったりして金融部門の特権を擁護できる機関であると。

労働党だけでなく、イギリスの第三の勢力、自由民主党もシティ・コーポレーションを廃止するという公約を取り下げているが、それは「主としてコーポレーションが優れた仕事をしてきた結果だと思う」と、シモンズは主張した（保守党――富と特権の政党――は、そのような公約をしたことは一度もなく、本書執筆の時点で、自由民主党と連立政権を組んでいる）。「われわれはブリュッセルのコンサルタントを雇って、行く手にあるシティに影響を及ぼす可能性があることを実際に把握しようとしている」と、シモンズは続けた。「そのようなことが起きた場合には、われわれはシティのさまざまな業界団体と協力して、誰かがバトンを持って走り、シティの考えが正しく代表されるように万全の手を尽くす。たとえば、ある国がEU（欧州連合）の大統領職を引き受ける前には、われわれは自分たちの関心事を積極的に推進できるようにするために、通常その国の首都を訪れて同盟関係を築こうとする」。彼はさらに政策資源委員会に触れて、この委員会のトップは「シティにとって関心のあるどんな問題についてでも世界のどんな場所でもシティのために戦う用意がある」と述べた。

それから、テイラーとグラスマンが発言する番になった。グラスマンは長く複雑なプレゼンテーションで、歴史のパターンを抽出し、権力とは、民主主義とは、説明責任とはどういうものかを説明した。そして、企業に投票権を与えるというシティのシステムの唯一の先例は、自分が見つけた限りでは、「南北戦争前のアメリカ南部で動産（奴隷や家畜）の所有者に投票権が与えられていたこと」だと述べて、それを「奴隷制選挙権」と表現した。そして最後に、投票するのは企業ではなく労働者であるべきだと訴えた。

ジョーンセイ卿が同僚たちのほうを向いてこれが重大な問題であることを認識させていたと、グラスマンは振り返る。「彼らはあたふたし始めた。部屋を出ていく者もいた。互いの間で紙片を回していた」。結局、テイラーとグラスマンの請願はこの法案の推進力には影響を及ぼさず、法案は大した修正もなく可決成立した。もっとも、彼らは小さな勝利を得たと主張することはできた。枢密院は投票権の割り当てプロセスを「オープンかつ明快」にするよう求めたのだ。

テイラーはシティの議員だったので一般には公開されない記録も閲覧することができ、そこからも新たな発見があった。シティ・コーポレーションは三つの特別ファンドを運営している。一つはシティ・ブリッジ・トラストで、このファンドは年間一五〇〇万ポンド前後の慈善寄付を行っており、シティはこれを広く自慢している。(注57) もう一つは賃貸所得や利子所得に中央政府からの資金を加えたシティ・ファンドで、行政機関としてのコーポレーションの日常的な運営費をまかなっている。三つ目が興味深いフアンド、シティ・キャッシュである。シティはシティ・キャッシュの存在自体は認めているが、そこにどれだけの額があるかは明かそうとせず、それは「過去八〇〇年の間に積み上げられた私的基金」で、「不動産からの所得に投資収益を加えたもの」(注58)だとしか説明していない。会計データにアクセスできないので再投資に回される割合がわからないのではあるが、資産に対する利子所得から毎年一億ポンドを優に超える額を使っても、ファンドの規模を維持できるだけの資産があると思われる。シティ・キャッシュは、われわれの調べた限りでは、ヴァチカンの資産を上回る資産を支配している可能性がある。このファンドは、記念碑や儀式を含む多くのものの費用をまかなっている。スパイタルフィールズの開発やシティの外で進行している他のいくつかのプロジェクトに対するシティ・コーポレーションからの出資も、ここから資金が出されている。(注59)また、自由市場を支持するいくつかのシンクタンクの費用もこのファンドが負担している。世界各地でのロビー活動の費用をまかない、ブリュッセルから北京《ペキン》までの常駐スタッフのいる事務所を運営することも、このファンドの大きな役割だ。(注60)

グラスマンはシティ・キャッシュに初めて気づいたときのことをこう語る。「これはいったい何なんだ、って思ったよ。私は彼らに電話して聞いてみた。すると、彼らはこう言った。『われわれの資産の会計データはこれまで一度も外に出したことはないし、これからも決して出すことはない。記録にないほど遠い昔に設立され、一度も債務を抱えたことがない都市なので、会計データを公表する必要がないからだ』」。グラスマンは唖然《あぜん》とした。「それは『首を突っ込むな。われわれはお前が対処できるような相手じゃないんだから』ということだった。私は『それなら、本当に首を突っ込んでやろう』と思った」

『ロンドン・イブニング・スタンダード』紙のベテラン政治記者、ジェイソン・ベアティも、このファンドに関心を持った。「どこか変だと思ったんだ」と、ベアティは言う。「シティはどこかに巨大な資産帝国を持っている。それなのに、われわれには彼らが何を持っているのかわからない」。彼は情報公開請求をやってみた。これは情報を出し渋る省庁に強制的に情報を出させるジャーナリストの通常の手段である。「徹底的に請求したが、何も得られなかった」。しかも、情報公開請求を始めたとき、彼は地方政府の広報チームとしてはそれまで出会ったことがないほど大規模なチームにぶつかった。「とても巧妙なやり方だった。明らかに餌をまいておびき寄せるという手法だった。彼らは私がどこの人間かを知りたがった。その後は、私の情報公開請求は却下、却下、また却下だった」。コーポレーションのウェブサイトを見れば、この組織がなぜ情報公開請求を却下できるのかが明らかになる。二〇〇〇年の情報公開法は、「地方行政機関、警察機関、検疫機関としてのシティ・オブ・ロンドンだけに適用されます」と、記されているのである。しかも、ご丁寧に「だけ」が太字になっている。[注61] 要するに、何でも調べてもらってかまわないが、マネーは除く、ということなのだ。これが重要な部分だというのに、だ。

市民議会議員のテイラーは帳簿の一部を閲覧できたので、いくらか情報を得ることができた。「奇怪で興味をそそるものだった。……シティの周辺のこれらすべての変化をシティが推進しており、それなのにシティに説明責任を負わせる方法はないことに、私は困惑した」。何度も拒絶された後、彼はシティ・キャッシュが「シティ・オブ・ロンドンのメイヤーと法人構成員と市民」に帰属していることを発見した。だが、これは何を意味するのかと質問すると、「市民」とは何かを定義しようとすれば「貴重な時間と資源が不必要に費やされることになる」という返事が返ってきただけだった。ファンドの基盤をなす資産の詳細については、ほとんど何もわからなかった。

コーポレーションは、コンデュイット・エステートを所有していることは認めている。これはロンドンのウエスト・エンドの一等地の一部を含む、リージェント通りとオックスフォード通りに接している一画だ。(注62)グラスマンは、コーポレーションがニューヨークのウォール街周辺の第一級の不動産も所有しており、香港やシドニーのようなはるか遠くの場所にも不動産を持っていることを示唆するデータを目にしたことがあるが、それは確かな情報とは言えない。これらの不動産が本当に存在しているとすれば──誰にもわからないことだ──それは絶対に突き崩せないオフショアの守秘構造のなかに隠されているのかもしれない。

シティの力の大きな部分が政治的庇護《ひご》を与える力──奨学金を出す、補助金や慈善寄付を与える、ロード・メイヤーの晩餐会で、たとえば主賓の外国大統領の隣の席を与えるなど──にあると、テイラーは見ている。テイラーもフロックコートに身を包んで、フランスのニコラ・サルコジ大統領やブラジルのルイス・イナシオ・ルーラ・ダ・シルヴァ大統領のような人々との豪華なディナーやランチに出席していた。「ディナーや高級ワインの力を過小評価してはいけない」と、テイラーは言う。「こうした晩餐会に招待されたら、どんな革命的な衝動でもたいてい抑え込まれてしまう」。金融危機が最悪の状態にあった二〇〇九年二月のこうした席のことを、テイラーは振り返る。彼はこのとき、このような場面で立ち上がって反対意見を述べるのがいかに難しいかを思い知らされたのだ。議会の慣例として、ロード・メイヤーが外国訪問から戻るたびに、議長が訪問成功に祝意を表する票決を提案することになっている。それから、金融委員会委員長がその提案を支持し、議員たちが挙手によって満場一致で賛成するのである。ロード・メイヤーがキプロス訪問から戻ったとき、テイラーは祝意の票決に反対した。そんなことをした議員は、人々の記憶にある限り、彼以外にはいなかった。

「私は『これがロンドンの市民の利益になるとは思いません。このシステムは世界の混乱を引き起こしています』と言った」と、テイラーは語る。「どういうわけか部屋のなかの酸素がなくなったようだった。人々は息を呑《の》んで固まっていた。それで思い出したんだ。私はクラブに入ったのであって、政治組織に入ったわけじゃなかったってね」。彼は脇に連れて行かれ、無作法だとたしなめられた。『シティではこんなことはしない』と彼らは言った。私は何か不品行な恥ずべきことをしているような気になった。でも、そうしなければいけないと思ったんだ。このコンセンサスには水を差す必要があるってね」。彼は議事録の訂正まで要求しなければならなかった。議事録には満場一致で可決されたと記されていたからだ。それでも、彼はコーポレーションの人々を感じが悪いと思ったことはほとんどなかった。「私に敵意を示した人は一人か二人しかいなかった。総じて言うと、人々はとても親切で気さくだった。それが危ないところなんだ。仲間になったら、何も言わないほうが楽だからね」

テイラーは何年もの間シティ・オブ・ロンドン・コーポレーションについて――それが精神的・神学的に何を意味するのかを――考えてきた。崇高さと邪悪さは現代の制度の構造に組み込まれているというウォルター・ウィンクの考えに立脚して、テイラーは人間の強欲さを超えた何かが作用していると見ている。「われわれはきわめて悪魔的な何かに支配されている。制度はそれを生かし続けており、それはわれわれ全員の一部になっている。私はそれを悪魔的精神とみなしている」。彼はその精神をグリフィンと呼ぶ。グリフィンはシティの紋章に描かれている神話上の生き物で、シティの入り口にはその像が置かれている。「それはきわめて知的な悪魔だ」と、テイラーは続ける。「危険なものだ。私自身ときにとらわれそうになるのを感じた」。その点を詳しく話してくれと私は迫ったが、テイラーは押し黙り、明らかに自分の考えに浸りながら、しばらくじっと座っていた。それから頭のなかの考えを振り払うかのようにこう言った。「話さないほうがいいことも多分あるだろう。それは精神的にきわめて危険なものだと心底思っている。コーポレーション・オブ・ロンドンはとても危険な場所だ。誰それが邪悪だなんてことを言うつもりはないよ。そこで働いている人たちは悪い人間じゃない。われわれ全員がその一部なんだ」

テイラーはシティのもう一つの、まったく別の面も認めている。恣意《しい》的な国王の権力に対する抑止力として機能してきた輝かしい歴史である。シティは君主や扇動者が市民の昔からの自由権を踏みつけにするのを阻止することができた。一七世紀以前には、シティは「イングランドの人々の古来の自由権の管理人であり、国家による侵害からコモン・ローを守る戦士」だったと、グラスマンは言う。

シティの幹部たちはこの歴史を誇りにしているが、市民がそれに気づくのを恐れてあまり宣伝しないよう心がけてもいる。「彼らは自分たちが何者であるかを正確に知っているが、他の人間には知ってほしくないと思っているような印象がある」と、テイラーは言う。彼がこれをとくに強く感じたのは、二〇〇二年にシティのギルドホール・クラブで行われた女王在位五〇周年記念式典に出席したときだ。トップハットとフロックコートという正装で集まったシティの要人たちは、BBCで女王一行の車列を眺めながら、女王がギルドホールでの昼食会のためにシティに入るのを待っていた。女王はいつでも好きなときにシティに入れるわけではない。ロード・メイヤーが出迎えるのを待たなくてはいけないのだ。これはシティとイギリスの他の地域との違いをはっきり物語る慣行だ。

「われわれは歌の練習をしようとしていた。昼食会で女王のために『フォー・シーズ・ア・ジョリー・グッド・フェロー』を歌うことになっていたからだ」と、テイラーは振り返る。「そのとき、女王がテンプルバーに座ってロード・メイヤーを待っている姿が映し出された。彼女は何もしていないようだった。ただ座っているだけだった」。BBCのコメンテーター、デイヴィッド・ディンブルビーが、この慣行が現代の世界でどれほど場違いに見えるかという感想を述べると、ギルドホールのみんなが声を上げて笑った。「それは私にとって多くのことを物語っていた」と、テイラーは言う。「ディンブルビーが『女王が待たなくちゃいけないなんてすごいことじゃないか』と言うと、ギルドホール・クラブでこの大きな馬鹿笑いが起きたんだ。『これはわれわれのちょっとした秘密さ……わかってないねえ』と、彼らは言っていた。シティの中心には確かにすばらしいものがある。はるか昔の政体のなかでの市民の力というこの古来の物語で、それはシティの記憶のなかに脈々と流れている」

私はテイラーに、このすばらしい面を同じ概念フレームワークのなかで悪魔的精神というイメージとどのように折り合わせているのかと聞いてみた。彼は即座にこう答えた。「悪魔的精神は堕天使だ。それが問題なんだ。それはその本来の目的を果たしていない。別の目的に買収されている。儀式のなかではシティは今なお市民の力という面を打ち出しているが、それは今ではマネーを信奉する連中に完全に乗っ取られている。私はシティを本来邪悪なものとしてではなく、真の使命を忘れて道を踏みはずしたものとしてとらえている」

私には、この二重人格のカギは「自由」という言葉にあるように思える。ジョン・メイナード・ケインズが理解していたように、金融資本にとっての自由は市民とその民主的代表にとって束縛になることがある。ジョージ・W・ブッシュや他の多くの者たちが行ってきたごまかしは、相対立する二つの自由が同じものであるかのように見せかけるというものだった。シティは自身の自由の侵害に対しては徹底的に戦ってきたが、記録文書から明らかなように、奴隷貿易とか東インド会社の略奪行為といった悪についてはそれに匹敵する懸念は示してこなかった。シティにとって自由とは、満足できる条件で貿易する自由のことだった。時間が経《た》つにつれて、自由を守ることは――必要な場合はこの国の他の人々の利益に反して——金融業界の利益のための自由を守ることに変わってきた。

「私にとって最もつらいのは、教会がこの問題にもっと関わらないことだ」と、テイラーは続け、現代のグローバル経済に話を広げた。「教会はわれわれが直面している大きな危険を理解していない。教会がダメになったのは現代の世界が始まったときだ。資本主義や植民地主義との関係のなかで教会が担った役割に問題があったんだ。教会はその勇気を失った。神通力を失った。批判する能力を失ったんだ」

彼の率直な見解は、彼に有利な作用は及ぼさなかったようだ。「別の時代だったら、彼は教会のずっと上の地位にのぼっていたことだろう」と、グラスマンは言う。「ウィリアムはシティに気づいた。そして、そのことがロンドンの教会を少しおかしくした。彼のキャリアを傷つけた」。テイラーはロンドンでしばらく失業生活を送り、その間に博士課程を修了した。二〇〇九年末にようやくロンドン北東部ハックニーの小さなうらぶれた教区の牧師に任命され、現在はそこで働いている。

第二帝国プロジェクト

二〇〇五年、イギリスの当時の大蔵大臣ゴードン・ブラウンは、「ベター・レギュレーション（よりよい規制）」プランを打ち出し、「ヘビーハンド（厳しい）」の規制を否定して、「毎年百万回少ない検査ですむ……企業を妨げている障壁を取り除くための、規制に対するリスクベースのアプローチ」を賞賛した。[注63] これからは「単なるライトタッチ（軽いタッチ）ではなくリミテッドタッチ（限られたタッチ）」の金融規制になる。これによって「われわれは、規制されなければ企業は必ず無責任な行動をとる」という古い思い込みから一〇〇万マイルも前進することになる。この新しい規制モデルは「税務行政に」適用することができる。ゴードン・ブラウンはそう主張した。[注64] ライトタッチもしくはリミテッドタッチは、今では政府の「独立」改革委員会にも拡大されている。これらの委員会は、シティのネットワークの信頼できるメンバーに率いられており、狭い枠組みで検討して、いつも現状を少しいじるだけの改革案を提言する。

王室属領と海外領土に関する二〇〇八年の政府調査委員会は、元バハマ中央銀行幹部で、現在は金融サービス会社プロモントリー・グループの会長を務めているマイケル・フットに率いられていた。プロモントリー・グループのウェブサイトは、わが社の顧客リストには「あらゆる規模の銀行、証券会社、保険会社、投資顧問会社、プライベート・エクイティ投資会社、ヘッジファンド、ブローカー・ディーラー、取引所――つまり、あらゆるタイプの金融会社――が含まれています」と、豪語している。フット委員会は、「それぞれの金融センターが景気後退にどの程度耐えることができ、将来どの程度競争力を維持できるか」(注65)を調査する任務を与えられていた。要するに、イギリスのクモの巣をいかにして守ればよいかを検討する委員会だったのだ。世界の他の国々に与える害は、一瞬たりとも真剣に受け止められることはなかった。後に、王室属領に関するイギリス議会の調査委員会は、王室属領の利益はときにイギリスの利益と相いれないことがあるものの、国際社会で王室属領を代表する母国の義務は「義務であって選択肢ではない」(注66)と結論づけた。

政府が二〇〇八年に金融危機に関する調査を開始したとき、そのチームの二一人のメンバーは、全員、金融サービス業界の関係者だった。(注67)そのうちの四人は、シティ・コーポレーション本体の人間で、一人はロード・メイヤー、二人は元ロード・メイヤーだった。おまけに、この調査委員会の委員長は、元シティグループ会長のウィンフリート・ビスコフ卿だった。これは石油産業をどのように規制するべきかを石油会社に尋ねるようなもので、報告書が真の変革を何一つ提言していなかったのは当然だった。

「これは金融業界から金融業界に宛てた報告書だ」と、カレル・ウィリアム教授は言う。「かつてのこうした報告書は――一九三〇年代のマクミラン報告書も、一九五〇年代のラドクリフ報告書も、一九七〇年代のウィルソン報告書も――一般企業、労働組合、学者など、社会の幅広い利害関係者を視野に入れていた。ビスコフ委員会の報告書は、このすべてが消えている」。イギリスの深いところにある何かが変わったのだ。「誰もシティに異を唱えようとしない」と、マクダネルは言う。「あれほどのことが起きた後だというのに、今でもそうなのだ(注68)」

二〇〇九年、OECD（経済協力開発機構）はいわゆる規制の虜に関する詳しい調査結果を発表した。規制の虜とは、政府の規制担当者が銀行のような規制対象の業界の利益に支配されるようになることをいう。「政府から銀行に行き、すぐにまた政府に戻ってくるという、いわゆる回転ドアによって、途方もない数の人的つながりができていた」と、この調査を指揮したデイヴィッド・ミラーは述べている。「最大手の銀行がつながりの密度が最も高かった。また、最もつながりの多い国はイギリス、アメリカ、スイスだった(注69)」

シティのコンセンサスがイギリスの政治機関にどれほど深く浸透しているかを知るために、私はインサイダーに話を聞きたいと思った。そして、仲介者を通じて、イギリスの課税当局、歳入関税庁（HMRC）で大企業への課税を担当している官僚に会う手はずを整えた。われわれはロンドン中心部のピザ店、ピッツァ・エクスプレスで会った。

「かつてはビジネスをオフショアに移す動きを助長しないよう、オフショアの利益にもオンショアと同じ率で課税するよう努める、という方針をとっていた」と、彼は語り始めた。「だが、ここ一〇年で、この方針が多国籍企業のほうに大きくねじ曲げられた」。労働党が政権に就いてから、HMRCの文化全体が変わった。納税者は「顧客」になった。HMRCはかつては「ケース・ディレクター」を任命して多国籍企業の調査に当たらせていたが、これが今ではハッピーな関係構築を担当する「顧客関係マネジャー」になっている。二〇〇六年の見直しで、よりよい「顧客サービス」と「より大きな相互の尊敬と信頼」が約束され、その後は国際的な調査にかける平均時間が三七ヵ月から一八ヵ月に減った。「われわれはかつては税を徴収することに重点を置いていたが、今ではよい関係を築くことに重点を置いている」と、このHMRCの役人は嘆いた。「企業を裁判の場に引っ張り出すのではなく企業に自主的に税金を払わせることが両得のやり方なのだと、自分自身に言い聞かせなければならない状況に陥っている」。イギリスの議会委員会が二〇〇八年一〇月に行った調査で、二〇〇五〜二〇〇六年の年度には多国籍企業の四分の一が法人税をまったく払わなかったことが明らかになった。二〇〇九年にこの官僚に会ったときには、HMRCの大企業サービス局のわずか六〇〇人の職員が七〇〇の企業グループを担当していた。大手多国籍企業は租税訴訟一件のために一〇〇人以上の弁護士をかき集められることを考えると、これはまさにダビデが巨人ゴリアテと戦うような仕事である。「裁判に持ち込まない限り、(大企業は)決して屈服しない」と、私の情報提供者はうんざりしたように言った。「だから、毎回、裁判に持ち込むことになる」

自分が調査している企業が、この役人は厳しそうだと思ったら、自分の頭を飛び越えて上に話を持っていくこともあると彼は言う。ときおり上司の一人が、「現場におりてきて、そのような立場の人間が関わるべきではない事例に関わることがある」。これはイギリスという国の首尾一貫性にとってきわめて不幸なことだ。HMRCの文化はデイブ・ハートネット長官のもとで見る見るうちに変化した。「勝者であり続ける最善の方法はゴードン(ブラウン)が朝食会で企業からあまり不満をぶつけられないようにすることだということを、ハートネットはよく知っていた」

金融部門は課税がとくに難しい分野である。銀行は特権的なオフショアの立場を利用して、自身に対する課税を回避するとともに、租税回避スキームを開発してそれを顧客企業に売っている。HMRCは、デイブ・ハートネット長官の言では「金融部門に対するイギリスの法人税の課税基盤全体を消し去っていたかもしれない」配当分離スキームを見つけたこともある。(注70) 二〇〇三年に設立されたバークレイズPLCとアメリカのワコビア銀行の共同所有会社には、『ウォール・ストリート・ジャーナル』紙によると、従業員もいなければ製品も顧客もなく、デラウェアの住所があるだけだった。(注71) この会社はイギリスの税金を納めていたが、その一方で、二つの親会社は、すべての税金を自社で支払ったと、それぞれの国の税務当局に申告する合法的な方法を見つけていた。(注72) バークレイズPLCは二〇〇九年四月の時点でタックスヘイブンの子会社を三一五社持っていた。(注73) 銀行はこのような取り決め――他の企業と提携して、それによって生じる税務上の利点を分かち合うという取り決め――を日常的に生み出している。

「すべての税金逃れは銀行に行き着く。つまり、銀行は税金逃れを利用して大きな競争優位を得ているということだ」と、租税問題に詳しいジャーナリストのリチャード・ブルックスは言う。「租税回避は金融危機を生み出すうえで重要な役割を演じた。簡単に言うと、証券化のためのビークル――きわめて大きな利益を生んだので銀行はこれを際限なく作った――は、租税回避に使えるのでとてもよい仕組みだったということだ。それが暴走の主な部分だった」

租税回避の文化はイギリス社会に深く浸透しているようだ。オックスフォード大学の調査によると、法人税を回避したことについてマスコミで批判的な報道をされたら気にすると答えたのは、調査した企業のうち三社だけだった。「租税回避は銀行や会計事務所の間では当たり前のことになっている」と、ブルックスは言う。「企業は租税を逃れるためなら必要なことは何でもする。問題がチキンの権利のことなら、有名シェフがかみついてくるが、租税回避のことなら誰も気にしない」。このコンセンサスは今ではきわめて広く浸透しており、イギリスの税務当局自身が二〇〇一年に六〇〇件近い所有不動産を、租税を逃れるためにメイプリーというバミューダ法人に売却したほどだ。会計検査院（NAO）は八年後に、この取引には当初予想された金額より五億七〇〇〇万ポンド余分にコストがかかることになるという判断を下した。(注74) 二〇〇九年には、企業の租税回避の取り締まりを担当する大臣が、租税回避のためにバミューダに法人を設立していたことが明るみに出た。(注75)

それに加えて、連邦開発公社（CDC）の件がある。これは六〇年前に、帝国の最も貧しい地域の農工業を振興し、貧困を緩和するために設立された国有の開発金融機構を前身とする組織である。現在は一部民営化されてCDCグループPLCと改称されており、シティ・オブ・ロンドンのカス・ビジネススクール（シティ・オブ・ロンドンの知的拠点）の学長、リチャード・ギリングウォーターが会長を務めている。(注76) CDCは二〇〇四年に組織を再編して、有限責任パートナーシップの六〇パーセントの持ち分をわずか三七万三〇〇〇ポンドで売却した。CDCは今では開発金融というよりも、プライベートエクイティ（未公開株式）市場でファンドのためのファンドに近い活動をしている。二〇〇八年の議会報告書は、この組織が一四億ポンドの現金を積み上げていると結論づけ、貧困と戦うことを任務とする小さな一部国有の組織の「並はずれた給与水準」についてコメントし、さらに次の点を指摘している。CDCが自身の掲げている倫理的なビジネス原則に従っているかどうかは確認できない。CDCの管理費はきわめて高く、しかもさらに上昇している。この組織の一部を所有している開発庁に助言を求めることになっているにもかかわらず、そうしていない。「貧困削減に対する貢献など」の非金銭的情報を適切に報告していない。CDCの存在理由である中小企業への投資には、組織の資源のわずか四パーセントしか使われていない。「貧困削減に関するCDCの成果を示す証拠はわずかしかない」と、報告書は結論づけている。そして、最後に、CDCはモーリシャス、バミューダ、イギリス領ヴァージン諸島などのタックスヘイブンに七八の子会社を持っていると、指摘している。(注77)

納税は企業の社会的責任論の中心に来るべきテーマだが、実際には無視されている。自由民主党のオークショット卿は二〇〇九年にこう指摘した。「イギリス全土のあまりにも多くの取締役会が、社会的責任のためにグリーン経営やダイバーシティ経営のチェックリストに印をつけ、それから顧客、すなわち納税者をだましたことに対して財務や税務のディレクターに報酬を与えている」。イギリスのスーパーマーケット大手のテスコは、タックスヘイブン、ロンドンのもう一つのきわめて重要な面を浮き彫りにした。二〇〇八年四月、『ガーディアン』紙がテスコの租税回避戦略を取り上げた記事を載せた。租税回避について報じることは大規模で複雑な経費のかさむ仕事であり、おまけに新聞の売れ行きにはほとんど貢献しないが、それでも『ガーディアン』は果敢に取り上げた。ところが、残念なことに、同紙は記事の一部に誤った情報を載せてしまい、テスコから何件もの名誉棄損訴訟を起こされた。(注78)両者は法廷で争い、『ガーディアン』が一面で謝罪することで決着がついた。

イギリスの名誉棄損法は、ダーティーマネーを持ってロンドンにやってくる連中にとって安心材料の一つである。イギリスには、アメリカ合衆国憲法修正第一条のような、言論の自由を守る憲法の規定はない。高い公益性を持つ事件での保護規定はなく、他のほとんどの国とは異なり、立証責任は完全に被告が負わされている。二〇〇八年のオックスフォード大学の調査では、イングランドおよびウェールズで名誉棄損訴訟にかかる費用は、ヨーロッパの平均の一四〇倍——そう、一四〇倍だ——にのぼることが明らかになった。[注79] 二〇〇八年の公式調査で確認された一五四件の名誉棄損訴訟のうち、被告が勝訴した件数はゼロだった。[注80] 私自身、イギリスの名誉棄損法ゆえに、本書から多くの真実を自己検閲で削除した。私の生涯の蓄えや家族の住む家を危険にさらす価値はないからだ。この名誉棄損法は、シティの富裕な人々の利益には、もちろん申し分なくかなっている。コメンテーターのジョージ・モンビオットの言葉を借りると、この法律は「大富豪専用の治安維持法であり……国際的な脅威、国家の恥、民主主義以前の時代の遺物」である。テスコ対ガーディアンの裁判では、新聞に有利な気味のある判決が下されたし、名誉棄損法は本書執筆の時点で見直しが進められている。結局、この法律の実効ある改正が行われたら、イギリスのオフショア帝国は大幅に弱められるだろう。

多国籍企業による租税回避という厄介な問題——『ガーディアン』紙の編集者アラン・ラスブリッジャーはこれを「普通の人にとって分子物理学に劣らずわかりにくい」と言いあらわした——を真剣に取り上げる新聞編集者は、今ではほとんどいなくなっている。それでも、この租税回避という問題は、マネーと政府とわれわれの民主社会の関係の核心にあるものだ。われわれが透明性を必要とするまさにそのときに、ロンドンの名誉棄損法はそれを葬っているのである。

世界経済を変貌させるのに加担してきたシティは、国内でも大惨事を引き起こしてきた。イギリスの民主主義の重要な部分から自身を切り離してきたことを別にしても、ジャージーや産油国がかかっているあのオランダ病という問題がある。一つの勝ち組部門が全体の価格水準を押し上げて、製造業や農業といった他の部門が外国の製品や産物と競争するのが難しくなるという問題だ。産業革命発祥の地であるこのイギリスで、金融部門の法外な給与のせいで最も優秀な人材が製造業を去っており、シティのカネ儲けマシンとつながっている政治家たちは、きつくて汚い煙突産業を馬鹿にしている。「製造業、鉱業、漁業――すべて疲弊し、混乱し、問題にされなくなっている」と、ロビン・ラムゼイは言う。「少数派の利益が社会を支配するようになっている」

イギリスのGDP（国内総生産）に占める製造業の割合は、トニー・ブレアが政権の座に就いた一九九七年にはすでに二〇パーセントに低下していたが、二〇〇九年には一二パーセント足らずに落ち込んだ。(注81) その一方で、イギリスの銀行はイギリスの産業に融資さえしていない。金融危機前の一〇年間を見ると、イギリス国内での銀行の正味貸出残高のうち製造業への融資が占める割合はわずか三パーセントで、四分の三は住宅ローンや商業用不動産への融資だった。「銀行は生産的目的のための融資はまったく行っていない」と、二〇〇九年にイギリスの金融部門に関する画期的な調査を発表したカレル・ウィリアム教授は述べている。

これは自分自身のために活動し、資産価格を不安定な形でつり上げている金融部門である。業界自身が語っているのは、金融を金の卵を産むガチョウとして描き出す社会貢献の物語だ。だが、よく見ると、そこには実証的吟味に耐えるものは何もない。……数字を調べてそれを文脈のなかに位置づけてみると、正味の社会貢献はマイナスになる。(注82)

現代のグローバル金融を主導しているイギリスとアメリカは、今では先進国中、最も格差の大きい社会になっている。イギリスでは、人口の〇・三パーセントが土地の三分の二を所有している。格差の大きいことで悪名高いブラジルでさえ、人口の一パーセントが土地の半分を所有しているにすぎない。ユニセフ（国連児童基金）の子どもの幸福度調査では、先進工業国二一ヵ国のうち、イギリスはビリで、アメリカが僅差でビリから二番目につけている。イギリスの年金生活者はヨーロッパで四番目に貧しく、ルーマニアやポーランドの年金生活者より暮らし向きが悪い。その一方で、最も富裕なイギリス人一〇〇〇人は、労働党政権が終わった二〇一〇年には、同党が政権の座に就いた一九九七年の額を九九〇億ポンド上回る三三五〇億ポンドの富を手にしていた。われわれにわかっていることだけを見ても、これほど格差が広がっているのである。

イギリスの財務特別委員会のジム・カズンズ委員は、イギリスの金融関連の政策がどのように進化してきたかに気づいて愕然《がくぜん》とし、次のように述べている。

三〇年にわたり、この都市は第二帝国プロジェクトに関わってきた。われわれは三〇年以上にわたり巨額の貿易赤字を積み上げてきた。……彼らは他国より高いリターンをベースにホールセール市場からマネーを吸い上げることで、その貿易赤字に対処した。これはマーガレット・サッチャーによって生み出されたやり方で、イギリスは世界中の財閥や石油富豪のための金融ディーラーになることをめざしたのだ。

一九七〇年代のオフショアの急成長まで一〇〇年近くにわたり、イギリスの銀行はそのバランスシート（貸借対照表）を、自国経済の支出と歩調を合わせて慎重に拡大し、銀行の合計資産をGDPの約半分に維持していた。一九七〇年以降、すべてが変わった。二一世紀の初めには、銀行のバランスシートはGDPの五倍以上に膨れ上がっていた。シティの新しい帝国プロジェクトのもとで、マネーはロンドンに押し寄せ、それからパッケージし直されて、たいていはオフショア・サテライト経由でふたたび送り出され、ドバイのきらびやかな高層ビルやサンパウロの巨大コンドミニアムの建設、それにニューヨークの金融詐欺ゲームに使われている。

「政府は五六〇〇億ポンドもの不良資産化する恐れのある資産を保証しようとしている。しかも、そのほとんどがイギリス国内の資産ではない」と、カズンズは怒りの言葉を吐いた。イギリス政府がロイズ・バンキング・グループとロイヤル・バンク・オブ・スコットランドが保有していた額面五六〇〇億ポンドの資産をイギリスの納税者に保証させるスキームを開始した直後のことだ。「この資産に実際はどれだけの価値があるかは、誰にもわからない」。イギリスは罠《わな》にはまって抜け出せなくなっている。会計検査院は、イギリスはそのタックスヘイブン・ネットワークから生じる恐れのある「負債について最終的なリスクを負っている」(注83)と結論づけているが、それでもシティは一貫して、規制や課税を厳しくしたらマネーはよそへ逃げていく、と言い続けている。カズンズはこれを「クレイジーのきわみの第二帝国プロジェクト」と呼んでいる。『フィナンシャル・タイムズ』紙のマーティン・ウルフはこれを「金融のドゥームズデイ・マシン（人類を破滅させる凶器）……所得と富をアウトサイダーからインサイダーに移転し、同時に経済全体の脆《もろ》さを高める仕組み」と呼ぶ。

ウィリアム・テイラー師は、現代のシティ・オブ・ロンドンの価値観、オフショア金融の価値観がわれわれ全員に突きつけている挑戦を次のように言いあらわした。「われわれは悔い改める必要がある。われわれは集団としての幸福を追い求めるプログラムの虜になっているが、そのプログラムは幻想だ。それは実体のない幻であり、われわれを隷属させることになるだろう」

むすび

われわれの文化を取り戻そう

「われわれはデリケートなマシンの制御に失敗して壮大な混乱に陥っている。このマシンの仕組みをわれわれは理解していないのだ」——ジョン・メイナード・ケインズのこの言葉は、一九二九年のウォール街崩壊の直後に発せられたものだが、今日の状況にもピッタリ当てはまる。だが、今日の金融システムは、あの当時よりはるかに危険な、はるかに広範囲に影響を及ぼすものになっている。国内の金融規制を改革することは重要ではあるが決して十分ではない。改革は新しいグローバル化した現実についての完全な理解に支えられていなければならないが、現代の金融マシンを理解しようと思うなら、オフショアについて理解することが欠かせないのである。オフショア・システムに本気で取り組むべきときが来たということだ。「むすび」として、変化が求められる一〇の主要分野を順不同で示し、できるだけ簡潔に説明することにする。これらの分野は互いにオーバーラップしており、最後の分野がすべてを結びつけるものとなっている。

一、透明性の向上

この分野ではいくつもの多様な改革が必要だが、ここでは二つ挙げておこう。

世界貿易の約六〇パーセントが多国籍企業の内部で発生している。多国籍企業は書類の上だけで資金をあちこちの法域に動かして、書類上の利益はゼロ税率のタックスヘイブンに、コストは高税率の国に集めることで租税を削減する。このシステムの複雑さとコストは大きな害をもたらしている。だが、こうした操作は企業の年次報告書にはあらわれない。現行の会計規則では、多国籍企業は営業実績——利益、借り入れ、租税など——をいくつかの国から寄せ集めて、一つの数字にまとめることができるのだ。地域別の内訳ぐらいは載せるかもしれないが、多国籍企業が年次報告書にたとえばアフリカからの利益を載せていたとしても、その数字を分解してそれぞれの国の利益を算出するのは不可能だ。国別の数字はどこにも見当たらない。国境を越えた何兆ドルもの資金の流れが完全に見えなくなるのである。そのため、こうした報告書からは、その企業が自分の国で活動しているのかどうかさえ、市民にはわからない。その企業の業務内容、活動規模、利益、現地雇用の状況、納税状況となると、なおさらわからない。多国籍企業がますます複雑になるなかで、この問題はますますひどくなっている。

こうした現状に人々の関心を集めるのに誰よりも貢献してきた元KPMGの会計士、リチャード・マーフィーは、問題を次のように言いあらわす。「どの国で活動する場合でも、企業はその国の国民を代表する政府から活動の許可を得る。そして、そのお返しに会計報告をする義務を負う。これがスチュワードシップ（受託責任）とアカウンタビリティー（説明責任）の最も重要な点だ。ところが、今の企業は、これらすべての国の上に位置する存在であるかのように行動している。企業はそのような存在ではない」。多国籍企業が財務情報を国別に表示することやそれぞれの国での活動内容を開示することを義務づけられたら、グローバル市場の透明性はただちに高まるだろう。市民や投資家、エコノミストや政府にとってきわめて重要な膨大な量の情報が、オンショアに移されて目に見えるようになるだろう。国別の会計報告は、政策策定者の間では、とりわけ鉱業に関して支持する声がすでに広がっている。(注1)これからより大きな支持を集め、その適用対象をすべての企業、とりわけ銀行に拡大することが必要だ。

もう一つのきわめて重要な措置は、自国の市民が他国で得た所得や他国で保有する資産についての情報を、諸国の政府がどのようにして互いに共有するかに関わるものだ。A国の市民がB国に所得を生み出す資産を持っている場合、A国の課税当局はそれについて知る必要がある。そのため、諸国の政府は、適切な個人情報保護規定に従って関連情報を共有する必要がある。だが、情報交換の方式として優勢なのは、二国間ベースで請求に応じて提供するというOECD（経済協力開発機構）の方式だ。これは、他国に情報を請求する国は、どのような情報が欲しいのかを請求する前にすでに知っていなければならないという、いかさま師にお墨付きを与えるような方式である。このようなやり方では、途上国はとくに不利な立場に置かれることになる。

OECDの方式は、それよりはるかに優れた方式に置き換える必要がある。請求を要件とせず、諸国がそれぞれの国の納税者の資産や所得について互いに伝え合う多国間ベースの自動的な情報交換だ。ヨーロッパにはそのようなシステムがすでに存在しており、うまく機能していて、情報の漏出も起きていない（もっとも、ケイマン諸島の信託、ネバダ州の法人、リヒテンシュタインの基金、オーストリアのトロイハント〈信託公社〉など、オフショア・システムにはびこるさまざまな秘密保持の仕組みをはねつけるために大きな抜け道を塞《ふさ》ぐ必要はあるのだが）。この分野では改革の機運が高まり始めたところであり、これからそれを世界全体に広げ、精力的に支持を集めることが必要だ。(注2) その動きを加速するために、経済制裁やブラックリストを導入することも考えられる。

二、途上国のニーズを優先させる改革

いつも同じパターンになるようだ。守秘法域が新しいごまかしの手段を生み出したら、豊かな国々は

それに対してできる限りの防衛措置を構築する。だが、貧しい国々は、適切な専門知識がないため、新しい仕組みの被害をもろに受ける。二〇一〇年二月にドイツの開発支援組織ミゼレオールが、二〇〇八年のG20（主要二〇ヵ国）ワシントン・サミットでタックスヘイブンに対する断固たる措置が約束された後に締結された情報交換協定について調査した。その結果、途上国と締結されたものは、租税条約（DTT）の六パーセントにすぎず、租税情報交換協定（TIEA）に至ってはゼロであることが明らかになった。「G20やOECDはDTTやTIEAを透明性や協力に関する世界標準の目玉として推進しているが、貧しい途上国は完全に無視されていることをデータは示している」(注3)と、ミゼレオールは結論づけている。

租税は開発のための資金調達に関する議論におけるシンデレラだ。傲慢《ごうまん》な姉たち――援助と債務救済――の陰で何十年も目立たなかったが、今ようやく日の当たる場所に出てき始めている。租税は開発のための資金調達の最も持続可能で最も重要な、そして最も有益な方法だ。それは支配者に、援助供与国に対してではなく市民に対して説明責任を負わせる。また、適切なタイプの租税は、政府の背中を押して、市民や法人に租税を払わせるために必要な強力な機関を設置させる。南アフリカの財務相トレバー・マヌエルは、先ごろ「開発援助の増額を支持しながら、途上国の課税基盤をむしばむ多国籍企業などの行為を見て見ぬふりをするのは矛盾である」と指摘した。

この先、三つのことが起きる必要がある。第一に、途上国や中所得国は、貧しい国から豊かな国に富を移転するこのグローバル・システムについて懸念の声を上げ、協力して改革を進める必要がある。ブラジルやインドなど、二、三の国は真剣なオフショア対策を構築し始めており、これが大きな運動に発展する機は熟している。第二に、この分野の政府開発援助（ODA）は劇的に増える必要がある。税制改革を支援するために使われているのは、現在は開発援助の〇・一パーセント足らずで、しかもその多くが貧困を緩和するどころか悪化させるおそれのある案に投じられている。(注4) 第三に、市民や市民団体が援助だけに注目するのをやめて、租税についての議論や説明責任を高めるための租税の役割についての議論を活性化させれば、大きな変化が生まれる可能性がある。援助は役に立つ場合もあるが、流入する援助一ドルにつき一〇ドルが途上国から流出している現状を考えると、新しいアプローチが必要だ。

途上国の市民と豊かな国の市民を一つの目的のために団結させられる運動があるとすれば、これこそがその運動だ。

三、グローバル・オフショア・システムの最も重要かつ侵略的な要素であるイギリスのクモの巣の解体

シティ・オブ・ロンドン・コーポレーション――イギリスの国民や民主的諸制度の制約を受けない部分があるこのオフショア・アイランドは、廃止されて、完全に民主的な統一ロンドンに組み込まれなければならない。シティの国際的なオフショア・ネットワークは解体されなければならない。それはどれほどダーティーなカネだろうとおかまいなしに世界中から金融資本を取り込んで利益を得る仕組みであり、イギリス国民に害をなし、世界全体に害をなす。イギリスはシティとそのオフショア部門に従属しすぎているので、単独でこれを実行することはできないだろう。外部からの圧力が不可欠だ。とりわけ途上国は、これが一種の帝国主義的経済システムであることを、そして自国のエリートたちがそこに深く関わっていることを認識する必要がある。この新しい視点に加えて、オフショア法域としてのアメリカの役割について、またそれがアメリカ内外に及ぼす害について、より深く理解することも必要だ。

四、オンショアの租税制度の改革

考えられる案は無数にあるが、ここではこれまでほぼ完全に見落とされてきた有望な解決策を二つだけ取り上げることにする。

一つは地価課税である。[注5] これは簡単なたとえを挙げて説明する必要があるだろう。ストリート・ミュージシャンがメインストリートの真ん中で演奏する場合、町はずれで演奏するときよりはるかに多く稼ぐことができるだろう。最も有利な場所にいることで得られる追加利益、すなわち普通の場所で稼げる額を超えた額は、彼のスキルや努力によるものではなく、純然たる不労所得（レント）である。[注6] 政府が新しい幹線鉄道を敷設したら、新しい駅のそばにある不動産は、所有者が何の努力もしなくても価値が上昇する。所有者にとって、これは純然たる棚ボタ利益、すなわちレントである。このようなレントに対する正しい対処の仕方は、高率の税を課すことだ（そして、その税収を使って別のところで減税したり、政府支出を増やしたりすることだ）。これは不動産所有に対する税金ではなく、土地に対する税金だ。その一等地がリヒテンシュタインのアンスタルトを隠れ蓑《みの》にしたロシアの財閥に所有されていようといまいと、その土地はその場所にあり、課税することができる。土地は動かせないので、この税に対してはオフショアへの逃避という手段は通用しない。この税は土地の最も有効な利用に報いて、それを促進し、レントをこの税がない場合より低く抑える働きをする。

金融部門の利益のきわめて大きな部分が、突き詰めていくと不動産ビジネスと地価に由来する。土地のレント価値に課税すれば、この金融ビジネスがオフショアでどれほど姿かたちを変えられていても、その大きな部分をつかみとることができる。ピッツバーグは一九一一年に、富裕な土地所有者からの大きな抵抗に逆らって、世界に先駆けてこの税を導入したごく少数の都市の一つとなった。その効果は劇的だった。一九二九年の株式市場崩壊の前、アメリカの他の都市では土地投機が過熱したのに対し、ピッツバーグの地価は二〇パーセントの上昇にとどまったのだ。ペンシルベニア州ハリスバーグは一九七五年にこの税を導入し、それが都心部の劇的な再生につながった。この税は単純で管理しやすく、累進的で（貧しい人々の負担が小さい）、途上国にはとくに有効だ。

ほとんど見落とされてきた解決策の二つ目は、鉱物資源に恵まれた国に関係がある。略奪されたオイルマネーの波はオフショア・システムに絶えず流れ込んでおり、その過程で世界経済を歪《ゆが》めている。国が鉱物資源から得る棚ボタ利益の大きな割合を、すべての国民に直接、一律に分配することにしてはどうだろう。この大胆な案は論議を呼ぶだろうが、これが実施されれば状況はガラリと変わるだろう。これはアラスカなど、二、三の場所で実施されてきただけだが、鉱物資源に恵まれた他の多くの国でも実行可能である。貧しい国でさえ実行できるのだ。そうすれば、略奪された鉱物資源からの何千億ドルもの不正利得をオフショア・センターから取り戻すことができ、当該国の国民にきわめて大きな直接的な利益がもたらされるだろう。

五、リーダーシップと一方的な行動

二〇〇一年九月一一日の同時多発テロ攻撃の後、アメリカの議員たちは愛国者法に盛り込むマネーロンダリング（資金洗浄）防止規定をより強力にしようとした。連邦議会の議事堂では礼節が消えうせ、銀行幹部と議会職員の怒鳴り合いが勃発した。（注7）銀行家がとくに守ろうとしていたのはオフショアのシェルバンクだった。シェルバンクの本当の所有者や経営者は、名義人や受託者の陰に隠れていて誰も突き止めることができない。透明性を求める戦いの先頭に立っていたカール・レヴィン上院議員は、一一本の法案をフィル・グラム上院議員につぶされても決してあきらめず、九・一一テロ後の環境のなかでついに自分の主張を通した。アメリカのいかなる銀行も外国のシェルバンクからの送金を受け入れてはならず、外国のいかなる銀行も外国のシェルバンクから受け取った資金をアメリカに送金してはならないという、新しい規定が定められたのだ。その結果、レイモンド・ベイカーが説明しているように、「かつては野放し状態だった何千ものシェルバンクが、今ではおそらく数十社に減っている……経済のインテグリティー（整合性）に対する大きな脅威が、法律一つでグローバル金融システムからほぼ完全に取り除かれたのだ」。このような事例では国際的な合意が概して効果的だが、リーダーシップも奇跡を起こせるのである。

厳しすぎる税や規制をかけられたら、あるいは透明性の向上や刑法に従うことを求められたら、オフショアに移転すると、法人や個人が脅しをかけるとき、政府高官はたいていその富裕な資本所有者に彼らの望むものを与える。おまけに、オフショアの不正な抜け穴を塞ぐ努力にも同じ脅しがかけられる。

先般の危機で明らかになったように、多くの金融サービス活動が実際には有害であり、したがって金融産業の特定の部分がよそへ行ってくれれば、そのほうが望ましい。優良なプロジェクトは、その国に外国の金融業者がわんさといようがいまいが必ず資金を調達できる。それに、地元の銀行のほうが、顧客のことをよく知っているので、資金の供給元として望ましい。金融産業への課税や規制は経済の本当のニーズに従って行い、資本や銀行がオフショアに逃げ出すという脅しは無視しよう。そうすれば、有害な部分が追い出されて有益な部分が残ることになるだろう。リーダーシップがカギになる。一方的な行動は場合によっては功を奏するのだ。

六、仲介業者や個人のオフショア利用者への対処

スイスの国会議員、ルドルフ・シュトラームは、スイスの銀行の守秘性が外国からの圧力を受けて緩められた歴史上のあらゆる事例を調べて、圧力はスイスの銀行に直接かけられた場合にのみ効果があると結論づけた。スイス政府に対する圧力は、いずれの場合にも国家の誇りに対する攻撃とみなされて失敗したのである。

泥棒政治家が自国の富を略奪してそれをオフショアに移すとき、それを手助けする銀行、会計士、法律事務所はその政治家と同罪だ。クライアントが逮捕されて刑務所に入るときは、そのクライアントを担当していた顧客関係マネジャー、会計士、受託者、弁護士、法人名義人も刑務所に入るべきだ。ロンドンを拠点とするグローバル・ウィットネスなど、ごく少数の団体は、仲介者に説明責任を負わせようとしてきたが、この分野では世界の姿勢がガラリと変わる必要がある。仲介者の問題に真剣に取り組もう。

オフショア・サービスのエンドユーザーに関しては、いくつもの戦略が必要だが、ここでは一つだけ挙げることにする。「公式に基づく割当と合算課税の結合財務報告」だ。租税に対するこの単純かつ強力で公正なアプローチは、名称がひどいためにその価値が見過ごされているが、カリフォルニアは移転価格操作を抑制するためにすでにこの戦略を使って成功している。多国籍企業が実体のない存在であるかのように、多国籍企業の別々の部分にそれぞれ課税しようとする現在のアプローチに代えて、課税当局はその企業グループを単一の組織として扱い、それからそのグループが活動しているさまざまな法域に課税対象所得を割り当てることにするのである。割り当ては、広く合意された公式に従って、各法域の売上、従業員数、資産など、実体のあるものに基づいて行うこととする。それぞれの法域が、割り当

てられた額に対して、それぞれ独自の税率で課税すればよい。

アメリカの多国籍企業がバミューダに駐在員一人だけの事務所を持っており、その事務所の現地での売上がゼロだとしよう。現在のルールでは、この多国籍企業は何十億ドルもの利益をバミューダに移転させて課税を逃れることができる。売上や従業員数に基づく新しいシステムでは、バミューダには所得のほんのわずかな割合しか割り当てられない。したがって、バミューダのゼロ税率の対象になるのは、所得全体のごくわずかな部分だけだ。残りの部分には、この多国籍企業の会計士たちが生み出した架空のストーリーではなく、この企業が現実の世界でどのような活動をしているかという実態に基づいて、適切に課税されることになる。諸国はこれを一方的に実施する必要がある。そして、これが広く実施されるようになれば、タックスヘイブンのビジネスモデルの大部分が消え失せるだろう。これもまた、とりわけ途上国に役立つはずだ。

七、金融部門の改革

このテーマについては人々の間にすでに深刻な「分析疲れ」があるので、ここではこれまでのところさまざまな主張に含まれていない二つの短い提言をするにとどめたい。

提言その一。政策決定者やジャーナリストをはじめとする多くの人が、タックスヘイブンがどのように金融資本の堅固な避難場所となり、金融資本を課税や規制から守るなかで先般の危機をどのように助長したのかを理解し、納得する作業を始める必要がある。沈黙と無知のベールを取り去って、メッセージを広める必要がある。

提言その二。自国の金融システムの安全性について憂慮する国々は、金融規制からの避難所となっている国々のブラックリストを作成する必要がある。その際判定基準になるのは、ジャージーやデラウェアのような乗っ取られた国という概念に当てはまるか否か、すなわち個人や法人が他の法域の法令や規制を回避する手助けをする政治的に安定した仕組みを提供することでビジネスを引き寄せようとしている法域か否かだろう。何をチェックすればよいのかを理解すれば、ブラックリストは簡単に作成できるはずだ。このようなブラックリストがあれば、適切な禁止措置や規制――その多くがきわめてシンプルなもの――を導入して、諸国が主権を取り戻して、ふたたび有権者の意思に従う手助けをすることができる。これに加えて、もう一つメリットがある。国際規制システムの無法者が舞台から消えたら、金融改革に関する国際協力がはるかにたやすくなるだろう。この案は、先般の危機を招いた過ちをわれわれが繰り返すのを防ぐ助けにもなり、さらに、次の危機――その原因はまだ想像することさえできないかもしれないが――を防ぐのにも役立つだろう。

八、企業の社会的責任の見直し

社会は企業にきわめて大きな特権を与えている。たとえば、投資家が自分の損失に上限を設け、企業が倒産した際に未払い債務を社会の他の人々に転嫁することを可能にする有限責任などだ。企業は、実際のビジネスをどこで行っているかにかかわらず、さまざまな法域にほぼ自由自在に移動できる法人として扱われる法的権利も与えられている。こうした並はずれた特権と引き換えに、企業は本来、周囲の社会に対していくつかの義務を負っていた。なかでも重要なのが、自社の活動について透明性を確保する義務と納税の義務である。

オフショア・システムはこのすべてをむしばんできた。特権は維持・強化されてきたが、義務は消えうせているのである。今後は企業の社会的責任に関する議論で納税を真正面から取り上げる必要がある。われわれは企業に、株主に対してだけでなく、企業がビジネスを行うことを可能にし、そのためのツールや信用を与えている社会に対しても説明責任を負わせるべきだ。租税はもう株主にとってのコスト、すなわち最小化されるべきものとみなされるべきではなく、社会への分配とみなされるべきだ。インフラ、教育、法と秩序など、企業活動にとって基本的な必須要件に対して社会や政府が行った投資に対するリターンとみなされるべきなのだ。そうなったあかつきには、オフショア・システムに疑問を投げかけ、異議を申し立てることのできるまったく新しい舞台が生まれているだろう。

九、腐敗についての見直し

すでに述べたように、主な国別腐敗度ランキングでは、世界の主要なタックスヘイブン――何兆ドルもの略奪資産の保管場所――の多くがかなりクリーンな国とされており、新しい金融守秘性指数によって、そうした誤った評価を正すプロセスが開始されている。だが、われわれは腐敗の地理的分布を正しく書き換えるだけでなく、腐敗とは何かを見直す作業も行う必要がある。腐敗の本質は、インサイダーが秘密裏に、何の処罰も受けずに公共の利益を害し、公共の利益を促進するルールやシステムをむしばんで、それらのルールやシステムに対するわれわれの信頼を損なうことにある。腐敗はその過程で、貧困や格差を悪化させ、既得権や説明責任のない権力を確固たるものにするのである。

賄賂はこうした弊害をすべて引き起こすが、タックスヘイブンが提供するサービスの多くが同じ弊害をもたらす。賄賂と守秘法域のビジネスが似通っているのは決して偶然ではない。底流にあるものは同じなのだ。なかには官僚的障壁を迂回《うかい》する方法として賄賂を賛美する人がおり、そういう人たちは、あの心付けを渡さなければ、あのコンテナは港に留め置かれたままになるだろうと主張する。だが、彼らは間違っている。賄賂はそれを払う者には利益をもたらすかもしれないが、システム全体に打撃を与えるのである。同様に、守秘法域を擁護する人々は、守秘法域のサービスは、民間の経済主体が主流の経済の「非効率」を避けてビジネスの進行を円滑化する手助けをすると主張するかもしれない。そして、守秘法域のサービスは確かにそうした働きをする。だが、彼らの言う非効率とは、具体的には何だろう。最も重要なものを挙げると、それは租税や金融規制であり、刑法や透明性だ。それらはもっともな理由があって存在しているものだ。誰かが障壁を避ける手助けをするとは、システムとシステムに対する信頼の両方をむしばむということだ。賄賂は政府を腐敗させ、タックスヘイブンはグローバル金融システムを腐敗させるのだ。

この点を理解したら、われわれはもう途上国の泥棒政治家やごろつき官僚を批難するだけでよしとはせず、はるかに幅広い経済主体や彼らの「円滑化活動」を検証するようになるだろう。しかも、豊かな国の市民と貧しい国の市民がグローバルな問題と戦うに当たって共通の目的を見つけるための手がかりをつかみ取っているだろう。(注8)

一〇、最も重要な点として、われわれは文化を変える必要がある

システムを悪用することで――租税や規制を回避し、関連するリスクや税を他の人々に背負わせることで――カネ持ちになる人々に、学者やジャーナリストや政治家がこびへつらうとしたら、それはわれわれが道に迷っているということだ。

言葉は変化しうる。タックスヘイブンはグローバル金融をより効率的にすると誰かが主張したら、わ

われわれは「それは誰にとっての効率か」と問いただすべきだ。諸国は租税や金融規制に関して互いに競争するべきだと、あるいは政策決定者はより競争力のある税制や規制体系をめざすべきだと誰かが主張したら、われわれは「あなたの言う競争とは、どのような競争のことか」と問いただすべきだ。租税や守秘性や金融規制の面での底辺への競争か、それとも企業が競争市場で公平な土俵の上で活動する場合のようなトップへの競争か、と。プライベート・バンキングの文脈で「プライバシー」とか「資産保護」とか「税の効率性」といった言葉を耳にしたら、われわれはそれは正確には何を意味するのかと問いただすべきだ。プライベート・エクイティ（未公開株）投資会社が記録的な利益をあげたら、われわれはその利益のどれだけが純然たる生産性向上によるもので、どれだけがオフショア・システムを使ったことによるものなのか、説明を求めるべきだ。ある国の高官が「ここは規制のしっかりした協力的で透明性の高い法域である」と言うのを耳にしたら、捜査官はその法域をその正反対とみなして、さらに調査するべきだ。クライアントをあおって犯罪行為をさせかねないあやしげなオフショア・プロモーターの魅力的な広告を雑誌が掲載していたら、われわれは苦情を申し立てるべきだ。企業が社会的責任について語っていたら、われわれはそれは納税という意味かと、問いただすべきだ。ジャーナリストが自分の書いている租税に関する記事について専門家から助言を得ようとするとき、彼らは、大手会計事務所のその専門家は富裕な企業や個人が租税を回避する手助けをすることを生業とする会社で働いており、彼らの意見は腐敗した世界観を反映したものになるということを理解しなければならない。そうした意見とバランスをとるために、別の視点からの意見を見つけなければならない。

世界の国際機関や責任ある政府は、オフショアを使った不正にとくに焦点を当てて、国際課税や国際規制の分野における責任ある行動と無責任な行動をまとめた新しいガイドラインや行動規範を作成し、推進する必要がある。租税回避を防ぐための一般原則を自国の税法に盛り込んで、複雑で不正な計略は、形の上では法律に違反していなくても許されないようにする必要がある。脱税はマネーロンダリングの前提犯罪と位置づけることができ、脱税行為を国連腐敗防止条約のような国際条約に盛り込むことも必要だろう。弁護士、会計士、銀行家などの専門職団体は、会員がクライアントの金融犯罪を幇助《ほうじょ》することは、その犯罪の発生場所が国内だろうと海外だろうと許されないということをとくに強調した行動規範を作成する必要がある。経済学者たちは、守秘性や規制上の裁定などの影響を理解するために、自分たちのアプローチを見直す必要がある。また、難しいことかもしれないが、ひそかに行われる違法行為を測定する作業を始めるべきだろう。

われわれの言語や文化を奪った説明責任を負わない特権の力から、われわれはそれを取り戻さなければならないのだ。

本書執筆の時点では、世界中で積極的な財政出動が行われたことでグローバル金融のメルトダウンに続く完全な経済崩壊は何とか避けられている。だが、それは納税者に途方もなく大きな犠牲を払わせてきた。「金融活動の分野で、これほど少数の者がこれほど多額のカネをこれほど多くの人間に借りたことはかつてなかった」と、イングランド銀行総裁マーヴィン・キングは言った。「それなのに、これまでのところ真の改革はほとんど行われていない」

タックスヘイブンについてのグローバルな議論を真剣に始めてもよいころだ。あなたが誰だろうと、どこに住んでいようと、何をしていようと、これはあなたに影響を及ぼす問題だ。オフショアはすぐそばで作用しているのである。それはあなたの国の民主的な政府をむしばみ、その課税基盤を損ない、その政治家を腐敗させている。巨大な犯罪経済を維持し、法人の力と金融の力を持つ新しい、説明責任を負わない貴族階級を生み出している。金融の守秘性を抑え込み、制御するために力を合わせて行動しなければ、私が一〇年以上前に西アフリカで目にした世界、人当たりのよいインサイダーたちが何の処罰も受けずに富を略奪する国際的な共謀と絶望的な貧困の世界が、われわれが子どもたちに残す世界になるだろう。ごく少数の人間がブーツをシャンペンで洗ってもらい、残りの人間は格差が急拡大するなかで生き延びるためにもがき苦しむことになるだろう。だが、このような未来はわれわれの行動次第で避けることができる。

われわれにはそれができる。しなければならないのだ。

訳者あとがき

本書は二〇一一年初めにイギリスで出版され、ベストセラーとなった *Treasure Islands: Tax Havens and the Men Who Stole the World* の全訳である。多くの人がその存在は知っていても実態はほとんど知らないタックスヘイブン（租税回避地）について、その仕組みや機能だけでなく、その歴史やグローバル経済のなかで占める位置、さらにはタックスヘイブンの精神風土やそこで暮らす人々の姿まで包括的にとらえた力作で、著者ニコラス・シャクソンが一躍メディアの注目の的となったのもうなずける。

シャクソンはイギリスの有力シンクタンク、王立国際問題研究所（通称チャタムハウス）の研究員で、グローバル経済や国際政治の諸問題について『フィナンシャル・タイムズ』や『エコノミスト』などの一流紙誌にたびたび寄稿している。また、タックスヘイブンの閉鎖や公正な租税制度の構築を訴えているグローバルな市民団体、タックス・ジャスティス・ネットワーク（TJN）のメンバーでもある。

彼の二冊目の著書となる本書は、徹底的な調査と精力的なインタビューをもとに、新自由主義的グローバリゼーションの象徴とも言えるタックスヘイブンが私たちの社会にどのような歪《ゆが》みをもたらしているかを多面的に描き出している。

たとえば、タックスヘイブンを利用した多国籍企業のリインボイシング（移転価格操作）によって「途上国は毎年推定一六〇〇億ドルの税収を失って」いるし、途上国の腐敗したエリートたちは自国の富を略奪してタックスヘイブンに隠匿している。こうした不正や不公正がなければ途上国はじつは純債権国なのであり、外国からの援助がなくてもやっていけるのだと著者は言う。そして、一方ではアフリカに対する援助の増額を唱えながら、他方では途上国の課税基盤をむしばむタックスヘイブンを使って「節税」している人々の行動に大きな疑問符を投げかける。

タックスヘイブンを使った税金逃れは、もちろん先進国の財政もむしばんでいる。世界の三大バナナ会社は「二〇〇六年にイギリスで約七億五〇〇〇万ドル相当の売上を記録した」が、払った税金は三社合わせてわずか「二三万五〇〇〇ドル」だった。また、富裕な個人がタックスヘイブンに保有している資産は「世界の富の総額の約四分の一」に当たる「一一兆五〇〇〇億ドル相当にのぼる」と推定され、「そのカネが毎年稼ぎ出す所得にかかるはずの税金だけで推定二五〇〇億ドル」になる。

多くの国が財政赤字にあえいでおり、アメリカは二〇一一年、債務上限問題で大揺れに揺れ、日本では消費税増税が論議の的となり、EU（欧州連合）ではギリシャの公的債務問題に端を発した危機が世界を揺るがしかねない通貨危機、銀行危機へと発展している。こうした現状に照らしてみると、国境を越えた違法な資金フローはもちろんだが、合法であっても法の精神に反する税金逃れは断じて許してはならないという著者の主張が、なおさら重みを持って響いてくる。

だが、本書は決して声高に主義・主張を唱える本ではない。丹念な調査に支えられた冷静な分析が本書を地に足のついたものにしており、物語性を帯びた記述が良質なミステリーのような趣をかもし出している。

イギリスが国策としてタックスヘイブン・ネットワークの構築を推し進めた歴史や、金融取引を厳しく規制していたアメリカが、「見方によっては世界で最も重要なタックスヘイブン」に変貌した経緯、さらにはオフショア世界の総本山とも言うべきシティ・オブ・ロンドンの特異性など、興味深い物語がいくつも語られているが、それ以上に魅力的なのが個々の人間の戦いの物語だ。

オフショアを利用した脱税の草分けとも言うべきイギリスの多国籍企業経営者、典型的なタックスヘイブンの島で体制に抵抗する一握りの人々、タックスヘイブンを使った国家間の裏取引に関わって国際指名手配されている男、シティ・オブ・ロンドンの闇に立ち向かう若き宗教家など、戦う方向は人によって一八〇度違っているが、彼らの戦いの物語は本書に具体性と厚みを与えている。

新自由主義の経済理論では、規制のない自由な市場こそが資源の最も効率的な配分を実現するとされている。だが、規制の緩いタックスヘイブンで金融機関が行ったのは、子会社を作って本国では禁止されている無謀なビジネスをさせることだった。そして、それが二〇〇七年からの金融危機の要因の一つになったのだ。その危機の第二幕とも言うべきEU危機が進行するなかで、グローバルな視点からタックスヘイブンの問題点をとらえた本書の翻訳にたずさわったことは、訳者にとって現在のグローバリゼーションの根底にあるものをあらためて認識する貴重な機会となった。本書を翻訳する機会を与えてくださった朝日新聞出版の増渕有氏と鈴木円香氏に心より御礼申し上げる。

最後に、本書の訳出に当たっては友人の翻訳家、吾妻靖子氏と石川未知子氏に手助けをお願いした。両氏にあらためて感謝するとともに、最終的な訳文についてはすべての責任が藤井にあることを申し添えておく。

二〇一二年一月

藤井清美

むすび　われわれの文化を取り戻そう

1. 世界銀行は「それは費用対便益の基準を満たしている」と述べている。The World Bank submission to the IASB, in a letter from Charles A. McDonough, World Bank, to International Accounting Standards Board, published on www.ifrs.org, 28 June 2010参照。
2. 現在、情報交換に関する新しい情報を最も包括的に提供しているのは、タックス・ジャスティス・ネットワークのウェブサイトの*On Exchange of Information for Tax Purposes*と題されたセクション。http://www.taxjustice.net/cms/front_content.php?idcat=140
3. 'Double Tax Treaties and Tax Information Exchange Agreements: What Advantages for Developing Countries?', Misereor, Feb 2010.
4. 'Tax for Development', *OECD Observer*, Dec 2009.
5. これを実現するための運動が開始されている。たとえば、地価課税について検討している*Tax Justice Focus*, Vol. 6, No. 1, 2010を参照。
6. ストリートミュージシャンのたとえは、Henry Law, 'A Tax That Is Not a Tax', *Tax Justice Focus*, Vol. 6, Issue 1, second quarter 2010, www.taxjustic.net から借用。
7. Raymond Baker, 'Transparency First', *The American Interest*, July-Aug 2010.
8. この最後のパラグラフは、レイモンド・ベイカー、ジョン・クリステンセン、それに私の3人が共同執筆した記事 'Catching up with Corruption', *The American Interest*, Sep-Oct 2008から引用。

Corporation/LGNL_Services/Council_and_democracy/Data_protection_and_freedom_of_information/access_info.htm.
62. David Hencke and Rob Evans, 'Medieval powers in City trial of strength', *Guardian*, 5 Oct 2002参照。これは主流メディアでこの問題を詳しく報じた唯一の記事のようだ。
63. *Chancellor Launches Better Regulation Action Plan*, 24 May 2005, UK National Archives Press Notices参照。
64. 'The Top Gamekeeper', *Guardian*, 6 Feb 2009参照。
65. 'Overview: Pro-gress Report of the Independent Review of British Offshore Financial Centres', HM Treasury, Apr 2009.
66. 'Crown Dependencies: Eighth Report of Session 2009-10', House of Commons Justice Committee, 23 Mar 2010, http://www.publications.parliament.uk/pa/cm200910/cmselect/cmjust/56/56i.pdf.
67. 'UK International Financial Services – the Future: A Report From UK Based Financial Services Leaders to the Government', HM Treasury, May 2009.
68. マクダネルへの直接取材、国会議事堂(ロンドン)にて、2009年10月13日。
69. 2010年6月14 日放送の『ディスパッチズ』で引用されたデイヴィッド・ミラーの言葉。この調査報告書 'Revolving Doors, Accountability and Transparency - Emerging Regulatory Concerns and Policy Solutions in the Financial Crisis', 6 July 2009は、OECDとオランダ・ナショナル・インテグリティ・オフィスのために作成されたもの。http://www.oecd.org/dataoecd/22/15/43264684.pdf.
70. 'The Top Game-keeper', *Guardian*, 6 Feb 2009.
71. 'Sand, sea and a double-dip: all you need to avoid millions in tax offshore', *Guardian*, 13 Mar 2009.
72. The WSJ - on Barclays and its Tax Trick, Tax Research blog, 30 June 2006.
73. 'Where on earth are you? Major corporations and tax havens', Tax Justice Network, Revised Version, April 2009.
74. Select Committee on Treasury (Fourth Report) , The Handling of the Joint Inland Revenue/Customs and Excise Steps Pfi Project, UK Parliament, 12 Feb 2003 and HM Revenue & Customs' estate private finance deal eight years on, UK National Audit Office, 3 Dec 2009.
75. Robert Watts and John Ungoed - Thomas, 'Minister in charge of off-shore clampdown ran tax haven firm', *The Sunday Times*, 22 Mar 2009参照。
76. Cass Business School website, http://www.cass.city.ac.uk/about/location/index.html.
77. Death and Taxes: the true toll of tax dodging, Christian Aid, May 2008. 政府はオフショアの狭い定義を使って、CDCがオフショアの関連会社を40社持っていることを認めている。*Investing for Development: the Department for International Development's Oversight of CDC Group plc*, Eighteenth Report of Session 2008-9参照。
78. ほぼすべての大企業がそうであるように、『ガーディアン』の親会社も租税回避スキームに参加していた。この事実は、予想どおり、ガーディアンはこのテーマに関する自社の報道を検閲するべきだというシティからの要求を招いた。
79. *Comparative Study of Costs of Defamation Proceedings Across Europe*, Centre for Socio-Legal Studies, University of Oxford, Dec 2008参照。
80. 'Libel Reform Campaign Welcomes Jack Straw's Commitment to Libel', Libel Reform Group, 23 Mar 2010.
81. 'How to make it', editorial, *Financial Times*, 2 Dec 2009.
82. 'An Alternative Report on Banking Reform', a public interest report jointly authored by a working group of practitioners and academics based at the ESRC Centre for Research on Socio Cultural Change, University of Manchester. 引用は2010年6月14日放送の『ディスパッチズ』におけるウィリアムズの発言。
83. 'Banking on the state', by Piergiorgio Alessandri & Andrew G. Haldane, Bank of England, Nov 2009.

シティのなかにあることも、シティにとって助けになってきた。

40. C.R. Atlee, *The Labour Party in Perspective*, Gollancz, 1937, p179.
41. Eddie George, 'The Bank of England: How the Pieces Fit Together', *Bank of England Lectures*, 1996, p91.
42. Bank of England timeline, Bank of England website, http://www.bankofengland.co.jp/about/history/timeline.htm.
43. Burn, 2006, p68.
44. John Davis, *Reforming London: The London Government Problem, 1855-1900*, Oxford Historical Monographs, 1988, p51.
45. Peter B. Flint, 'The Earl of Cromer Is Dead at 72, Former Head of Bank of England', *New York Times*, 19 Mar 1991.
46. 'London Government Reform (Abolition of the Corporation of the City of London)', House of Commons Debate, 5 May 1981, Vol.4, cc19-25, http://hansard.millbanksystems.com/commons/1981/may/05/london-government-reform-abolition-of.
47. Eddie George, *The Bank of England: how he pieces fit together*, 1996, p91, in Bank of England Quarterly Bulletin: February 1996.
48. 一例を挙げると、一部でシティに関する最も信頼のおける研究とみなされているKynaston, 2002は、コーポレーション・オブ・ロンドンをほとんど無視している。それに触れているわずかな個所でも、シティの建設プロジェクトにおけるコーポレーションの役割を論じるにとどまっている。
49. たとえば、Select Committee on City of London (Ward Elections) Bill, Examination of Witness (Questions 60-79), 7 Oct 2002を参照。
50. Fraser Nelwon, 'Labour Rift Over City Overhaul', *Independent*, 7 Apr 1996参照。
51. Select Committee on City of London (Ward Elections) Bill, Examination of Witness (Questions 1-19), 7 Oct 2002.
52. 票数は労働者の「願望」ではなく「構成」――これは決定的な違いだ――を反映するものとされている。投票者はイギリスまたは他のイギリス連邦加盟国かＥＵ加盟国の市民でなければならない。また、彼らを任命する組織のシティ事業所を9月1日以降一貫して主たる就業場所とする社員、もしくは9月1日以降一貫して取締役かそれに相当する立場にある者、もしくは職業人生のいずれかの時点で合計5年以上その組織のためにのみ働いた経験があり、かつ今なおシティで働いているか、過去5年以内にシティで働いたことがある者、もしくは職業人生のいずれかの時点で10年以上、どの組織であるかは問わず、主としてシティで働いた経験があり、かつ今なおシティで働いているか、過去5年以内にシティで働いたことがある者でなければならない。The voting system for City of London Ward Elections, the City of London Corporation website, http://www.cityoflondon.gov.uk参照。
53. テイラーの他にもう一人請願書を出した者がいた。ビジネスマンのマルコム・マトソンで、彼は以前の議員選挙で当選していたのに「秘密主義で非民主的な決定」によって議員になるのを阻まれたとして、独自に請願書を出した。
54. 支持の程度はまちまちだったものの、労働党のトニー・ベン議員、無所属のマーティン・ベル議員などが支持していた。ベルは「きわめて非民主的、反民主的で、21世紀ではなく18世紀のもののような法律を、政府が黙認しているだけでなく後押しまでしているのは奇妙なことだ」と述べた。*Statement of compatibility with the European convention on human rights*, Hansard, 24 Jan 2000, Vol.343参照。
55. 同上。
56. 同上。
57. Select Committee on City of London (Ward Elections) Bill, Examination of Witness (Questions 20-39), 7 Oct 2002.
58. *City of London Funds*, under 'Council Budgets And Spending', www.cityoflondon.gov.uk, 2010年8月30日閲覧。
59. プロジェクトの進展については、ブログ'Mammon, From superhero to subzero', *Open Shoreditch*, 8 Feb 2009で説明されている。
60. シティ・キャッシュはムンバイや上海の事務所の経費もまかなっている。
61. http://www.cityoflondon.gov.uk/

world's first onshore tax haven', *The Times*, 3 Dec, 2006.
17. Richard Wray, 'Naked truth about the brand king', *Guardian*, 27 Jul 2002参照。
18. コストはほとんどかからないはずだ。多国籍企業はすでにこうした情報をすべて持っており、それを公表するだけでいいのだから。書類にサインするだけで、市民、投資家、政府にとってきわめて重要な大量の秘密情報がオンショアに移され、閲覧できるようになるだろう。
19. Michael Foot, Final report of the independent review of British offshore financial centers, HM Treasury, Oct 2009, http://www.hm-treasury.gov.uk/d/foot_review_main.pdf.
20. The Lord Mayor's International Work, City of London Corporation website, 2010年8月閲覧。
21. 'Report by the Rt. Hon. the Lord Mayor (Alderman John Stuttard) on his Visit to China, Hong Kong and South Korea', City of London Corporation, 8 Nov 2007.
22. この文書によれば、中国側は政令第10号について「資産の違法な海外移転を防ぐ」ことを目的とするもの、と説明した。
23. 2010年6月14日のチャンネル4の番組『ディスパッチズ』で、フレイザーをイギリスで最も成果をあげているロビイストとする見方が紹介され、フレイザーは「それはおそらく正しいだろうね」と答えた。
24. 上記の番組でのアリスター・ダーリングの発言。
25. City of London, Livery Companies, Alphabetical list, www.cityoflondon.gov.uk/Corporation/LGNL_Services/Leisure_and_culture/Local_history_and_heritage/Livery/linklist.htm 参照。
26. 'Development of local government', in Local History and Heritage, City of London Corporation website, 2010年8月閲覧。
27. Reginald R. Sharpe, *London and the Kingdom*, Vol. II-Part I, Bibliobazaar, LLC, 2008, p40.
28. 同上、p42。最初の調査ではウィンチェスターも除外されたが、ここは後に調査された。シティは一度も調査されなかった。
29. イギリス議会広報局への直接取材。
30. 'City Remembrancer's Office', under 'Council Departments', City of London Corporation website, 2010年8月30日閲覧。
31. House of Lords European Union Sub-committee A (Economic and Financial Affairs and International Trade), 'Inquiry into Directive on Alternative Investment Fund managers', memorandum from the City of London Corporation submitted by the Office of the City Remembrancer, Sep 2009.
32. House of Lords European Union Sub-committee A, 'Inquiry into the Commission's Communications on Ensuring Efficient, Safe and Sound Derivatives Markets', memorandum form the City of London Corporation submitted by the Office of the City Remembrancer, Jan 2010, published by UK parliament.
33. コーポレーション・オブ・ロンドンのCEO、トム・シモンズは、「法人としてのコーポレーションを設立したチャーターは存在しない」と述べた。Examination of Witness (Questions 20-39), Select Committee on City of London (Ward Elections) Bill Minutes of Evidence, www.parliament.uk, 7 Oct 2002参照。
34. Raymond Smith (ed.) *Corporation of London, Ceremonials of the Corporation of London*, 1962, cited in Timothy B. Smith, *In Defense of Privilege: The City of London and the Challenge of Municipal Reform, 1875-1890*, Journal of Social History, Vol. 27, No. 1 (Autumn, 1993), pp59-83.
35. 同上。
36. ジェームズ一世がシティ・オブ・ロンドンに与えていたもの。
37. Reginald R. Sharpe, *London and the Kingdom*, Vol.3, Longmans, Green & Co., 1895, p151. 北アイルランドのオレンジ国教党員の山高帽と傘は、彼らがコーポレーション・オブ・ロンドンに支援されていたことに由来する。
38. 同上、p166.
39. I.G. Doolittle, *The City of London and its Livery Companies*, Gavin Press, 1982, p142. 1990年代までイギリスのメディア産業の本拠地だったフリート・ストリートが

police report wants asylum after fleeing trial', *Daily Mail*, 25 Oct 2009参照。

7. Austin Mitchell, Prem Sikka, John Christensen, Philip Morris and Steven Filling, 'No Accounting for Tax Havens', AABA, 2002.
8. ケイマンの高官から著者に送られてきた電子メール。2009年4月22日に2通、2009年6月6日に1通。
9. Andy Sibcy, 'At what cost?', *Jersey Evening Post*, 22 Dec 2009. 公的医療サービスはあるが、全国民を対象とする国民医療制度はない。
10. 出自国で定められている最低税率を上回る額を納税したいと思う場合には、企業は、希望すれば、2パーセントを最低として自分で税率を決めることができる。本書執筆の時点で、ジャージーは租税制度の改革を検討している。
11. Cahal Milmo, 'Trouble in paradise as financial squeeze hits the expatriate lifestyle in Jersey', *Independent*, 10 Jul, 2004参照。

第12章　怪物グリフィン

1. ジリアン・テットがこれについて述べているのは、2008年10月31日付『ガーディアン』紙のインタビュー 'On the Money'、および自著*Fool's Gold: How Unrestrained Greed Corrupted a Dream, Shattered Global Markets and Unleashed a Catastrophe*, Little Brown, 2009, pp298-9（邦訳『愚者の黄金』日本経済新聞出版社、平尾光司+土方奈美 訳）。
2. Speech by Tim Geithner, 'Reducing Systemic Risk in a Dynamic Financial System', 9 June 2008.
3. 'A Chancellor Whose Record Has Divided the Economists', *Independent*, 22 Mar 2007.
4. William Taylor, 'City Comes Against Market Forces', *Guardian*, 23 May 2001参照。
5. Select Committee on City of London (Ward Elections) Bill, Examination of Witness (Questions 1 – 19), 7 Oct 2002.
6. Megan Murphy, 'Banking: City Limits', *Financial Times*, 13 Dec 2009 and 'The City: A Guide to London's Global Financial Center', *Profile Books*, 2008 pp261-73.
7. Michael Greenberger, 'Energy Market Manipulation and Federal Enforcement Regimes', testimony to US Senate committee, 3 June 2008, http://commerce.senate.gov/public/_files/IMGJune3\testimony0.pdf.
8. 'Linklaters Sees Fallout From Repo 105', *Financial Times*, 13 Mar 2010, and 'Report of Anton R. Valukas, Examiner, Southern District Court', US Bankruptcy Court, Southern District of New York, in re Lehman Brothers Holdings Inc., 11 Mar 2010参照。 抜け道はイギリスだけの問題でもアメリカだけの問題でもなく、二つの法域間での裁定取引から生まれていた。Brooke Masters, 'FSA on defensive over Lehman failings', *Financial Times*, 18 Mar 2010参照。
9. 'Research and statistics FAQ', Economic Information and Analysis, www.cityoflondon.gov.uk, City of London, 2010年6月閲覧。
10. 'Reaction to the Tax Gap Series', *Guardian*, 14 Feb 2009.
11. Prem Sikka, 'UK company law is terrorism's friend', *Guardian*, 20 Jan 2010.
12. 'Number of CIS Companies on London Stock Exchange's Markets Reaches 100 with Listing of Magnit', London Stock Exchange, 22 Apr 2008.
13. Will Stewart, 'Londongrad…Russia's Money Laundry', *Daily Express*, 27 Aug 2010, and 'Britain called crooks' haven', *Sydney Morning Herald*, 28 Feb 2010.
14. 'Lloyds forfeits $350m for disguising origin of funds from Iran and Sudan', *Guardian*, 20 Jan 2009, and 'Lloyds TSB to Pay $350m to Settle Probe', Bloomberg, 10 Jan 2009.
15. Richard Murphy, 'Response to the Treasury paper 'Reviewing the Residence and Domicile Rules as they Effect the Taxation of Individuals: A Background Paper'', Association for Accountancy and Business Affairs, Aug 2003参照。
16. Robert Winnett and Holly Watt, 'Britain:

文明のために支払わねばならないものだと主張したとき、ノーキストはこう答えた。「われわれは西欧文明の継承者でもなければ西欧文明の延長でもない。独自の別の文明なのだ」

20. 入手できるグラフがいくつかあるが、これを最もはっきり示しているのは次のサイトのグラフだろう。http://www.balloon-juice.com/wpcontent/uploads/2009/03/graph.jpg
21. Jason Sharman, *Havens in a Storm: The Struggle for Global Tax Regulation*, Cornell University Press, 2006, p85.
22. The Moral Case for Tax Havens, Part II参照。
23. David Cay Johnston, 'Treasury Chief: Tax Evasion Is on the Rise', *New York Times*, Jul 19 2001.
24. *OECD Tax Haven Crackdown Is Out of Line, O'Neill Says*, Center for Freedom and Prosperity, 5 Nov 2001.
25. 'Treasury Chief: Tax Evasion Is on the Rise'.
26. IRSの未発表データに基づく2008年10月の新しい調査で、自分の所得のうち隠す額の割合は、富裕層のほうが貧困層よりはるかに大きいことが明らかになった。実際の年間所得が50万ドルから100万ドルの納税者は、2001年には調整済み総所得を全体で21パーセント過小申告していた。これに対し、年間所得5万ドルから10万ドルの人々の過少申告は8パーセントにとどまった。さらに貧しい層では、ごまかしの割合はさらに低かった。'Rich Cheat More on Taxes, New Study Shows', *Forbes*, 21 Oct 2008, http://www.forbes.com/2008/10/21/taxes-IRS-wealth-biz-beltwaycz_jn_1021beltway.html参照。
27. Martin Wolf, *Why Globalization Works*, Yale Nota Bene, 2005, p283.
28. この問題を掘り下げた有益な文献として、以下を参照。Morrissey and Baker, *When Rivers Flow Upstream*, Center for Economic and Policy Research, 22 Mar 2003, or Rodrik and Subramanian, 'Why did Financial Globalization Disappoint?', Mar 2008.
29. *Caymanian Compass*, 8 July 1991.
30. Anthony Travers, 'Framing Cayman', *The Lawyer*, 29 Mar 2004, http://www.thelawyer.com/framing-cayman/109308.article.
31. Anthony Travers, 'An Open Letter to President Obama From the Cayman Islands Financial Services Association', 5 May 2009.
32. Nick Mathiason, 'Tax havens batten down as the hurricane looms', *The Observer,* 29 Mar 2009.
33. Richard Murphy, 'The TIEA programme is failing', 29 Mar, Tax Research blog, 27 Nov, 2009 and OECD, *'A Progress Report on the Jurisdictions Surveyed by the OECD Global Forum in Implementing the Internationally Agreed Tax Standard': progress made as at 10 May 2010' OECD*, May 2010. http://www.OECD.org/dataOECD/50/0/43606256.pdf参照。
34. Michael J. McIntyre, 'How to End the Charade of Information Exchange', *Tax Notes International*, 26 Oct 2009.

第11章　オフショアの暮らし

1. 'I Save Tax by Never Visiting my Family, Says Tycoon Guy Hands', *Guardian*, 5 Feb 2010. 子どたちのほうから彼を訪ねることはできたと、彼は語っている。
2. 'Europe, US Battle Swiss Bank Secrecy', *Der Spiegel*, 20 May 2008参照。
3. この件を暴いた会計士のリチャード・マーフィーは、これを「債務の転嫁と責任の回避を図り、世間一般の良識を悪用する完全なでっち上げ」と呼んだ。受託者については、「その事務所がロンドン、ニューヨーク、デラウェア、香港、チャネル諸島、ケイマン島にあるのは驚くことではない……この種の取引はオフショアでは毎日でっち上げられている」と述べている。Richard Murphy, *Northern Rock – the questions needing answers*, Tax Research blog, 17 Sep 2007参照。
4. 'Doom-Mongers Huddle Over Island Under Threat', *Financial Times*, 11 Nov 1998.
5. Patrick Muirhead, 'Jersey's Culture of Concealment', *The Times*, 24 Apr 2008.
6. 'Senator from Jersey accused of leaking

presentation at Capitol Hill, 23 Mar 2009, http://www.youtube.com/watch?v=ISfsY1nqoaM&feature=related参照。

8. Paul de Grauwe and Magdalena Polan, 'Globalisation and Social Spending', Cesifo Working Paper No. 885, Mar 2003.
9. Tax revenues as a share of GDP, OECD, http://www.OECD.org/dataOECD/48/27/41498733.pdf.
10. 'A fair share: Has the tide turned for corporate profits?' *The Economist*, 27 Aug 2009参照。たとえば、経済危機が発生する前年の2006年には、アメリカの企業利益の国民所得に占める割合は、第2次世界大戦後のどの時期よりも大きく、賃金と給与はどの時期よりも低かった。
11. David Cay Johnston, 'Tax Rates for Top 400 Earners Fall as Income Soars, IRS Data', *Taxanalysts*, 2010参照。
12. ミッチェル自身の著書に、この問題をはっきり説明する2006年のヨーロッパの独創的な調査が引用されている。「(税率低下の)法人に対する影響は重要かつ大きい。それは法人税率低下——おそらく租税競争によるもの——の歳入に対する影響が、部分的には法人税収の減少よりもむしろ個人所得税収の減少にあらわれることを示唆している……租税競争を憂慮すべき理由は(結局のところ)存在するのである」。'Corporate Tax Policy, Entrepreneurship and Incorporation in the EU', CESifo Working Paper No. 1883, Dec 2006. Lucas Bretschger and Frank Hettich, *Globalisation, Capital Mobility and Tax Competition: Theory and Evidence for OECD Countries*, in Elsevier, European Journal of Political Economy, 2002 および S. Ganghof, *The Politics of Income Taxation: A Comparative Analysis*, ECPR Press, 2006も参照のこと。
13. Michael Keen and Alejandro Simone, 'Is Tax Competition Harming Developing Countries More Than Developed?', *Tax Notes International*, 1317, 28 June 2004.
14. Klemm, Alexander and Van Parys, Stefan, *Empirical Evidence on the Effects of Tax Incentives*, IMF Working Paper 09/136, IMF, 1 July, 2009参照。こうした税制優遇措置の一つがタックスホリデー（一定期間の免税）だったのだが、これは「最も悪質な形のインセンティブと広くみなされている」と、IMFのエコノミストたちは述べている。イギリスでもマーガレット・サッチャーの政権下でこれを短期間試したが、うまくいかなかった。10年間のタックスホリデーを設けたら、企業は9年11ヵ月後にイギリスを去るか、でなければ事業を別の子会社に移して、さらに10年免税の特典を得ようとしたのである。このような失敗の後、それでもなおアフリカ諸国はタックスホリデーの導入を勧められた。1990年にはサハラ以南アフリカでタックスホリデーを設けている国は一つだけだったが、10年後にはすべての国が導入していた。これらのタックスホリデーはたいていの場合、特別な輸出加工区(EPZ)で適用されているが、EPZは国内に存在する小さなオフショア法域とも言えるものだ。こうした輸出加工区ができると、国内で投資しようとする現地の富裕層は、必ず資金を海外に送り、オフショアの秘密法人を使ってそれを外国資本に見せかけ、それから国内に戻すという方法をとる。そうすることで課税額を大幅に減らすのだ。
15. Todd Moss, Gunilla Pettersson and Nicolas van de Walle, 'An Aid-Institutions Paradox? A Review Essay on Aid Dependency and State Building in Sub-Saharan Africa', Center for Global Development, Working Paper 74, Jan 2006.
16. Daniel J. Mitchell, 'Why Tax Havens are a Blessing', *Foreign Policy*, 17 Mar 2008.
17. 'The Moral Case for Tax Havens', Center for Freedom and Prosperity, Oct 2008, YouTube presentation, and 'Tax Justice Network Sides with Europe's Tax Collectors, Ignores Critical Role of Low-Tax Jurisdiction in Protecting Human Rights and Promoting Pro-Growth Policy', Center for Freedom and Prosperity, 7 Apr 2005.
18. Joel Bakan, *The Corporation*, Constable & Robinson Ltd., 2005, p154.（邦訳『ザ・コーポレーション』早川書房、酒井泰介 訳）
19. 租税の問題を追いかけているジャーナリストのデイヴィッド・ケイ・ジョンストンがノーキストに反論して、彼の見方は大多数の経済学者の見方とは相いれない、租税は

Entities', Bank for International Settlements, Sep 2009参照。

35. BISの報告書は、「オンショア(デラウェア)かオフショア(ケイマン)かの判定は、一般に前項(SPEの税務面での検討事項について)で述べた要因によって決定されるだろうが、他(税制以外)の検討事項(法制度の明快さ、法人設立の容易さなど)は、一般にすぐ前のヨーロッパのSPEの項で述べたものと似通ったものになるだろう」と述べている。「法制度の明快さ」と「法人設立の容易さ」は、とくにこれら法域の、本書の定義によるオフショアの地位からきていることに留意していただきたい。

36. Jim Stewart, 'Shadow Regulation and the Shadow Banking System: The Role of the Dublin International Financial Services Centre', *Tax Justice Focus*, Vol. 4, No. 2, Nicholas Shaxson (ed.), 18 Jul, 2008; Jim Stewart, 'Low Tax Financial Centres and the Subprime Crisis: The IFSC in Ireland', Presentation at Tax Justice/AABA research workshop, University of Essex, 3-4 July 2008; およびJim Stewart, 'Low Tax Financial Centres and the Financial Crisis: The IFSC in Ireland', 15 May 2010の草稿版を参照。

37. 影の銀行にとってのダブリンの魅力は、低率の税制度だけでなく(もちろんこれも大きな魅力ではあったが)、アイルランドの数々の租税条約や、この国がそれぞれの銀行の本国で規制当局が要求する基準を、特定のEU指令が適用される基準を含めて、満たしていることもあった。ユーロ圏の一員であることも、きわめて大きな魅力になっていた。

38. アバカスの目論見書および参考条件を参照。http://www.scribd.com/doc/30054003/Abacus-2007-AC1-INDICATIVETERMS.

39. 'Goldman's Offshore Deals Deepened Global Financial Crisis', McClatchy, 30 Dec 2009.

40. 'Debt Bias and Other Distortions: Crisis-Related Issues in Tax Policy', IMF Fiscal Affairs Department, 12 June 2009.

41. ＩＭＦの2003～7年の資料、および 'Private Equity Fund Raising up in 2007: Report', Reuters, 8 Jan 2008より。

42. Andrew G. Haldane, 'Small Lessons From A Big Crisis', 2009年5月8日のシカゴ連邦準備銀行第45回年次総会「金融規制改革」における発言。これらの慣行の見事な例については、Gletchen Morgenson, 'Private Equity's Trojan Horse of Debt', *New York Times*, 12 Mar 2010、およびJulie Cresswell, 'Profits for Buyout Firms as Company Debt Soared', *New York Times*, 4 Oct 2009を参照。

43. GFIの調査は一連の推定値を出しており、赤字国への純流入額は数千億ドル相当としている。Dev Kar and Devon Cartwright Smith, 'Illicit Financial Flows from Developing Countries 2002-2006', Global Financial Integrity, Washington, 2008, p23の図7を参照。

44. Haldane, 8 May 2009.

第10章　抵抗運動

1. 'Harmful Tax Competition: An Emerging Global Issue', Organisation for Economic Cooperation and Development.

2. タックスヘイブンを攻撃しようとする大規模な試みとしては、1981年1月にアメリカ内国歳入庁が発表したいわゆるゴードン・レポートがあった。ロナルド・レーガンが大統領に就任する1週間前に発表されたこのレポートは、痛烈ではあったが、たちまち葬り去られた。Richard A. Gordon, special counsel for international taxation, 'Tax Havens and Their Use by United States Taxpayers – An Overview: A report to the Commissioner of Internal Revenue, the Assistant Attorney General (Tax Division) and the Assistant Secretary of the Treasury (Tax Policy)', report submitted 12 Jan 1981.

3. 1998年の報告書はタックスヘイブンの名前を挙げていないが、内容は明らかに小さな島嶼部の金融センターを標的にしたものだ。

4. ダニエル・ミッチェルへの直接取材、ワシントンDC、2009年1月16日。

5. David Cay Johnston, 'Behind I.R.S. Hearings, a G.O.P. Plan to End Tax Code', *New York Times*, 4 May 1998参照。

6. Johnston, p148.

7. Dan Mitchell, 'The Liberalizing Impact of Tax Havens in a Globalized Economy',

Economy', *Harper's*, 1 Apr 2009を参照。

18. Paul Tucker, 'Shadow Banking, Financing Markets and Financial Stability', Bank for International Settlements, 21 Jan 2010. ポール・タッカーはイングランド銀行の金融安定担当副総裁。

19. ビオンディ、スウェイジらへの直接取材、およびDavid S. Swayze, Esq. & Christine P. Schiltz, Esq., 'Keeping the First State First: The Alternative Bank Franchise Tax as an Economic Development Tool', in the Fall 2006 edition of Delaware Bankerより。

20. たとえば*JP Morgan CDO Handbook*, 29 May 2001, p31やScott E. Waxman, *Delaware Statutory Trusts, Potter Anderson & Corroon LLP*を参照。ビオンディはデラウェア法定信託法に関わったとは言わなかった。

21. Scott E. Waxman, Nicholas I. Froio, Eric N. Feldman and Ross Antonacci, 'Delaware: The Jurisdiction of Choice in Securitisation', Potter, Anderson & Corroon LLP, http://library.findlaw.com/2004/May/19/133435.html.

22. David S. Swayze and Chiristine P. Schiltz, *The Evolution of Banking in Delaware, Parkowski*, Guerki & Swayze, http://www.pgslegal.com/CM/FirmNews/evolution-ofbanking-in-delaware.asp.

23. John Dunn, Prem Sikka, *Auditors: Keeping The Public in the Dark*, Association for Accountancy & Business Affairs, 1999, http://visar.csustan.edu/aaba/dunn&sikka.pdf

24. たとえば1948年のイギリス会社法はこれを義務づけている。

25. コンラート・フムラーへの直接取材、2009年11月4日。

26. David Cay Johnston, *Perfectly Legal: The Covert Campaign to Rig our Tax System to Benefit the Super Rich-and Cheat Everybody Else*, Penguin, 2003, p15.

27. 1989年イギリス会社法。

28. Michael R. Sesit, 'Offshore Hazard: Isle of Jersey Proves Less than a Haven to Currency Investors', *Wall Street Journal*, 17 Sep 1996.

29. ジャージー議会主席顧問コリン・パウエルからジャージー金融経済委員会委員長ピエール・ホースフォールに宛てた1996年10月の手紙は、当時は公式な見解が定まっていなかったことを示している。「議会のメンバーが地元企業の役員であっても何ら問題はないという考えを持っている者がいるかもしれない。実際のところ、そのメンバーが常勤で給料をもらっているのでない限り、それはやむをえないことだ」と、この手紙は述べている。そして、提案されている解決策は金融業界を監督する委員会を設置することだが、それを行っても「金融業界に直接利害関係がある者が委員会に入るだろう」から、事態はさほど変わらないだろうと認めている。それから、解決策は、委員会のメンバーが利益相反のある分野には関与しないようにすることと、この問題をさらに議論することだと述べている。

30. 'Finance: Damage Might Be Done to Jersey's Reputation', *Jersey Evening Post*, 15 Feb 1996.

31. 'Accountancy Age', 29 Mar 2001, p22, Austin Mitchell, Prem Sikka, John Christensen, Philip Morris, Steven Filling, *No Accounting for Tax Havens*, Association for Accountancy and Business Affairs, 2002に引用。http://www.taxjustice.net/cms/upload/pdf/AABA.pdf.

32. Luca Errico and Alberto Musalem, 'Offshore Banking: an Analysis of Micro- and Macro-Prudential Issues', IMF, Jan 1999. また、'Favourable regulatory treatment in OFCs increases the operational leeway of offshore banks for balance sheet management'も参照。このＩＭＦの論文は、「預金に対する所要準備額、所要流動性、負債・資産集中規制、最低所要自己資本比率、外国為替持ち高の厳しい上限規定などを免れることで、オフショア銀行はバランスシートをより自由に管理することができる」と述べている。

33. たとえば、Roger Lowenstein, *When Genius Failed: the Rise and Fall of Long-Term Capital Management*, Fourth Estate, 2002（邦訳『最強ヘッジファンドＬＴＣＭの興亡』、日本経済新聞社、東江一紀＋瑞穂のりこ 訳）は、この出来事についてのすばらしい分析だが、オフショアという要素はほぼ完全に無視している。

34. たとえば'Report on Special Purpose

34. 中国商務省。香港の投資総額は277億ドルだった。第三位は韓国で、投資額は37億ドルだった。
35. たとえば、*India Gets 43% FDI through Mauritius Route*, Press Trust of India, 20 April 2009を参照。
36. モーリシャスは、ナポレオン戦争のときイギリスに占領されるまではフランスの植民地だった。

第9章　オフショアの漸進的拡大

1. たとえば、'High-Interest Lenders Tap Elderly, Disabled', *Wall Street Journal*, 12 Feb 2008を参照。この記事は「給料日までのつなぎ融資」を調べたもので、年利にすると406パーセントにもなる例が挙げられている。
2. 取材した人物のなかには1980年5月だったという者もいたが、ヘンリー・ベックラーの覚書では1980年6月2日とされている。http://www.wtcde.com/HenryBeckler.pdf
3. 「銀行家や州の高官たちによれば、他州の高官、メディア、一般市民など、この法案に疑問を差し挟む可能性があった人々には意図的に何も知らせないようにした」。'New York Banks Urged Delaware to Lure Bankers', *New York Times*, 17 Mar 1981.
4. ビオンディはデラウェア州法曹協会の前会長で、民主党員だが、民主・共和両党の知事の顧問を務めてきた。多くの企業、全米トラック運転手組合、その他さまざまなクライアントの代理人を務めてきた弁護士。デラウェアの政治関係サイトDelaware Grapevineによれば、「企業献金を集めたり票をとりまとめたりする手腕がある現実的な考え方の政治工作の達人」である。
5. ヘイワードへの直接取材、およびLarry Nagengast, *Pierre S. Du Pont IV, V Governor of Delaware, 1977-1985*, Delaware Heritage Commission, 2006, p109のヘイワードの言葉。
6. 'Birth of a Banking Bonanza', *Delaware Lawyer*, fall 1982, p38.
7. David S. Swayze, Christine P. Schiltz, Parkowski, Guerke & Swayze, 'Keeping the First State First: The Alternative Bank Franchise Tax as an Economic Development Tool', *Delaware Banker*, fall 2006.
8. Adrian Kinnane, *Durable Lagacy: A History of Morris, Nichols, Arsht & Tunnell*, Morris, Nichols, Arsht & Tunnell, Delaware, 2005, http://www.mnat.com/assets/attachments/MNAT_Book__Web_Version.pdf.
9. 'New York Banks', *New York Times*, 17 Mar 1981.
10. Nagengast, 2006, p113.
11. 2010年にいわゆるホワイトハウス州際貸付改正法案が上院に提出された。共同提出者はコクラン、マークリー、ダービン、サンダース、レヴィン、バリス、フランケン、ブラウン(オハイオ州)、メネンデス、レーヒー、ウェブ、ケイシー、ワイデン、リード、ユーダル(コロラド州)、ベギックの各上院議員。この法案は、州外の貸金業者に金利上限を課す権限を州に取り戻すことを目的としている。本書執筆の時点では、まったく進展していない。
12. Nagengast, 2006, p114.
13. デラウェア州財務省の銀行営業税に関する記述より。http://finance.delaware.gov/publications/fiscal_notebook_09/Section07/bank_franchise.pdf.
14. 'New York Banks', *New York Times*, 17 Mar 1981.
15. Nagengast, 2006, p110.
16. 'Consumers Turn to Plastic as Home Loans Slow', Reuters, 11 Sept 2007. クレジットカードの債務残高は9070億ドルで、2008年12月には9750億ドルに膨らんでいた。'US Credit Card ABS: 2006 Outlook', Barclays Capital, 26 Jan 2006; Mark Furletti, 'An Overview of Credit Card Asset-Backed Securities', Philadelphia Fedeal Reserve, Dec 2002; 'Fed Report: Consumer Credit Card Balances Keep Plummeting', Creditcards.com.
17. この調査は私と『ハーパーズ』誌のケン・シルヴァースタインが2009年にデラウェア州で行った。私の知る限り、このデラウェアの出来事を詳しく調べ、それをより広範な影響と関連づけた論述は、注9に示した『ニューヨーク・タイムズ』の記事を除いて、一つもない。ゲーガンの引用については、Thomas Geoghegan, 'Infinite Debt: How Unlimited Interest Rates Destroyed the

彼は被告不在のまま武器密売、詐欺、脱税で有罪判決を受けた。ガイダマックは、予審判事はねつ造文書を証拠として使ったのであり、自分は当時ロンドンに居住していたので、フランスの税金を払う必要はなかったのだと主張した。ガイダマックへの直接取材、およびGlobal Witness, *All the President's Men: The devastating story of oil and banking in Angola's privatized war,* March 2002, p26に引用されている*Le Monde*, 8 Dec 2000。

17. 彼が購入資金の調達を手助けした武器のおかげでUNITAに対する勝利が早まったのは確かだが、武器の供給を手助けすることが「平和をもたらす」要素になるという見方には誰もが同意するわけではないだろう。ガイダマックは最近、イスラエルのサッカー・チーム「ハポエル」とサッカーボール・チーム「ベイタル・エルサレム」を買収したが、それは政治的目的のためだと、彼は説明した。

18. 'Time for Transparency', *Global Witness*, Mar 2004, p44.

19. 1億6000万ドル以上のカネが、モスクワの財務省という名義の口座に振り込まれたが、スイスの消息筋は、この口座は、名義はそうであっても実際には単なる見せかけで、背後に他の組織がいた可能性があると教えてくれた。

20. *'Le règlement de la dette angolaise aurait donné lieu à des détournements de fonds'*, *Le Monde*, 3 Apr 2002: 'Time for Transparency', Mar 2004に引用。私はガイダマックに、このカネはオフショアで個人の懐に消えたのかと聞いてみた。彼は違うと言った。約束手形と引き換えにロシアに現金を払う代わりに、アバロンはロシアに「ロシアの債務」で——こうした得体の知れないオフショア企業を通じて彼が流通市場で購入し、それからロシアに返還されるロシア国債で——支払っていたのであり、アバロンはその債券取引で合法的にも利益を得ていたのである。彼が仲介的な口座を経由してではなく直接ロシアに支払うと決めてかかるのは「途方もない愚かしさ」だと、彼は言った。

21. Dev Kar and Devon Cartwright-Smith, 'Illicit Financial Flows from Africa: Hidden Resource for Development', *Global Financial Integrity*, 26 Mar 2010.

22. Emily Crowley, DQWS ' "Angolagate" Revisited', Global Financial Integrity, Task Force on Financial Integrity and Economic Development, 7 Apr 2010.

23. 'Angola: Statistical Annex and Angola, Recent Economic Developments', IMF data, various years.

24. Soyo-Palanca TrustとCabinda Trust。

25. 一部のエコノミスト——多くが金融サービス業界やタックスヘイブンとつながりを持つ者——は、これらの数字に反論しようとしてきたが、誰一人成功しなかった。実際、これらの数字は入手可能な唯一の類似の公的推定値、1994年の世界銀行の調査とかなり一致している。世界銀行の調査は、1992年の途上国からの資本逃避の総額を1550億〜3770億ドルと推定している。この金額を単純に2006年のドルの価値に直すと（IMFの変換レート、287.2パーセントを使って）、4430億ドルから1兆1000億ドルという数字になる。だが、実際には、経済成長率がインフレ率を大幅に上回ってきた。これに対する反論や詳しい議論については 'Time to Bury the Oxford Report', Tax Justice Network, 16 July 2009を参照のこと。

26. Leonce Ndikumana and James Boyce, 'New Estimates of Capital Flight from Sub-Saharan African Countries: Linkages with External Borrowing and Policy Options', Political Economy Research Institute, 4 Aug 2008.

27. 気候変動のほうが大きな脅威だと主張する人もいるかもしれないが。

28. http://www.freedomandprosperity.org/1tr/gramm-irs/gramm-irs.shtml.

29. James S. Henry, *The Blood Bankers: Tales from the Global Underground Economy*, Thunder's Mouth Press, 2003, p73.

30. Helleiner, 1996, p177.

31. 引用は『カウンターパンチ』誌での私のインタビューとハドソンのインタビューから。http://www.counterpunch.org/schaefer03252004.html.

32. Luca Errico and Alberto Musalem, 'Offshore Banking: an Analysis of Micro- and Macro-Prudential Issues', IMF, Jan 1999.

33. 適切な租税条約や外国税額控除など。

40. 衡平法裁判所はイギリスの教会裁判所と信託法から生まれたもので、そこでは法定後見人の概念や受託義務の概念が最優先されていた。そのため衡平法裁判所は、デラウェア州の衡平法裁判所が最も頻繁に行うこと、すなわち企業の内部の仕組みや事態がうまくいかないときの対応――社内の規則が守られてきたか、経営側のインサイダーが株主の利益を違法に損なってはいないか、会社法が公正に適用されてきたか――の核心について判決を下すのに便利なのだ。
41. *Transcript of Interview with Mrs Ngozi Okonjo-Iweala, Nigerian Finance Minister, Interview* by Paul Vallery, Independent, 16 May, 2006.
42. トランスペアレンシー・インターナショナルは現在もこの問題に取り組んでおり、2008年11月にはこうした問題に立ち向かうために「第二波」の腐敗防止キャンペーンを呼びかけた。本書執筆の時点で、この組織は自身の姿勢の見直し作業を進めている。

第8章　途上国からの莫大な資金流出

1. ジョン・モスコウへの直接取材。*Money Laundering Bulletin*, Apr 1997.
2. 麻薬取引の規模についてはさまざまな推定値がある。この数字は 'The Global Narcotics Industry', Center for Strategic and International Studies, Washington DCから引用。http://csis.org/programs/transnational-threats-project/past-task-forces/-global-narcotics-industry 参照。
3. 1バレル750億ドルという現在の価格に基づく。
4. http://www.nytimes.com/1991/08/22/business/washington-at-work-a-crusader-driven-by-outrage.html?pagewanted=2?pagewanted=2. ブラムは、本書執筆のために多くの支援と助言も与えてくれた。
5. BCCIに関するここでの記述は、大部分がPeter Truell and Larry Gurwin, *False Profits: The Inside Story of BCCI, the World's Most Corrupt Financial Empire*, Houghton Mifflin Company, 1992、Robinson, 2004、さまざまな新聞記事や学術論文、および2008年と2009年に行ったロバート・モーゲンソーとジャック・ブラムへの直接取材に基づいている。
6. BCCIが存続したほとんどの期間、アーンスト・アンド・ウイニー（現アーンスト・アンド・ヤング）がBCCIルクセンブルクの監査を、プライス・ウォーターハウス（現PwC）がBCCIケイマンの監査を行っていた。
7. Truell and Gurwin, 1992, p87参照。
8. 同上、p189.
9. 同上、pp193-7, 290-1; Robinson, 2004, pp79-81. 資本の一部は実体のあるものだったが、ほとんどはそうではなかった。
10. モーゲンソーへの直接取材、2009年5月4日。
11. Peter Truell and Larry Gurwin, *False Profits: The Inside Story of BCCI, the World's Most Corrupt Financial Empire*, Houghton Mifflin, 1992, p.357.
12. 同上、p84.
13. 2009年、イギリスの情報コミッショナーは、BCCIに関するプライス・ウォーターハウスの 1991年の報告書を公開せよという、情報公開法に基づくプレム・シッカの要求を拒否した。同コミッショナーは、その異例の冗長な回答の中で、「イギリスが国際的なパートナーたちと強固で効果的な関係を維持することは、明らかに公共の利益にかなうことだ」と述べている。これはタックスヘイブンであるロンドンを明らかに擁護する言葉である。Freedom of Information Act 2000 (Section 50), Decision Notice, 14 Dec 2009, Information Commissioners (UK) 参照。シッカは、2010年6月15日の著者への電子メールで、この報告書の公開を実現するために引き続き努力していると述べている。また、Austin Mitchell, Prem Sikka, Patricia Arnold, Christine Cooper, Hugh Willmot, *The BCCI Cover-UP*, Association for Accountancy & Business Affairs, 2001で、BCCI事件に関する有益かつ詳細な分析を提供している。
14. モーゲンソーへの直接取材、2009年5月4日、および 'More Offshore Tax Probes In Works: NY's Morgenthau', Reuters, 27 April 2009.
15. Nicholas Shaxson, *Poisoned Wells: The Dirty Politics of African Oil*, Palgrave Macmillan, 2007.
16. フランスの予審判事は2001年1月、ガイダマックに対する国際逮捕状を出し、ガイダマックはモスクワに逃れた。2009年10月、

1984を参照。
15. Hampton, 1996, p63.
16. Palan, 2003, p135.
17. ローゼンブルームへの直接取材、2009年12月1日。
18. ポートフォリオ利子に対する源泉徴収の免除。
19. マッキンタイアへの直接取材。また、*Testimony of Michael J. McIntyre and Robert S. McIntyre on Banking Secrecy Practices and Wealthy American Taxpayers* before the US House Committee on Ways and Means Subcommittee on Select Revenue Measures, 31 Mar 2009を参照のこと。
20. 同上。
21. 2010年のアメリカの外国口座税務コンプライアンス法（FACTA）はQIルールのいくつかの面をより厳しくして、アメリカの税金をごまかすことをより難しくしているが、外国人にとっての守秘性は変わっていない。'FACTA: New Automatic Info Exchange Tool', Tax Justice Network, 18 May 2010.を参照。
22. Michael J. McIntyre, 'How to End the Charade of Information Exchange', *Tax Notes International*, 26 Oct 2009, p194参照。
23. この情報の多くは、アメリカ上院常任調査小委員会公聴会議事録 'Failure to Identify Company Owners Impedes Law Enforcement', 14 Nov 2006より。上院常任調査委員会が作成した*US Corporations Associated with Viktor Bout*, November 2009, wwwlevin.senate.govも参照のこと。
24. 同上、p3.
25. L. J. David, 'Delaware, Inc'., *New York Times*, 5 June 1988.
26. *Incorporating in Nevada*, Corp 95, http://www.corp95.com/ を参照のこと。25 Aug 2010に閲覧.
27. 守秘性の形態はさまざまで、デラウェアの場合は企業の透明性の欠如、スイスの場合は金融取引の透明性の欠如という形をとっている。
28. アメリカ上院常任調査小委員会（2006年11月14日）。2008年にこの分野での透明性を高めることを目的とする新しい法案、Incorporation Transparency and Law Enforcement Assistance Actが提出された。本書執筆の時点では、この法案は棚上げされている。
29. Jeff Gerth, 'New York Banks Urged Delaware To Lure Bankers', *New York Times*, 17 Mar 1981参照。
30. ほとんどの記述が、こう発言したのはガニング・ベッドフォード・ジュニアだとしているが、ホーフェッカーはウィリアム・リチャードソン・デイビーだとしている。
31. Rita Farrel, 'Delaware Justices Uphold Ruling on Disney Severance', *New York Times*, 9 June 2006.
32. Bernard S. Black 'Shareholder Activism and Corporate Governance in the United States', *New Palgrave Dictionary of Economics and the Law*, Vol. 3, 1998 pp459-65.
33. Senate Bill No.58, *An Act to Amend Title 10 of the Delaware Code Relating to the Court of Chancery*, State of Delaware Division of Corporations, http://corp.delaware.gov/.
34. Matthew Goldstein, 'Special Report: For Some People, CDOs Aren't a Four-Letter Word', Reuters, 17 May 2010.
35. Dr. Madhav Mehra, 'Are We Making a Mockery of Independent Directors?', World Council for Corporate Governance, http://www.wcfcg.net/ht130304.htm.
36. ケイマン諸島とは顕著な違いがある。たとえば、ケイマン諸島のほとんどの会社（「特例」会社）は、ケイマンの法律によりケイマンでビジネスを行ってはならないとされているが、デラウェアではそんなことはない。また、デラウェアでは、一般に連邦税は支払わねばならないが州税は払う必要がないのに対し、ケイマンではまったく税金を支払う必要はない。
37. 実際の数は1万8000近い。
38. *List of Delaware Registered Agents*, State of Delaware Division of Corporations, http://corp.delaware.gov/agents/agts.shtml. 2010年6月に閲覧。
39. *2008 Annual Report: Serving Delaware and the World*, Delaware Division of Corporations, http://sos.delaware.gov/2008AnnualReport.pdf. に掲載されている2008年および2007年のレポート。

いくぶん緩和されたが、守秘義務違反を刑事罰に処するという基本路線は堅持されている。

26. Norman's Cay: Playground for Drug Smugglers, PBS Frontline, www.pbs.org 1995-2010.
27. ジョンソンへの直接取材、ジョージタウン、2009年5月。
28. Seamus Andrew, Niall Goodsir-Cullen, *Accountability of Cayman Islands Directors, published by* SC Andrew LLP, London, 2008参照。
29. *Companies and Partnerships*, published by Cayman Islands Financial Services, Cayman Islands Government参照。最終閲覧日は2010年8月27日。

第7章　アメリカの陥落

1. 2008年にニューヨークでハドソンから直接聞いた話。このメモの内容は、Tom Naylor著*Hot Money and the Politics of Debt*のペーパーバック版(2004年)の33ページに記載されている。
2. Raymond Baker, *Capitalism's Achilles Heel: Dirty Money and How to Renew the Free-Market System*, John Wiley & Sons, Inc., 2005. Bakerは国境を越えた違法な資本フローに関する世界的権威。第4章に「アメリカのマネーロンダリング防止法により違法とされている活動」という見出しの長い表が掲載されている。この表は、ハイジャック、人身売買、密入国斡旋、銀行詐取、贈収賄、海中投棄など、アメリカの法律に基づいてマネーロンダリング罪で告発する根拠になりうる65の犯罪を列挙している。さらに、それぞれの犯罪を二つの欄と照合するようになっている。一つは、資金フローの根底にある犯罪がアメリカで行われたかどうか、二つ目は、その犯罪が海外で行われたかどうか、である。この表に列挙されている65の犯罪は、それがアメリカで行われた場合はアメリカのマネーロンダリング防止法の発動対象となるが、海外で行われた場合は、このうちの4分の3——密入国斡旋、恐喝、債務強制隷属労働、奴隷労働、ほぼあらゆる形の脱税など——は、「禁止行為」のリストから除外される。
3. たとえば、'US Bankers Attack IRS Deposit Interest Reporting Requirement', *Tax News*, 3 Dec 2002を参照。
4. *Time*, 2 Dec 1993.
5. Naylor, 2004, p292参照。
6. ブラムへの電話取材、および同上、p293.
7. ケネディの演説はhttp://www.presidency.ucsb.edu/ws/index.php?pid=9349.
8. 融資には税金がかからないので、多くの企業が債券発行による資金調達から借入に移行した。外国への銀行融資を抑制するために、アメリカ議会は1965年1月に「対外融資自主規制プログラム」(VFCRP)を成立させ、1966年にその適用範囲を拡大した。アメリカ企業は海外直接投資を自主的に制限するよう求められた。このプログラムは、1968年には強制的に適用されるようになった。資本規制は1969年に緩和され、アメリカが固定相場制のブレトンウッズ体制から離脱した後、1974年に廃止された。'An Introduction to Capital Controls', Review, Federal Reserve Bank of St. Louis, Nov/Dec 1999, p24などを参照。
9. この「繰り延べ」は一律に利用できるものではなかった。ケネディ政権は1962年に内国歳入法典のサブパートF条項を成立させた。これは特定の状況では、アメリカの法人税の「繰り延べ」を制限し、アメリカ企業の海外の子会社や関連会社の所得が、たとえ実際にはそうでなくてもアメリカの親会社に分配されたものとみなし、その所得分を合算して親会社に課税することで、タックスヘイブンを利用した租税回避を防ごうとするものだった。
10. 「皮肉なことに、『マネタリズム』の勝利は、国際的なつながりのためにFRBがマネタリーベースをコントロールする力が低下していたまさにその時期に起きていたようだ」Helleiner, 1996, p136.
11. 同上、p137.
12. Palan, 2003, p134.
13. Robinson, 2004, p57.
14. 新しいオフショアIBFを調査したセントルイス連邦準備銀行は、カリブ海地域におけるビジネスの衰退は「この地域におけるビジネスの発展が、全面的にと言っていいほど、アメリカの金融規制を回避する意図によるものだったことを物語っている」と述べている。K. Alec Chrystal, 'International Banking Facilities', St. Louis Fed, April

48. Burn, 2006, pp122-3.
49. 同上、p175.
50. 'Le Marché des Euro-Dollars correspondt-il aux besoins du système mondial des pairements?' *Le Monde*, 22/23 Oct 1967. 翻訳版はBritish National Archives所収。Letter from Petrie of 24 Oct 1967 to Messrs. Uffen, Hildyard, Woodruff, Ref. UE 4/44 in British National Archives.
51. Robert Skidelsky, 'The World Finance Crisis & the American Mission'. Martin Wolf, *Fixing Global Finance*の書評 (New York Review of Books, 16 July 2009).
52. Helleiner, 1996, p21.
53. 同上、p89.

第6章　クモの巣の構築

1. R. T. Naylor, *Hot Money and the Politics of Debt*, McGill-Queen's University Press, 2004, pp20-2参照。
2. Robinson, 2004, pp29-37.
3. たとえば、グレイ・オブ・ノーントン男爵(1964-8)、第8代サーロウ男爵フランシス・エドワード・ホヴェル＝サーロウ＝カミング＝ブルース(セントミカエル・セントジョージ上級勲爵士、1968-72)、ジョン・ワーバートン・ポール卿(大英帝国四等勲士)など。
4. バハマは1964年に自治権を獲得し、1973年には完全に独立したが、今なおイギリス連邦にとどまっている。
5. たとえば、Oswald Brown, 'Restore Sir Stafford's portrait on the $10 bill', *The Freeport News*, 13 Feb 2009を参照。
6. Oswald Brown, 'Restore Sir Stafford's portrait on the $10 bill', *The Freeport News*, Nassau, 13 Feb 2009.
7. Marvin Miller, *The Breaking of a President 1974—The Nixon Connection*, Therapy Productionsを参照。Kris Milligan, *Crime, Big Business & Watergate*, The Mail Archive, 26 April, 1999.
8. 'The Bahamas: Bad News for the Boys', *Time*, 20 Jan, 1967.
9. Naylor, 2004, p40.
10. この証拠は、主としてイギリス国立公文書館のPaul Sagerによってまとめられた。事実をより正確に知るためには、さらなる調査が必要だ。
11. この題材の主な研究者Paul Sagerが、この要約の核心部分を提供してくれた。
12. この簡潔な要約について、Paul Sagerに感謝する。
13. 「ケイマン諸島の第一印象」ケイマン諸島総督から外務英連邦大臣への書簡、ジョージタウン、1972年1月26日、外交文書216／72.
14. 同上。
15. ボッデンへのインタビュー、およびJ. A. Bodden, *The Cayman Islands in Transition: the Politics, History, and Sociology of a Changing Society*, Ian Randall Publishers (Kingston and Miami), 2007, p105より。
16. トニー・ベン下院議員からデニス・ヒーリー下院議員への書簡、1975年6月3日、Ref 244／01.
17. スクリヴァンへの直接取材、ジャージー、2009年3月。
18. パウエルへのインタビュー。2009年3月12日、彼がまだジャージー金融サービス委員会議長だったとき行われたもの。パウエルはその後退任した。
19. Richard Falle, *Jersey and the United Kingdom: a Choice of Destiny*, Jersey and Guernsey Law Review, 2004, www.jerseylaw.je掲載。直近のアップデートは2006年7月28日。
20. リー・クワン・ユー首相はイングランド銀行に応援を求めたが、同行は香港に集中するほうがよいと判断して、ほとんど協力しなかった。*From Third World To First: The Singapore Story 1965-2000*; Lee Kwan Yew, Singapore press holdings, 2000参照。
21. この件は広く報道されている。たとえば'Morgan Stanley fallout from Andy Xie costs more jobs', Bloomberg, 12 Oct 2009を参照。
22. Robinson, 2004, p48.
23. *The Claims Resolution Tribunal and Holocaust Claims Against Swiss Banks*, Roger P. Alford, *Berkeley Journal of International Law*, Vol.20, No.1, 2002, p257-8.
24. ギルへの直接取材、ジョージタウン、2009年5月。
25. 機密関係法は2009年に改正され、強硬さは

25. Martin Wolf, 'This time will never be different', *Financial Times*, 28 Sep 2009.
26. 中国の資本規制が今なおどれほど強力で拘束力を持っているかという記述については、2007年8月の国際決済銀行(BIS)の文書を参照。
27. 'Capital Inflows: The Role of Controls', IMF Staff Position Note, 19 Feb 2010.

第5章　ヨーロダラーというビッガーバン

1. Catherine R. Schenk, 'The Origins of the Eurodollar Market in London: 1955-1963' in *Explorations in Economic History* 35, 221-238, EconPapers, 1998参照。
2. 同上、p5.
3. 同上、p7.
4. Anthony Sampson, *Who Runs This Place? The Anatomy of Britain in the 21st Century*, John Murray, 2005, p246.
5. David Kynaston, *The City of London: VolumeIV-A Club No More, Pimlico*, 2002, p94.
6. 同上、pp80-1.
7. 同上、p90.
8. 同上、p54.
9. 同上、p19.
10. フノルドの短い伝記は、EBHA第11回年次総会(2007年9月13〜15日、ジュネーブにて開催)で発表され、ローザンヌ大学から刊行されたOlivier Longchamp and Yves Steiner,*'The Contribution of the Scweizerisches Institut für Auslandforschung to the International Restoration of Neoliberalism (1946-1966)'*を参照。
11. Richard Cockett, *Thinking the Unthinkable: Think-Tanks and the Economic Counter-Revolution*, 1931-1983, Harper Collins, 1994; pp100-21は、モンペルラン協会について詳述している。
12. 詳細はLongchamp and Steiner, 2007を参照。
13. Cockett, 1994, p108.
14. マクミラン報告(ケインズが大部分を書いたもので、カンリフ委員会報告としても知られる) 1929年、1979年にArno Press Inc.により再版、項目50。
15. Gary Burn, *The Re-emergence of Global Finance*, Palgrave Macmillan, 2006, p97.
16. Kynaston, 2002, p76.
17. Burn, 2006, p26.
18. 同上、p83.
19. Kynaston, 2002, p77.
20. Burn, 2006, p85.
21. 同上、p86.
22. Kynaston, 2002, p506.
23. Burn, 2006, p102.
24. Kynaston, 2002, p578.
25. Ronen Palan, *The Offshore World : Sovereign Markets, Virtual Places, and Nomad Millionaires*, Cornell University Press, 2003, p29.
26. Kynaston, 2002, p696-7に引用。
27. 同上、p697.
28. Mark Hampton, *The Offshore Interface: Tax Havens in the Global Economy*, Macmillan, 1996, p55.
29. Schenk, 1998, p235.
30. Burn, 2006, p113.
31. Burn, 2006, pp151, 158.
32. Kynaston, 2002, p396; Hampton and Abbott, 1999, p91.
33. Jane Sneddon Little, *Eurodollars: the Money-Market Gypsies*, Harper & Row, New York, 1975, p3.
34. Burn, 2006, pp10, 13.
35. Skidelsky, 2002, 序文とp98。
36. Burn, 2006, p142.
37. 同上、p160.
38. 同上、p161.
39. 同上、p164.
40. Martin Mayer, *The Bankers*, W. H. Allen, London, 1976に引用(Burn, 2006, p165に孫引き)。
41. Burn, 2006, p124.
42. 同上、p125.
43. Western Europe: Those Euro-Dollars, *Time*, 27 July, 1962.
44. Burn, 2006, p124.
45. 同上、p140 およびJ. Orlin Grabbe, *The End of Ordinary Money, PartII : Money Laundering, Electronic Cash, and Cryptological Anonymity*, 1995.
46. Burn, 2006, p36.
47. Kynaston, 2002, p442. Janet Kelly, *Bankers and Borders*, Cambridge, Mass., 1977, pp59-60から引用。

のアンドレアス・ミスバッハは、2009年に、スイスに置かれているオフショア個人資産の額は実際にはもっと多く、2兆5000億ドルから4兆ドルの間だろうと推定した。'Highlights form the 2009 Summary of Deposits Date', *FDIC Quarterly*, Vol. 3, No. 4, 2009.

45. ストラームへの直接取材、チューリッヒ、2009年9月21日。ストラームは自著 Warum wir so reich sind, HEP Verlag A.G., Bern, 2008, p265で、スイスの銀行の守秘性の重要な変化をリストにまとめている。

46. Ken Stier, 'After UBS, Swiss Continue to Fight for Bank Secrecy', *Time*, 5 Mar 2010.

第4章　オフショアと正反対のもの

1. The CIA's analysis of a countervailing view in R. Bruce Craig *'Treasonable Doubt: The Harry Dexter Spy Case*, Intelligence in Recent Public Literature by R. Bruce Craig, University of Kansas Press, 2004, Reviewed by James C. Van Hook, www.cia.gov .

2. Robert Skidelsky, *John Meynard Keynes: Fighting for Britain, 1937-1946*, Macmillan, 2002, pxv.

3. Robert Heilbroner, *The Worldly Philosophers*, Penguin, 1991, p253.

4. 同上、p220.

5. Skidelsky, 2000, Vol.1, p131.

6. John Meynard Keynes, *National Self-Sufficiency*, *The Yale Review*, Vol.22, No.4 (June 1933), pp755-76.

7. Heilbroner, 1991, p251.

8. 'A: The Secretary of the Treasury', Washington, 29 May 1937, ヘンリー・モーゲンソーからルーズベルト大統領に宛てた手紙。Franklin D. Roosevelt Presidential Library所収。2008年にモーゲンソーの息子で、当時マンハッタン地区担当連邦検事だったロバート・モーゲンソーから著者に贈呈された。

9. Robert Skidelsky, *John Meynard Keynes: Fighting for Britain 1937-1946*, Papermac, 2001, p92.

10. Robert Skidelsky, *John Meynard Keynes: Fighting for Freedom 1937-1946* (the US edition), Penguin Books, 2002, p112.

11. Skidelsky, 2002, pxvii.

12. 同上。

13. J. Bradford Delongによる講義。Econ 115 Lecture: Fall 2009: UC Berkley, 29 Sep 2009.

14. Eric Helleiner, *States and the Reemergence of Global Finance: From Bretton Woods to the 1990s*, Cornell University Press, 1996, p4.

15. Skidelsky, 2002, pp340, 348.

16. Barry Eichengreen, *Europe's Post-War Recovery*, CUP, 1995, p99.

17. Skidelsky, 2002, p396.

18. Geoff Tily, The policy implications of the General Theory, *Real-World Economics Review*, Issue 50, 2009.

19. Gerald A. Epstein編集、*Capital Flight and Capital Controls in Developing Countries*, Edward Elgar, 2005の Helleinerに関する章(pp290-1)。

20. Helleiner, 1996, p58.

21. 同上、p59.

22. 同上、p6.

23. Ha-Joon Chang, *Bad Samaritans*, Random House Business Books, 2007, p27.

24. たとえばDani Rodrick and Arvind Subramanian, 'Why Did Financial Globalization Disappoint?', *IMF Staff Papers*, Vol.56, No.1, 2009, pp112-38を参照。著者は自由化された経済が期待どおりの成果をあげていない原因として、為替レートをはじめとする他の要因も挙げているが、低成長と流入資本への依存度の高さとの緊密な相関関係を確かに指摘している。Monique Morrissey and Dean Baker, 'When Rivers Flow Upstream: International Capital Movements in the Era of Globalizations', Center for Economic and Policy Research, Briefing Paper, Mar 2003も参照のこと。「途上国の間での経常収支の黒字と赤字の分布の顕著な特徴は、GDP成長率が高い国のほとんどが黒字で、しかも概して多額の黒字を記録していることだ……これらの国のほとんどが、この多額の資本流出にもかかわらず高いGDP成長率を維持している事実は、資本のアベイラビリティが経済成長の大きな障害にはなってこなかったことを示している」。

12. Jonathan Steinberg, *Why Switzerland?*, CUP, 1996, p128.
13. Carolyn Bandel and Dylan Griffiths, 'Swiss Ratchet up Tax Breaks as Europe Fights Deficits (Corrected)', Bloomberg, 2 June 2010.
14. 2006年の調査で、スイスは富の格差が先進国中最も大きいと推定された。とりわけチューリッヒ、バーゼル、ヴィンタートゥールなどの工業都市で、後年、より大規模な産業が生まれたのは確かだが、フランスなどと比べると、労働運動はやはり低調だった。'Study Finds Wealth Inequality Is Widening Worldwide', *New York Times*, 6 Dec 2006参照。
15. Steinberg, 1996, p33.
16. Jules Landsmann cited in Faith, 1982, p18.
17. 普仏戦争中の預金の流れに関するデータはきわめて少ないが、ある記録は、バーゼルのある銀行の預金残高が1869年から1871年の間に360万フランから1180万フランに増大したことを示している。Adolf Johr, Die Volkswirtschaft der Schweiz in Kriegsfall, Verlag von Luhn & Schurch, 1912.
18. 税率はスイスでも上がったが、中立の立場をとったスイスは戦費の必要がなかったので、他国に比べればはるかに小幅な上昇だった。いずれにしても、外国資本は税を免除されていた。
19. Steinberg, 1996, p64. 連邦議員、キャスパー・ヴィリガーが1995年に、「J」は「スイスの要請に対するドイツの対応」だったことを公の場で認めた。ヴィリガーはスイスの銀行の姿勢について謝罪も表明した。
20. たとえば、Faith, 1982, pp92, 97.
21. 同上、p99. この書類の日付や出所は記載されていない。
22. Independent Commission of Experts (ICE) Switzerland-Second World War, Vol. 17, 'Switzerland and Refugees in the Nazi Era', http://www.uek.ch/en/. スイスは1942年までに9150人の外国籍ユダヤ人を合法的に受け入れたが、これは1931年の人数より980人多いだけだ。ただし、この他に何千人ものユダヤ人が、心あるスイス人の支援により非公式に入国した。Tom Bower, *Blood Money*, Pan Books, 1997, p22 およびICE, Vol. 17, summary.
23. Bowerはp72で、その後1944年のパリ解放の直前に浮上したこのようなプランについて記述している。
24. 同上、pp41-2.
25. Faith, 1982, p119.
26. Steinberg, 1996, p68.
27. Bower, 1997, p83.
28. Martin Meier, Stefan Frech, Thomas Gees, Blaise Kropt, summary of 'Swiss Foreign Trade Policy 1930-1948: Structures – Negotiations – Functions', ICE Vol. 10, http://www.uek.ch/en/.
29. Bower, 1997, pp44-5.
30. Jean-Claude Favaz, *Une mission impossible? Le CICR, les déportations, et les camps de concentration des Nazis*, Lausanne, 1998, cited in Steinberg, 1996, p70.
31. Bower, 1997, p51.
32. 同上、p34.
33. 同上、p74.
34. 同上、pp64-5. ロンドンにいたアメリカ財務省弁護士、リーマン・アーロンズへの手紙。
35. 同上、p77.
36. 'Banking with the Nazis: Documents detail Swiss banks' ties with the Third Reich', Associated Press, 16 Oct 1996; Bower, 1997, pp78-9; Faith, 1982, pp105-6.
37. とりわけスイスでは広く引用されている。たとえば、'The Swiss Economy in World War II', www.swissworld.com, Federal Department of Foreign Affairs, General Secretariat, Switzerland.
38. Bower, 1997, p88.
39. 同上、pp121-6.
40. Guex in *Business History Review*, 74, summer 2000, p264.
41. Roger P. Alford, 'The Claims Resolution Tribunal and Holocaust Claims Against Swiss Banks', *Berkeley Journal of International Law*, Vol. 20, No. 1, 2002.
42. スイス・ナショナル・バンクの2009年のデータ。
43. 'Swiss Banking Secrecy and Taxation: Paradise Lost?', *Helvea*, May 2009. このレポートで推定されているのはヨーロッパの脱税率のみ。
44. スイスのNGO、ベルン・デクラレーション

45. 注目すべき例外が一つある。'Business Unprepared as Fair Tax Follows Fair Trade into the Spotlight', SustainAbility, 14 Mar 2006だ。これは企業の社会的責任に関する議論で納税の役割を検証している。
46. 'Hogan Loses High Court Battle to Keep Financial Records Secret', *Sydney Morning Herald*, 16 June 2010に組み込まれたビデオでホーガンが主張していることを参照。

第2章　法律的には海外居住者

1. Cain and Hopkins, pp50, 157; 1929年6月と10月29日のロバートソン大使の発言。アルゼンチンの牛肉産業は輸出先としてイギリス市場にほぼ全面的に依存していた。1929年には、イギリスの海外投資からの所得の約12パーセントがアルゼンチンからのものだった。
2. Rodolfo Roquel, *Nosotros, los Peronistas*, Dunken, Argentina, p34.
3. http://www.vesteyfoods.com/en/vestey-group/vestey-group-history.html.
4. Phillip Knightley, *The Rise and Fall of the House of Vestey*, Warner Books, 1993, p27.
5. Leslie Bethell, *Cambridge History of Latin America*, Vol. 8.
6. Sol Picciotto, *International Business Taxation*, Weidenfeld and Nicolson, 1992, pp4-13.
7. 同上、pp1-37.
8. Knightley, op. cit, 1992, p34.
9. http://hansard.millbanksystems.com/lords/1992/jun/29/lord-vestey.
10. 'Lord Ashcroft's "Unequivocal Assurance" That Finally Secured Peerage', *Guardian*, 18 Mar 2010.
11. http://www.irs.gov/businesses/small/article/o,,id=106537,000.html.
12. Sol Picciotto, 'Offshore: The State As Legal Fiction', in Mark P. Hampton and Jason P. Abbott (eds.), *Offshore Finance Centres and Tax Havens: The Rise of Global Capital*, Macmillan, 1999, pp43-79.
13. Vestey, Edmund Hoyle (1932-2007), Blue Star Line obituary, Blue Star Line website, http://www.bluestarline.org/edmund_vestey2.htm.
14. 'Heirs and disgraces', *Gardian*, 11 Aug 1999参照。

第3章　中立という儲かる盾

1. Nicholas Faith, *Safety in Numbers: the Mysterious World of Swiss Banking*, 1982, p65で説明されている。
2. 同上、p68.
3. Sébastien Buex, 'The Origins of the Swiss Banking Secrecy Law and its Repercussions for Swiss Federal Policy', *Business History Review*, 74, summer 2000; The President and Fellows of Harvard College, pp237-266; http://www.jstor.org/pss/3116693 の記述に基づく。
4. 同上、p250.
5. 同上、p251に引用されている1932年11月17日付の連邦政治省から在ドイツ・スイス大使館への書簡。
6. Bruno Gurtner, 'Swiss Secrecy Laws Has Nothing to Do With the Nazis', *Financial Times*, letters page, 26 Mar 2009.
7. 'Message du Conseil fédéral a l'assemblée fédérale concernant la revision de la loi sur les banques', *Feuille fédérale*, 13 Mar 1970, cited in Guex, 2000.
8. Jean-Marie Laya, *L'Argent secret et les banques Suisses*, Favre, 1977.
9. スイスはこの守秘性をさらに強化した。1937年にフランスがスイスの銀行に新規融資を要請したとき、スイスは同意したものの、二つの条件をつけた。一つは、フランスが自国の輸入割当をスイスに有利なように修正すること。もう一つは、フランスは——銀行の秘密保護を含む——スイスの法令や経営慣行を厳密に順守すると明確に規定した条約に両国が署名することだった。これにより、スイスのフランス問題はきれいに解決された。
10. グーへの直接取材、ローザンヌ、2009年9月29日。
11. 「自身を世界の他の人種より優れていると信じる、小さな優越人種という自己イメージ」。スイスの政治家、ルドルフ・ストラームの言葉。*Change of awareness had taken place*, Swiss Department of Foreign Affairs press release, 21 Apr 2009参照。

監督する責任を負っている部署──から、『強制はしていない』と聞いて驚いた。それぞれの事業者が『自身が十分だと思うことを自身で認定して規則を作る』のだという。この自主規制のシステムは、ディック・チェイニーのエネルギー・タスクフォースによって編み出された」

30. *About the Liberian Registry*, www.liscr.com発表の概観。スタンダード・オイルとのつながりについては、Andrew Leonard, *Big Oil's slick trick,* Australian business Spectator, 15 May, 2010を参照。

31. Jeffrey Robinson, *The Sink: How Banks, Lawyers and Accountants Finance Terrorism and Crime-and Why Governments Can't Stop Them*, Robinson Publishing, 2004, p63.

32 'Large US Corporations and Federal Contractors with Subsidiaries in Jurisdictions Listed as Tax Havens or Financial Privacy Jurisdictions', GAO, Dec 2008.

33. 'World Governments Chip Away at Bank Secrecy', German Press Agency, 12 Apr 2010.

34. Nicolas Sarkozy, G20ピッツバーグ・サミット直前の発言。'Paradis Fiscaux: bilan du G20 en 12 questions', CCFD-Terre Solidaire, Apr 2010.

35. 'List of Unco-operative Tax Havens', OECD, http://www.oecd.org/document/57/0,3343,en_2649_33745_30578809_1_1_1_1,00.html. OECDがリヒテンシュタインとモナコとアンドラを削除した後の2009年5月には、このブラックリストの記載件数はゼロだった。

36. オフショア・マジック・サークルのメンバーについては一部異論もある。たとえば'Offshore firms stay afloat while governments target tax havens', *Law Gazette*, 2 July 2009を参照されたい。

37. 出典はOffice of Management and Budget, *Budget of the US Government, Fiscal Year 2011, Historical Tables*, Feb 2010（計算はシティズンズ・フォー・タックス・ジャスティスによる）。http://www.progressive.org/node/1595も参照。

38. 'Shifting Responsibility: How 50 Years of Tax Cuts Benefited the Wealthiest Americans', *Wealth for the Common Good*, Apr 2010.

39. http://www.telegraph.co.uk/news/worldnews/asia/northkorea/7442188/Kim-Jong-il-keeps-4bn-emergency-fund-in-European-banks.html.

40. Dev Kar and Devon Cartwright Smith, 'Illicit Financial Flows from Developing Countries 2002-2006', Global Financial Integrity, Washington, 2008. これは不法資金を「不法な方法で取得、送金、または使用された」資金と定義している。オックスフォード大学事業課税センターのエコノミストたちは、この推定値を「ひどく過大評価されている」と評して、その信用を落とそうとしてきたが、そう批難している彼ら自身の報告書は、GFIのエコノミスト（元IMFシニアエコノミスト）、Dev Karによって徹底的にたたきのめされた。Karは従来の推定方法の盲点を説明した。従来のモデルは、ある国からの違法な資金流出の規模を推定し、それから違法な資金流入の規模を推定して、最後に一方から他方を引いて正味の額を算出するというものだ。だが、推定値は引くべきではなく足すべきだと、Karは説いている。さらに詳しい説明は'Time to Bury the Oxford Report', Tax Justice Network blog, 16 July 2009ならびに関連リンクと、Dev Kar, 'The Alpha, but Whither the Omega, of the Greek Crisis?', Task Force on Financial Integrity and Economic Development blog, 11 May 2010を参照。

41. Capitalism's Achilles heel, この調査報告書の見出しの1兆〜1.6兆ドルという数字は、その後'Stolen Asset Recovery (StAR) Initiaive: Challenges, Opportunities, and Action Plan', World Bank/UN Office on Drugs and Crime, June 2007で支持された。

42. *Illicit flows: we finally reveal the official data*, Tax Justice Network blog, 23 July 2009.

43. ブラムへの直接取材。'A Conversation with Jack Blum', *The American Interest*, Nov/Dec 2009から引用。

44. 'Cyprus, Ireland and Switzerland Have Most Attractive Corporate Tax Regimes in Europe, Finds KPMG International Poll', 17 Dec 2009.

14 Mar 2010.

15. Jesse Druckerの*U.S. Companies Dodge $60 Billion in Taxes with Global Odyssey*, Bloomberg, 13 May 2010に引用されているオランダ中央銀行のデータ。示されている数字は12兆3000億ユーロで、www.oanda.com の平均為替レートによると約18兆ドル。

16. 1990年代初頭まで、経済史学者たちはイギリス帝国を主として産業革命の必然的帰結とみなしていた。産業革命によって帝国が必要にも可能にもなったのであり、イギリス帝国は主として産業資本主義と貿易によって推進されたとしていたのである。経済史学者のP. J. CainとA. G. Hopkinsが、1993年に2巻の著作*British Imperialism*でこの見方を変えた。同書はイギリス帝国を基本的に金融資本と国際信用、それに帝国のエンジンの支配者だったシティ・オブ・ロンドンの物語として描き直した。

17. Palan, Murphy and Chavagneux, 2010, p11参照。彼らの推定によると、王室属領と海外領土、それにかつてのイギリス帝国の領土が、すべての銀行負債の37パーセント、すべての銀行資産の35パーセントを占めており、シティ・オブ・ロンドンが11パーセントを占めている。

18. 多くの資産が実際にロンドンに流入しており、為替レートにかなりの害を及ぼしてきた。王室属領などからの資産は、イギリスの国民経済計算に統合されて、イギリス経済の状態を実際よりよく見せている。

19. Michael Foot, *Final Report of the independent Review of British offshore financial centres*, HM Treasury, Oct 2009.

20. 'Jersey Banking: The International Finance Centre', Jersey Finance Ltd. Fact Sheet, Aug 2009.

21. Martin A. Sullivan, 'Offshore Explorations: Jersey', 23 Oct 2007; 'Offshore Explorations: Isle of Man', 5 Nov 2007; 'Offshore Explorations: Guernsey', 10 Oct 2007, Tax Notes. ジャージー金融サービス委員会のコリン・パウエル会長は、2009年の著者のインタビューで、ジャージーの信託だけでこの数字より3000億〜4000億ドル多くなるだろうと推定した。

22. フォークランド諸島とイギリス領南極地域を含む7地域はタックスヘイブンではない。米英の軍事基地が置かれているアセンション島は、イギリスの力を海外に投射するための基地として、疑似帝国主義的な目的に役立っている。

23. たとえば、2003年に重要証人がMI6の諜報員として活動していたことを認めたために、マネーロンダリングに関する重要な裁判がつぶれたことがある。

24. たとえば 'Britain Imposes Direct Rule on Turks and Caicos', Associated Press, 14 Aug 2009を参照。2011年に新しい選挙を行うために、現在、準備が進められている。

25. アイルランドはユーロ圏の一員だが、1980年代末の同国の守秘法域としての台頭は、シティの利益に大きく関係しており、シティによって推進された。

26. 'Users of "Tax Havens" Abroad Batten Down for Political Gale', *New York Times*, 26 Feb 1961.

27. たとえば、タックス・ジャスティス・ネットワークのFinancial Secrecy Index, 2009を参照。このリストはアメリカを第1位に据えている。

28. ディープウォーター・ホライズンは2005年にパナマからマーシャル諸島に登記先を変えた。この掘削施設の所有者であるトランスオーシャンは、2008年にケイマン諸島からスイスのツーク州に移転した。

29. ゼダーとマーシャル諸島については、*OIA Press Release: Fred Monroe Zeder*, US Office of Insular Affairs, 2008を参照。ゼダーはブッシュ政権のこの地域駐在の大使だった。彼の非公開会社、アイランド・ディベロップメントは1986年10月14日に設立されたが、これはマーシャル諸島に600万ドルの援助を提供する条約に彼が署名する4日前のことで、600万ドルのうち120万ドルは船舶登記所の設立のために使われた。ゼダーは2008年に死去した。'Bush Friend, Former Ambassador: Company Wasn't Disclosed', Associated Press, reproduced in *The Victoria Advocate*, 30 Apr 1990参照。Khadija Sharife は、*London Review of Books*のブログ（'Ofshore Exploration', 9 June 2010）で次のように指摘した。「ディープウォーター・ホライズンの爆発・沈没を調査する合同聴聞会で、沿岸警備隊のハン・グエン隊長は、アメリカ内務省の鉱物資源管理局――オフショアでの石油採掘を

*——注

プロローグ

1. 米エネルギー情報局(EIA)
2. このエピソードはNicholas Shaxson, *Poisoned Wells: The Dirty Politics of African Oil, Palgrave*, 2007, Chs 4 and 5で詳しく取り上げられている。
3. Valerie Lecasble and Airy Routier, *Forages en eau profonde*, Grasset, 1998.
4. 同上、p252.
5. '*Scandal!*: How Roland Dumas got France Gossiping', *Independent*, 30 Jan 2001.
6. Jean-Marie Bockel, 'Je veux signer l'acte de décès de la Françafrique', *Le Monde*, 16 Jan 2008参照。

第1章 どこでもない場所へようこそ

1. これらの推定値はすべて桁をあらわしているだけとみなす必要がある。「オフショア」の定義について合意がまったくないこともあって、正確な数字を出すのは不可能だ。フランスの財務相、ドミニク・ストロス=カーンが1993年3月にパリの専門家グループに対する講演で挙げたこの数字は、J. ChristensenとM. Hamptonの 'All Good Things Come to an End', *The World Today*, Vol. 55, No. 8/9, Royal Institute of International Affairs, 1999に引用されている。この割合はそれ以後さらに上昇している。
2. Ronen Palan, Richard Murphy and Christian Chavagneux, *Tax Havens: How Globalisation Really Works*, Cornell University, 2010, p51参照。同書には銀行の資産と負債に占めるオフショアの割合が1990年に65パーセント前後に上昇し、2007年には51パーセントに低下したことを示すBISのデータが引用されている。Luca Errico and Alberto Musales, '*Offshore Banking: An Analysis of Micro- and Macro-Prudential Issues*', IMF, Jan 1999, pp17-19も参照のこと。1999年の数字は54パーセントだったが、この数字はオフショアの比較的狭い定義に基づいている。
3. Philip R. Lane and Gian Maria Milesi-Ferretti, '*The History of Tax Havens: Cross-Border Investment in Small International Financial Centers*,' IMF Working Paper, WP/10/38, Feb 2010.
4. データの出所は、Ronen Palan, *The Offshore World*, Cornell, 2003; David Bain, '*IMF finds "Trillions" in Undeclared Wealth*', Wealth Bulletin, 15 Mar 2010; M. K. Lewis, 'International Banking and Offshore Finance: London and the Major Centres', in Mark P. Hampton and Jason P. Abbott, *Offshore Finance Centres and Tax Havens*, Macmillan, 1999.
5. この広い定義はタックス・ジャスティス・ネットワークのメンバーらの合議の結果である。この定義は、イギリス政府税制調査会のリチャード・マーフィーの定義と似通っている。
6. Ahmed Zorome, '*Concept of Offshore Financial Centres: In Search of an Operational Definition*', IMF Working Paper, WP/07/87, 2007.
7. John Lanchester, 'Bravo l'artiste', *London Review of Books*, 5 Feb 2004, Neil Chenoweth, *Rupert Murdoch: The Untold Story of the World's Greatest Media Wizard*, Crown Business, 2002の書評中で。
8. *Death and Taxes: The True Toll of Tax Dodging*, Christian Aid, May 2008.
9. もともとの数字は4億ポンド、12万8000ポンドとポンドで表示されていた。www.oanda.comから得たこの年の平均為替レートで換算。
10. Form 10-Q for Chiquita Brands International Inc, 5 May 2009, Quarterly Report, http://biz.yahoo.com/e/090505/cqb10-q.html
11. 'One-third of biggest businesses pay no tax', *Financial Times*, 28 Aug 2007. 大手企業が税金を払わない理由を概説した'One third of the UK's largest companies pay no tax', Tax Research UK, 28 Aug 2007も参照。年金保険料の支払い、支払い利息に関する寛大なルール、大きな資本コスト控除、国際的な機会などが理由とされている。
12. http://www.economist.com/business/displaystory.cfm?story_id=319862&source=login_payBarrier
13. 1929年制定の法律により持ち株会社は所得税を免除されている。
14. Oliver Arlow, 'Kim Jong-il Keeps $4bn "Emergency Fund" in European Banks', *Daily Telegraph*,

●著者紹介
ニコラス・シャクソン
(Nicholas Shaxson)
『フィナンシャル・タイムズ』紙、『エコノミスト』誌をはじめ多数の媒体に寄稿しているジャーナリスト。イギリス・王立国際問題研究所の研究員。著書に、アフリカの石油が引き起こす政治腐敗や貧困を暴いた*Poisoned Well: The Dirty Politics of African Oil*などがある。

●訳者紹介
藤井清美
(ふじい・きよみ)
京都大学文学部卒業。1988年より翻訳に従事。訳書には『スティグリッツ教授の経済教室』(ダイヤモンド社)、『経営の未来』『経営戦略の巨人たち』(以上、日本経済新聞出版社)、『バーナンキは正しかったか?』『コトラーのマーケティング3.0』『スマート・プライシング』(以上、朝日新聞出版)など多数。

タックスヘイブンの闇
世界の富は盗まれている!

2012年2月29日　第1刷発行
2012年5月 5 日　第3刷発行

著者　ニコラス・シャクソン
訳者　藤井清美
発行者　小島 清
発行所　朝日新聞出版
〒104-8011　東京都中央区築地5-3-2
電話　03-5541-8814（編集）
03-5540-7793（販売）
印刷所　大日本印刷株式会社

Published in Japan by Asahi Shimbun Publications Inc.
ISBN978-4-02-331002-5
定価はカバーに表示してあります